人権法

第3版

近藤 敦

日本評論社

目 次

第3版のはじめに………1
第2版のはじめに………4
はじめに………7

第1章　基本的人権とは何か……………………………………15

第1節　人権の歴史………16
1　思想としての人権から憲法上の人権へ　16
2　国民の権利から普遍的な人権へ　18
3　人権条約の国内法上の効力　26
4　第2世代の人権　30
5　第3世代の人権　33

第2節　日本国憲法の人権の内容………34
1　基本的人権の人間像と意味　34
2　不文の人権と人権条約適合的解釈　36
3　人権の分類　37
4　制度的保障　41

第2章　誰が人権を有するのか………………………………………42

第1節　人権の享有主体………42
1　国民　42
2　子ども　49
3　天皇と皇族　51
4　外国人　52
5　法人　59

第2節　特別な法律関係と人権………61
1　特別権力関係論　61
2　部分社会論　61
3　公務員の人権　62

　　　　4　受刑者の人権　65

第3章　人権規定は私人の間でも適用されるのか……………67

　第1節　私人間に直接適用可能な人権規定………67
　第2節　私人間適用の学説………69
　第3節　私人間適用の判例の立場………71
　第4節　「解釈基準」としての人権条約………73

第4章　どのような場合に人権を制約することが許されるのか……………………………74

　第1節　比例原則………74
　　　　1　比例原則の根拠　74
　　　　2　比例原則の審査内容　77
　第2節　公共の福祉：公平の原理としての比例原則の認める利益………77
　　　　1　学説の考え方　78
　　　　2　二重の基準論　79
　　　　3　比較衡量論　83
　　　　4　日本における比例原則　84

第5章　幸福追求権とは何か…………………………………87

　第1節　生命、自由、幸福追求………87
　　　　1　幸福追求権の性格　87
　　　　2　幸福追求権の内容　88
　　　　3　新しい人権　89
　第2節　人格権とプライバシー権………90
　　　　1　名誉権　91
　　　　2　肖像権　92
　　　　3　プライバシー権　92

第 3 節　自己決定権………96
　　　1　生命・身体　96
　　　2　家族的つながり　100
　　　3　個性的な生活様式　104
第 4 節　環境権………105
第 5 節　適正な行政手続………107
第 6 節　民族固有の文化を享有する権利………108
第 7 節　生命に対する権利………109
第 8 節　非人道的な取扱い・品位を傷つける取扱いの禁止………110

第 6 章　平等の現代的意義……………………………………114

第 1 節　法の下の平等の意味………114
　　　1　形式的平等と実質的平等　115
　　　2　積極的差別是正措置　115
　　　3　合理的配慮　119
　　　4　間接差別　120
第 2 節　憲法 14 条 1 項後段の差別禁止事項………123
　　　1　人種（および民族的出身など）　125
　　　2　信条　132
　　　3　性別　134
　　　4　社会的身分（および性的指向など）　137
　　　5　門地　149
第 3 節　憲法 14 条 1 項前段の一般平等原則………150
　　　1　地域　151
　　　2　職業　151
第 4 節　貴族制度の廃止と栄典の授与………152
　　　1　貴族制度の廃止　152
　　　2　栄典の授与　152

第 5 節　家族生活における両性の平等………153
- 1　婚姻適齢　154
- 2　再婚禁止期間　154
- 3　夫婦同氏原則　155

第 6 節　家族の権利………157

第 7 章　思想・良心の自由……………………………………159

第 1 節　精神的自由における思想・良心の自由の意義………159

第 2 節　思想・良心の自由の保障の程度と内容………161
- 1　内心の自由の絶対性と内心の操作　161
- 2　沈黙の自由　162
- 3　良心的義務免除　163
- 4　信条差別の禁止　164

第 3 節　戦う民主制と思想の自由市場………166

第 8 章　信教の自由と政教分離原則……………………………167

第 1 節　信教の自由の意味………167

第 2 節　信教の自由の内容と限界………168
- 1　信仰の自由　168
- 2　宗教行為の自由　169
- 3　宗教結社の自由　170
- 4　宗教上の良心的義務免除　171
- 5　宗教的人格権　173

第 3 節　政教分離原則………174
- 1　政教分離原則の意味　174
- 2　政教分離原則の法的性格　175
- 3　目的効果基準　176
- 4　政教分離原則の内容　178

第9章　学問の自由 …………………………………………………184

第1節　学問の自由の保障の根拠………184
1　市民的自由　184
2　専門的特権　185

第2節　学問の自由の意味と享有主体………186

第3節　学問の自由の内容と限界………187
1　学問研究の自由　187
2　研究発表の自由　188
3　教授・教育の自由　189
4　大学の自治　191

第10章　表現の自由 ……………………………………………194

第1節　表現の自由の意義………194
1　象徴的表現も憲法が保障する表現か　194
2　表現の自由を支える価値　195

第2節　知る権利………196
1　情報公開請求権とその享有主体　197
2　アクセス権　197

第3節　違憲審査基準………198
1　事前抑制禁止の理論　198
2　明確性の理論　200
3　明白かつ現在の危険の基準　201
4　必要最小限度の基準　202

第4節　集会の自由………203

第5節　結社の自由………209
1　結社の自由の内容　209
2　結社の自由の制約　210

第 6 節　表現内容の規制………211

 1　煽動　211
 2　わいせつ　212
 3　名誉とプライバシー　215
 4　ヘイトスピーチ　216
 5　営利広告　220
 6　表現の時・所・方法に関する規制（内容中立規制）　221
 7　マス・メディアの自由　225

第 11 章　人身の自由 …………………………………………233

第 1 節　奴隷的拘束・苦役からの自由………233

 1　奴隷的拘束からの自由　233
 2　意に反する苦役からの自由　235

第 2 節　適正手続の保障………236

 1　「法律の定める手続」の解釈　237
 2　生命・自由の剥奪またはその他の刑罰　238
 3　適正な行政手続　238

第 3 節　身体の拘束に対する保障………240

 1　不当逮捕からの自由　240
 2　不法な抑留・拘禁からの自由　243

第 4 節　証拠の収集・採用に関する保障………247

 1　不法な捜索・押収からの自由　247
 2　行政手続における捜索　249

第 5 節　拷問および残虐な刑罰の禁止………251

 1　拷問の禁止　251
 2　残虐な刑罰　252

第 6 節　公平な裁判所の迅速な公開裁判………255

第 7 節　証人審問権・証人喚問権・弁護人依頼権………257

 1　証人審問権　257
 2　証人喚問権　258
 3　弁護人依頼権　258

第 8 節 　自白の強要からの自由………260
　　　1　不利益供述拒否権　　260
　　　2　自白排除法則　　262
　　　3　自白補強法則　　262

第 9 節 　被告人に不利益な処罰からの自由………263
　　　1　遡及処罰の禁止　　263
　　　2　一事不再理と二重処罰の禁止　　264
　　　3　二重の危険　　264

第 12 章　経済的自由　　266

第 1 節 　居住・移転の自由………266
　　　1　居住・移転の自由の制限　　267
　　　2　外国旅行の自由の根拠規定と制限　　268
　　　3　（外国人の場合の）出入国関連の諸権利　　271

第 2 節 　職業選択の自由………282
　　　1　職業選択の自由の制限　　282
　　　2　規制目的に応じた二重の基準から比例原則へ　　283

第 3 節 　財産権………286
　　　1　財産権保障の意味　　287
　　　2　財産権の制約　　289
　　　3　財産権の制限に伴う損失補償　　291

第 13 章　社会権　　296

第 1 節 　生存権………296
　　　1　25条1項の法的性格　　296
　　　2　25条2項の法的性格　　299
　　　3　権利の主体　　302

第 2 節 　教育を受ける権利………308
　　　1　教育を受ける権利の内容　　308
　　　2　教育の自由と教育する権能　　310
　　　3　保護者の教育を受けさせる義務と国の教育義務　　313

第3節　勤労の権利………317
　　1　勤労の権利の法的性格　317
　　2　勤労条件法定主義　318
　　3　児童酷使の禁止　318

第4節　労働基本権………318
　　1　労働基本権の法的性格　318
　　2　団結権　319
　　3　団体交渉権　321
　　4　団体行動権　322

第14章　受益権……………………………………………327

第1節　請願権………327
　　1　請願権の性質　327
　　2　請願権の主体　329
　　3　請願の対象　330
　　4　請願の手続　331
　　5　請願の効果　332

第2節　裁判を受ける権利………334
　　1　裁判を受ける権利の性質　334
　　2　権利の主体と実質的な保障制度　335
　　3　裁判所の意味　338
　　4　裁判の意味と非訟事件　343

第3節　国家賠償請求権………345
　　1　国家賠償請求権の性質　345
　　2　国家賠償請求権の主体　347
　　3　賠償責任の本質　351
　　4　立法府と司法府に対する国家賠償　353

第4節　刑事補償請求権………356
　　1　刑事補償請求権の性質　357
　　2　刑事補償請求権の主体と内容　358
　　3　無罪の裁判の意味　359

第 15 章　参政権 …………………………………………………………… 362

　第 1 節　選挙権の性質………362

　第 2 節　被選挙権………365

　第 3 節　選挙の原則………367

　第 4 節　議員定数の不均衡………373

　第 5 節　在外邦人の選挙権と国民審査権………378

事項索引………381

文献一覧………387

第3版のはじめに

　第2版の原稿執筆から5年が経つ。多くの法令、判例、人権機関の見解が新しくみられるようになった。そこで、新たな研究成果を取り入れ、さらに本書を改訂した。

　そもそも、憲法解釈の方法は、多様である。**文理解釈**（通常の文言の意味に従う解釈）だけでなく、**体系解釈**（憲法の基本原理や他の条文との意味連関から導く解釈）が重視される。たとえば、**定住外国人地方選挙権訴訟**（最判平成7年2月28日民集49巻2号639頁）では、公務員を選定罷免する権利を保障した憲法15条1項が、「国民固有の権利」と書いてあるから、選挙権の保障を日本国民に限定しているのではない。むしろ、文言の通常の用法からすれば、地方選挙権者を定めた憲法93条2項の「住民」には、外国人住民も文理解釈上は含まれうる。しかし、憲法の前文および1条の「国民主権の原理及びこれに基づく憲法15条1項の規定の趣旨」と自治体が「国の統治機構の不可欠の要素を成す」ことから、体系解釈上、憲法93条2項にいう「住民」とは、自治体に住所を有する日本国民を意味し、外国人の地方選挙権を憲法上「保障したものとはいえない」。ただし、憲法第8章の地方自治における「住民の日常生活に密接な関連を有する公共的事務は、その地方の住民の意思に基づきその区域の地方公共団体が処理するという」住民自治原理との体系解釈上、「永住者等」に、法律をもって、自治体の地方選挙権を認めることは、憲法上「禁止されているものではない」。なお、日本の憲法判例では、憲法の**歴史的解釈**（歴史的経緯や憲法制定者の意図を考慮する解釈）は、あまり一般的ではない。一部の学説のように、憲法15条1項が「国民固有の権利」と定めているのは、「国民だけの権利」と文言上は解釈する余地がある。しかし、これは天皇主権下の明治憲法10条が天皇の官吏任免権を定めていたのに対し、日本国憲法の国民主権の下では、公務員の選定罷免権は「国民から奪ってはならない権利」という意味で定めたもので

あり、歴史的解釈上、特に、外国人の選挙権を禁止する意味で定めた規定ではない。

近年では、**比較法的解釈**（比較しうる外国の立法を参照する解釈）、**発展的解釈**（社会学的解釈ともいい、社会の発展に応じた解釈）、**人権条約適合的解釈**（人権条約と整合的な憲法解釈）も有用である。たとえば、2013年の**非嫡出子相続差別違憲決定**（最大決平成25年9月4日民集67巻6号1320頁）では、旧民法900条4号ただし書のように、「現在、我が国以外で嫡出子と嫡出でない子の相続分に差異を設けている国は、欧米諸国にはなく、世界的にも限られた状況にある」との比較法的解釈を採用する。また、非嫡出子の出生数の「増加傾向が続いているほか、…婚姻、家族の在り方に対する国民の意識の多様化が大きく進んでいる」との発展的解釈も採用する。さらに、非嫡出子相続差別規定は、子どもが「出生によっていかなる差別も受けない」と定める自由権規約と子どもの権利条約に反する旨の懸念・勧告を自由権規約委員会と子どもの権利委員会が行っているとして、不十分ながらも、人権条約適合的解釈の要素を取り入れている。そして、上記の諸外国の立法のすう勢、日本社会の状況の変化、日本の批准した人権条約の内容などから、「父母が婚姻関係になかったという、子にとっては自ら選択ないし修正する余地のない事柄を理由としてその子に不利益を及ぼすことは許されず、子を個人として尊重し、その権利を保障すべきであるという考えが確立されてきている」として、憲法14条1項に違反しているとした。また、**性同一性障害特例法違憲決定**（最大決令和5年10月25日民集77巻7号1792頁）では、性同一性障害特例法の生殖不能要件について、「欧米諸国を中心に、生殖能力の喪失を要件としない国が増加し、相当数に及んでいる」という比較法的解釈、「医学的知見の進展」を踏まえた発展的解釈、「欧州人権裁判所」の判例を踏まえながら、身体への侵襲を受けない自由を保障する憲法13条に反するとした。さらに、**チャーター機一斉送還違憲判決**（東京高判（確定）令和3年9月22日裁判所ウェブサイト）では、難民不認定処分の異議申立棄却決定の告知を送還の直前まで遅らせ、第三者と連絡することを認めずに強制送還したことは、「憲法32条で保障する裁判を受ける権利を侵害し、同31条の適正手続の保障及びこれと結びついた同13条に反する」とし

た。ここには、人権の融合的保障の解釈手法が採用されている。同趣の「難民該当性に関する司法審査の機会を実質的に奪われない」権利を**チャーター機一斉送還違法判決**（名古屋高判（確定）令和3年1月13日裁判所ウェブサイト）は、「裁判を受ける権利及び適正手続の保障や各種人権条約の規定（自由権規約2条3項、14条1項、難民条約16条）」から導いている。自由権規約2条3項の「効果的な救済措置を受ける」権利は、裁判を受ける権利や行政の適正手続の実効的な保障を強化しつつある。また、既存の国家賠償請求権や損失補償請求権や刑事補償請求権に欠けている効果的な救済措置を拡充する根拠規定の可能性を秘めている。国家の活動により個人の損害が発生している場合、財産権に限らず、生命・身体の自由についても国政上、最大の尊重を必要とすべく、（損失補償請求権の）憲法「29条3項と結びついた13条」（の生命・自由・幸福追求の権利）が、効果的な救済措置を受ける権利を保障していることに目を向けるべきである（参照、「戦後補償」憲法判例百選Ⅰ〔第8版〕近刊）。

　本書は、文理解釈や体系解釈にとどまらず、比較法解釈、発展的解釈および人権条約適合的解釈のあり方を示すことに留意し、新たな憲法解釈の発展をめざすものである。

　　2025年1月　　　　　　　　　　　　　　　　　　　　　近藤　敦

第 2 版のはじめに

　初版の原稿執筆から 5 年が経つ。多くの法令、判例、人権機関の見解が新しくみられるようになった。そこで、新たな研究成果を取り入れ、本書を上梓することにした。人権法という本書のタイトルは、人権条約や諸外国の憲法の発展の影響を受ける形で日本国憲法の人権解釈の国際化傾向を複眼的にとらえる必要を意識したからである。今回の改訂にあたり、「憲法の国際化」という文言を帯につけることにした。

　本書の特徴である**人権条約適合的解釈**は、通説的な立場からも以前から指摘されていた。「人権条約の規定が日本国憲法よりも保障する人権の範囲が広いとか、保障の仕方がより具体的で詳しいとかいう場合」は、「憲法のほうを条約に適合するように解釈していくことが必要」である[1]。なぜならば、条約誠実遵守義務を定める憲法 98 条 2 項が憲法の「人権条約適合的解釈」を要請しているからである。しかし、この憲法解釈手法は、必ずしも多くの憲法研究者や裁判官には浸透していない問題がある。日本国憲法の方が、人権条約よりも高い水準で人権を保障している場合に、人権条約適合的解釈は、不合理とする意見もあろう。しかしながら、「誠実に遵守する」上で、以下の 2 点に注意が必要である。第 1 に、多くの人権条約は「高水準の国内法令の優先適用」を定めており、憲法の人権保障の方が高い水準の場合は、人権条約適合的解釈は従来の憲法解釈と同じでよい。他方、第 2 に、人権条約の人権保障の方が個人の利益を高く保障する場合は、従来の憲法解釈より高い水準の人権条約適合的解釈を必要とする。一般に、人権条約は日本国憲法よりも後から、より詳しい具体的内容を人権として定めており、人権条約適合的解釈は、具体化と高度化の方向でなされる。

　たとえば、日本が 1995 年に加入した人種差別撤廃条約 1 条が「人種差別」

1　芦部、1991、29 頁。

は「民族的出身」による差別も含むと定めている。したがって、本条約との適合的な憲法解釈からすれば、日本国憲法14条1項の「人種」による差別禁止の具体的な内容として、今日、「民族的出身」による差別は憲法違反の「人種差別」となる。加えて、2008年に最高裁は、親が婚姻関係にない日本国民の父と外国人の母とのあいだに生まれた婚外子（非嫡出子）の場合、届出に両親の婚姻を要件とする旧国籍法3条を、憲法14条1項の法の下の平等違反とした。その判決理由で「我が国が批准した」自由権規約と子どもの権利条約にも、子どもが「出生によっていかなる差別も受けないとする趣旨の規定が存する」と判示している[2]。自由権規約24条と子どもの権利条約2条の子どもの「出生」による差別禁止と憲法14条1項の整合性が国籍法改正の1つの根拠となっている。一種の人権条約適合的解釈を採用した最高裁判例とみることもできる[3]。

　日本政府が人権条約を批准する際に、留保や解釈宣言なしに人権条約を憲法適合的なものとして批准した以上、人権条約と憲法の整合性が求められる。1993年のウィーン宣言で人権の普遍性・不可分性・相互依存性・相互関連性が語られたのは、主に自由権規約と社会権規約の不可分性に着目する点にあった。また、人権条約上の人権と憲法上の人権の不可分一体性が語られることもある[4]。2006年に採択された障碍者権利条約の前文（c）にも、人権の普遍性・不可分性・相互依存性・相互関連性が掲げられた。障碍者の権利は、とりわけ不可分性の観念を反映するものであり、合理的な配慮を提供する義務は、様々な諸権利を結びつける接着剤である[5]。たとえば、障碍者の教育を受ける権利は、輸送手段へのアクセス（移動の自由）を必要とする場合がある。いずれの人権規範の人権も、本来、人間の尊厳の実現に貢献するものであり、個々の条文の権利が融合し補強しあっている相互依存性や体系解釈上の関連性にも着目する必要がある。たとえば、憲法36条の禁止する

2　国籍法違憲判決・最大判2008（平成20）年6月4日民集62巻6号1367頁。
3　より明確に整理するならば、人権諸条約の「出生」による差別は、憲法14条1項の禁止する「社会的身分」の差別に含めることが適当である。ただし、社会的身分の差別は、出生による差別以外にも、後天的な社会的地位による差別の場合も含むことには注意を要する。
4　濱本、2018、68頁。
5　Lord, 2018, 11.

「拷問」や「残虐な刑罰」に加えて、自由権規約7条は「非人道的な取扱い」や「品位を傷つける取扱い」の禁止も禁じている。食事など人間としての生存に必要な生理的行動を困難にする両手を身体の後ろで締める革手錠を用いた拘禁を違法とした東京高裁の確定判決は、「拷問を禁止した憲法36条及びすべての国民が個人として尊重されることを保障した憲法13条」が、自由権規約7条と同様の内容を保障していることを指摘する[6]。そこで、憲法「36条と結びついた13条」の**融合的保障**により、人権条約上の非人道的な取扱いと品位を傷つける取扱いの禁止といった憲法の不文の人権を導きうる点に目を向けるべきである[7]。自由権規約7条の人権の保護領域は、憲法36条と13条が合わさってカバーするといった、人権条約適合的解釈が求められている。その際、憲法13条は、比例原則の根拠規定であり、政府の人権制約を制約する違憲審査基準を内在させている点にも着目する必要がある。すなわち、当該「権利」が「公共の福祉に反しない限り、立法その他の国政の上で、最大の尊重」を「必要」とする以上、「権利」を制約する国の「規制」は目的達成のための「必要最小限」の手段にとどまるべきである。

　本書を通じて、人権条約には明文の規定があるものの、日本国憲法には明文の規定がない人権について、複数の憲法規定の体系的な意味連関を考慮した憲法解釈（融合的保障）により、人権条約と整合的な憲法解釈（人権条約適合的解釈）の新たな領域を開拓し、公共の福祉の理由の下に安易な人権制約を許さない違憲審査の手法（比例原則）を採用することで、日本の人権状況の発展にいくばくかの寄与をすることができれば、望外の幸せである。

　　　2019 年 12 月　　　　　　　　　　　　　　　　　　　近　藤　　敦

6　東京高判 1998（平成 10）年 1 月 21 日判時 1645 号 67 頁。
7　同判決のように憲法 13 条からも解釈上、非人道的な取扱いの禁止等を導きうるが、絶対的に禁止される憲法 36 条と結びつけることにより、権利保障が強化される効果がある。

はじめに

　20世紀の半ばに制定された日本国憲法が、その後の人権条約の発展を解釈指針としていかに取り入れていくのか。これが本書の課題の1つである。また、日本の憲法判例の今後の方向性をさぐるべく、諸外国との比較にも目を向けた[8]。各国の憲法の発展を参考にすることも本書の課題である。21世紀の社会状況に対応すべく、体系的な人権解釈の新たな地平を開拓する。人権に関する法のあり方を多角的に考察する本書のタイトルは、人権法とした。

　ようやく2013年になって、非嫡出子の相続分を嫡出子の半分とする民法900条4号は、憲法14条の法の下の平等に反し、違憲とする最高裁大法廷決定が下された。日本の最高裁としては珍しく、「立法に影響を与えた諸外国の状況も、大きく変化してきている」ことと、国連の各人権委員会が「差別的規定を問題にして、懸念の表明、法改正の勧告等を繰り返してきた」事実を援用している[9]。元最高裁判事によれば、最高裁が「人権規範の共通化」を強く意識して、自由権規約委員会等との「対話」に乗り出したという[10]。しかし、この決定は、国際的環境の変化として、国際人権法に言及しているにすぎない。日本の締結している人権条約が、国内法としての効力を有する点に、もっと真摯に向き合うべきある。

　本書は、日本の締結している人権条約に関する記述を、網掛けで表記する。日本の締結していない人権条約や諸外国の憲法については、小さな活字で書いている。なぜ、両者を区別するかというと[11]、日本の締結した人権条約の場合は

---

[8] 1997年の夏からストックホルム大学移民研究所、2012年の夏からオックスフォード大学法学部、2013年の夏からハーバード大学ロースクールにおいて、3年間の在外研究の機会を得たことが、本書の視野を広げている。

[9] 最大決2013（平成25）年9月4日民集67巻6号1320頁。

[10] 泉、2013、233頁。

[11] 南アフリカ憲法39条1項は、裁判所等が憲法の人権規定を解釈する際に「国際法を考慮しなければならない」と規定するのに対して、「外国法を考慮してもよい」と定めるのは、こうした

（多くは自動執行力を有し）、国内法として直接に適用できるからである。日本国憲法98条2項は「日本国が締結した条約及び確立された国際法規は、これを誠実に遵守することを必要とする」と定めている。しかし、誠実に遵守することの具体的内容として、日本の裁判所や行政機関は、人権条約を適用することに必ずしも誠実ではない。スイス憲法5条4項は法治国家の行為の原則の1つとして「連邦と州は、国際法を遵守する」と定め、その具体化として190条が「連邦裁判所およびその他の法適用機関は、連邦法律および国際法を適用しなければならない」と定めている。自国の主権の作用として、法律や憲法で定めたことが、人権条約に反する場合、国際法を「遵守」するために、裁判所が人権条約を適用するスイスの最近の事例は、注目に値する。本書の1章で紹介しているように、国際的な法の支配（法治主義）も、今日の憲法の重要な基本原理となりつつある。

　また、日本の裁判所は、人権条約と整合的な憲法解釈を行うことに必ずしも積極的ではなかった。スペイン憲法10条2項では、「憲法により認められた基本的権利と自由に関する規定は、世界人権宣言および当該事項に関してスペインの批准した国際条約と協定に適合するように解釈しなければならない」と定めている。憲法と人権条約との整合的な解釈は、単に憲法規定に合わせて人権条約を解釈することでも、単に人権条約の規定に合わせて憲法を解釈することでもない。憲法に適合するものとして内閣・国会が留保することなく締結した人権条約は、憲法適合的な人権条約として、原則的に憲法解釈の指針となる。他方、例外的に憲法の方がより広く基本的人権を保障している場合は（多くの人権条約自体が「高水準の国内法令の優先適用」を定めているように[12]）人権条約の規定が憲法解釈の指針として権利制限の正当化に用いられてはならない。かくして、憲法と人権条約の整合性がはかられる。ラテンアメリカ諸国を中心に国際人権法学では、国内人権規範と国際人権規

　　区別を背景としている。
12　自由権規約5条2項は「この規約のいずれかの締約国において法律、条約、規則または慣習によって認められたり、存在している基本的人権については、この規約がそれらの権利を認めていないこと、またはその認める範囲がより狭いことを理由として、それらの権利を制限したり、侵害したりしてはならない」と定めており、ここでの法律（law）には憲法も含まれる。類似の規定は、社会権規約5条2項、女性差別撤廃条約23条、子どもの権利条約41条、拷問等禁止条約1条2項・16条にもみられる。

範のいずれを適用するかにおいても、「プロ・ホミネ」原則という「個人の利益を最大限に」保障する方向で解釈適用する原則が提唱されている。日本国憲法 11 条が「すべての基本的人権の享有を妨げられない」と定めるうちに、この原則を読み込むことができるという[13]。憲法を理由に人権条約上の人権の享有を妨げることも、人権条約を理由に憲法上の人権の享有を妨げることも許されない。

解釈には幅があり、広く高水準の人権保障を求める解釈も、狭く低水準の人権保障を求める解釈もその幅の中にある。従来の通説・判例が低水準の人権保障の解釈を採用していたとしても、新たに批准した人権条約が高水準の人権保障を求めており（高次化）、具体的な解釈基準を示している場合（具体化）、人権条約と整合的な憲法解釈は、高度化と具体化の方向でなされる。たとえば、日本国憲法 14 条は、法の下の平等を定め、「性別」による差別を禁じている。しかし、1984 年の国籍法改正以前の国籍法は父親が日本人の場合にだけ、子が出生により日本国籍を取得する父系血統主義も、二重国籍防止の必要などを理由に、合憲とされていた[14]。日本が 1985 年に批准する女性差別撤廃条約 9 条 2 項が「締約国は、子の国籍に関し、女性に対して男性と平等の権利を与える」と具体的な指針を示していることを考慮して、国籍法は父母両系血統主義に改められた。人権条約に適合的な憲法解釈からすれば、憲法 14 条の「性別」による差別禁止の具体例として、今日、国籍法を父系血統主義に戻すことは違憲と解釈されるべきである。

第 1 に、こうした**人権条約適合的解釈**をはじめ、本書の第 1 の特徴は、いかに人権が発展してきているか、また発展の途上であるのかを描いている点にある。諸外国の憲法や日本の締結していない人権条約をめぐる判例や学説の中には、日本の判例や学説の理解に資するものや、今後の憲法解釈の発展にとって有益と思われるものも少なくないので、それらを小さな活字で書くことにした。大学の講義ではじめて憲法を学習する場合には、普通の大きさの普通の活字を中心に学習するとよい。新たな学説がなぜ、そのように考えるようになっているのかは、人権条約をめぐる網掛けの記述や諸外国の憲

---

13 Mazzuoli and Ribeiro, 2015, 270-2.
14 東京地判 1981（昭和 56）年 3 月 30 日判時 996 号 23 頁。

判例をめぐるより小さな活字を読むと理解が進むであろう。本書は、実務家をはじめ、現代社会の多様な問題について、人権規定がどのような解決方法を示す可能性があるのかといったことに関心のある方にも、読んでいただきたい。従来、日本国憲法の3つの基本原理は、基本的人権の尊重、国民主権、平和主義であると説明されてきた。基本的人権の尊重は、法の支配の原理の1内容として、多くの国では語られる。今日、人権を憲法と国際人権法が保障する時代にあって、両者を含む「法」の支配の発展を確認することも、本書の特筆すべき内容の1つである。憲法の第4の基本原理として、国際協調主義が指摘されることも多いが、その点を称して特に「国際的な法の支配の原理」と呼ぶこともできる。

　憲法の解釈手法として、まず、文言がどう書いてあるのかが最初の手がかりである。しかし、文言というのは読み方がいく通りもある場合も少なくない。文法的な意味を求める**文理解釈**だけでは決め手に欠ける。憲法がつくられるまでの経緯や制定者の意図をさぐる**歴史的解釈**も検討すべきである。しかし、他の条文との意味連関や憲法原理を踏まえた**体系解釈**が重要である。さらに、「活きた憲法（living constitution）」を知るためには、現実の効果や社会的要因の変化を考慮した社会学的解釈（**国際人権法のいう発展的解釈**）が必要とされている。とりわけ、国際化時代にあっては、外国の立法を参照する比較法的解釈が有意義である。そして、今日、最も重要な憲法解釈の課題は、国内法的効力を有する人権条約と整合的な**人権条約適合的解釈**である。たとえば、日本国憲法26条1項は「国民」の「教育を受ける権利」を、同2項が「国民」に「その保護する子女に普通教育を受けさせる義務」を定めている。裁判所は、この義務が、「性質上、日本国民にのみ課せられたものというべきであって、外国籍の子どもの保護者に対して課せられた義務ということはできない」と判示している[15]。しかし、保護者に義務を課さないことは、国の義務を免除するものではなく、学齢期にある外国人の子どもの不

15　大阪地判2008（平成20）年9月26日判タ1295号198頁。外国籍生徒に中学校への就学義務がないと判断する一方で、校長が、保護者からの退学届を受理する際に、退学と転学の違い等について生徒に説明しなかったことが違法とされた事件。ただし、その後、大阪高判（2009年7月31日判例集未登載）は、生徒に意見聴取する義務はないとし、最決（2011年2月4日）は、上告を受理しなかった。

就学の放置を不問とする意味ではない。社会権規約13条（または子どもの権利条約28条1項）が「教育についてのすべての者（または子ども）の権利を認め」、「初等教育は、義務的なものとし、すべての者に対して無償のものとする」と定めている。この教育の権利に対応して、国に教育を提供する義務がある。したがって、人権条約との整合的な憲法解釈をすれば、「日本に住むすべての人（とりわけ学齢期の子ども）」に教育を受ける権利があり、学齢期の子どもに教育を提供する国の義務がある。ただし、学校教育法1条の普通教育の学校へ就学させる義務を外国人の子どもの保護者に課さない運用は、（フリースクールや家庭教育とともに、多様な教育の機会を確保する上で）外国人学校への就学の選択として認められてよい。しかし、憲法26条は、すべての学齢期の子どもの保護者の（多様な教育の機会を確保した形での）普通教育を受けさせる義務とともに、すべての学齢期の子どもが教育にアクセスできるように配慮する国の義務を内包している。一般に、個人の権利に対応する国家の義務がある。学齢期の外国人の子どもの不就学を放置することは、憲法26条1項の教育を受ける権利（およびその裏返しとしての国の教育義務）に反することになる。

　第2に、公共の福祉による人権の制約（を制約して人権保障を進展させる解釈手法）としての**比例原則**の根拠と審査内容に多くの頁をさいている。この点が、本書の第2の特徴である。比例原則とは、人権の規制手段が規制目的に比例しているかを裁判所が審査する一連の判断枠組みをさす。一般に、目的と手段との合理的な関連性（適合性）の審査、より制限的な代替手段の不存在といった必要最小限（必要性）の審査、制約によって得られる公的な利益と失われる個人の利益との比較衡量（狭義の比例性）の審査を含む。たしかに、自由権規約委員会が懸念を表明するように、日本国憲法の「公共の福祉」の概念はあいまいであり、無制限であると批判されている[16]。しかし、従来の学説や判例の解釈を改め、自由で民主的な社会の憲法や人権条約では（一般の福祉、公共の利益などの）公共の福祉概念が比例原則を導いている点に目を向ける必要がある。比例原則は、基本的人権の尊重や法の支配（法

16　自由権規約委員会・総括所見（2014年8月20日）22段落。

治主義）から導かれるが、自由で民主的な社会の必要性による権利の制約規定を根拠条文とする場合も多い。この点、日本国憲法 13 条は、生命、自由および幸福追求の「権利」が「公共の福祉に反しない限り」という制約のもとに、「立法その他の国政の上で、最大の尊重を必要」とする旨を定めている。公共の福祉の判定基準としての比例原則に照らし、個人の権利を最大限尊重することは、裏返せば、国家の規制は必要最小限にとどまることになる。憲法 13 条の公共の福祉は、比例原則の一般的な根拠規定として読み替える必要がある。むしろ、「公共の福祉」とは、国家の規制と個人の人権との対立を調整する公平の原理としての比例原則に照らして民主的社会において正当な要求と認められる公の秩序や一般の福祉を意味するものと考えるべきであろう。比例原則は、権利の制約が正当化しうるかどうかを審査する一連の基準として多くの国で用いられている。人権の制約の合憲性をはかる審査基準として、日本の裁判所も、比例原則を採用することが望まれる。

　第 3 に、行政手続における適正手続や環境権などについて（憲法 13 条とともに他の根拠条文を結びつけて融合させる）**融合的保障**といった解釈手法も、本書の第 3 の特徴である[17]。本書が憲法 13 条を用いて融合的に保障するのは、人権条約には明文の規定があるものの、憲法には明文の規定のない現代の人権に、明文の根拠を与えるだけではなく、その権利の制約の可否には 13 条に内在する比例原則の審査が必要であることを担保することで、違憲審査に基づく人権保障の内容を豊かにするためである。従来の憲法学では、人権の性質として、人権の固有性・不可侵性・普遍性が語られた[18]。今日の

17　たとえば、憲法の「15 条と結びついた 13 条」が被選挙権、「21 条と結びついた 13 条」が民族的・人種的・宗教的憎悪の唱導によって人間の尊厳を侵されない自由、「22 条と結びついた 13 条」が外国旅行の自由、「22 条 1 項と結びついた 13 条」が隔離されない権利、再入国の自由、恣意的に退去強制されない権利、庇護権、「22 条 2 項と結びついた 13 条」が出国の自由、無国籍防止原則、恣意的に国籍を剥奪されない権利、「24 条と結びついた 13 条」が同性婚の権利、夫婦別姓の選択権、「25 条と結びついた 13 条」が環境権、先住民の健康で文化的な生活を営む権利、緊急の医療扶助を受ける権利、「26 条と結びついた 13 条」が多文化教育を受ける権利、「29 条 3 項と結びついた 13 条」が効果的な救済措置を受ける権利、「31 条と結びついた 13 条」が行政の適正手続、「32 条と結びついた 13 条」が民事訴訟代理弁護人と接見する権利、「34 条と結びついた 13 条」が収容の適正手続、「36 条と結びついた 13 条」が、非人道的な取扱いと品位を傷つける取扱いの禁止を導くものと考えられる。

18　芦部、2023、146-8 頁。

国際人権法学では、人権の普遍性・不可分性・相互依存性が語られる[19]。人間の尊厳に基づく人権は、本来、不可分一体のものである。個別の人権条項に分けて定めたとしても、そのどれかをないがしろにすることは許されず、個別の人権条項は、相互に関わり合い、補強し合っている。こうした人権の相互依存性を考慮するならば、憲法13条が他の個別の人権条項と競合的関係にあるとする説も、他の個別の人権条項が保障していない部分を補充的に保障するとする通説も適当ではない。むしろ、他の個別の人権条項の保障では十分でないために、憲法13条と結びつけて解釈することにより、両者の融合が人権保障を拡充することに着目すべきであろう。人権の相互依存性に根差した融合的保障説が、21世紀の憲法学には求められている。日本国憲法の2大構成要素のうち、統治機構などの権力分立の制度は、各国の歴史を背景とした多様性が今後も維持されるものと思われる[20]。しかし、人権は、同じ人間の権利として、各国の歴史による違いは、いずれは収斂されるべきである[21]。人権の保障は、国内的保障と国際的保障の整合性の発展が望まれる。自国の批准した人権条約上は人権だが、憲法上は人権ではないとする権利は、そもそも人権の理念に反する。憲法はすべての人権を網羅的に明示しているわけではないので、憲法適合的なものとして批准した人権条約上の明文の人権は、憲法13条と他の条文との体系解釈のうちに確認しうる。

　本書は、人権条約適合的解釈、比例原則、融合的保障といった新しい憲法解釈を通じて日本社会の発展に資することを目的として上梓した。最後に、原稿に目を通し、貴重な助言をいただいた国際人権法の阿部浩己教授に記して感謝の意を表したい。

　　2014年12月　　　　　　　　　　　　　　　　　　　　　近藤　敦

19　1993年の国連世界人権会議で採択されたウィーン宣言5項では、「すべての人権は、普遍的、不可分、相互に依存し、関連している」と定められている。
20　大統領制の国もあれば、議院内閣制の国もあり、侵略戦争だけを放棄した国もあれば、戦争放棄・戦力不保持を定めた国もある。
21　文化的権利と他の人権との調整問題は残り、この点、人権規範の保障領域内で許容される各国の偏差は、今後も存続するものと思われる。しかし、A国では人権だが、B国では人権ではないとする権利は、人権の理念に反する。

第 1 章

基本的人権とは何か

　人権とは、文字通り、人の権利である。人間が人間であることによって、生まれながらに有する権利が人権である。しかし、なぜ人間には、人権が認められるのであろうか。このことの説明は、容易ではない。かつての思想家は、神や自然法といったものを持ち出して説明した。今日では、人間性（人格）や、**人間の尊厳**（個人の尊厳）を根拠として説明されることが多い[22]。

　世界人権宣言1条が「すべての人間は、生れながらにして自由であり、かつ、尊厳と権利とについて平等である」と定める。また、自由権規約・社会権規約の前文にも、人権が「人間の固有の尊厳に由来する」ことがうたわれる[23]。米州人権条約の前文では、人の不可欠な諸権利は、特定の国の国民であることから由来するのではなく、「人間の人格の属性に基づく」と定めている。

　各国の憲法上も、ドイツでは、ナチスの人権侵害の反省をもとに、1949年のドイツ憲法（基本法）1条は「人間の尊厳は不可侵」であるとうたっている。2009年に発効したEU基本権憲章1条も、「人間の尊厳は不可侵である」と定めており、人間の尊厳は、広くヨーロッパに普及している[24]。南アフリカやイラクなど、人間の尊厳を憲法に明記する国は少なくない。しかし、人間の尊厳とは何かという定義規定を定める憲法はみあたらない。歴史的には（20世紀の悲惨な）全体主義体制に抗し、すべての人間が能力や業績にかかわらず、本来的な価値をもっていることを尊厳の概念は示している[25]。

22　芦部、1994、54-7頁。そのほか、「社会契約」や「平等」に根拠を求める説などもある。参照、Foster, 2011, 11-3.

23　この規定は、人権の起源が自然法にあり、国際法の一般原理だけに求められるのではないことを示している。Nowak, 2005, 2.

24　古くは、1937年のアイルランド憲法前文が「個人の尊厳と自由が保障される」ために憲法を制定すると定めていた。2012年のハンガリー憲法の前文では「人間の存在は、人間の尊厳に基づいている」との認識を示している点は、興味深い。

人間の尊厳は、多義的で、開かれた概念である。人類社会の変化とともに人権のありようも変わってきている。ある時代の特定の思想や宗教や文化圏の下に、人間の尊厳を語るべきではない。人間には、人間の尊厳が自ずと備わっていることに人権保障の出発点を定めることに意味がある。人間の尊厳から、憲法上の多様な価値が導かれる[26]。とりわけ、各国の憲法の明文に規定されていない新しい権利を導くうえで、人間の尊厳は有用である。人間の尊厳を保障する共通の関心事から、裁判所が外国の判例を参照することがあるのは、人間の尊厳のこうした役割と結びついている[27]。憲法の明文規定がない人権条約上の人権を導くのも同様である。

第1節　人権の歴史

1　思想としての人権から憲法上の人権へ

歴史的な経験による人権の正当性の検証が試みられることも多い。日本国憲法の基本的人権は、人類の自由獲得の苦闘のなかで歴史的に形成され、不可侵の権利として規定されている。日本国憲法11条は、「この憲法が日本国民に保障する基本的人権は、侵すことのできない永久の権利として、現在及び将来の国民に与へられる」[28]と定める。同97条では、「この憲法が日本国民に保障する基本的人権は、人類の多年にわたる自由獲得の努力の成果であって、これらの権利は、過去幾多の試錬に堪へ、現在及び将来の国民に対し、侵すことのできない永久の権利として信託されたものである」という。人権

25　Tushnet et.al., 2013, 194-5, 203.（Corn and Grimm）.
26　人間の尊厳は、生命に対する権利において死刑の禁止を導く場合もあれば、尊厳死を導く場合もある。
27　Ginsburg and Dixon, 2011, 466-7（Carozza）.
28　「与へられる」とあるのも、この憲法の背景にある自然法思想の伝統を現すものである。佐藤功、1983、170頁；芦部、1994、56頁。1776年のアメリカ独立宣言は、「すべての人間は平等に造られ、造物主（神）によって一定の譲り渡すことのできない権利を与えられており、その権利には、生命、自由および幸福追求が含まれている」とある。

の存立根拠を説明する上で、「信託」という概念が使われているのは、ロックの社会契約論の影響をうかがわせる。

ロックは、個人が国家の構成員になる契約を結ぶ際、国家が市民の基本的な権利を守るのと引き換えに国家の法に従うことを決めたのだから、基本的な人権を政府は守るべきとした。人間は造物主の作品であり、人々は自然状態において、自由・平等であり、生まれながらにして自然法上のすべての権利を無制限に享有する。その「生命、自由および財産」を維持する目的のために「社会契約」を結び、政府をつくり、その目的のために行動すべき立法権を人民が選任する。そして、立法権がその与えられた「信託」に反する行動をとる場合には、立法権を排除・変更しうる最高権が人民の手に残されているという[29]。

今日、多くの国では、人権を承認する根拠として、もはや神や自然法をもち出す必要はなく、「人間の尊厳」によって根拠づけている[30]。日本国憲法が保障する「基本的人権」は、国家の成立以前の自然状態において、人が生まれながらにしてもつ前国家的な権利としての自然権（主として自由権）にかぎらない。参政権や社会権など国家の成立を前提とする後国家的な権利も含まれる。いわば、近代の自然権の論理は、もはやそのままでは使われない。憲法13条前段が「すべて国民は、個人として尊重される」と定めているように、今日、人権の根拠は、人間の尊厳の考え方を取り入れている[31]。

なお、憲法97条が「人類の多年にわたる自由獲得の努力の成果」といいながらも、西洋諸国民の自由主義・民主主義体制のための努力と、その影響のもとに立つ他の諸国民の努力をさす[32]。基本的人権の思想史的背景は、特殊ヨーロッパ的といわれることがある[33]。もっとも、抑圧された人間の解放を求めるのが人権思想であるならば、聖書にかぎらず、古くはソフィスト、ストア派哲学、仏典、コーランの中にも人権思想の源流をみてとることができる[34]。しかし、近代立憲主義の意味における人権の形成には、自然法思想および社会契約論の影響が特筆される。ロック（1632-1704）は神の意思を、ルソー（1712-1778）は理性を根拠として、自然状態において人間が人間

---

29 ロック、1980（1689）、194-346頁。
30 宮沢、1974、78頁。
31 芦部、1994、57-8頁。
32 宮沢、1978、800頁。
33 野田、1968、6頁。
34 イシェイ、2008、34頁以下。

であることから当然に人権があるという前提に立ち、その保全を目的として社会契約を結ぶことで、社会状態における一定の制約を受ける人権が保障されていることを弁証しながら、思想としての人権から憲法上の人権へと向かう橋渡しに大きな影響を与えた[35]。

　最初の人権宣言（すなわち現実社会に実在している法としての実定法上の人権規定）の登場は、共和制を求める市民革命を契機とした。一般に、1787年のアメリカ合衆国憲法（修正1条から10条までの「権利章典」は1791年）に先立つ1776年のヴァージニア州権利章典が、はじめての「人権」宣言といわれる。その理由は、人権の特徴として考えられるべき、身分や国籍に関係のない**普遍性**と、生来の人間が当然にもつ不可譲な**固有性**と、永久に侵すことのできない**不可侵性**をうたっているからである。同1条は「すべての人」が、「生来ひとしく自由かつ独立しており、一定の固有の権利」を有し、「その子孫からこれを奪うことはできない」旨を定めていた。ついで、1789年のフランス人権宣言は、「人の譲り渡すことのできない自然権」（2条）としての「人権」を定める。しかし、フランス人権宣言の正式名称は、人および市民の権利宣言であり、「人権」とともに、「市民の権利」を掲げている。ここでの「市民」という言葉は、「主権に参加する者」という意味であるが、国籍制度がつくられるにしたがって国籍保有者としての「国民」という意味をも共和制の国ではもつようになってきた。

2　国民の権利から普遍的な人権へ

　国民国家の閉じた人権体系を求めるナショナリズムの高揚にともない、19世紀に創られた多くの憲法は、「人権」を保障するというよりも、自国の「国民」（共和制の市民、君主制の臣民）の権利を保障する傾向をもっていた。1889年の明治憲法も、天皇から与えられた「臣民」の権利を定めるにすぎなかった。臣民の権利は、**法律の留保**を伴い、法律が認める範囲内においてのみ保障されるため、法律による制限が可能である。したがって、治安維持法のような法律をもってすれば、臣民の権利は著しく侵害された。臣民の権利は、本来の人権の特徴を備えていないため、「外見的人権」と呼ばれた[36]。

　本来の「人権」は、人間が人間であることに基づいて当然にもつ権利であるという自然法の考え方に基づく自然権から出発した。**自然権**は、自然法に

35　ロック、1980（1689）、194、252-3頁；ルソー、1954（1762）、16-37頁。
36　宮沢、1974、84-5、186-90頁。

基づき人が生まれながらに有するとされる権利を意味する。**自然法**とは、人が創った実定法と対立する概念であり、人間の本性に基づき認識され、普遍的に妥当する法をさす。しかし、自然法の存在を否認し、実定法のみを法学の対象とする**法実証主義**が、19世紀および20世紀前半には支配的であった。人権という用語を使うことなく、「国民の権利」が国の法律により与えられ、法律の留保を伴うという考え方を日本やヨーロッパ大陸諸国は採用した。

これに対し、第2次世界大戦後は、人間性を無視した戦争下の悲惨な経験から、人間の尊厳に基づいた本来の「人権」を追求する傾向が見られる。これは、人権のルネッサンスと呼ばれた。各国の憲法で人権が定められるとともに、国際的な人権条約が定められた。人権の普遍性を語る上で、もはや自然法をもち出すよりも、人権条約に照らして論ずる必要がある。

(1) 人権条約の発展

第2次世界大戦以前、人権問題は国内問題とされた。国際法は国家と国家の関係を規律する法であり、人権がかかわる国家と国民の関係は、各国の憲法が規律する問題とみなされた[37]。ユダヤ人がナチス・ドイツに迫害されていても、各国は国内問題として放置した。この反省から、人権を国際的にも保障する考え方が生まれてくる。

第2次世界大戦後、人権問題は諸国共通の国際問題となった。国際連合は、平和維持と人権尊重を目的とする国連憲章を採択した。ただし、国連憲章には、人権の具体的内容は明記されず、国際人権章典として人権内容の宣言(世界人権宣言)、法的拘束力を有する規約とその実施措置(国際人権規約とその選択議定書)が作成された。

(2) 世界人権宣言

1948年に採択された世界人権宣言は、「すべての人民とすべての国とが達成すべき共通の基準」として人権内容を宣言するが、法的拘束力をもたない。ただ、国際人権規約の解釈の際の重要な基準であり、宣言の一部は国際

---

37 例外的に、宗教上の少数者に対する信教の自由が条約で保障され、人身売買禁止の条約や民族的少数者保護の条約があったにすぎない。

慣習法となって効力を有する。世界人権宣言の採択には賛成が48カ国、反対は0、棄権が8カ国であった。棄権した理由は、ソビエトと東欧諸国がより具体的にファシズム否定・民主主義擁護の国の責任を明記すべき、南アフリカがアパルトヘイトと相容れない、サウジアラビアが西欧文化に基づき、イスラーム文化とは異質という。今日、冷戦構造や人種隔離政策は、後景にしりぞいたが、人権の文化相対主義の問題が、重要な課題となっている。

(3) 国際人権規約

国際人権規約は、東西対立と南北対立を反映して、2種類の条約に分かれた。東側の社会主義国は、社会権が人権の中核であるという立場で1つの規約を主張した。西側の自由主義国は、社会権と自由権の性質の違いを理由に2つの規約を主張した。一方、南の新興国は、経済的基盤が弱いため、社会権の実施について国際的義務を負うことに反対した。最終的には、1966年に社会権規約と自由権規約に分けて採択された。

自由権規約は、別名、B規約と呼ばれ、正式名称は「市民的及び政治的権利に関する国際規約」という。自由権規約では、締約国は、権利を「尊重し及び確保する」即時的効力を有する（2条1項）。**政府報告制度**において、締約国は、人権を実施するためにとった措置を国連の事務総長に定期的に報告する義務がある。この報告を18名の専門家からなる自由権規約委員会が審議し、総括所見において当事国に勧告を出し、義務の履行を監視する。**個人通報制度**の選択議定書の締約国では、管轄下にある個人が自らの権利を侵害されたと自由権規約委員会に通報できる。同委員会は、通報が国内での救済措置を尽くすなどの形式的要件を満たす場合、6カ月以内に見解を示し、違反に対する救済措置を当事国に勧告する。政府報告制度と同様、見解には当事国を拘束する法的効力はない。当事国が救済措置をとったかについて180日以内に通知するように要請し、年次報告書で公表する。

社会権規約は、別名、A規約といい、正式名称は「経済的、社会的および文化的権利に関する国際規約」である。社会権規約では、締約国は、権利を「漸進的に達成する」義務を負う（2条1項）。**政府報告制度**において、締約国は、人権を実施するためにとった措置を国連の経済社会理事会に定期的に報告する義務がある。この報告を18名の専門家からなる社会権規約委

員会が審議し、総括所見で勧告し、義務の履行を監視する。個人通報制度では、選択議定書の締約国の管轄下にある個人は、国内における救済を尽くした上で、社会権規約委員会に対する通報が認められる。同委員会は、6カ月以内に見解を示す。

(4) 個別の人権条約

一方、国連では、個別の人権分野ごとの人権条約も制定している。日本が批准した条約に、網掛けを施して下記の国連の主要な条約の表に整理する。日本がまだ批准していない主要な条約は、小さな活字で表記している。

人権条約に基づく国連の機関として、自由権規約委員会、社会権規約委員会、人種差別撤廃委員会、女性差別撤廃委員会、拷問禁止委員会、拷問防止小委員会[38]、子どもの権利委員会、移住労働者権利委員会、障碍者権利委員会、強制失踪委員会がある。いずれの委員会も、定期的になされる各国の「政府報告」を審査して、勧告的意見を述べる権限を有する。各条約機関の調整機能を果たし、人権問題についての活動を統率するために、1994年に国連人権高等弁務官事務所が置かれた。また、国連加盟国の人権状況を定期的・系統的に調査することにより、国際社会の人権状況を改善し、深刻な人権侵害に対処するために、2006年から国連人権理事会が置かれ、2008年からすべての国連加盟国を対象に「普遍的定期審査」[42]を始めている。多くの人権条約には、「個人通報制度」がある。日本は、いずれの個人通報制度にも加入していない。自由権規約等の個人通報制度に加入すれば、「日本における人権規範が相当に高まって国際基準に近づくことは間違いない」といった元最高裁判事の指摘もある[43]。

なお、「国家間通報制度」とは、他の締約国の通報に基づき、条約機関が審査する制度である。しかし、人種差別撤廃条約以外は、締約国の別個の受諾宣言が必要であり、実質的には機能していない。

日本が締結[44]した人権条約のうち、1981年の難民条約加入は大きな変革をもたらした。難民に国民と同じ社会保障の権利を認める必要が生じたことにより、日本に居住する外国人の社会保障を認める法改正がなされた。国民年金や国民健康保険という名前はいまも残っているが、3カ月を超えて

---

38 拷問等禁止条約選択議定書の締約国の拘禁場所を定期的に訪問し、拷問等の防止について勧告を行う。

国連の主要な人権条約

	条約の略称	採択年月日	発効年月日	締約国数（2025年4月13日現在）	日本の批准（発効）年月日
1	自由権規約	1966.12.16	1976.3.23	174	○1979. 6.21 (1979. 9.21)
2	自由権規約選択議定書	1966.12.16	1976.3.23	116	
3	自由権規約第2選択議定書（死刑廃止条約）	1989.12.15	1991.7.11	92	
4	社会権規約	1966.12.16	1976.1.3	173	○1979. 6.21 (1979. 9.21)
5	社会権規約選択議定書	2008.12.10	2013.5.5	31	
6	人種差別撤廃条約	1965.12.21	1969.1.4	182	○1995.12.15 (1996. 1.14)
7	女性差別撤廃条約[39]	1979.12.18	1981.9.3	189	○1985. 6.25 (1985. 7.25)
8	女性差別撤廃条約選択議定書	1999.10.6	2000.12.21	115	
9	難民条約	1951.7.28	1954.4.22	146	○1981.10. 3 (1982. 1. 1)
10	難民議定書	1967.1.31	1967.10.4	147	○1982. 1. 1 (1982. 1. 1)
11	拷問等禁止条約	1984.12.10	1987.6.26	175	○1999. 6.29 (1999. 7.29)
12	拷問等禁止条約選択議定書	2002.12.18	2006.6.22	94	
13	子どもの権利条約[40]	1989.11.20	1990.9.2	196	○1994. 4.22 (1994. 5.22)
14	武力紛争に関する子どもの権利条約選択議定書	2000.5.25	2002.2.12	173	○2004. 8. 2 (2004. 9. 2)
15	子どもの売買等に関する子どもの権利条約選択議定書	2000.5.25	2002.2.12	178	○2005. 1.24 (2005. 2.24)
16	通報手続に関する子どもの権利条約選択議定書	2011.12.19	2014.4.14	53	
17	移住労働者権利条約	1990.12.18	2003.7.1	60	
18	障碍者権利条約[41]	2006.12.13	2008.5.3	192	○2014. 1.20 (2014. 2.19)
19	障碍者権利条約選択議定書	2006.12.13	2008.5.3	107	
20	強制失踪条約	2006.12.20	2010.12.20	77	○2009. 7.23 (2010.12.20)

出典：UN Treaty Collection, Multilateral Treaties Deposited with the Secretary-General (https://treaties.un.org/Pages/ParticipationStatus.aspx?clang=_en).

(2012年7月までは1年以上）日本に居住する外国人も加入する。1985年の女性差別撤廃条約の批准前に、男女雇用機会均等法を制定し、国籍法の父系血統主義を父母両系血統主義に改正した。2014年の障碍者権利条約の批准前に、障害者基本法・障害者雇用促進法を改正し、障害者総合支援法・障害者差別解消法を制定した。しかし、人種差別撤廃条約に加入しても、大きな法改正はない。人種差別を禁止する法律の制定が必要である。

(5) 地域的な人権保障

ヨーロッパでは、国際人権規約を持ち出すことは少ない。一般に、ヨーロッパ人権条約の違反をヨーロッパ人権裁判所に訴える。地域的な人権保障として、米州人権条約、アフリカ人権憲章もある。アジア人権条約がまだ存在せず、今後の課題とされている。アジア人権裁判所をもたない日本では、自由権規約や締結した国連の個別の人権条約を日本の裁判で援用することになる。その際、自由権規約とヨーロッパ人権条約の規定は似た場合もあり、多くの判例を形成しているヨーロッパ人権裁判所[45]の判例を国際人権規約の解釈の参考に持ち出す裁判実務＊もみられる。

---

39 本書は、法令や判例の引用以外では、「女子」という言葉が「おんな・こども」をイメージさせて好ましくないとする意見があることを考慮して、「女性」という言葉を使う。
40 同様に、保護対象である側面が強調される「児童」という用語よりも、権利主体である側面を強調すべく「子ども」という言葉を用いる。
41 また、同様に、「害」という漢字のもつ否定的意味を好ましくないとする意見があることを考慮して、妨げるという意味の「碍」という漢字を用いて「障碍」と表記する。もっとも、社会の側に障害がある点を意識する上では「障害」と書く方が適当との意見もある。
42 普遍的定期審査は、国連憲章、世界人権宣言、当該国が締結している人権条約、当該国が行った自発的誓約などに基づいて、当該国の準備した報告書、人権高等弁務官事務所の要約書、国内人権機関や人権NGOなどの利害関係機関の準備した文書を審査する模様をウェブで公開する。
43 泉、2014、12頁。
44 締結と一般にいうが、条約の批准を受け付けている時期に批准する手続を経ることなく、署名なしに、あとから条約を締結する場合を加入という。難民条約・難民議定書・人種差別撤廃条約・拷問等禁止条約は加入である。批准手続は、内閣の署名、国会の承認、内閣の批准（批准書を作成、国連事務総長に寄託）である。加入手続は、国会の承認、内閣の批准である。
45 また、欧州連合司法裁判所（CJEU: Court of Justice of the European Union; 2009年以前は欧州司法裁判所 ECJ: European Court of Justice）がヨーロッパ基本権憲章との適合性について審査する。

* **ヨーロッパ人権裁判所の判例を自由権規約（B 規約）の解釈の参考に持ち出す裁判例**

これは、刑務所内の暴行による国家賠償訴訟のための弁護士との接見を不許可にしたことが、違法とされた事案である。徳島地裁によれば「B 規約草案を参考にして作成されたヨーロッパ人権条約が B 規約 14 条 1 項[46]に相当する 6 条 1 項[47]で保障している公正な裁判を受ける権利は、受刑者が民事裁判を起こすために弁護士と面接する権利をも含むものと解されており、…B 規約 14 条 1 項は、そのコロラリーとして受刑者が民事事件の訴訟代理人たる弁護士と接見する権利をも保障していると解するのが相当であり、…監獄法及び同法施行規則の接見に関する条項…が右 B 規約 14 条 1 項の趣旨に反する場合、当該部分は無効」となる[48]。

控訴審判決も「ヨーロッパ人権裁判所におけるゴルダー事件[49]においては、右 6 条 1 項の権利には受刑者が民事裁判を起こすために弁護士と面接する権利を含む、との判断が、また同裁判所のキャンベル・フェル事件[50]においては、右面接に刑務官が立ち会い、聴取することを条件とする措置は右 6 条 1 項に違反する、との判断がなされている」という。つづいて、自由権規約委員会が「モラエル対フランス事件[51]において、…B 規約 14 条 1 項における公正な審理の概念は、武器の平等、当事者対等の訴訟手続の遵守を要求していると解釈すべきである、との見解を示している…B 規約 14 条 1 項は、…受刑者が自己の民事事件の訴訟代理人である弁護士と接見する権利をも保障し…受刑者が自己の民事事件の訴訟代理人である弁護士と接見する権利ないし自由は、広い意味において憲法 13 条の保障

---

46 自由権規約 14 条 1 項「…すべての者は、その刑事上の罪の決定または民事上の権利および義務の争いについての決定のため、法律で設置された、権限のある、独立の、かつ、公平な裁判所による公正な公開審理を受ける権利を有する。…」。
47 ヨーロッパ人権条約 6 条 1 項「すべての者は、その民事上の権利及び義務の決定または刑事上の罪の決定のため、法律で設置された、独立の、かつ、公平な裁判所による妥当な期間内に公正な公開審理を受ける権利を有する。…」。
48 接見交通事件・徳島地判 1996（平成 8）年 3 月 15 日判時 1597 号 115 頁、同・高松高判 1997（平成 9）年 11 月 25 日判時 1653 号 117 頁、同・最判 2000（平成 12）年 9 月 7 日判時 1728 号 23 頁。
49 Golder v United Kingdom (1975) 1 EHRR 524.
50 Campbell and Fell v. United Kingdom (1985) 7 EHRR 165.
51 Morael v France, No207/1986 (28 July 1989).

する権利ないし自由に含まれる」と控訴審判決はいう[52]。

公正な裁判を受ける権利の保障のためには、弁護人との接見交通権は不可避である（刑事事件での弁護人との接見交通権は、憲法34条の弁護人依頼権の内容として保障される）。自由権規約14条1項の公正な裁判を受ける権利が保障する民事事件での弁護人との接見交通権は、憲法上、裁判を受ける権利を定めた憲法32条の射程に含まれるが、明文の規定がない。そこで、人権条約適合的解釈および融合的保障の立場からは、民事訴訟代理弁護人と接見する権利は、公正な手続の下の裁判を受ける権利を定めた憲法「32条と結びついた13条」（の個人の権利の最大の尊重）が保障するものと思われる。

(6) 国際人権法とは何か

国際人権法とは、日本国憲法のような1つの法典ではなく、関係するいくつもの法の総称である。国際人権法は、1つには、諸国が守るべき人権保障の基準を国際レベルで設定したものを内容としており、これを国際人権基準という。いま1つには、国際人権基準を国際レベルと国内レベルの双方で実現するための制度や手続に関する国際法と国内法の体系を内容としており、これを実施措置という。どの内容の人権が保障されるのかという実体的な側面と、どの制度を通じて人権が保障されるのかという手続的な側面の両方を含んでいる。なお、ヨーロッパ人権条約のような地域的な人権条約は、国連を中心とした国際人権法とは異なるという狭義の用語法もある。本書では、日本での一般的な用語法にならい、地域的な人権条約も、国際人権法に含める。

---

52 最高裁は、接見時間を30分以内と定め、接見に立会いを要する旨を定めた規定が、憲法13条・32条に違反しないことは、受刑者の喫煙禁止の憲法13条違反の訴えをしりぞけた先例（最大判1970（昭和45）年9月16日民集24巻10号1410頁）、受刑者の新聞閲読制限の憲法13条等違反の訴えをしりぞけた先例（最大判1983（昭和58）年6月22日民集37巻5号793頁）、食糧管理法違反における憲法32条違反をしりぞけた先例（最大判1950（昭和25）年2月1日刑集4巻2号88頁）の「趣旨に徴して明らかである。右各規定が」、自由権規約「14条に違反すると解することもできない」として、接見制限の理由を詳しく説明することなく、請求を棄却した。

3　人権条約の国内法上の効力

各国の憲法構造に応じて、人権条約の国内法上の効力については、大きく2通り（細かくは3通り）のタイプがある。日本やアメリカなどは、一般的受容と呼ばれ、人権条約を批准することで自動的に国内法上の効力をもつ（細かく分ければ、ドイツやスイスなどの多くのヨーロッパ大陸諸国では、批准に際して国会が条約に同意する旨を法律の形式で示す必要があるが、日本やアメリカではこの種の同意法律は不要である）。

一方、イギリスや英連邦諸国や北欧諸国では、個別的受容と呼ばれる。人権条約を批准しただけでは国際法上の効力を有するにすぎない。国内法上の効力をもつためには、個別に国会が法律を制定する必要がある。これらの国では、条約自体には、国内法上の効力がないので、条約を「直接適用」することはない。しかし、一種の「間接適用」の形で、条約の規定を参照したり、憲法や法律の解釈・適用に際して条約の趣旨を考慮したりして条約適合的な解釈をすることがみられる。

他方、日本やアメリカなどでは、条約の「直接適用」も可能である。ただし、条約に「自動執行力[53]」と呼ばれる、特別な法律を制定することなしにただちに国内法上の効力を有する条約規定の場合に「直接適用」は限られる。アメリカではほとんどの人権条約を批准する際に上院が自動執行力を否決する旨を議決しており[54]、国内裁判所に人権条約違反を訴えることができないが、国連の委員会に定期的に報告する場面での国際法上の効力はある。なお、自動執行力のない条約や、批准していない条約でも、一種の「間接適用」として、参照する条約の趣旨を憲法や法律の解釈に活かすことは可能である。

日本国憲法98条2項は「日本国が締結した条約及び確立された国際法規は、これを誠実に遵守することを必要とする」と定めている。同項と明治憲法以来の慣行から、日本では個別の法律がなくても、批准した条約が自動的

53　その判断は、直接適用可能性を排除する当事国の意思がないこと、条約の規定が明確でないこと、条約の内容が憲法で法律によって定めることを求められている事項でないことなどを総合的に考慮する必要がある。小寺ほか編、2010、115-116頁〔岩沢雄二〕。

54　アメリカは、人権条約の国内適用に消極的である。社会権規約・子どもの権利条約・女性差別撤廃条約には、署名しただけで、批准をしていない。また、自由権規約・拷問等禁止条約・人種差別撤廃条約の批准に際しては、上院が自動執行力をもたない旨の宣言をしている。

に国内法上の効力を有する一般的受容が認められる。ただし、条約が国内法上の効力を有するには、条約が自動執行力＊を有する必要がある。自動執行力があり、「直接適用」する場合には、条約の趣旨を憲法や法律の解釈に活かすことが「誠実に遵守」することを意味するはずである。

憲法98条2項の「確立された国際法規」とは、国際慣習法をさす。国際慣習法は、国際的に確立した不文の慣習法であるが、その内容を条約に文書化している場合もある（拷問の禁止は、自由権規約7条、拷問等禁止条約などでも定めている）。そのような条約規定も「確立された国際法規」に含まれ、批准していない国においても、国際慣習法に当たる部分は、原則として、すべての国家で適用される法であるので、国内法上の効力を有する[55]。

＊　条約の自動執行力の有無

アメリカでは、条約は州法に優越する。とはいえ、条約が自動執行力を有しない場合には、適用されない。この点が最初に問題となった、Sei Fujii v. State of California, 38 Cal. 2d 718（1952）では、当時の国籍法上、国籍取得ができない日本人として、1948年に土地を購入した原告のフジイの土地を没収するカリフォルニア州外国人土地法の効力が争われた。原告は、国連憲章により同法の無効を訴えた。カリフォルニア州控訴裁判所は、同法は人種に基づいて日本人を差別しており、国連憲章55条など[56]に反すると判示した。しかし、カリフォルニア州最高裁は、合衆国憲法6章2項により「条約は、国の最高法規」として州を拘束するものの、国連憲章の当該諸規定は「自動執行力（self-excuting）」

---

[55] アメリカの判例、Filártiga v. Peña-Irala, 630 F. 2d 876（2d Cir. 1980）では、パラグアイ市民である原告が、パラグアイ国内で息子が警察の拷問により死亡したことを理由として、パラグアイの警視総監であった被告に対し、外国人不法行為法に基づいて損害賠償の請求を行なったところ、第2巡回区連邦控訴裁判所は、「被拘禁者に対して国家の公務員が行なった拷問行為は、人権に関する国際法の確立した規範に違反し、それゆえに国際慣習法に違反する」と判示した。また、アメリカ法協会は、ジェノサイド禁止、奴隷制・奴隷貿易禁止、殺人・誘拐禁止、拷問・非人道的・品位を傷つける行為・処罰の禁止、長期の恣意的な収容の禁止、制度的な人種差別の禁止などを国際慣習法の内容として挙げている。American Law Institute, 1987, Section 702.

[56] 国連憲章1条が「人種…による差別なくすべての者のために人権および基本的自由を尊重するように助長奨励することについて、国際協力を達成すること」を国連の目的に掲げ、同55条が「人種…による差別のないすべての者のための人権及び基本的自由の普遍的な尊重及び遵守」、同56条が「すべての加盟国は、55条に掲げる目的を実現するために、…行動をとることを誓約する」と規定する。

がないので、それと抵触する州法に取って代わるものではないという。ただし、同法は、人種差別の目的で制定・運用されていることは明らかである。国籍取得ができない外国人（日本人とその他少数の人種の住民）が、正当な国益に反し、公共の道徳・安全・福祉に有害な土地利用を行う証拠はなく、厳格審査に照らし、人種に基づく区別を正当化する事情はみられない。したがって、修正14条の平等条項に反し、同法を無効とした。

　日本の下級審の判例では、条約の自動執行力（自力執行力）を認めて、直接適用した判例もある[57]。自由権規約（B規約）の無料で通訳を受ける権利の自力執行力を認めた東京高裁は「通訳の援助を受ける権利は、わが国内において**自力執行力**を有するものと解される国際人権B規約によって初めて成文上の根拠を持つに至った…国際人権B規約14条3（f）に規定する『無料で通訳の援助を受けること』の保障は無条件かつ絶対的なものであって…刑訴法181条1項本文により被告人に通訳に要した費用の負担を命じることは許されない」と判示した[58]。また、受刑者と弁護士の接見制限を違法とした徳島地裁は「B規約は、自由権的な基本権を内容とし、当該権利が人類社会のすべての構成員によって享受されるべきであるとの考え方に立脚し、個人を主体として当該権利が保障されるという規定形式を採用しているものであり、このような自由権規定としての性格と規定形式からすれば、これが抽象的・一般的な原則等の宣言にとどまるものとは解されず、したがって、国内法としての**直接的効力**、しかも法律に優位する効力を有する」という[59]。

　一方、オーバーステイ外国人に生活保護法を不適用とした東京地裁は「社会権規約の性格に照らせば、生活保護法のように明文上その適用対象が日本国民に限定されているものと解される場合には、右理念の実現はまずもって立法的措置を通じて図られるべきであって、司法裁判所を通じて直接的に実現しようとすることは、社会権規約自体も予定していない」という[60]。

57　大阪地判1994（平成6）年4月27日判時1515号116頁では、自由権規約17条1項の「私生活」の権利は「何人も」と規定し、自由権規約の他の条文同様、「個人がその権利を保障されるという形式をとっているから、規約の内容を実現する国内法の制定などを待つまでもなく、個人が直接に規約自体によって権利を与えられるものと解すべきである」という。
58　東京高判1993（平成5）年2月3日東高時報（刑事）44巻1-12号11頁。
59　接見交通事件・徳島地判1996（平成8）年3月15日判例時報1597号115頁。
60　東京地判1996（平成8）年5月29日判タ916号78頁。

一般に、締約国に対して権利を「尊重し、確保」[61]する即時的義務を有する自由権規約は直接適用可能であるのに対し、権利の完全な実現を「漸進的に達成」する義務を課されるにすぎない社会権規約は直接適用可能ではないといわれる。しかし、社会保障に関する事案であっても、当該社会保障関連法がすでに存在し、その法律の適用の不平等取扱いが問題となる場合には、自由権規約26条の法の下の平等の問題となりうる。また、自由権規約2条1項と社会権規約2条2項は、ほぼ同一の内容を定めており、社会権規約2条2項の差別禁止も直接適用が可能である。日本の判例をみるに、戦傷病者戦没者遺族等援護法の国籍・戸籍条項の違法性を否定した在日韓国人元軍属の障害年金請求事件では「援護法が、A、B両規約を批准した後も引き続き国籍条項及び戸籍条項を存置していることは、A規約2条2に違反するとはいえないものの、B規約26条に違反する疑いがあるものと考えられる」という[62]。この点の社会権規約2条2項解釈は、適当とは思われない。

　人権条約と憲法と法律の効力関係については、各国の憲法構造において異なる。日本では、条約は憲法よりも下位だが、法律よりも上位の効力を有すると解されている。

憲法に人権条約が優位する事例：国民主権 vs 法治主義

　スイスでは、条約と法律は同位と考えられてきた。しかし、近年の人権条約の影響のもと、スイスの最高裁にあたる連邦裁判所は、BGE 139 I 16 (12. Oktober 2012) において、興味深い判決を下した。7歳のときにマケドニアから家族呼び寄せでスイスに移住し、義務教育期間を含む15年以上滞在し、永住者の成人男性をヘロイン密輸の罪により、家族もおらず、言葉も十分にできない国籍国のマケドニアに追放することを導く新たな憲法の規定は、比例原則に照らし、ヨーロッパ人権条約8条（家族の権利）、（比例原則に基づく基本権の制限の）憲法「36条と結びついた13条」（の家族生活の権利）、ヨーロッパ人権条約第7議定書1条（追放手続）、自由権規約13条（追放手続）・17条（家族の権利）、子どもの権利条約3条（子どもの最善の利益）に反するとした。

61　「尊重」義務は、国が権利侵害を行わないことを意味し、「確保」する義務は、その結果の達成を求めている。
62　大阪高判1999（平成11）年10月15日判時1718号30頁。

ここで問題なのは、スイスでは、2010年の国民投票を経て追加された連邦憲法121条3項および5項により「薬物売買」等を理由として有罪判決が確定した外国人を、追放できると改正された点にある。しかし、これらの規定は、スイス憲法5条2項の「国の行為は、公共の利益に適合し、目的と比例していなければならない」という比例原則に反するとともに、上述の人権諸条約等に反すると判断された。なぜならば、スイス憲法190条は「連邦裁判所およびその他の法適用機関は、連邦法律および国際法を適用しなければならない」とあるからである。また、スイス憲法5条4項が「連邦および州は、国際法を遵守する」と定め、条約に関するウィーン条約27条が「当事国は、条約の不履行を正当化する根拠として自国の国内法を援用することができない」と規定していることから、スイスは、条約に反する行為を正当化する根拠として憲法を援用することもできない。

したがって、事実上、人権条約の方が憲法よりも優越することをこの事件は物語っている。国民主権原理と法治主義原理との対立が、ここではみられ、憲法改正国民投票に支持される憲法規定と、一国の枠を超えた国際的な法治主義（国際的な法の支配）を背景とした人権条約規定との矛盾を、いかに調整するかという問題として現れている。

4　第2世代の人権

人権の発展を歴史的にみると、19世紀は、個人の自由を確保するために国家の任務を限定的にとらえる「自由国家」の理念の下、「自由権」が中心の時代であった。これらは、**第1世代の人権**と呼ばれる。これに対し、20世紀は、社会・経済政策をも国家の任務とする「社会国家（福祉国家）」の理念の下に、「社会権」をも保障するようになってきた。日本国憲法も生存権、教育を受ける権利、勤労権、労働基本権といった社会権を明示している。これらの社会権や文化的権利は**第2世代の人権**と呼ばれる。

第2世代の人権は、集団の帰属性が意識された人権であることが多い[63]。ただし、集団の人権というよりも、集団の構成員としての個人の人権が問題となる。これは、実質的に人権が保障されていない労働者、民族的少数者な

63　憲法13条の個人の尊重という基本原理との整合性からすれば、集団の人権という発想は受け入れがたいとの意見がある。しかし、第1世代の人権である選挙権は、選挙人団という集団の構成員の人権であり、人一般の権利というよりも、成人の国民の権利であったりする。また、信教の自由のうちの宗教団体の活動の自由も、そもそも結社の自由が集団の権利の性格をもつ。

どの権利保障を問題としているので、集団の帰属性が問題となる。日本国憲法は、27条・28条で勤労の権利・労働基本権を定め、労働者の権利を保障している[64]。しかし、民族的少数者の権利に関する明文規定がなく、新たな多文化共生社会に開かれた憲法解釈が求められている。

かつて、社会主義国からは「ブルジョアジーによる搾取をおおいかくす虚偽表象」として、人権は批判されてきた。しかし、1989年の東欧の民主化以後、人権の普遍性は東欧にも拡大された。もともと、西側の憲法の多くは、社会権規定を盛り込むことで、その異議申し立てに不十分ながら答えてきた[65]。一方、キリスト教の風土の中で形成された西洋流の人権観を押しつけることには、イスラーム教や儒教哲学の国で異議申し立てが起こっている。人権の普遍性を別の文化の名の下に批判する文化相対主義からの批判に対し、じゅうぶん答えることには成功していないようである[66]。

1993年の国連主催の世界人権会議で採択されたウィーン宣言5項によれば、「国民や地域の独自性の意味や多彩な歴史的・文化的・宗教的背景は考慮に入れる必要は認めるが、その政治的・経済的・文化的体制のいかんに関わらず、すべての人権と基本的自由を促進し保護することは国家の義務である」。2001年のユネスコの「文化的多様性に関する世界宣言」4条によれば、「何人も、文化的多様性を口実として、国際法によって保障された人権を侵害し、制限してはならない」。したがって、文化的多様性を尊重しつつも、文化相対主義の名のもとに、家族の名誉を守るための殺人や女子割礼などの基本的人権の侵害が正当化されるものではない。

文化的権利については、社会権規約15条が「文化的な生活に参加する権利」などを定める。他方、自由権規約も27条で「民族的・宗教的・言語的少数者」の「自己の文化を享有し、自己の宗教を信仰、実践し、自己の言語を使用する権利」を保障している[67]。ただし、国際人権法の分野でも、経済

64　もっとも、非正規雇用の拡大により、その権利保障の脆弱さが問題となっている。
65　樋口、1996、8-11、46-8頁。
66　アジアにおける人権の観念は、西洋のそれとは、第1に「文化」が違う。第2に「共同体主義的」であり、個人の権利よりも、家族や共同体での義務、社会秩序や社会の調和を重視する。第3に市民的・政治的権利よりも、社会的・経済的権利を優先させている。第4に国家と社会が一体となっている点で、「組織」の違いがあるという（Bruun and Jacobsen, 2000: 3）。
67　日本政府の公定訳では「種族的、宗教的又は言語的少数民族」となっているが、minorityの訳

的・社会的権利と比べ、文化的権利に大きな関心が集まったのは、20世紀末になってからである[68]。

各国の憲法でも、文化的な権利保障への関心は比較的最近の傾向である。1982年のカナダ憲法（人権憲章）のように「多文化主義の伝統の維持」をかかげ（27条）、「少数派言語教育権」（23条）や「先住民の既得権」（25条）の保障を定めている例もあるが、多くは東欧革命以後につくられた憲法にみられる。

日本国憲法25条は、「健康で文化的な最低限度の生活を営む権利」を定めている。この規定は、生活保護などの経済的な生活の保障を問題とすることが一般であり、「文化的な」生活の多様な意味合いには、関心が払われてこなかった。近時、「民族」的アイデンティティを発揮しようとするアイヌの人々にとって、「健康で文化的な生活」の中に、先住民族の権利保障を求める根拠を見いだす学説もある[69]。また、下級審の判決では、アイヌの文化享有権が、自由権規約27条の「文化を享有」する「権利」とともに、日本国憲法13条の「個人の尊重」を根拠に認められた。すなわち、「民族固有の文化を享有する権利は、自己の人格的生存に必要な権利」という[70]。1997年に「アイヌ文化の振興並びにアイヌの伝統等に関する知識の普及および啓発に関する法律」（アイヌ文化振興法）が制定された。2019年には、同法を廃止し、新たに「アイヌの人々の誇りが尊重される社会を実現するための施策の推進に関する法律」（アイヌ施策推進法）が制定され、施策への交付金や民族共生の象徴となる空間の創設などの取組がみられる。しかし、先住権としての土地や資源に対する権利や教育権は、明記されていない問題がある。

語は「少数者」、ethnicの訳語も「民族的」とする方が、一般的な訳語と思われる。ethnic minorityとnational minorityの区別は、国際人権規約の解釈においても、必ずしも明らかではない。多数意見としては、ethnic, religious or linguistic minoritiesは、national minorityのサブカテゴリーであり、両者の範囲は一致するという。起草時には、national minorityの方が、狭い概念であり、一定地域での政治決定への参加が認められるような自治または独立の意思をもった少数者の集団をさすとする配慮から、あえて採用しなかった経緯がある（Henrard, 2000: 53-55）。日本語の「民族」という用語は多義的であり、nationを民族、ethnic groupを民族集団と訳すのも一般的である。自治や独立の意思にかかわらず、日本語では、ethnic minorityとnational minorityのどちらも民族的少数者と訳す方が適当と思われる。

68　Eide, 2001: 289.
69　江橋、1991、485頁。
70　二風谷ダム事件・札幌地判1997（平成9）年3月27日判時1598号33頁。

憲法「25条と結びついた13条」がサケの狩猟などの伝統的な土地・天然資源に対する権利や自己の言語で教育を受ける権利を含む「先住民の健康で文化的な生活を営む権利」を保障しているものと解しうる。自由権規約についての定期報告書において、日本政府は、1992年からアイヌの人々が自由権規約27条の権利を享有する少数民族であることを認めている。しかし、自由権規約委員会は、琉球・沖縄人も先住民として認めるとともに、アイヌも含め、伝統的な土地・天然資源に対する権利・自己の言語で教育を受ける権利などを保障するように勧告している[71]。2006年に総務省は、「地域における多文化共生推進プラン」を策定したが、外国にルーツをもつ人々の文化的権利の保障のための制度づくりは今後の課題である。

5 第3世代の人権

第3世代の人権という発想が、国際人権法の分野では語られる。この議論は、第2次世界大戦後の非植民地化に伴い、発展途上国が多数参加する国際社会の構造変化を反映している。国際人権規約にある市民的権利・政治的権利を（18世紀末から19世紀において各国の憲法に盛り込まれた）第1世代の人権と呼び、経済的権利・社会的権利・文化的権利を（20世紀において各国の憲法に盛り込まれた）第2世代の人権と呼ぶ。これに対し、環境権、平和に対する権利、発展の権利、人類共同遺産の平等享受権、人道的援助への権利を**第3世代の人権**と呼ぶ傾向がある[72]。アフリカ人権憲章では、発展の権利（22条）、平和の権利（23条）、環境権（24条）などを定めている。

第3世代の人権は、個人の権利というよりも集団の権利という性格をもつ。この点で、伝統的な人権概念とは大きく異なる。憲法13条の個人の尊重を根拠として、第3世代の人権のもつ集団の権利への消極論が憲法学者においては一般的である。

なお、日本国憲法の人権規定には明文化されていないものの、社会の進展により、いわゆる「新しい人権」として、人格権、プライバシー権、自己情

---

71 自由権規約委員会・総括所見（2008年）32段落、同・総括所見（2014年）26段落、同・総括所見（2022年）43段落。

72 岡田、1999、158頁以下。

報コントロール権、知る権利、環境権、平和的生存権[73]などが提唱された。後2者は、第3世代の人権と呼ばれるが、**人格権、プライバシー権、情報コントロール権は、自由権規約17条において、知る権利は、同19条において、第1世代の人権として規定されている。**また、すでにいくつかの国の憲法規定において採用されているものも少なくない。1976年のスウェーデンの憲法では、情報の自由、公文書へアクセスする権利、プライバシーとしての人格の保全などを定めている。1976年のポルトガル憲法をはじめ、環境権を掲げる憲法も多い。2019年の国連人権理事会特別報告者の調査によれば、110カ国が憲法上、環境権を認めている（A/HRC/43/53）。

第2節　日本国憲法の人権の内容

1　基本的人権の人間像と意味

人権を人間が人間であることに基づいて当然にもつ権利と理解する場合、憲法が想定する人間像が問題になる。ドイツ基本法1条の「人間の尊厳」は、道徳律にしたがって行動する人間の人格的な側面を強調する。一方、日本における「個人の尊重」（13条）や「個人の尊厳」（24条）は、個人の人格的自律を前提とするとはかぎらないという意見もある。他方、人間の尊厳に比べ、個人の尊重は、個人の多様性を保障する上で好ましい表現ともいえる。また、第1世代の人権の抽象的な人間像から、集団を意識した第2世代の人権の具体的な人間像に転換する中で、**積極的差別是正措置**が語られる。人一般ではなく、性・人種・民族・言語・宗教などの標識でとらえられる集団への帰属が、その主張の根拠とされる。不平等取扱の対象とされてきた集団への帰属を理由として、就学・就業・公共調達の場面で暫定的な優遇措置をとることが差別解消の効果的な手段とされる。抑圧された人間の解放を広く人権と呼ぶ立場からは、この種の優遇措置は、人権の名において主張される。他方、個人の権利としての人権を重視する立場からは、集団に帰属していない個人が不利

---

[73]　平和的生存権は、日本国憲法前文にのみ明示的な根拠があるにすぎない。

に扱われることの平等の侵害（いわゆる逆差別）が問題となりうる[74]。

　日本国憲法は、11条・97条において「基本的人権」と書いてあり、12条では「自由及び権利」という表現もみられる。憲法のいう「基本的人権」は、「自由及び権利」の内容よりも、狭いという意見もある。たとえば、人権とは、「人間性から派生する前国家的・前憲法的な性格を有する権利」と定義する場合、国家賠償請求権と刑事補償請求権は、厳密な意味での基本的人権ではないとされた[75]。しかし、「前国家的権利」としての人権理解は、基本的人権の内容を狭くする。国家が裁判所・国会・社会保障制度をつくった後に、裁判を受ける権利・参政権・社会権が重要な意味をもつ。したがって、極端な場合は、これらも基本的人権でないことになってしまう。そこで、今日の有力な見解においては、人権とは、「人が人格的自律の存在として自己を主張し、そのような存在としてあり続ける上で不可欠な権利」と定義する場合、受益権・参政権・社会権も人権として把握される[76]。また、国家賠償請求権も刑事補償請求権も、個人の犠牲において全体が利益を得るということは「個人の尊重」に反するということから直接に帰結する人権であり、日本国憲法にいう「自由及び権利」と「基本的人権」は同じ意味とされる[77]。

　自由権規約においても、国家賠償請求権や刑事補償請求権を人権として位置づけている。自由権規約9条5項により「違法に逮捕・抑留された者は、賠償を受ける権利を有する」。同14条6項は「確定判決によって有罪と決定された場合において、その後に、新事実または新しく発見された事実により誤審のあったことが決定的に立証されたことを理由としてその有罪の判決が破棄され、または赦免が行われたときは、その有罪の判決の結果刑罰に服した者は、法律に基づいて補償を受ける」と定めている。より広い内容を同2条3項は「(a)この規約において認められる権利・自由を侵害された者が、公的資格で行動する者によりその侵害が行われた場合にも、効果的な救済措置を受ける」と定めており、この「効果的な救済措置」として「9条5項・

---

[74]　樋口、1996、90-2頁。
[75]　宮沢、1974、203頁。
[76]　佐藤幸治、1995、392頁。
[77]　高橋、2024、84頁。

14条6項」以外にも適当な国家補償を締約国に義務付けている[78]。国際人権法上、「効果的な救済措置を受ける」権利には、金銭的な賠償・補償にかぎらず、リハビリテーション、公式謝罪、徹底的かつ効果的な調査を求める権利、救済を要求するために必要な支援を受ける権利なども含まれる[79]。

2　不文の人権と人権条約適合的解釈

　日本国憲法における基本的人権は、憲法に明文化されているものだけに限らない。憲法だけでなく、人権条約も、「基本的人権」を定めている。日本が締結した条約は、国会の承認という民主的正統性を経ている。締結手続において、留保や解釈宣言が付されていない以上、憲法適合的として、締結した人権条約は、憲法11条の「基本的人権」の構成要素をなし、憲法と人権条約は、人権保障を高める方向で整合的に解釈されることになる。なぜならば、憲法98条2項により、「日本国が締結した条約及び確立された国際法規は、これを誠実に遵守することを必要とする」からである。したがって、裁判所は、同項の条約誠実遵守義務から、憲法と人権条約を「適用」する、もしくは人権条約に適合的な憲法解釈をすることで「基本的人権」の享有が保障される。人権条約適合的解釈、すなわち「人権条約の規定が日本国憲法よりも保障する人権の範囲が広いとか、保障の仕方がより具体的で詳しいとかいう場合」は、「憲法のほうを条約に適合するように解釈していく」ことは、同項に第1の根拠がある（注1参照）。人権条約適合的解釈の第2の根拠は、多くの人権条約は「高水準の国内法令の優先適用」を定めている点にある（注12参照）。憲法の人権保障の方が保障する人権の範囲が広い場合は、人権条約適合的解釈は、従来の憲法解釈と同じでよい。第3の根拠は、留保や解釈宣言なしに憲法適合的として締結された人権条約であるならば、憲法との整合的な解釈が必要な点にある。また、憲法11条が「すべての基本的人権の享有を妨げられない」と定めるうちに、「個人の利益を最大限に」保障する方向で、憲法と人権条約を解釈適用する「プロ・ホミネ」原則が胚胎している。同原則は、「個人の権利」について、「国政の上で、最大の尊重を必要

78　自由権規約委員会・一般的意見31（2004年4月21日）16段落。
79　近藤、2024、32頁。

とする」と定める憲法13条も要請している。いわば、憲法11条と結びついた憲法13条が、**プロ・ホミネ原則**としての人権条約適合的解釈の第4の根拠である[80]。

憲法では不文であるものとして、たとえば、自由権規約7条の非人道的な取扱いと品位を傷つける取扱いの禁止、同12条4項の自国に入国する権利、同20条2項のヘイトスピーチ禁止、同27条の民族的少数者等の文化的権利、同18条4項・社会権規約13条3項の親の教育の自由、子どもの権利条約3条等の子どもの権利、難民条約33条1項等の庇護権などがある。憲法上の規定はあるものの、一般に独自の権利として認識されていないものとして、たとえば、自由権規約6条の生命への権利、同17条1項・23条1項の家族の権利などがある。憲法上の権利の保障の範囲の方が一般に人権条約よりも狭いと解されてきたものとして、自由権規約9条1項の恣意的に収容されない権利などがある。

3　人権の分類

(1)　日本国憲法における人権の分類

日本国憲法が基本的人権と一口に言っても、いろいろな種類のものを含む。「自由権」は、国家の不作為を求める「消極的権利」である。「受益権」と「社会権」は、国家に対して積極的な作為を求める「積極的権利」である。「参政権」は、国家意思形成に参加する「能動的権利」である。独自の内実とともにこれらの権利の根底にあるのが「包括的権利」であると5通りに整理される。国家との関係において、自由権は「国家からの自由」、社会権は「国家による自由」、参政権は「国家への自由」と特徴づけられる。受益権は国務請求権とも呼ばれることもある。

第1の自由権は、3つのグループ、i)精神的自由（19条の思想・良心の自由、20条の信教の自由、21条の表現の自由等、23条の学問の自由）、ii)経済的自由（22条の職業選択の自由・居住移転の自由等、29条の財産権）、iii)身体の自由（18条の奴隷的拘束・苦役からの自由、31条の適正手続、33

80　近藤、2023、238-239頁。近藤、2024、5-7頁。

条から39条の被疑者・被告人の権利）に分類される。

　第2に、受益権（16条の請願権、17条の国家賠償請求権、32条の裁判を受ける権利、40条の刑事補償請求権）は、自己の利益のために国家に対し国務（作為や給付）を請求する。受益権は、国家の積極的な行為を請求する点が社会権と似ているが、人権を確保するための人権としてすべての人を対象とする性質が社会権とは異なる。

　第3に、参政権（15条の公務員の選定罷免権にかぎらず、日本国憲法第3章以外にも、44条の国政選挙権、79条の最高裁判事の国民審査、93条の地方公共団体の長と議員の選挙権、95条の地方特別法の住民投票、96条の憲法改正国民投票）は、政治に参加する権利である。

　第4に、社会権（25条の生存権、26条の教育を受ける権利、27条の勤労の権利、28条の労働基本権）は、国家の社会への介入を求める。社会権は、国家の積極的な行為を請求する点が受益権と似ているが、社会経済的弱者の救済という性質が受益権とは異なる。

　第5に、包括的権利（13条の幸福追求権、14条の平等権）は、上記の権利の内容を包括するとともに、人格権などの独自の内容を有する[81]。本書では、13条の包括性ゆえに、他の人権規定と結びついて不文の人権を融合的に保障する点に着目する。

　実際には、権利の内容は多面的であることが多い。請願権は、受益権の側面だけでなく、参政権と位置づけられる場合も多い。居住移転の自由は、経済的自由の側面だけでなく、精神的自由や身体の自由[82]や人格権の側面をもつ。教育を受ける権利は、社会権にかぎらず、自由権としての教育の自由の側面をもつ。したがって、類型は絶対的なものではなく、相対化され、個々の人権の多様な性質に目を向ける必要がある。

　人間の権利としての人権の全体のまとまりを個別の人権条項に切り分けて保障する憲法は、個別の人権条項では必ずしもカバーしきれていない部分を

---

[81] 個別の具体的な権利性をもつと同時に他の個別的な人権の基礎をなす包括的基本権ないし包括的人権として、13条の幸福追求権だけを指摘する見解（芦部、1994、328）、14条の法の下の平等を含む見解（佐藤幸治、1995、443頁以下；同、2020、193頁以下）、さらに、31条の適正手続を含む見解（戸波、1998、173頁）がある。

[82] 渋谷、2017、107頁、赤坂、2011、10頁。

複数の人権条項が融合的に保障する必要もあるように思われる。

(2) 国際人権規約における人権の分類

憲法学における人権概念と国際人権法学における人権概念は、相互に影響しながらも、一定の違いが分類方法にみられる[83]。国際人権規約は、経済的・社会的・文化的権利に関する社会権規約と市民的・政治的権利に関する自由権規約に分かれている[84]。日本国憲法の人権の分類方法とは異なった5通りに分類している。

第1に、市民的権利として、自由権規約において、3条の男女同権、6条の生命に対する権利、7条の拷問・非人道的な取扱の禁止、8条の奴隷等の禁止、9条から11条の身体の自由、12条の移動・居住の自由、13条の追放の禁止、14条の裁判を受ける権利、15条の遡及処罰の禁止、16条の人として認められる権利、17条のプライバシー権、18条の思想・良心・信教の自由、19条の表現の自由、20条の戦争宣伝・憎悪唱道の禁止、21条の集会の自由、22条の結社の自由、23条の家族の保護・婚姻の自由、24条の子どもの権利、26条の法の前の平等、27条の種族的・宗教的・言語的少数者の権利がある。

第2に、政治的権利として、自由権規約において、25条の選挙権・被選挙権・公務就任権がある。

第3に、経済的権利として、社会権規約において、6条の労働権、7条の公正・良好な労働条件を享受する権利、8条の労働基本権がある。

---

[83] 世界人権宣言の中心的な起草者であるルネ・カッサンは、フランス革命の標語からヒントを得て、尊厳（1・2条）、自由（3～19条）、平等（20～26条）、友愛（27・28条）の4つの柱に整理している。イシェイ、2008、35-6頁。また、カッサンは、生命への権利、自由、身体の安全（3～11条）、市民社会における権利（12～17条）、政治における権利（18～21条）、経済的・社会的・文化的権利（22～27条）の4つに類型化しているという見方もある。Mashood, 2010, 90 (Joseph).

[84] 自由権規約は、権利の性質上、1）肉体的・精神的自律の権利（生命に対する権利、拷問・非人道的な取扱の禁止、移動の自由、プライバシー権、思想・良心・信教の自由）、2）公正な取扱いの権利（公平な裁判を受ける権利、法の前の平等、差別からの自由）、3）政治過程への意味ある参加の権利（選挙権、被選挙権、集会・結社の自由）に3分類する見解もある。Mashood, 2010, 90 (Joseph).

第4に、社会的権利として、社会権規約において、9条の社会保障の権利、10条の家族・母親・子どもの保護、11条の生活条件の向上の権利、12条の健康権がある。

　第5に、文化的権利として、社会権規約において、13条・14条の教育への権利、15条の文化への権利がある。自由権規約27条の言語的・宗教的・民族的少数者の権利は、文化的権利の側面ももつ。

　国際人権規約の市民的権利には、日本国憲法の自由権のほか、受益権や包括的権利が含まれる。ただし、日本国憲法では、経済的自由に分類される、職業選択の自由は経済的権利（としての労働権）に分類されており、財産権は（市民的権利にするか、経済的権利にするかなど、意見の対立もあり）定められていない。一方、国際人権規約の経済的権利としての労働基本権などは、日本国憲法では社会権として分類されている。国際人権規約は、日本国憲法に欠けている、文化的権利の規定をもち、子どもの権利、種族的・宗教的・言語的少数者の権利といった、個別の権利主体のグループに着目する規定を備えている点も異なる。

　人権の類型として、絶対的な権利と相対的な権利の区別もある[85]。絶対的な権利は、制約が許されないが、相対的な権利は、一定の場合の制約が認められる。自由権規約（7条・4条）および拷問等禁止条約（2条）から、拷問等の禁止は、緊急事態においても国家の義務からの逸脱が認められていない、絶対的な権利とされている。アメリカでは、奴隷の禁止は、絶対的な権利であるといわれる（修正13条）。ドイツでは、人間の尊厳が絶対的な権利とされる（1条）。ヨーロッパ人権条約（3条・15条）、米州人権条約（5条・27条）においても、拷問等の禁止は、逸脱不能な絶対的権利とされている。日本国憲法でも、思想・良心の自由における内心の自由、信教の自由における信仰の自由は、絶対的に保障されると解されており、憲法36条が「公務員による拷問及び残虐な刑罰は、絶対にこれを禁ずる」と定めている。

85　スウェーデンの用語法は特殊であり、基本法（統治法、王位継承法、出版の自由法、表現の自由法）による制約のみが可能な絶対的権利と法律による制約が可能な相対的権利とに区別される。宗教の自由、意見表明・集会・デモ・結社・宗教団体参加の強制からの自由、死刑・拷問等・国外追放の禁止、国籍剥奪の禁止、自由を剥奪された者が裁判所で審理を受ける権利、遡及処罰・遡及課税の禁止、特別裁判所の禁止は、絶対的権利に分類される。

4　制度的保障

　人権宣言は、個人の人権を保障するだけでなく、人権の保障と密接に結びついた一定の「制度」を保障する規定を含んでいるといわれる。人権（とりわけ自由権）と異なる一定の制度に対して、立法によってもその本質部分を侵害することができない特別の保護を与え、制度それ自体を客観的に保障することを「制度的保障」という。たとえば、学問の自由という人権を大学の自治という制度が、財産権を私有財産制度が保障するといった具合である。**津地鎮祭事件**[86]では、政教分離が「国家と宗教との分離を制度として保障することにより、間接的に信教の自由の保障を確保しようとするもの」としながら、宗教とのかかわり合いをもたらす国家行為の目的と効果に照らし、神道による地鎮祭は政教分離制度に反する宗教的活動にあたらないとした。

　法律があれば権利を侵害することが可能だとする、法律の留保を伴う時代にあって、ワイマール憲法の基本権の本質部分を、立法権の侵害から守ることを目的としたドイツの制度的保障論が、日本国憲法においても妥当すると考えるのは疑問である。制度が人権保障に役立つとは限らず、逆に、制度が人権に優越し、人権の保障を弱める機能を果たす[87]。ドイツでは、永住者の子どもの人権保障を強化すべく生地主義を導入した1999年の国籍法改正に反対する少数説は、血統主義が国籍の本質要素であるとして国籍法改正を違憲とする制度的保障論を唱えていた。スペインでは、同性婚に反対する立場から異性婚が婚姻の制度的保障といわれたが、配偶者間の平等、自己の選択した人と婚姻する自由意思およびその意思の表明が婚姻の本質要素と憲法裁判所は判示した。歴史的に形成された既存の制度の現状を凍結し、人権の保障の展開を阻むベクトルを制度的保障論はもつことがある。たしかに、大学の自治が学問の自由を制度的に保障する側面がないわけではない。しかし、大学の自治自体が学問の自由の中身と位置づける方が、人権とは異なる制度的保障と位置づけるよりも、人権保障を強化しうるであろう。

86　津地鎮祭事件・最判1977（昭和52）年7月13日民集31巻4号533頁。
87　芦部、1994、92-3頁。

第２章
誰が人権を有するのか

第1節　人権の享有主体

　誰が人権をもっているのか。人権は、人が当然にもつ権利として、普遍的性格を有する。しかし、実際には、天皇・皇族、外国人、法人などの人権保障のあり方は異なる。このことは、**人権の享有主体性**と呼ばれる。

1　国民

　国民が人権の享有主体性を有することに、異論はない。しかし、国民の範囲の定め方しだいで、人権の享有主体性に差が生じる。憲法は、10条により「日本国民たる要件は、法律でこれを定める」と規定する。誰を国民とするのかは、憲法上、立法府の自由な裁量の問題であると一般に解されてきた。しかし、憲法22条2項で「何人も、…国籍を離脱する自由を侵されない」と定めており、この規定が国籍法制に一定の要請を課す。また、国籍をめぐる国際慣習法が、国籍の立法裁量を制約する点にも目を向ける必要がある。

　国籍は、「国の構成員としての資格」であるとともに、「国において基本的人権の保障、公的資格の付与、公的給付等を受ける上で意味を持つ重要な法的地位」でもある[88]。日本国憲法は「国籍取得の要件として血統主義を採っている訳ではなく、前文においても本文においても何の指示も与えてはいない。従って、徹底した生地主義を採用することも憲法上可能である」[89]。

　各国の国籍法は、出生に伴う国籍取得に際し、生まれた国の国籍を付与す

88　国籍法3条違憲訴訟・最大判2008（平成20）年6月4日民集62巻6号1367頁。
89　父系血統主義違憲訴訟・東京高判1982（昭和57）年6月23日判タ470号92頁。

る「**生地主義**」と、親の国籍を承継する「**血統主義**」とに大別される*。後天的な国籍取得は、裁量の余地のある「帰化」と、裁量の余地のない「届出」に分かれる。日本の国籍法は、出生に際し、「父又は母が日本国民である」という親の血統を基準として国籍を取得する血統主義を原則としている（2条1項）。例外的に「父母がともに知れないとき、又は国籍を有しないとき」に出生地を基準として国籍を取得する生地主義を定める（2条3項）。

  ＊ 生地主義と血統主義（と居住主義）

アングロサクソン諸国・米州諸国にみられる生地主義に対し、日本の国籍法が血統主義を採用するのは、ヨーロッパ大陸諸国との共通性を有する。日本に定住する外国人のうち、コリアンの多くは日本生まれであり、アメリカのような生地主義の国であれば、国民となっている点に、日本とアメリカの人権の享有主体性の土俵の違いがある。出生時には血統主義を中心とするヨーロッパ大陸諸国でも、人の国際移動と国際結婚の盛んな今日、後天的な国籍取得原理としての「居住主義」に基づいて、その国で育った人の「届出」による国籍取得を広く認めている。日本でも、届出の拡充が検討されるべきである。

(1) 立法裁量原則

国際法上は、以下の4つの主要な法原則が形成されてきており、各国の国籍制度は、これらの法原則に基づいて定められる方向にある[90]。

第1原則として、国籍の取得と喪失は、国家の主権の作用により、国際慣習法上、国家は誰が国民であるかを決定する自由を一般に有する。このことは「国内管轄の原則」と呼ばれる[91]。国家の主権の作用としての自由裁量を強調するのであれば、「国家主権の原則」と呼ぶことも可能であろう。1930

---

90 なお、「夫婦国籍独立原則」もある。ヨーロッパ国籍条約4条dが「締約国の国民と他国民の間の婚姻および婚姻の解消ならびに婚姻中の一方配偶者による国籍変更は、いずれも他方配偶者の国籍について当然には効力を及ぼさない」と定める。この原則から、戦前の日本の旧国籍法の夫婦国籍同一主義は許されない。1899年の旧国籍法5条は、日本人の妻、日本人の「入夫」の場合、外国人の意思に基づかず、日本国籍を当然に取得する旨を定めていた。現行憲法下の国籍法では、「家」制度に由来し、憲法24条の個人の尊厳と両性の本質的平等に反するので、夫婦国籍同一主義は廃され、夫婦国籍独立原則が採用された。

91 江川ほか、1997、16頁。

年の国際連盟の「国籍法の抵触についてのある種の問題に関する条約」(国籍法抵触条約) 1 条および 1997 年の欧州評議会のヨーロッパ国籍条約 3 条では、「何人が自国民であるかを自国の法令によって決定することは、各国の権限に属する。この法令は、国際条約、国際慣習法および国籍に関して一般的に認められた法原則と一致するかぎり、他の国により承認されなければならない」と定める[92]。第 1 原則は、憲法学上の用語に置き換えるならば、「**立法裁量原則**」と呼ぶことができる。憲法 10 条も「日本国民たる要件は、法律でこれを定める」と規定する。なお、同条の「国籍要件法定主義」からすれば、国籍法に根拠のないまま日本語能力要件を理由に不許可としている帰化行政は、憲法違反といえる。しかし、国籍法に関する立法裁量も、憲法の定める基本的人権条項、日本国が締結した条約および確立された国際法規の制約を受ける(憲法 98 条)。したがって、国家は、国籍の取得と喪失に関し、まったくの自由裁量をもつわけではない。国際慣習法でもある以下の 3 つの憲法原則を守る必要がある。

(2) 差別禁止原則

第 2 原則として、性別や民族的出身などによる差別を禁ずる「**差別禁止原則**」がある[93]。差別禁止原則が国際慣習法であることは、多くの法学者によって認められている[94]。ヨーロッパ国籍条約 5 条では「性、宗教、人種、皮膚の色またはナショナルもしくはエスニックな出自による差別に相当する区別を定めてはならず、または慣行を伴ってはならない」と定めている。日本国憲法 14 条 1 項後段も「人種、信条、性別、社会的身分又は門地により、…差別されない」と規定する。1984 年に日本は、女性差別撤廃条約の批准に際し、子の国籍に関し「女性に対して男性と平等の権利」を認める同 9 条 2 項の要請する性差別の禁止を受けて、国籍法を父系血統主義から父母両系血統主義に改正した。また、2008 年に最高裁は、親が婚姻関係にない日本国民の父と外国人の母のあいだに生まれた婚外子(非嫡出子)の場合、届出に両親の婚姻を要件としてい

---

[92] 奥田編、2006、97 頁〔奥田・舘田〕。
[93] Hailbronner, 2006, 43. ただし、国籍取得要件における血統や出生地による違い、帰化の際の言語要件など、一定の区別は、ナショナルな出自による差別とは考えられていない。
[94] 近藤、2023、267 頁。

た旧国籍法3条を、憲法14条1項の法の下の平等違反とした[95]。

(3) 恣意的な国籍剥奪防止原則

第3原則として、国籍の取得と喪失に関し、個人の自由意思を尊重すべきであるとする「国籍自由の原則」があるといわれた[96]。一般には、国籍の喪失に関する「恣意的な国籍剥奪禁止原則」と呼ばれ、国際慣習法と位置づけられる[97]。世界人権宣言15条2項およびヨーロッパ国籍条約4条cでは、「何人も、ほしいままにその国籍を奪われない」と定め、日本国憲法22条2項は、「何人も、…国籍を離脱する自由を侵されない」と規定する。ただし、日本の通説は国籍を離脱する自由（と(4)で後述する無国籍防止）の側面だけを考慮し、離脱しない自由の側面としての恣意的な国籍剥奪の禁止には無頓着であった。旧植民地出身者とその子孫について、独立に伴う国家承継の場合の国籍変動に際しては、本人の意思によらない国籍の剥奪は禁じられるべきであった。1990年にソビエト連邦から独立したラトビアでも、多くのロシア語系住民が国籍の選択権を認められることなく、国籍を失ったことが人種差別として、人種差別撤廃委員会の是正勧告の対象になっている[98]。2000年の国連による国家承継に関する自然人の国籍宣言11条、24条、25条および26条は、領土内に常居所を有する当事者の意思を尊重し、国籍選択権を認めない場合の国籍の剥奪を禁じる[99]。また、生まれながらに複数国籍を有する日本国民に対し、国籍法14条が国籍の選択義務を課し、日本の国籍を選択しない者に対し、同15条の催告手続により国籍を剥奪することは、目的と手段との比例性を欠く恣意的な国籍剥奪といえる（日本国籍を選択しても、他方の国籍国の国籍法が認めていれば複数国籍が解消されないし、誰が複数国籍状態であるのかを政府は把握できない問題がある）。一般に自由は、作為の自由と不作為の自由を含む。憲法22条2項の「国籍を離脱する自由」は、世界人権宣言15条2項を解釈指針として、個人の「自由」を国政上最大限保障する憲法13条と併せ読むと、「本人の意思に反し国籍を離脱しない

95　国籍法違憲判決・最大判2008（平成20）年6月4日民集62巻6号1367頁。
96　江川ほか、1997、20頁。
97　Hailbronner, 2006, 70.
98　CERD/C/304/Add.79（2001）.
99　近藤、2006、76-83頁。

自由」、すなわち「恣意的に国籍を剥奪されない権利」を含むと解しうる。**国籍選択制度**は、憲法「22条2項と結びついた13条」が保障する「恣意的に国籍を剥奪されない権利」に反する。また、国外で生まれて外国の国籍を取得した場合は出生後3カ月以内に父母等により日本国籍を留保する意思表示がされないと、日本国籍を喪失する**国籍留保制度**は、憲法14条1項に反せず、合憲とされた。最高裁によれば、「実体を伴わない形骸化した日本国籍の発生をできる限り防止するとともに、内国秩序等の観点からの弊害が指摘されている重国籍の発生をできる限り回避する」という「立法目的には合理的な根拠がある」[100]。しかし、重国籍の弊害は実態の伴わない固定観念であり、日本のような排他的な国籍留保制度をもつ国がほとんどないのが現状である。国籍留保制度は、憲法「22条2項と結びついた13条」の保障する「恣意的に国籍を剥奪されない権利」に反する。生地主義国では、複数国籍となる子どもも多く、一般に複数国籍に寛容である。国際移住と国際結婚の盛んなヨーロッパ大陸諸国では、日本と同じ血統主義といっても、複数国籍防止原則を見直す傾向にある。他国の国籍を自己の意思で取得しても従来の国籍を自動喪失する規定を定めておらず、複数国籍に寛容な国の割合は、1960年の38％から2020年には76％に増えている[101]。東京高裁は、憲法22条2項の「国籍離脱の自由」の意味を「国籍変更の自由」と狭く解し、「重国籍の弊害」を前提に「重国籍の発生の防止」と「国籍変更の自由」を立法目的とする国籍法11条が「日本国民は、自己の志望によって外国の国籍を取得したときは、日本の国籍を失う」と**国籍自動喪失制度**を定めていることに合理的理由があるとして合憲としている[102]。しかし、このような「国籍変更の自由」と狭く解し、国籍自動喪失制度を正当化する憲法解釈は、憲法22条2項を人権として定めた趣旨を没却し、自己の意思に反して国籍離脱を強要する国の権限の根拠規定と解するものであり、憲法「22条2項と

---

100 最判2015（平成27）年3月10日民集69巻2号265頁。

101 近藤、2019、237-47頁。M. Vink, A. Schakel, D. Reichel, C. Luk and G.R. de Groot, MACIMIDE Global Expatriate Dual Citizenship Dataset, doi:10.7910/DVN/TTMZ08, Harvard Dataverse, V5 [2020].

102 東京高判2023（令和5）年2月21日裁判所ウェブサイト。東京地判2021（令和3）年1月21日裁判所ウェブサイトも、同趣旨の判断である。最決2023（令和5）年9月28日LEX/DB文献番号25596482は、上告不受理。

結びついた 13 条」の保障する「自発的に国籍を放棄しない限り、自由な国に国民として留まる憲法上の権利」を侵害する。そもそも、憲法 22 条 2 項の「国籍離脱の自由」の淵源は、「すべての人の生まれながらの権利であって、生命・自由・幸福追求に不可欠なものである」と定めるアメリカの 1868 年の法律 1 条にある。アメリカの連邦最高裁は、Afroyim v. Rusk, 387 U.S. 253（1967）において、アメリカ国民が他国の選挙に参加したことによるアメリカ市民権の剥奪を違憲とし、「国籍離脱の自由」を定めた 1868 年の法律の立法過程全体をみれば、国籍を喪失する唯一の方法は、国民が自らの意思で離脱または放棄した場合に限られるのは明らかで、「我々は、この市民に、彼が自発的に市民権を放棄しない限り、自由な国に市民として留まる憲法上の権利を認めることを支持する」という。最終的には、Vance v Terrazas, 444 U.S. 252（1980）により、他国の国籍証明書の発行が他国への忠誠を意味するかどうかが争われ、アメリカ市民権を放棄する自発的な意思が証明されないかぎり、複数国籍を容認する判例が確立した。

(4) 無国籍防止原則

第 4 原則として、「**無国籍防止原則**」がある。自由権規約委員会によれば、自由権規約 24 条 3 項が「国は、国内的にかつ他国と協力して、すべての子どもが出生時に国籍をもつことを確保するためのあらゆる適切な措置をとること」を「要請」する[103]。かつて、人はただ 1 つの国籍をもつべきであるという「国籍唯一の原則」が指摘された[104]。この原則は、2 つの内容をもつ。1930 年の国籍法抵触条約の前文では、「すべての人がひとつの国籍をもち、ひとつの国籍だけをもつべきである」とし、国際社会は「無国籍と複数国籍の防止を目指すことを理想としている」と定めていた。しかし、この前文は、法的拘束力をもつものではない。今日、「複数国籍の防止」は、国際法上の要請とはいえないが、「無国籍防止原則」は、条約上の要請であるばかりか、国際慣習法と位置づけられる[105]。ドイツで 1974 年に連邦憲法裁判所は、欧

---

[103] 自由権規約委員会・一般的意見 17（1989 年 4 月 5 日）8 段落。なお、インドの定期報告書に対する子どもの権利委員会の総括所見（CRC/C/15/Add. 228, 26 February 2004, para. 41; CRC/C/IND/CO/3-4, 13 June 2014, para. 44）では、子どもの権利条約 7 条にしたがい、国内で生まれた無国籍の子どもに国籍を付与する措置をとることを勧告している。

[104] 江川ほか、1997、18 頁。

州評議会の重国籍削減条約などを根拠に複数国籍を「悪弊」とみたが（BVerfGE 37, 217）、1998年に連邦行政判所は複数国籍回避原則の国際的な衰退に言及する（BVerwG 107, 223）。欧州評議会は1997年のヨーロッパ国籍条約で複数国籍防止を放棄する一方、4条bでは、「無国籍の発生は、防止しなければならない」と定め、これと密接な関係にある同条 a では、「すべて人は、国籍をもつ権利を有する」と定め、国籍をもつ権利は、無国籍状態を回避する義務を明確に定めたものとみなすことができる[106]。また、日本は批准していないものの、国連の1961年の無国籍者の削減に関する条約もある。

　通説は、世界人権宣言15条2項に「国籍を変更する自由」とあることなどを参照しながら、憲法22条2項の「国籍を離脱する自由」とは、「外国の国籍を取得することを条件に日本の国籍を失う自由」の意味であり、「無国籍になる自由」を認めない趣旨だという[107]。いわば、憲法22条2項の「国籍離脱の自由」には、（国籍離脱時の）無国籍防止原則が内在している。無国籍防止原則の要請が争われた**アンデレ事件**では、1995年に最高裁は、父が不明で、出産後、消息不明の母のフィリピン国籍が特定できない日本生まれの子どもの日本国籍を認め、国籍法2条3号の立法趣旨にある無国籍防止原則から、「父母がともに知れないとき」とは、「父及び母のいずれもが特定されないとき」をさすとの拡張解釈を導いた[108]。しかし、その後の実務は、同様の事例を無国籍とする場合が多い。抜本的には、「父母のいずれの国籍も取得しないときは」などの法規定に改正すべきである。国籍を取得する権利・国籍をもつ権利を定める**自由権規約24条3項・子どもの権利条約7条1項**・世界人権宣言15条1項、国籍を変更する自由を定める同条2項を解釈指針として、国籍離脱の自由を確保する当然の前提として（出生時も国籍離脱時も）無国籍とならない国籍法を整備し、個人の幸福追求を最大限に尊重するように、日本国憲法「**22条2項と結びついた13条**」が、「**無国籍防止原則**」を保障しているといえよう。

　以上のように、今日の国際法上および憲法上の国籍をめぐる法原則につい

105　Hailbronner, 2006, 65.
106　Council of Europe, 1997, para. 32.
107　芦部、2000、586頁。
108　アンデレ事件・最判1995（平成7）年1月27日民集49巻1号56頁。

ては、国家の主権を根拠とする第1の古典的な「立法裁量原則」は、国際人権法の発展に伴い、個人の人権を根拠とする第2の「差別禁止原則」、第3の「国籍の恣意的剥奪禁止原則」および第4の「無国籍防止原則」により、その射程を大幅に狭められつつある。

2 子ども

　子ども（未成年者）は、成熟した判断能力をもたない。このことから、成人と違った特別の制約に服したり、特別の保護を受けたりすることがある。制約の例として、職業選択の自由について、医師や税理士などの職業は成年者であることが資格要件とされる（医師法3条、税理士法4条1号）。財産権についても、原則として意思能力のない場合には法定代理人に代理され、意思能力のある場合には法定代理人の同意が必要とされる（民法4条、824条、859条）。憲法上は、「成年者による普通選挙を保障する」（15条3項）とあり、未成年者は保障の対象となっていない。女性のみを16歳と定める民法731条の婚姻適齢について、子どもの権利委員会は、男女ともに18歳とするように勧告しており[109]、2018年（2022年施行）の民法改正により、成年年齢を18歳に引き下げ、婚姻適齢を男女ともに18歳とした。

　保護の例として、少年法は、20歳未満の未成年者（少年）に対し、健全な育成のために、成人と違い特別に保護している（成年年齢の引き下げに伴い、18・19歳の「特定少年」には、成人に準じた扱いが一部にみられる）。少年法61条の実名推知報道の禁止の背後に、少年の成長発達権が憲法上保障されていることを認めた下級審判決もあるが[110]、最高裁では認められていない[111]。憲法上、未成年者の保護の観点から、「児童は、これを酷使してはならない」（27条3項）。ここでの児童は、労働基準法の15歳未満であるが、児童福祉法、児童買春・児童ポルノ処罰法および子どもの権利条約では18

109　子どもの権利委員会・総括所見（2010年6月20日）32段落。
110　名古屋高判2000（平成12）年6月29日判時1736号35頁（長良川リンチ殺人報道訴訟）。「憲法13条及び26条あるいは国際人権条約の理念に基づき、成長発達の過程にある少年が健全に成長するための権利、あるいは少年の名誉権、プライバシーの権利という、貴重な基本的人権であること」などから、少年法61条は憲法21条1項に違反しないとされた。
111　最判2003（平成15）年3月14日民集57巻3号229頁。

歳未満をさす。

　子どもの権利主体性からすれば、学校内での表現の自由、髪型や服装についての自己決定の自由が、過度に制約されることは、憲法に違反するおそれがある。下級審の判決において[112]、校則の合理性を認定した私立の修徳高校パーマ・バイク禁止校則事件では、「髪型の自由は、人格権と直結した自己決定権の一内容として憲法13条により保障された基本的人権」であるという。一方、「運転免許取得の自由も、髪型の自由との比較においては人格権との結合の程度は弱いものと解される余地はあるにしても、憲法13条が保障する」と判示した。もっとも、最高裁では[113]、私立高校の校則は、いわゆる人権の私人間適用の問題であるとして、憲法違反を論ずる余地はないという。大阪府立高校の女子生徒の茶色に染髪した髪を「黒染め」するように命じた頭髪指導は適法とされたが[114]、地毛が茶髪の場合は違法とされうるであろう。人の多様性を無視した固定観念に基づく校則による子どもの人格権ないし自己決定権の侵害の問題に裁判所は向き合うべきである。

　未成年者の人権の制約は、人権一般の制約根拠としての「公共の福祉」による内在的制約や政策的制約とは違う。「成熟した判断を欠く行動の結果、長期的にみて未成年者の目的達成諸能力を重大かつ永続的に弱化せしめる見込みのある場合に限って、正当化される」といわれる。未成年者の人格的自律の保障を前提としたうえで、保護の要請との調和をはかることが必要である。たとえば、（かつての20歳未満の者、現行の18歳未満の者）の選挙運動を禁止し、違反者に刑罰を科す公職選挙法（公選法）137条の2第1項、239条1項の合憲性は、疑問とされる[115]。

　2015年の公選法改正（2016年施行時）にみられるように、20歳に民法4条の成年年齢を据え置いたままでも、選挙年齢を18歳に引き下げることは、憲法改正なしに可能であった。憲法15条3項が成年者による普通選挙を「保障」すると定めていることの意味は、成年者による普通選挙を「要請」

112　東京高判1992（平成4）年10月30日判時1443号30頁。
113　最判1996（平成8）年7月18日民集179号629頁。
114　最決2022（令和4）年6月15日 LEX/DB 文献番号25593067。
115　佐藤幸治、2020、156頁。

しているが、未成年者による普通選挙を「禁止」するものではない。一定の未成年者による普通選挙を「許容」することも、立法政策の問題である。なお、憲法改正国民投票や選挙の投票年齢を18歳以上とすることもあって、2015年に文部科学省は、大学紛争が盛んな時代に高校生の政治活動を望ましくないとした1969年の通知を見直し、放課後や休日に校外のデモや集会に参加することを原則容認した[116]。

なお、子どもの権利条約は、国連加盟193カ国のうち、アメリカだけが唯一締約国ではないが、アメリカの判例上も、出入国の分野で子どもの最善の利益を考慮することは国際慣習法である旨が判示されている[117]。

3　天皇と皇族

天皇と皇族は、日本国籍を有する国民であるものの、皇位の世襲と職務の特殊性から、一般の国民とは違った人権の制約を受けている。そこで、天皇と皇族が人権の享有主体としての国民であるかどうかという形で議論されることが多い。天皇および皇族は、「門地」によって国民から区別された特別の存在であり[118]、世襲の身分に基礎を置くため身分から解放された近代の人権主体たりえないとして[119]、国民には含まれないという学説もある。しかし、明治憲法下、天皇は臣民に含まれなかったのと対比して、日本国憲法下では、天皇も国民に含まれると解するのが適当である。「天皇も憲法第三章にいう国民に含まれ、したがって、憲法の保障する基本的人権の享有主体であり、天皇の地位の世襲制、天皇の象徴としての地位、天皇の職務からくる最小限の特別扱いのみが認められる」と判示する下級審判例もある[120]。

憲法4条により、「国政に関する権能を有しない」天皇には、参政権や（結社の自由における）政党加入の自由は認められない。同様に、政治的な表現の自由および学問の自由も制約を受ける。また、憲法2条により、「世襲」の天皇には、職業選択の自由が認められない。さらに、憲法1条により、

116　2015年10月29日文部科学省初等中等教育局長通知・27文科初第933号。
117　Chetail, 2019, 127. 参照、Beharry v. Reno（2002）183 F. Supp. 2d 584.
118　佐藤幸治、2020、160-1頁。
119　高橋、2024、91頁。
120　富山地判1998（平成10）年12月16日判時1699号120頁。

日本国および日本国民の「象徴」と位置づけられる天皇には、外国移住の自由および国籍離脱の自由が認められない。

なお、皇族の財産権も、財産授受に国会の議決を要するなどの制約がある（憲法8条、皇室経済法2条）。また、皇族男子の婚姻の自由は、皇室会議の議を要件とする（皇室典範10条）。しかし、皇族の場合は、天皇よりは、人権保障の範囲が広いと考えられるが、天皇との親近性が遠いほど、制約の範囲が狭くなる。皇太子や皇太孫（や皇后など）を除く皇族は、皇室会議の議により、皇族の身分を離脱する自由が認められている（皇室典範11条）。

4 外国人

外国人の人権の享有主体性は、すべての人がもつ権利であるとする人権の普遍性と、日本国憲法前文がかかげる国際協調主義から、一般に肯定されている。戦後間もない頃は、外国人の人権は憲法上保障されないとする「無保障説」や、憲法の人権規定のうち、「何人も」で始まれば外国人も含まれ、「国民は」で始まれば外国人には適用されないとする「文言説」も唱えられた。しかし、日本国憲法の制定時に、国民の権利と外国人の権利を区別する議論がしっかりなされたわけでない[121]。また、国籍離脱の自由は、「何人も」と規定されているが、性質上日本人のみを想定していると考えられているなど、文言説では不都合な結果に至るとされた。そこで、通説は「**性質説**」を採用し、権利の性質から外国人にも及ぶかどうかを個別に検討する。判例も、マクリーン事件最高裁判決以後、性質説を採用し、「基本的人権の保障は、権利の性質上日本国民のみを対象としていると解されるものを除き、わが国に在留する外国人に対しても等しく及ぶものと解すべき」としている。

マクリーン事件[122]では、アメリカ人英語教師のマクリーンさんが、在留

---

[121] マッカーサー草案13条1項では「すべての自然人は、法の前に平等である」、同16条では「外国人は、法の平等な保護を受ける」と規定していた。しかし、外国人と国民との平等を規定することに困惑を感じた日本の官僚（佐藤達夫）の判断で、「国民は法の下に平等…」という1つの規定にし、「何人も」と書いてある人権規定をすべて「国民は」といったんは書き換えた。最終的には、アメリカ側から外国人も含む意味で「何人も」とした元の規定に戻すように指示され、全部ではないものの、かなりの規定を「何人も」に戻した経緯がある。参照、高柳賢三ほか、1972、275、431頁。佐藤達夫、1994、118、176、334頁。

期間1年として入国し、1年後に、在留期間の更新を申請したところ、法務大臣が、無届転職および政治活動（ベトナム反戦等のデモへの参加）を理由に、更新を拒否した。1審は、「転職およびいわゆる政治活動の実体」が、在留期間の更新拒否事由に当たらないので、法務大臣の裁量の逸脱を違法としたが、2審は、在留中の政治活動を消極的資料とすることも裁量の範囲内として適法とした。最高裁は「政治活動の自由についても、わが国の政治的意思決定又はその実施に影響を及ぼす活動等」を除き外国人に保障が及ぶのであって、在留中の政治活動を消極的資料とする法務大臣の裁量を適法とした。しかし、「外国人に対する憲法の基本的人権の保障」は、「外国人在留制度のわく内で与えられているにすぎない」という最高裁の論理は、極論すれば、外国人に対する人種・性・信条差別に基づく入管行政であっても合憲となることを意味しかねない。「憲法で保障された基本的人権である表現の自由の範囲内の政治的意見の表明である以上、在留期間更新の許否を判断する際のマイナス要素として考慮すべきではなかった。それを認めては、法務大臣は憲法の基本的人権の保障を無視してもよいことになる」という元最高裁判事の批判も、今日ではみられる[123]。

*　性質の判定基準

かつて、前国家的・前憲法的権利としての自然権（主として自由権）は、外国人も含むすべての人に保障され、後国家的・後憲法的権利（社会権や参政権）は、国家の構成員としての国民にのみ保障されると説明されたことがある。しかし、外国人に制約される権利として、入国の自由、居住の自由、職業選択の自由といった自由権がある。他方、後国家的権利である受益権としての裁判を受ける権利などを外国人に保障しないことは法治国家の名に値せず、今日の福祉国家においては、外国人の社会権も原則として保障される傾向にある。むしろ、現代における人権の性質の判定基準として、日本の締

122　マクリーン事件・東京地判1973（昭和48）年3月27日判時702号46頁、同・東京高判1975（昭和50）年9月25日判時792号11頁、同・最大判1978（昭和53）年10月4日民集32巻7号1223頁。
123　泉徳治、2011、21頁。

結した人権条約や国際慣習法に着目することが、日本国憲法98条2項の定める条約の誠実遵守義務から要請されている。

(1) 入国の自由

性質上、外国人には制限される人権として、入国の自由がある。憲法に明示の規定はなく、この権利が制限される理由は、国際慣習法上、主権の属性として国家の裁量により入国の許否が決定されるからという。しかし、自由権規約12条4項が、「何人も、自国に入国する権利を恣意的に奪われない」と定めている。「在留国を自国とみなすほどに密接な関係のある外国人」の場合は、入国の権利・在留権・再入国の自由が認められることにも目を向ける必要がある（参照、本書第12章第1節の居住・移転の自由）。

(2) 参政権

参政権は、国民主権原理がその制限の根拠とされる。しかし、多くの国では、EU市民や永住市民に地方参政権を認めるようになってきた。**定住外国人地方選挙権事件**において、日本の最高裁も「永住者等」に法律で地方選挙権を付与することは憲法上禁止されていないという[124]。そもそも、通説は、国民が国の政治のあり方を最終的に決定する国民主権の具体的な制度として、憲法改正国民投票を想定しているのであって[125]、国会の選挙権、地方の長・地方議会の選挙権は、国民主権の本質要素とは必ずしもいえない。また、住民自治という民主主義の理念から、「居住する区域の地方公共団体と特段に緊密な関係を持つ」永住者等の意思を反映させることの意義が注目される。

(3) 社会権

社会権は、当初、外国人に認められなかったが、今日の福祉国家においては、内外人平等の原則も重要である。EU諸国では、2003年の定住者指令において、EU市民にかぎらず、非EU市民に対しても、5年以上の合法的な居住などを要件として、一種の永住許可と、社会保障における国民との同権を保障している[126]。いわば、永住市民

---

124 定住外国人地方選挙権事件・最判1995（平成7）年2月28日民集49巻2号639頁。
125 芦部、2023、96頁。

権としての社会権の保障が問題となっている。日本も、1979年に国際人権規約を批准し、1981年に難民条約に加入したことにより、多くの社会保障関係法から国籍要件が撤廃された。ただし、判例は、障害福祉年金についての塩見訴訟をはじめ[127]、戦傷病者戦没者遺族等援護法による年金、恩給法による恩給の支給対象者の決定についても[128]、広範な立法裁量の問題としている。

また、法文上、生活保護法1条・2条には、「国民」という文言が残っており、生活保護の準用を（特別）永住者・日本人の配偶者等・永住者の配偶者等・定住者に限定する行政裁量が存在する[129]。最高裁は、永住者の生活保護の受給資格が、行政措置による事実上の保護の対象にすぎず、生活保護法に基づく保護の対象となるものではないと判示した[130]。さらに、国民健康保険法の「住所を有する者」という規定に対し、非正規滞在者や1年未満（2014年7月9日からが3カ月以下）の滞在予定の正規滞在者が国民健康保険に加入できないなどの旧厚生省の通知による行政裁量も制約として存在している[131]。最高裁は、国民健康保険法5条の「住所を有する者」とは、「在留資格を有しないものを被保険者から一律に除外する趣旨を定めた規定であると解することはできない」と判示した[132]。しかし、判決を受けた厚生労働省は、通知とほぼ同様の内容を国民健康保険法施行規則1条に定めたにすぎない。

126　Articles 5, 8, 11 of the Council Directive 2003/109/EC of 25 November 2003 concerning the status of third-country nationals who are long-term residents.
127　塩見訴訟・最判1989（平成元）年3月2日判時1363号68頁。
128　台湾元日本兵事件・最判1992（平成4）年4月28日判時1422号91頁。
129　1990年10月25日厚生省保護課の生活保護指導監督職員ブロック会議における口頭指示。
130　最判2014（平成26）年7月18日判例地方自治386号78頁。
131　1992年3月31日厚生省保険発第41号。
132　非正規滞在者国民健康保険事件・最判2004（平成16）年1月15日民集58巻1号226頁。上告人は、韓国で出生し、同国での永住資格を喪失し、台湾籍も確認されないため、やむなく日本で22年も非正規滞在を続け、調理師として働き、妻と日本生まれの2人の子と共に13年居住する。長男の脳腫瘍がわかり、在留特別許可を申請し（後に許可されるも）、国民健康保険への加入は拒否された。国民健康保険法5条ないし7条の被保険者（「住所を有する者」）に該当するとして、国・横浜市に損害賠償を求めた。請求は棄却されたものの、最高裁は、外国人登録をし、在留特別許可を求め、安定した生活を継続的に営み、将来にわたって維持し続ける蓋然性が高い上告人は、「住所を有する者」に該当すると判示した。このため、横浜市は、過去にさかのぼって国民健康保険の加入を認めた。

(4) 自由権

自由権については、政治活動の自由は、「わが国の政治的意思決定又はその実施に影響を及ぼす活動等」は除くとの**マクリーン事件最高裁判決**[133]がある。しかし、適法なデモへの参加が、その後、在留更新の不許可事由となった事例は聞かない。また、財産権は[134]、実務上はともかく、法令上は、鉱業法17条が「日本国民又は日本国法人でなければ、鉱業権者となることができない」と定めている。外国人土地法1条は、相互主義に基づき「勅令」で外国（法）人に対して土地に関する権利の制限ができる旨を定めているものの、その種の勅令（ないし日本国憲法下の政令）は、存在しない。職業選択の自由について、公証人、水先人は、外国人には認められていない[135]。選挙で選ばれる公務員を除き、公務員という職業の選択に関する公務就任権は、対外主権を代表する外務公務員だけが法律上、外国人に否認されている[136]。

しかし、従来、参政権との類似性が強調されたこともあって、公権力の行使または公の意思形成に携わる公務員となるには日本国籍が必要であることは、「当然の法理」とされてきた。これには批判も多く、教育職や技術職をはじめ、地方公務員の一般職についても、門戸が開放されつつある。ただし、最高裁は、**東京都管理職受験拒否事件**[137]では、（職業選択の自由と法の下の平等に反するとした2審判決とは違い）国民主権原理から、公権力の行使または重要な施策に関する決定に参画する職務の地方公務員は、原則として日本国民の就任が想定されているとして、韓国籍の特別永住者の管理職への門

---

133 マクリーン事件・最大判1978（昭和53）年10月4日民集32巻7号1223頁。
134 電波法5条は「日本の国籍を有しない人」等が「代表者」または「役員の3分の1以上若しくは議決権の3分の1以上を占めるもの」に無線局の免許を与えず、「日本の国籍を有しない人」等が「業務を執行する役員であるもの」または「議決権の5分の1以上を占めるもの」に基幹放送の免許を与えない。
135 水先法6条、公証人法12条1項
136 外務公務員法7条1項の「外国の国籍を有する者」とは、外国人だけでなく、複数国籍者である日本国民も含む。
137 東京都管理職受験拒否事件・最大判2005（平成17）年1月26日民集59巻1号128頁、同・東京高判1997（平成9）年11月26日判時1639号30頁。2審判決は「公権力を行使することなく」、「公の意思の形成に参画する蓋然性が少なく」、「統治作用に関わる程度の弱い」管理職も存在するので、外国人を地方公務員の管理職任用から一律に排除することは、憲法22条1項・14条1項に反するとして、慰謝料40万円を認めていた。

戸を閉ざす行為を合憲とした。

　この「**想定の法理**」は、従来の「当然の法理」とは、以下の３点で異なる。①「公の意思の形成への参画」という不明確な内容を、「重要な施策に関する決定」とその決定への「参画」に置き換えた。②「公権力の行使」の概念は踏襲するものの、「住民の権利義務を直接形成し、その範囲を確定するなどの公権力の行使」という内容に限定した。③当然の法理は、一定の職務への外国人の就任を禁止するが、想定の法理は、「原則として日本の国籍を有する者が公権力行使等地方公務員に就任することが想定」されるのであって、例外的に外国人の就任を認める自治体の裁量を許容している[138]。

　人種差別撤廃委員会は、2018年に日本政府に対し、「長期在住者または永住者に対する市民権の否認が、ある場合には、雇用および社会福祉へのアクセスに不利益を生じさせ、条約の非差別原則に違反する結果となることを考慮すること」[139]を含む外国人に対する差別に関する一般的勧告30（2004年）に留意し、「外国人、特に外国人長期在留者およびその子孫に対して、公権力の行使または公の意思の形成への参画に携わる公職へのアクセスを認めること」を勧告している[140]。

　「平等」に関するアメリカの議論からすれば、職種の性質にかかわらず、一律に管理職に国籍要件を課す背景には、国民によって「一定の魅力的な安定した職へのアクセスを独占したいという意図」が透けてみえる。また、判決は、「統治」の概念を広げ過ぎており、公務員が行う「行政」には国民主権原理が制約根拠とならないドイツの議論からすれば、ナショナリズムに偏した憲法解釈といえる[141]。法令の定めなしに、国民主権原理から、地方公務員の国籍要件を導くことは、法治主義に反し、「何人も」公共の福祉に反しないかぎり「職業選択の自由」を有すると定める日本国憲法にあっては、立憲主義の基本を無視するものといえよう。

　今日の性質説は、権利の性質だけでなく、外国人の態様に応じて、判断するように修正されている（**性質・態様説**）。従来の定住外国人、広義の難民、

138　実際、管理職への任用制限なしに、一般事務職の門戸を開いている自治体は200以上ある。近藤、2021、76頁。
139　人種差別撤廃委員会・外国人に対する差別に関する一般的勧告30（2004年）15段落。
140　人種差別撤廃委員会・総括所見（2018年8月30日）34段落。
141　近藤、2001、204、221、68-71頁。

その他の一般外国人という3分類は、永住市民（永住者等）、有期の正規滞在者（永住者等を除く正規滞在者）、非正規滞在者（在留資格を有しない者）の3分類を中心とする方が問題状況に即している[142]。図1にみるように、正規化、永住許可、帰化という3つのゲートを経て、非正規滞在者、その他の正規滞在者、永住市民、国民という具合に権利保障は、段階的に強化される。こうした段階的な権利保障および永住市民の国民に近い権利保障は、憲法11条・97条が基本的人権を「現在及び将来の国民」に保障していることからも導かれる。将来の国民となりうる外国人の態様に応じ、権利の保障の程度が異なっている。

図1　3ゲートモデルにおける権利の段階的保障

非正規滞在者	＜	その他の正規滞在者	＜	永住市民	＜	国民
	正規化		永住許可（1～10年）		帰化（3～5年）	
大半の市民的権利		一部の居住権		ほぼ完全な居住権		完全な居住権
（自由権・受益権・包括的人権）		一部の職業の自由		ほぼ完全な職業の自由		完全な職業の自由
		一部の社会権		ほぼ完全な社会権		完全な社会権
				（一部の参政権）		完全な参政権

　さまざまな外国人の態様に応じた外国人の権利保障を、「何人も」という規定と「国民は」という規定の二分法によって、オール・オア・ナッシングの形で説明することは困難である。権利の性質と外国人の態様に応じて解釈する性質説が望ましい。しかし、この性質説においても深刻な問題がある。「国民は」と書いてある権利を外国人にも認めることはできても、「何人も」と書いている権利を外国人に認めないことは、憲法をかかげて個人の権利・自由を公権力の恣意的な侵害から守るという立憲主義の基本に反する。
　憲法14条や同26条にある「国民は」、自由権規約26条や社会権規約13

---

[142] その理由は、①その他の一般外国人のうち、在留資格の有無が権利状況を大きく異にする。②広義の難民とは、難民申請者を含むのか不明であり、含むとすれば、狭義の難民とは権利状況が大きく異なる。③定住外国人と呼ばれるのは、3ゲートモデルから逸脱し、帰化要件よりも長い10年以上の居住期間を一般に必要とする日本の永住許可実務に原因がある。3年ないし5年の居住を目安として、永住権と一定の参政権が保障される制度への変更の必要性を意識する上では、永住市民と呼ぶ方が適当と思われる。永住市民の一連の権利と義務を永住市民権と呼ぶ。

条と整合的な解釈のもと、性質上、「何人も」、法の下に平等であるとか、教育を受ける権利を有すると解釈することは、可能である。しかし、憲法22条1項において「何人も」有する「居住、移転及び職業選択の自由」を外国人に認めないことや、同17条において「何人も」有する「国家賠償請求権」に相互主義を課すことは、立憲主義の基本に反する。また、「何人も」という文言の解釈において、最大の難問とされる「国籍を離脱する自由」については、「国籍離脱を強制されない自由」の側面が重要である。かつて弁護士となるために外国人の司法修習生に対し、国籍離脱を強要したようなことを政府に禁じる意味合い、ないし在外国民・在住外国人の帰化による国籍取得に際して従来の国籍離脱を強要せず複数国籍を認める意味合いとと理解する方が、今日の国籍自由の原則（恣意的な国籍剥奪禁止原則）にかなう解釈といえよう[143]。そこで、「何人も」という文言の規定については、「日本国民と日本の領土にある外国人」を、（比例原則に照らした制約の点で）その保障の程度の差はあれ、権利の享有主体とする一方、「国民は」という文言の規定および主体を明示していない規定については、「権利の性質上日本国民のみをその対象としていると解されるものを除き、わが国に在留している外国人にも等しく及ぶ」と解する、「**立憲性質説**」が適当である[144]。

5　法人

　人権は、本来、人間、すなわち自然人を念頭に置いている。ワイマール時代のドイツでは、法人の基本権享有主体性を否定する見解が支配的であった。しかし、今日のドイツ憲法では「基本権は、その性質上国内法人に適用されうるかぎり、これにも適用される」（基本法19条3項）と定めている。日本でも、高度に組織化された現代社会にあっては、法人その他の団体の活動も重大になり、法人もまた基本的人権の享有主体と解されるようになってきた。
　八幡製鉄政治献金事件[145] で、最高裁は「憲法第3章に定める国民の権利

143　近藤、2001、276-8頁、近藤、2019、245-6頁。
144　近藤、2002、23頁。
145　八幡製鉄政治献金事件・東京地判1963（昭和38）年4月5日判時330号29頁、同・東京高判1966（昭和41）年1月31日判時433号9頁、同・最大判1970（昭和45）年6月24日民集24巻6号625頁。自民党への3500万円の政治献金は、定款の事業目的の範囲外であり、旧商法

および義務の各条項は、性質上可能なかぎり、内国の法人にも適用される」として、(任意加入の営利法人である) 会社の「政治献金」を合憲とした。

　性質上、経済的自由・精神的自由・受益権は法人にも認められるとしても、身体の自由・社会権・参政権は自然人のみに認められる人権である。そこで、国民の参政権に重大な影響を与える会社の献金を、国民が有する政治資金の寄付の自由と同一に扱う判例への批判もある。一方、法人の態様によっても異なる (いわば、**性質・態様説**が法人の場合も妥当する。南アフリカ憲法8条4項では「法人は、権利の性質および法人の性質により必要な範囲で、権利章典における権利を享有する」と定めている)。

　南九州税理士会事件[146]で、最高裁は、(強制加入の公益法人である) 税理士会の「政治献金」を違憲とした。他方、政治目的の寄付であるか、人道目的の寄付であるかによっても異なる。**群馬司法書士会事件**[147]では、(強制加

254条ノ2の取締役の忠実義務に反するとして、株主が代表取締役に損害賠償を求めた事件。1審は、政党への政治献金が定款・忠実義務違反であり、会社は自然人と同様の権利能力をもたないとした。一方、2審は、政治献金も、災害支援などと同様に会社の目的の範囲内とした。最高裁は、会社の政治献金が、特定構成員の利益・政治的志向を満足させるためでなく、社会の一構成単位たる会社に期待・要請されるため、会社の目的の範囲内とした。

[146] 南九州税理士会事件・熊本地判1986 (昭和61) 年2月13日判時1181号37頁、同・福岡高判1992 (平成4) 年4月24日判時1421号3頁、同・最判1996 (平成8) 年3月19日民集50巻3号615頁。熊本・大分・宮崎・鹿児島4県からなる南九州税理士会が特別会費5000円を徴収する決議に対し、会員が特別会費の納入義務不存在確認等を請求した事件。1審は、一定の政治的立場に対する支持表明の強制に等しいとして違法とした。一方、2審は、税理士法改正に関し、関係団体に働きかけることは税理士会の目的の範囲内として合法とした。他方、最高裁は、政党への寄付は、税理士会の目的の範囲外であり、税理士会が強制加入団体であることからすると、多数決での寄付の強制は、違法とした。

[147] 群馬司法書士会事件・前橋地判1996 (平成8) 年12月3日判時1625号80頁、同・東京高判1999 (平成11) 年3月10日判時1677号22頁、同・最判2002 (平成14) 年4月25日判時1785号31頁。1995年の阪神淡路大震災により被災した兵庫県司法書士会への3000万円の復興支援拠出金を、復興支援特別負担金の徴収等により行う総会決議をした群馬司法書士会に対し、会員らが負担金の支払義務不存在の確認を求めた事件。1審は、拠出金の支出は、司法書士会の目的の範囲外であり、自主的に決定すべき事柄で、他から強制される性質のものではないとして、違法とした。他方、2審は、拠出金が被災地における司法書士制度、法律相談機能回復のためのものであり、司法書士の職責を遂行する目的の範囲内として、会員の思想・信条の自由に対する制約の程度は軽微であるので、適法とした。最高裁も、経済的支援は、司法書士の公的機能の回復を目的としており、他の司法書士会との提携・協力・援助等も司法書士会の活動範囲に含まれ、強制加入団体であることを考慮しても、負担金の徴収は、会員の政治的・宗教的立場や思想信条の自由を害するものではないので、適法とした。

入の公益法人であっても）、阪神大震災により被災した兵庫県司法書士会に対する「人道的寄付」は合憲とされた。なぜならば、強制加入団体の会員には様々な思想信条の者が存在し、政治的寄付が自ら支持しない政党などを支援することで自己の信条に反する程度が重大なのに対し、災害支援の人道的寄付が自己の良心に反する程度は軽微と考えられるからである。

第2節　特別な法律関係と人権

かつての特別権力関係論は現在では否定されている。しかし、大学その他の団体における部分社会論、公務員の人権、在監者の人権として、個別に、特別な法律関係における人権制約が今日も語られている。

1　特別権力関係論

行政権の優位に根ざす明治憲法下には、ドイツの理論の影響を受けて、公務員、在監者、国公立大学の学生について、国や公共団体は、包括的支配権（たとえば、命令権、懲戒権）をもち、法律の根拠がなくても一般の国民がもつ権利を制約することができるといわれた。これは国家と一般の国民との一般権力関係とは違う、特別権力関係と呼ばれた。特別権力関係内部における公権力の行為は、原則として司法審査に服さない。しかし、国会を「唯一の立法機関」とし、その国会の制定する法律に対する違憲審査の制度を設けた日本国憲法の下では、特別権力関係論は成立根拠を失っている。

2　部分社会論

富山大学単位不認定事件[148]において、最高裁は「大学は国公立であると私立であるとを問わず、自律的、包括的な権能を有し、一般市民社会とは異なる特殊な部分社会を形成」し、「司法審査の対象から除かれるべきである」という。この部分社会論は、下級審の判例も含めると、大学のほか、地方議

148　富山大学単位不認定事件・最判1977（昭和52）年3月15日民集31巻2号234頁。

会、宗教団体[149]、自治会、弁護士会、政党などさまざまな場面で用いられている。しかし、部分社会論は、社会的権力からの自由の要請に反すると批判されている[150]。中間団体の自律性を尊重することは、団体内部の少数者の権利を裁判所が保護しないことへの疑問もある[151]。包括的な部分社会論ではなく、大学の自治、地方自治、結社の自由などの憲法上の価値に照らし、個別具体的に司法審査の対象となるかどうかを検討すべきである。

3　公務員の人権

特別権力関係論は、明治憲法下の「天皇の使用人」としての官吏とは違い、国民主権原理に基づき、公務員を「全体の奉仕者」と定め、公務員関係を法律事項とする日本国憲法の下では成り立たない。むしろ、公務員の人権が制限される根拠は、憲法が公務員関係の自律性を憲法的秩序の構成要素として認めていることに求められるべきである。しかし、当初、最高裁は「全体の奉仕者」や「公共の福祉」という文言で、公務員の労働基本権や政治活動の自由を制限した[152]。その背後には、まだ特別権力関係論の考え方があった。

ついで、労働基本権について、こうした抽象的な根拠づけでは不十分とする批判を受けた最高裁は、「労働基本権を尊重確保する必要と国民生活全体の利益を増進する必要とを比較衡量」する判断基準を打ち出した[153]。しかし、その後、最高裁は、争議行為が公務員の「地位の特殊性および職務の公共性に反し、勤労者を含めた国民全体に重大な影響」を与えうるとして、再び公務員の労働基本権の必要性を軽視する判断を示している[154]。

さらに、公務員の政治活動の自由についても、この考え方を最高裁は踏襲した。1974 年の**猿払事件**[155] では、（管理職ではない）郵便局職員が勤務時間

149　たとえば、宗教上の教義に関する判断が必要な宗教団体内部の争いは、法令の適用により終局的に解決しうる「法律上の争訟」（裁判所法 3 条 1 項）に該当しないので、司法審査の対象とならないのであって、部分社会論を持ち出す必要はない。
150　樋口、2021、189 頁。
151　長谷部、2022、416 頁。
152　政令 201 号事件・最大判 1953（昭和 28）年 4 月 8 日刑集 7 巻 4 号 775 頁、国家公務員法 102 条事件・最大判 1958（昭和 33）年 3 月 12 日刑集 12 巻 3 号 501 頁。
153　全逓東京中郵事件・最大判 1966（昭和 41）年 10 月 26 日刑集 20 巻 8 号 901 頁。
154　全農林警職法事件・最大判 1973（昭和 48）年 4 月 25 日刑集 27 巻 4 号 547 頁。

外に政党候補のポスターを掲示・配布したことが、国家公務員法102条1項等[156]に違反するとして処罰された。最高裁によれば、「国民全体の重要な利益」である「公務員の政治的中立性」を損なうおそれのある公務員の政治的行為の禁止は、「合理的で必要やむをえない限度にとどまるものである限り、憲法の許容するところである」という。公務員の地位、職務の内容、性質などの個別事情は捨象され、「一体となって国民全体に奉仕すべき責務を負う行政組織」の中立性が問題となり、公務員も政治活動の自由を有するという前提そのものを否定する[157]。①「公務員の政治的中立性を損うおそれがあると認められる政治的行為を禁止することは、禁止目的との間に合理的な関連性がある」。②「禁止により得られる利益は、公務員の政治的中立性を維持し、行政の中立的運営とこれに対する国民の信頼を確保するという国民全体の共同利益なのであるから、得られる利益は、失われる利益に比してさらに重要なものというべきであり、その禁止は利益の均衡を失するものではない」。①と②の判決内容は、後述する**比例原則**に近い（参照、本書第4章第1節）。しかし、③目的達成に対する手段の必要性を審査していない点が、比例原則

---

[155] 猿払事件・最大判1974（昭和49）年11月6日刑集28巻9号393頁。北海道宗谷郡猿払村の郵便局の郵政事務官が、衆議院議員総選挙の際、労組の決定にしたがい、A党公認候補の選挙ポスターを公営掲示場に掲示した。国家公務員法に基づく人事院規則の禁じる「政治的行為」にあたり、刑事罰が適用されるかが争われた。1審・旭川地判1968（昭和43）年3月25日判時514号20頁は、被告人を無罪とした。機械的労務を提供する非管理職の現業公務員が、勤務時間外に、国の施設・職務を利用せず、公正を害する意図のない労組活動行為への刑事罰は、憲法21条・31条に反する。国家公務員法102条1項の母法とされるアメリカの法律では、懲戒処分にとどまり、イギリスやドイツの下級公務員には政治活動の制約がなく、「近代民主主義国家において公務員の政治活動禁止違反の行為に対し刑事罰を科している国はない。…より狭い範囲の制裁方法があり、これによってもひとしく法目的を達成することができる場合には、法の定めている広い制裁方法は法目的達成の必要最小限度を超えたものとして、違憲となる場合がある」とLRAの原則が示された。2審・札幌高判1969（昭和44）年6月24日判時560号30頁も、同様の判断をした。しかし、最高裁は合憲とし、5000円の罰金刑を科した。

[156] 国家公務員法102条1項が「職員は、…人事院規則で定める政治的行為をしてはならない」、同110条1項19号がその違反者に「3年以下の懲役又は10万円以下の罰金を科する」と定める。人事院規則14-7の5項3号は、政治的行為として「特定の政党その他の政治的団体を支持し又はこれに反対すること」、同6項13号が「政治的目的を有する署名又は無署名の文書、図画、音盤又は形象を発行し、回覧に供し、掲示し若しくは配布し又は多数の人に対して朗読し若しくは聴取させ、あるいはこれらの用に供するために著作し又は編集すること」を禁止する。

[157] 佐藤幸治、2020、183頁。

の審査とは異なり、LRA（必要最小限）の原則（参照、本書第10章第3節）を採用した下級審の結論との違いをもたらす。また、公務員の公務以外での意見表明の自由が争点なので、それに対する制約は、「優越的自由」としての表現の自由に対する厳格な司法審査基準が適用されるべきとの批判がある[158]。「行動のもたらす弊害の防止」が意見表明の自由の間接的・付随的制約というよりも、直接的・意図的制約である点にも着目すべきである[159]。

一方、**堀越事件**[160]では、2012年に最高裁は、公務員の政治活動禁止の罰則規定（国公110条1項19号）の構成要件に該当しないので、無罪とした。なぜならば、猿払事件とは事案が異なるからである。猿払事件は、公務員の労組活動としての性格を有し、公務員が政党候補者を支援することが一般人に容易に認識され得るので、政治的中立性を損なうおそれがあるという。これに対し、堀越事件は、「公務員により組織される団体の活動としての性格もなく行われたものであり、公務員による行為と認識し得る態様で行われたものでもないから、公務員の職務の遂行の政治的中立性を損なうおそれが実質的に認められるものとはいえない」。したがって、配布行為は罰則規定の構成要件に該当せず、憲法21条1項、31条違反かどうかの判断は不要とされた。

他方、**宇治橋事件**[161]では、厚生労働省の（管理職に準ずる）課長補佐の警視庁職員住宅における党機関紙の配布の処罰に対し、猿払事件を踏襲する

---

158 樋口、2021、190頁。
159 渡辺ほか、2023、67-8頁〔松本〕。
160 堀越事件・最判2012（平成24）年12月7日刑集66巻12号1337頁。1審・東京地判2006（平成18）年6月29日刑集66巻12号1617頁は、本件罰則規定が憲法21条1項・31条等に違反せず合憲であるとし、被告人を罰金10万円に処した。2審・東京高判2010（平成22）年3月29日刑集66巻12号1687頁は、1審判決を破棄し、無罪とした。裁量の余地のない職務を担当する非管理職の社会保険庁の年金審査官が、休日に、勤務先・職務と関わりなく、勤務先の所在地・管轄区域から離れた自宅周辺で、公務員であることを明らかにせず、無言で、他人の居宅・事務所等の郵便受けに政党の機関紙等を配布した事案である。「国の行政の中立的運営…国民の信頼の確保を侵害すべき危険性は、抽象的なものを含めて、全く肯認できない」から、罰則の適用は、国家公務員の政治活動の自由に対する「必要やむを得ない限度を超えた制約」として憲法21条1項・31条に反する。最高裁も、同様の判断をしている。
161 宇治橋事件・最判2012（平成24）年12月7日刑集66巻12号1722頁。1審・東京地判2008（平成20）年9月19日刑集66巻12号1926頁は、罰金10万円とした。2審・東京高判2010（平成22）年5月13日刑集66巻12号1964頁も、最高裁も同様。

合憲判決を下した。千葉勝美裁判官の補足意見によれば、「公務員の所属組織による活動の一環として当該組織の機関決定に基づいて行われ、当該地区において公務員が特定の政党の候補者の当選に向けて積極的に支援する行為であることが外形上一般人にも容易に認識される」ので、「公務員の職務の遂行の中立性を損なうおそれがある行為」とされ、猿払事件と同様の判断が導かれたとされる。（現業公務員の場合の）猿払事件とは異なり、管理職的地位にある公務員であることが、重大な考慮要素となったわけではない。

　なお、寺西判事補戒告事件[162]では、最高裁は、通信傍受法案に反対する集会において、裁判官であることを明らかにした上での発言行為に対する戒告処分を適法とした。最高裁は「仮に法案に反対の立場で発言しても、裁判所法に定める積極的な政治活動に当たるとは考えないが、パネリストとしての発言は辞退する」と会場の一般参加者席から発言した行為が、裁判所法52条1号が裁判官に禁じている「積極的に政治運動をすること」にあたるとした。裁判所法の積極的政治運動の禁止は、「禁止の目的が正当であって、その目的と禁止との間に合理的関連性があり、禁止により得られる利益と失われる利益との均衡を失するものでないなら、憲法21条1に違反しない」と猿払事件と同様の判断を示した。しかし、手段審査の点で、「積極的に政治運動をすること」という不明確な表現において本件の発言行為を規制することが「必要やむを得ない限度」とは、思われない。自由権規約19条3項が、表現の自由の「制限」に必要な「目的」を「(a)他の者の権利または信用の尊重、(b)国の安全、公の秩序または公衆の健康もしくは道徳の保護」に限定する。したがって、目的審査においても、裁判所法52条1号が裁判官の表現の自由を制限する「裁判官の独立及び中立・公正を確保」する目的は、自由権規約19条3項に反し、同項と整合的に解しうる憲法21条1項にも反する。

4　受刑者の人権

　2005年に旧監獄法が改正された。2006年からは刑事収容施設及び被収容

---

[162]　寺西判事補戒告事件・最大決1998（平成10）年12月1日民集52巻9号1761頁。

者等の処遇に関する法律に変わり、新聞・図書の閲覧禁止、信書の検査、喫煙の禁止、頭髪の丸刈りなどは、その必要性・合理性の認定要件が明文において厳格に制限されるようになった。監獄は刑事施設と名称を変えた。在監者と呼ばれてきた被収容者（受刑者・未決拘禁者・死刑確定者）の人権の制限は、収容目的を達成するために必要最小限の手段をとる場合、認められる。収容目的は、被疑者・被告人の場合、逃亡・罪証隠滅の防止であり、受刑者の場合、逃亡・暴行・殺傷の防止、房内の規律維持、矯正強化である。

　従来の最高裁判決は、喫煙の禁止も、逃亡・罪証隠滅の防止の目的上は許されるとした[163]。拘置所長の新聞記事抹消処分についても、監獄内の規律・秩序の維持上放置できない障害が生ずる「相当な蓋然性」があると認められることが必要であるとのかなり厳しい基準に照らしても適法とした[164]。信書の検閲も、逃亡・証拠隠滅の防止上、必要とされ、憲法21条2項が禁ずる「検閲」に当たらないとした[165]。

　しかし、その後の最高裁判決は、この「相当の蓋然性」の基準に照らし、刑務所長が受刑者の新聞社あての信書の発信を不許可にしたことは、監獄内の規律・秩序の維持上放置することのできない程度の障害が生ずる相当の蓋然性はないとして、違法とする[166]。

163　**喫煙禁止合憲判決**・最大判 1970（昭和 45）年 9 月 16 日民集 24 巻 10 号 1410 頁。
164　**よど号ハイ・ジャック新聞記事抹消事件**・最大判 1983（昭和 58）年 6 月 22 日民集 37 巻 5 号 793 頁。
165　**信書検閲合憲判決**・最判 1994（平成 6）年 10 月 27 日判時 1513 号 91 頁。
166　最判 2006（平成 18）年 3 月 23 日判時 1929 号 37 頁。

第3章
人権規定は私人の間でも適用されるのか

　人権を保障する主体（人権保障の名宛人）は、国家と考えられ、人権は、国家に対して、公権力の濫用から個人の権利を守る場面で論じられてきた。しかし、近年、私的団体に対して、社会的権力の濫用から個人の権利を守る場面、すなわち私人間においても、人権の適用がなされる（または人権の効力を有する）のかが問題となる。このことは、**人権の私人間適用（または人権の私人間効力）**と呼ばれる。国際人権法では、人権の水平的効力という。

第1節　私人間に直接適用可能な人権規定

　伝統的に、私人相互の関係には私的自治を認めるのが憲法の立場と考えられた。しかし、資本主義が発展するにつれ、私的自治の原則の背後にある私人間の対等な関係という前提が疑問視される。使用者と労働者の関係は、社会経済的な強者と弱者の支配従属関係に移行した。社会構造の複雑化が大規模組織を形成するのに伴って、国家の積極的な社会経済的活動への介入が必要となる。そこで労働者は企業や労働組合に対して、私的自治の名のもとの人権侵害から守られるべきとの考えが一般的になってきた。国・自治体と個人との縦の関係において垂直的効力のみをもつとされた人権規定は、企業・労働組合と個人との横の関係において水平的効力をもちうるようになった。

　日本国憲法の保障する人権規定をみると、人権が国家に対する防御権であるばかりとは限らない。会社・労働組合・家族といった、私的団体によっても侵されないように、私人間への人権規定の適用が、明文上、念頭に置かれているものもある。15条4項の投票の秘密は、選挙人が「公的に」国家か

らも、「私的に」私人からも責任を問われないことを保障する。16条が、「請願をしたためにいかなる差別待遇も受けない」と定めるのも、私人による差別禁止を含む。18条の奴隷的拘束・苦役からの自由は、国家はもちろんのこと、私人によっても、保障されるべきである。26条の教育を受ける権利は、私人の保護者、27条3項の児童酷使の禁止は、私人の使用者・保護者、28条の労働基本権は、私人の使用者との関係においても、それぞれ保障している。これらの例外的な人権規定を除き、その他の憲法上の人権規定は、私人間にも適用されるかが、憲法解釈上の重要な論点となる。

アメリカの憲法でも「奴隷制や自発的でない隷属」を禁ずる修正13条は、国と同様、私人間における人権保障も前提とした規定である。それ以外の規定について、国家の行為と同視できる私人の行為としてのステイト・アクション（state action）の場合は、憲法が適用可能となる。Burton v. Wilmington Parking Authority, 365 U.S. 715（1961）では、デラウェア州の財政援助のもと運営される駐車場の中で私人の経営するレストランが黒人へのサービス提供を拒否することは、州が共同関係者となっており、修正14条（平等）違反となる。Marsh v. Alabama, 326 U.S. 501（1944）では、民間の造船所の会社町は公的機能を果たしており、公衆一般に財産の使用を広く認めるほど、財産権は制限を受けるので、エホバの証人の信者が許可なく宗教文書を配布したことを州法上の不法侵入の罪に問うことは、修正1条（表現の自由・信教の自由）、修正14条（適正手続）に反する。

新しい憲法の中には、平等保護に関し私人間適用を明示するものがある。南アフリカ憲法9条4項では「何人も、…直接または間接に何人に対しても不公正に差別してはいけない」と定めている。インド憲法15条2項（a）は、「店、レストラン、ホテル、公衆の利用する娯楽施設」の利用制限を禁じている。平等に関する人権条約は、私人間における人権保障を一定の場合に保障している。女性差別撤廃条約は、男女の「同一の雇用機会」等を私企業に対しても義務づける（11条）。人種差別撤廃条約は「輸送機関、ホテル、飲食店、喫茶店、劇場、公園等一般公衆の使用を目的とするあらゆる場所またはサービスを利用する権利」の平等を定めている（5条（f））。障碍者権利条約も「公衆に開放され・提供される施設・サービスを提供する民間団体が、施設・サービスの障碍者への利用可能性を全面的に考慮すること」を定めている（9条2項2号）。自由権規約委員会によれば、「自由権規約それ自体は、いくつかの条文で、私人・団体の

行動についても、一定の分野において、締約国が積極的義務を負うことを規定する。17条のプライバシーに関連する保障は、法によって保護されなければならない。7条において、締約国は、個人や団体が他者に対して拷問または残虐・非人道的・品位を傷つける取扱いもしくは刑罰を、自らの権限内で行わないことを保障するための積極的措置を取ることが含意されている。職業や住居などの日常生活の基本的な側面に影響を与える分野においても、個人は、26条の意味の範囲において保護されなければならない」[167]。Nahlik v Austria（1996）において、自由権規約委員会は、2条や26条では、公的分野や雇用などの「準公的」分野における私人による差別からの自由を確保する義務を、締約国は負うという。

　古典的な人権保障の議論とは違い、今日の人権保障は、国家と個人の間にかぎらず、（雇用などの準公的分野の）私人相互間の人権保障の重要性が増している。

第2節　私人間適用の学説

　学説は、ドイツの理論を参考にしながら、直接適用説（直接効力説）、間接適用説（間接効力説）、無適用説（無効力説）の3つを対比させて議論することが多い。

　直接適用説によれば、憲法は、たんに国家の枠組みではなく、国民の全生活にわたる客観的秩序であるので、私法関係にも適用されるという。しかし、直接適用は、私的自治の原則を否定し、人権の対国家権力性という人権の本質を歪めると批判されている。

　そこで、通説たる**間接適用説**によれば、私法の一般条項を媒介にして憲法の人権規定を適用することになる。直接に適用されるのは民法90条の公序良俗規定などであるが、「公序」などの一般条項の意味を憲法14条などが充填することにより、憲法が間接的に私人間の行為を規制する効力をもつ。

167　自由権規約委員会・一般的意見31（2004年4月21日）8段落。

一方、**無適用説**は、憲法が国家対国民の関係を規律する法であるから、人権規定は特段の定めのある場合を除いて私人間に適用されないという。これは明治憲法下の通説であったが、現代社会における社会的権力の実像を無視するものであるとして、日本国憲法下では、一般に支持を失った*。

* 無適用説の再評価と解釈指針説など

近年、フランスを参考にしながら、人権の対国家権力性という伝統的な立憲主義の基本を尊重すべく、無適用説を再評価する見解もある[168]。しかし、民法2条の「個人の尊厳」と民法90条と709条が人権問題の大部分を民法解釈の問題として解決できるとしても、人種差別禁止法が存在するフランスとは事情が異なり、日本における人種差別の場合は憲法14条1項（や人種差別撤廃条約）を解釈基準として公序の意味を充填する必要が大きい。

また、直接適用説と間接適用説との区別を相対化する議論として、憲法適用説がある[169]。公序を公序たらしめる力は民法90条にあるわけではないので、直接適用と間接適用の区別の意味を認めず、憲法が適用されたものと考える。しかし、憲法規定が民法規定の解釈基準となったとしても、適用されたのは民法規定なので、憲法適用という名称が適当であるかは疑問である。

むしろ、間接適用説と無適用説との区別を相対化する議論として、「**解釈基準説**」（ないし「解釈指針説」）という名称が適当と思われる。憲法規定が民法規定の解釈基準として一定の重要な効果をもつことを考慮すべきであることの本質に即した説である。

その他の学説として、アメリカの判例理論を参考に、国が重要な程度でかかわるか、または国の行為に準ずる私的団体の行為を、国家の行為と同じにみることにより、一定の私人間の行為に憲法規定を適用する国家同視説もある。さらに、近年のドイツの議論を参考に、国家の**基本権保護義務論**から間接適用説を再構成する学説もある[170]。基本権保護義務とは、国家が被害者の基本権法益（人権的利益）を加害者の侵害から保護する義務を負うという考

---

168 髙橋、2024、118-19頁。
169 今村、1973、70頁。
170 小山、1998、224-5頁。

え方である[171]。原則として間接適用説で対処しつつ、加害企業がすでに存在しない場合や、立法不作為の場合などには、基本権保護義務論を補充的に採用するという見解もある[172]。

人権条約においては、人権保障のための国家の多面的な義務を3つの側面に分けて論じられている。①「尊重」義務は、国家が、個人の権利を侵害する行為をしない消極的な義務である。②「保護」義務は、国家が個人の権利を守るために、国家機関はもちろん、他の個人や法人など第三者からの権利侵害を防止し、また権利侵害が起こった場合には加害者を処罰し、被害者を救済する積極的な義務である。③「充足」義務は、国家が権利の内容そのものを満たさなければ権利の実現が難しい場合に、行政その他の措置を取る積極的な義務である[173]。②の人権条約の保護義務が、憲法の基本権保護義務に対応し、国家の積極的な保護義務として人権の私人間適用を導く。

私人間において、人権的利益の侵害が問題となる場合には、憲法（ないし人権条約）の趣旨を解釈基準とする憲法適合的解釈（ないし人権条約適合的解釈）が重要となっている。

第3節　私人間適用の判例の立場

三菱樹脂事件[174]最高裁判決が、リーディング・ケースである。ここでは、

171　小山、2016、129-30頁。
172　赤坂、2011、364頁。
173　申、2016、181-341頁。
174　三菱樹脂事件・最大判1973（昭和48）年12月12日民集27巻11号1536頁では、原告が、大学卒業後、三菱樹脂株式会社に採用されたものの、3カ月の試用期間中に学生運動歴が問題となり、本採用を拒否された。主要な争点は、使用者と労働者の労働関係に人権規定が適用されるか、入社試験での思想に関する質問が憲法19条の思想の自由に反するか、特定の思想による本採用拒否が同14条の信条差別に当たるかであった。1審・東京地判1967（昭和42）年7月17日判時498号66頁、および2審・東京高裁1968（昭和43）年6月12日判時523号19頁では、人権の私人間適用の問題に言及することなく、原告は勝訴した。しかし、最高裁は、人権の私人間適用を問題とし、経済的自由（憲法22条・29条等）も保障しているので、使用者が特定の思想・信条を有する者の雇い入れを拒み、労働者の思想・信条を調査することも自由とした。最高裁が労働者の思想・信条の保障に消極的であり、「社会的許容性の限度を超える侵害」という曖

使用者と労働者の関係をめぐって、憲法19条の思想の自由や14条の信条差別禁止の人権規定は「私人相互の関係を直接規律することを予定するものではない」と直接適用説を否定する。また、「国または公共団体の支配と同視すべきかの判定が困難である」と国家同視説を否定した。そして「私的自治に対する一般的制限規定である民法1条、90条や不法行為に関する諸規定等の適切な運用によって、一面で私的自治の原則を尊重しながら、他面で社会的許容性の限度を超える侵害に対し基本的な自由や平等の利益を保護し、その間の適切な調整を図る方途も存する」と判示した。この点、間接適用説を採用したものと一般に解されている。

昭和女子大事件[175]、私立大学における学生の思想の自由・表現の自由・学問の自由については、学生の学外での政治活動に対する大学の規制権限を広く容認している。三菱樹脂事件最高裁判決を援用しながら、憲法19条・21条・23条等の自由権規定は、「私人相互間の関係について当然に適用ないし類推適用されるものでない」という。

日産自動車定年制事件[176] では、使用者と労働者の関係について、企業の

味な基準を導入している点への学説上の批判は多い。

[175] **昭和女子大事件**・最判1974（昭和49）年7月19日民集28巻5号790頁では、原告（2人の学生）は、昭和女子大学の「生活要録」の規定に反し、政治的暴力行為防止法案に反対する無届の署名運動と許可なしの学外団体への加入・加入申込を問題とされ、団体からの離脱を求められ、そのことを週刊誌・ラジオで公表したところ、学則上「学校の秩序を乱し、その他学生としての本分に反した者」として退学処分となったので、身分確認を裁判所に求めた。1審・東京地判1963（昭和38）年11月20日判時353号9頁は、憲法19条・14条が「個人相互間においても、…思想、信条のいかんによって互になんらの干渉、不利益を及ぼされることがないことを…要請」し、教育基本法3条の「信条」差別禁止が私立学校にも及ぶとし、事前に反省を促す過程を経る法的義務を欠く退学処分を無効とした。他方、2審・東京高判1967（昭和42）年4月10日判時478号16頁は、事前に反省を促す過程を経る法的義務を認めず、裁量権の逸脱はなく、退学処分を有効とした。最高裁も、私立学校の建学の精神に基づく校風を理由に広範な裁量権を認め、退学処分を有効とした。

[176] **日産自動車定年制事件**・最判1981（昭和56）年3月24日民集35巻2号300頁では、原告の女性は、定年が男女とも55歳であったが、数年前に被告（日産自動車）に吸収合併され、男は55歳、女は50歳と就業規則に定められ、定年退職の予告を受けたため、地位保全の仮処分を申請した。仮処分の1・2審ともに敗訴したが、以前の雇用関係の存続確認を求める本訴の1・2審では勝訴した。仮処分の1審・東京地判1971（昭和46）年4月8日判時644号92頁は「男女別定年制は、企業合理化の見地からして合理的な根拠がある」として、仮処分の2審・東京高判1973（昭和48）年3月12日判時698号31頁も「生理的機能水準自体は女子は男子に劣り、女

定年年齢を男性60歳、女性55歳と定める就業規則は、「性別のみによる不合理な差別を定めたものとして民法90条の規定により無効であると解するのが相当である（憲法14条1項、民法1条ノ2［現行2条］参照）」と判示した。括弧書で憲法規定が明示されているので、一般に間接適用説と評される。無適用説の立場とみる場合もある。「解釈基準説」と理解するのが適当であろう。

第4節　「解釈基準」としての人権条約

　日本が批准した人権諸条約が私人間にも適用されるかという問題もある。下級審判決では、民法90条などの解釈基準として、憲法や人権諸条約の人権規定を明確に位置づけている。**小樽入浴拒否事件**では、「憲法14条1項、**国際人権B規約及び人種差別撤廃条約は、前記のような私法の諸規定の解釈にあたっての基準の一つとなりうる**」と判示している[177]。
　また、ブラジル人であることを理由に宝石店から追い出された**浜松入店拒否事件**では、人種差別撤廃「**条約の実体規定が不法行為の要件の解釈基準として作用する**」という[178]。

子の50才のそれに匹敵する男子の年令は52才位、女子55才のそれに匹敵する男子の年令は70才位」として、公序良俗違反をしりぞけた。本訴1審・東京地判1973（昭和48）年3月23日判時698号36頁は、「性別のみを理由とする」差別として、公序良俗違反とした。本訴2審・東京高判1979年3月12日判時918号24頁も「労働力の需給の不均衡に乗じて女子労働者の生活に深刻な影響のある定年年齢について理由もなく差別するもので、企業経営上の観点からの合理性は認められず、また社会的な妥当性を著しく欠く」として、公序良俗違反とした。被告は、2審敗訴後、男女の定年を60歳に改めたが、2審判決の憲法14条・民法90条の解釈の誤りを主張して上告した。

177　小樽入浴拒否事件・札幌地判2002（平成14）年11月11日判時1806号84頁。
178　浜松入店拒否事件・静岡地裁浜松支部判決1999（平成11）年10月12日判時1718号92頁。

第4章
どのような場合に人権を制約することが許されるのか

　どのように人権は保障されるのか。この問題を考える上で、その裏返しとして、どのような場合に人権を制約することが許されるのかを考える必要がある。憲法12条は「この憲法が国民に保障する自由及び権利は、国民の不断の努力によって、これを保持しなければならない。又、国民は、これを濫用してはならないのであって、常に公共の福祉のためにこれを利用する責任を負ふ」と定める。どのような場合に、権利を「濫用」することになるのか。また、「公共の福祉」とは何か。人権の制約の正当化の議論として諸外国で一般的な比例原則をみて[179]、日本の公共の福祉論と比べてみよう。なお、ドイツの違憲審査は、**三段階審査**と呼ばれ、第1に人権の保障範囲を確定し、第2に人権を制限する国家行為を確認し、第3に人権の制限の正当化を審査する。この正当化の審査において比例原則が用いられる。

第1節　比例原則

1　比例原則の根拠

　基本的人権は、「侵すことのできない永久の権利」（憲法11条・97条）とうたっている。しかし、このことは一切の制約が認められないことを意味しない。フランス人権宣言4条では「自由は、他人を害しないすべてをなしうることに存する」と明記する。人権といえども、人間の社会的共同生活を前提にしている

---

[179] 以下の記述は、近藤、2015b、815頁以下参照。

以上、他人を害する人権の行使は制約を受ける。こうした「他者加害原理（harm principle）」は、英米法においても、人権の制約を考える上での出発点である。

今日、この「他者加害原理」だけで、基本的人権の制約を正当化するものではない。世界人権宣言29条2項は、人権制約の根拠について、以下のように定めている。「すべて人は、自己の権利および自由を行使するに当っては、他人の権利および自由の正当な承認および尊重を保障すること、ならびに民主的社会における道徳、公の秩序および一般の福祉の正当な要求を満たすことをもっぱら目的として法律によって定められた制限にのみ服する」[180]。前段の他者加害原理もその内実に含みつつ、後段の「民主的社会における…正当な要求」を理由とする制約が正当化されうる。公共の福祉の正当な要求を目的とする規制手段による制限のみが正当化され、手段が目的に比例していることが要請される。ここでの民主主義は、裁判所の違憲立法審査権に裏打ちされた民主主義であり、法の支配と整合的な民主主義である。恣意的な立法と行政を廃し、人権に根差した法の支配を確立するためには、人権の規制手段と規制目的の比例性を裁判所が審査する必要がある。したがって、比例原則は、民主主義と法治主義（法の支配）の要請から導かれる。

手段が目的に比例しているということは、単に目的と手段との合理的な関連性（適合性）にかぎらない。より制限的な代替手段の不存在といった必要最小限（必要性）の審査も不可欠である。さらには、制約によって得られる公的な利益と失われる個人の利益との比較衡量（狭義の比例性）といった審査も加わる。比例原則の長所として、裁判所の判断理由の透明性を高め、判

---

[180] 自由権規約では、個別の人権条項に制約根拠が明記されている。12条3項は移動の自由・居住の自由・出国の自由について「いかなる制限も受けない。ただし、その制限が、法律で定められ、国の安全、公の秩序、公衆の健康若しくは道徳または他の者の権利および自由を保護するために必要であり、かつ、この規約において認められる他の権利と両立するものである場合は、この限りでない」と定める。18条3項は宗教・信念を表明する自由について「法律で定める制限であって公共の安全、公の秩序、公衆の健康若しくは道徳または他の者の基本的な権利および自由を保護するために必要なもののみを課することができる」と定める。21条・22条2項は集会の権利・結社の権利について「法律で定める制限であって国の安全もしくは公共の安全、公の秩序、公衆の健康もしくは道徳の保護または他の者の権利および自由の保護のため民主的社会において必要なもの以外のいかなる制限も課することができない」と規定する。19条3項の表現の自由の制約は、上記とほぼ同じ内容で、他の者の「自由の保護」に代え、「信用の尊重」という制限の目的が定められている。

決の実際の背景を明らかにする効果がある。

　世界人権宣言29条2項の「民主的社会における…正当な要求」と類似の規定が、ヨーロッパ人権条約では、比例原則の根拠規定である。たとえば、8条の私生活および家族生活の権利については「法律に基づき、国の安全・公共の安全・経済的福利のため…民主的社会において必要なもの」以外の制約を禁じる。

　類似の権利の制約根拠が憲法に定められ、比例原則の根拠となっている。カナダの憲法の人権規定に相当する1982年の人権憲章1条では「法で定められ、自由で民主的な社会において明確に正当化することができる合理的制約にのみ服する限り」という条件のもと、権利と自由の保障を定めている。台湾の中華民国憲法23条の「…自由および権利は、…社会秩序を維持し、または公共利益を増進するために必要がある場合を除き、法律でこれを制限してはならない」という規定が比例原則の根拠である。韓国の大韓民国憲法37条2項も比例原則の根拠規定であり、「…自由および権利は、国家の安全保障、秩序の維持または公共の福祉のために必要な場合に限り、法律により制限することができる」と定めている。日本国憲法13条が生命・自由・幸福追求の権利については、「公共の福祉に反しない限り、立法その他の国政の上で、最大の尊重を必要とする」と定めているのは、裏返せば、自由や権利についての国の規制は、公共の福祉のための必要最小限にとどまることになる。台湾や韓国の憲法の規定は、日本国憲法13条の内容を裏返した形で定めていることがわかる。したがって、日本国憲法では、13条が比例原則の一般的な根拠規定である[181]。上述の世界人権宣言29条2項と類似の内容を有する、13条の定める生命、自由および幸福追求の権利は（民主的社会の正当な要求としての）「公共の福祉に反しない限り」という制約のもとに、国政の上で、最大の尊重を必要とする。そのうえで、とりわけ経済的権利に関する憲法22条1項・29条2項の制約に関して、比例原則審査の必要を強く要請している。

　また、比例原則の明文規定がなくても、今日、人権の制約は、正当な目的に照らして、比例的でなければならないと考えられる。比例原則の母国ドイツでは、19世紀末以来の行政法上の伝統があるため、連邦憲法裁判所は憲法上の根拠を論じることなしに、法治国家原理などから比例原則を導く。連邦憲法裁判所は、1973年の

---

[181] 渋谷、2017、263頁。

決定で、外国人の退去強制の即時執行の違憲性を審査するのに際し、法治国家原理は、個人に負担を与える公権力による侵害には十分に明確な法律の根拠がなければならず、その際、比例原則が適切に考慮されることを要請すると判示している[182]。自由権規約委員会は、自由権規約2条1項が規約の権利を「尊重・確保する」法的義務から「制限が課せられた場合、締約国は、その必要性を示さなければならず、その手段は、規約の継続的・効果的な保障のためにとる正当な目的遂行に比例的なものに限られる」という[183]。また、人種差別撤廃委員会は、「条約の趣旨と目的に照らして判断した場合、異なる取扱いの基準が、正当な目的にしたがって適用されないとき、および当該目的を達成するのに比例的でないときは、差別となる」という[184]。かくして、自由権規約や人種差別撤廃条約の保障する権利の制約の可否は、一般に比例原則の審査に服する。

2 比例原則の審査内容

比例原則は、一般に、1)目的の正当性、2)適合性、3)必要性、4)狭義の比例性という、4つの審査を内容としている。

ドイツでは、3つの審査を内容としていることが多い。1)適合性（目的を達成するために有効な手段であること）、2)必要性（目的を達成するために必要最小限の手段であること）、3)狭義の比例性（目的と手段の均衡性、相当性ないし主張可能性、つまり当該手段により達成される目的たる利益が当該手段により損なわれる利益よりも上回っていることの比較衡量が最も多くの法律を違憲としている）の3通りの審査が、この順番で行われる。この3つの基準の基点として、「公共の福祉」の目的にかなう法律であるかどうかという、目的の正当性の審査もある。これを含めれば、4つの基準が審査内容を構成する。

第2節　公共の福祉：公平の原理としての比例原則の認める利益

日本国憲法は、個別の人権規定ごとに、人権の制限の根拠や程度を規定し

182　BVerfGE, 35, 382（1973）.
183　自由権規約委員会・一般的意見31（2004年4月21日）6段落。
184　人種差別撤廃委員会・一般的勧告32（2009年9月24日）8段落。

ていない。その代わりに、「公共の福祉」による制約が可能な旨を4カ所で定めている。憲法の保障する自由および権利を「濫用してはならないのであって、常に公共の福祉のためにこれを利用する責任を負ふ」(12条)、「生命、自由及び幸福追求に対する国民の権利については、公共の福祉に反しない限り、立法その他の国政の上で、最大の尊重を必要とする」(13条)。

また、経済的自由について、「何人も、公共の福祉に反しない限り、居住、移転及び職業選択の自由を有する」(22条1項)、「財産権の内容は、公共の福祉に適合するやうに、法律でこれを定める」と規定する(29条2項)。

1 学説の考え方

憲法規定からすれば、この公共の福祉による人権の制約が比例原則を導く[185]。しかし、日本の学説と判例は、そのような展開をみせることはなかった。初期の日本の判例は、「一元的外在制約説」に立つ[186]。人権の制約に際して、憲法12条・13条の「公共の福祉」を持ち出しては、十分な説明もなく人権を制約する運用がみられた。たとえば、「言論の自由といえども、国民の無制約な恣意のままに許されるものではなく、常に公共の福祉によって調整されなければならない」[187]。また、基本的人権は「憲法12条、13条の規定からしてその濫用が禁止せられ、公共の福祉の制限の下に立つ」[188]。この場合の「公共の福祉」の意味は、「公益」とか「公共の安寧秩序」であった[189]。こうした抽象概念を根拠にした法律による人権侵害は、滅私奉公を強いた戦前の憲法体制における「法律の留保」に逆行しかねないと批判された。

他方、「内在・外在二元的制約説」によれば、憲法12条・13条の「公共の福祉」は訓示規定にすぎず、経済的自由以外の自由権は、権利が社会的であることに内在する制約に服すにとどまる。他方、22条・29条の「公共の福祉」による制約が認められている経済的自由と、社会権は、国家の政策

---

185 たとえば、田上、1960、10頁。
186 憲法12条・13条の「公共の福祉」は、人権の外にあって、それを制約することのできる一般的制約規定であり、22条・29条の「公共の福祉」は、特別の意味をもたないとする。
187 **食糧緊急措置令違反事件**・最大判1949(昭和24)年5月18日刑集3巻6号839頁。
188 **チャタレー事件**・最大判1958(昭和33)年3月13日刑集11巻3号997頁。
189 美濃部、1949、166頁。

的・積極的な制約が認められる[190]。しかし、この場合は13条を訓示規定と解すので、新しい人権を基礎付ける包括的な人権条項と解釈できなくなる。

そこで、公共の福祉の中身を人権に内在する制約としてのみ語る「**一元的内在制約説**」が有力となる。この場合の「公共の福祉」とは、「人権相互間の矛盾・衝突を調整する原理としての実質的公平の原理」と説かれた[191]。この意味での公共の福祉は、すべての人権に論理必然的に内在する。（精神的・身体的）自由権の制約には、「必要な最小限度」の規制が、社会権を保障するための経済的自由権の制約には、「必要な限度」の規制が認められる。ただし、この場合も、「必要な最小限度」や「必要な限度」という抽象的な原則にとどまり、内在的制約の意味も明確さを欠く[192]。

むしろ、人権条約適合的な憲法解釈としては、「公の秩序および一般の福祉」という世界人権宣言と「公共の福祉」との類似性に目を向けるべきである。本書の**比例原則説**の立場において、日本国憲法における「公共の福祉」とは、比例原則に照らして民主的社会において正当な要求と認められる道徳、公の秩序および一般の福祉を意味する。短くいえば、**公共の福祉は、「公平の原理としての比例原則の認める利益」**をさす。比例原則とは、権利の制約が正当化しうるかどうかを審査する一連の基準であり、国家の規制と個人の人権との対立を調整する公平の原理である。22条1項と29条2項が特に「公共の福祉」を明記しているのは、公平の原理による制約の正当化の余地が相対的に大きいため、恣意的な制約が正当化されないために人権の「制約の制約」としての比例原則による審査を要請しているものと解しうる。

2 二重の基準論

(1) 二重の基準

一元的内在制約説の問題点を克服しつつ、具体的な違憲審査の基準として、アメリカの判例理論を参考に、準則化したのが二重の基準論である[193]。すな

---

190 法学協会、1953、293-298頁。
191 宮沢、1974、232-237頁。
192 芦部、1994、195-197頁。
193 芦部、1994、188-245頁。

わち、精神的自由は経済的自由よりも優越的地位にあり、人権を規制する法律の違憲審査にあたって、より厳格な基準によって審査される必要がある。その理由は、①精神的自由の制限は民主制そのものを損なうため、政治過程による適切な改廃を期待できず、裁判所が積極的に介入しなければならないからである[194]。②経済的自由の規制は、政策的な判断を必要とするものの、裁判所はその能力に乏しいからである。判例上も、**薬事法違憲判決**では、「職業の自由は、…精神的自由に比較して、公権力による規制の要請がつよく、憲法22条1項が『公共の福祉に反しない限り』という留保のもとに職業選択の自由を認めたのも、特にこの点を強調する趣旨に出たもの」[195]という。ただし、これまでのところ、二重の基準論を採用して精神的自由の規制に厳格な審査を適用して法令を違憲とした日本の最高裁判例はない。

法律を違憲とした13回の最高裁判決（決定）のうち、刑法の尊属殺重罰規定の平等違反[196]、二度の公職選挙法の衆議院議員定数配分規定の平等違反[197]、民法の非嫡出子法定相続分規定の平等違反[198]、民法の再婚禁止期間の平等違反[199]および旧優性保護法の不妊手術の身体への侵襲を受けない自由・平等違反[200]は、ゆるやかな**合理性の基準**による審査が行われている。

薬事法距離制限規定の職業選択の自由（経済的自由）違反、森林法の共有林分割制限規定の財産権（経済的自由）違反、郵便法の免責規定の国家賠償請求権（受益権）違反[201]、国籍法の非嫡出子国籍取得制限の平等違反[202]お

---

194 経済的自由を規制する立法の場合は、民主制が正常に機能しているかぎり、不当な規制を改廃することができるので、裁判所は立法府の裁量を広く認めることが許される。
195 薬事法違憲判決・最大判1975年4月30日民集29巻4号572頁。
196 尊属殺違憲判決・最大判1973（昭和48）年4月4日刑集27巻3号265頁。
197 衆議院中選挙区事件1976年判決・最大判1976（昭和51）年4月14日民集30巻5号223頁、衆議院中選挙区事件1985年判決・最大判1985（昭和60）年7月17日民集39巻5号1100頁。
198 非嫡出子相続差別違憲判決・最大判2013（平成25）年9月4日民集67巻6号1320頁。
199 再婚禁止期間事件・最大判2015（平成27）年12月16日裁判所ウェブサイト。
200 旧優生保護法違憲判決・最大判2024（令和6）年7月3日裁判所ウェブサイト。立法目的が「正当とはいえない」し、区別は「合理的な根拠に基づかない」。
201 薬事法違憲判決・最大判1975（昭和50）年4月30日民集29巻4号572頁、**森林法違憲判決**・最大判1987（平成62）年4月22日民集41巻3号408頁、**郵便法違憲判決**・最大判2002（平成14）年9月11日民集56巻7号1439頁。いずれも目的達成手段の「合理性」に加え、「必要性」も審査している。
202 国籍法違憲判決・最大判2010（平成20）年6月4日民集62巻6号1367頁。「合理的な理由

および性同一性障害特例法の生殖不能要件の身体への侵襲を受けない自由違反は[203]、**厳格な合理性の基準**（中間審査基準）による審査が行われた。

公選法の在外邦人選挙権（参政権）違反および国民審査法の在外邦人国民審査権（参政権）では[204]、**厳格審査**が行われている。

二重の基準論における経済的自由と精神的自由の区別だけでは不十分である。たとえば、経済的自由でもやや厳格な審査が行われるのはどのような場合か、国家賠償請求権などの受益権の審査基準に一定の傾向があるのか、社会権などの他の人権の場合には、どのような基準を採用するのか、平等や人格権など同じ種類の人権の場合でも、具体的な問題状況の違いによる基準の違いをどのように説明するのか、また、選挙権については投票価値の平等は合理性の基準であっても、選挙権の行使の制限は重要な人権として厳格な審査基準を採用するのかなど、残された問題は多い。

アメリカでは、経済的自由の規制立法をゆるやかな審査の下に、合憲とした United States v. Carolene Products Co., 304 U.S. 144（1938）の判決中のストーン判事の書いた脚注4において、二重の基準論が最初に示された。そこでは、厳格審査は、1)修正14条の平等や修正1-10条の権利章典の規定に文面上反する立法、2)政治的プロセスを規制する立法、3)人種等の少数者に関する立法という3つの場合は、厳格な審査が必要であるが、経済規制立法では、合憲性の推定が働くゆるやかな審査でよいとする。

日本では、二重の基準論は、経済的自由に対する精神的自由の優越的地位の側面が中心となる。人種等の少数者の権利の場合は、平等原則の二重の基準として、別の問題として論じられることが多い。もともとの二重の基準論は、より射程の広い内容であり、その後の裁判実務では、三重の基準がアメリカの司法審査では必要とされている。

があるか否かについては、慎重に検討することが必要である」としている。
203 性同一性障害特例法違憲決定・最大決2023（令和5）年10月25日民集77巻7号1792頁。目的達成手段の「合理性」に加え、「必要性」も審査している。
204 在外邦人選挙権訴訟・最大判2005（平成17）年9月14日民集59巻7号2087頁。**在外邦人国民審査権訴訟**・最大判2022（令和4）年5月25日民集76巻4号711頁。ともに「やむを得ない事由」の有無を合憲・違憲の判断基準としている点に厳格審査の特徴がみられる。

(2) アメリカの三重の基準

今日のアメリカの違憲審査の基準は、中間審査基準を含む3通りに整理されている。

第1の合理性の基準は、非パブリック・フォーラムにおける言論の自由[205]、年齢差別[206]、障碍者差別などの場合である。国家の「正当な利益」の目的と手段としての立法・政策との「合理的な関連性」が示されれば、合憲とされる。

第2の中間審査基準は、言論の自由の内容中立規制、営利的言論、性差別[207]、性的指向差別[208]、非嫡出子差別[209]などの場合である。政府の「重要な利益」を達成する目的と政府の採用する手段としての立法や政策との「実質的な関連性」の有無により合憲・違憲の判断がなされる。

第3の厳格審査は、言論の自由の内容規制[210]、人種差別[211]、外国人差別[212]、人種に基づくアファーマティヴ・アクション[213]、重要な人権としての選挙権[214]の場合などである。政府の「真にやむをえない利益」といった目的を達成する上で立法や政策が「厳格に策定されている」場合（すなわち目的達成にとって必要最小限度の手段の場合）にかぎって、正当化されるのであって、他の代替手段があれば違憲となる。

さらに具体的な問題状況に応じて、3つの審査基準が微妙に厳しくなったり、ゆるやかになったりする。したがって、裁判実務は、多様な基準に分かれている。

アメリカの違憲審査が目的審査と手段審査を行うのに対し、ドイツの比例原則が手段審査を中心に行うといわれる[215]。しかし、比例原則には、正当な目的の審査という要素もな

205　Adderley v. Florida, 385 U.S. 39 (1966).
206　Massachusetts Board of Retirement v. Murgia, 427 U.S. 307 (1976).
207　Craig v. Boren, 429 U.S. 190 (1976). United States v. Virginia, 518 U.S. 515 (1996). ただし、Mississippi University for Women v. Hogan, 458 U.S. 718 (1982) では、ジェンダーに基づく区別には「非常に説得的な正当化」が必要であるとして、厳格審査に近い審査を行っている。
208　Romer v. Evans 517 US 620 (1996).
209　Caban v. Mohammed, 441 U.S. 380 (1979).
210　United States v. O'Brien (1968).
211　Korematsu v. United States, 323 U.S. 214 (1944). Loving v. Virginia, 388 U.S. 1 (1967).
212　Graham v. Richardson, 403 U.S. 365 (1971). 基本は厳格審査であるが、非正規滞在者と正規滞在者の区別に関する Plyler v. Doe, 457 U.S. 202 (1982) では、中間審査基準が採用され、警察官の国籍要件に関する Foley v. Connelie, 435 U.S. 291 (1978) では、合理性の基準が採用された。
213　Adarand Constructors v. Peña, 515 U.S. 200 (1995). ただし、Metro Broadcasting, Inc. v. FCC (89-453), 497 U.S. 547 (1990) では、中間審査基準が採用されている。
214　Kramer v. Union Free School District, 395 U.S. 621 (1969).
215　高橋、2024、142頁。

いわけではなく、目的の重要性は狭義の比例性審査の決め手となりうる。また、1)の適合性で、目的と手段の合理的な関連性を審査する際に、目的の正当性の審査を一緒にする場合もある。目的と手段の合理的な関連性というのは、アメリカや日本の合理性の基準に近い要素がある[216]。2)の必要性は、「より制限的でない他の選びうる手段（LRA）」がある場合は、規制立法の必要性が認められないという審査は、アメリカのLRAに近い要素といわれる[217]。3)の狭義の比例性は、当該手段により得られる利益が、権利侵害をまねくコストとの均衡において、アメリカの厳格審査でいわれるところの「厳格に策定されている」かどうかを判断することになる。また、手段が立法目的に「厳格に策定されている」かどうかは、必要性の審査にもあてはまる。いずれにせよ、日本の裁判の多くが採用している合理性の基準よりも、比例原則は、踏み込んだ内容の審査を必要とする[218]。

アメリカでは、権利の種類や内容によりカテゴリカルに審査基準が設定された上で、「基準に基づく利益衡量」が行われる。これに対し、ドイツでは、3)狭義の比例性の審査では基準なしの「裸の利益衡量」が行われると評される[219]。しかし、基準がないかというと、立法裁量をめぐる法律の違憲審査の場合は、規制対象領域の特性、規制される権利の重要性などに応じて、「明白性の審査」、「主張可能性の審査」、「厳格な内容審査」といった具合に、3通りの審査基準（ドイツでは統制密度という）もみられる[220]。

3 比較衡量論

1960年代以後の日本の判例は、立法事実を基礎に理由を説明し、対立する利益を比較衡量する。**全逓東京中郵事件**では、社会権としての「労働基本権の制限は、労働基本権を尊重確保する必要と国民生活全体の利益を維持増進する必要とを比較衡量して、両者が適正な均衡を保つことを目途として決定すべきである」[221]という。経済的自由について、**薬事法違憲判決**では、職

---

216 渡辺、2009、51頁。
217 渡辺、2009、51頁。長尾、2012、186頁。ただし、LRAは法令審査（立法裁量統制）のための基準であるのに対し、比例原則は、法令審査にも、適用審査（行政裁量統制）にも適用可能な点で違いがある。須藤、2008、268頁。
218 ヨーロッパ人権裁判所の判例に照らして、比例原則は、合理性の基準と絶対的な必要性（厳格な必要性）の基準の中間に位置するといわれる場合もある。
219 髙橋、2024、143頁。
220 BVerfGE 50, 290 (1979).
221 **全逓東京中郵事件**・最大判1966（昭和41）年10月26日刑集20巻8号901頁。

業の自由の「規制措置が憲法 22 条 1 項にいう公共の福祉のために要求されるものとして是認されるかどうかは、…規制の目的、必要性、内容、これによって制限される職業の自由の性質、内容及び制限の程度を検討し、これらを比較考量したうえで慎重に決定」[222]する。財産権も、類似の比較衡量論が用いられる[223]。自由権について、取材の自由と公正な刑事裁判の実現との比較衡量や[224]、表現の自由と個人の名誉の保護との比較衡量を[225]、最高裁は判断する。しかし、比較衡量論は、個人に比して、国家権力の利益が優先される可能性が否定しがたく、比較の準則が明確ではない。

　この比較衡量と比例原則は、重なる部分が多い。必要性の審査内容が充実すれば、比較衡量は、比例原則に近づく。審査の透明性を高めるべく、薬事法違憲判決を比例原則の定式に即して（不良医薬品の供給防止の目的と薬局の距離制限の手段の）適合性・（行政上の監督体制強化などのより制限的でない手段の）必要性・（健康に対する危険の大きさと制限される職業の大きさとの均衡の）狭義の比例性の観点から整理することも試みられている[226]。

4　日本における比例原則

　判例は、比例原則を明示的に採用するものは少ない。警察行政に近い入管行政の場面では、まれに比例原則に言及する場合がある。その場合も、憲法上の人権制約の正当化基準としての比例原則というよりも、裁量統制に関する法の一般原則としての比例原則が語られる。かつて福岡高裁は、法務大臣が再入国を許可しなかったことは、協定永住資格を喪失させる退去強制と実質異ならない法的不利益を与えるもので、「余りにも苛酷な処分として比例原則に反しており、その裁量の範囲を超え又は濫用があったものとして違法」と判示した[227]。しかし、その上告審では、1978 年の**マクリーン事件**最

---

[222]　薬事法違憲判決・最大判 1975（昭和 50）年 4 月 30 日民集 29 巻 4 号 572 頁。
[223]　森林法違憲判決・最大判 1987（昭和 62）年 4 月 22 日民集 41 巻 3 号 408 頁。
[224]　博多駅テレビフィルム提出命令事件・最大決 1969（昭和 44）年 11 月 26 日刑集 23 巻 11 号 1490 頁。
[225]　北方ジャーナル事件・最大判 1986（昭和 61）年 6 月 11 日民集 40 巻 4 号 872 頁。
[226]　青柳、2012、136 頁では、「アメリカ型審査基準もドイツ型比例原則も、それぞれ比較衡量の一つの方法である」という。

高裁判決を援用しながら、高裁判決を覆し、適法と判断した[228]。**マクリーン事件**最高裁判決以後[229]、行政機関の裁量の違法性の審査に際し、多くの判例は「その判断が全く事実の基礎を欠き又は社会通念上著しく妥当性を欠くことが明らかである場合」に審査を限定している。多くの判例は、この審査基準は、比例原則とは別のものと考えている。たとえば、在留特別許可を認めなかった事件では、「本件裁決の有効性がいわゆる比例原則に従い判断されるものともいえない」として[230]、比例原則の審査を不要としている。

これに対し、一部の下級審判決では、学齢期の子どものいる長期の非正規滞在家族に対する退去強制を違法とした事例では、比例原則の根拠は、憲法13条および（権力的行政）法の一般原則として導かれている。「警察法分野においては、一般に行政庁の権限行使の目的は公共の安全と秩序を維持することにあり、その権限行使はそれを維持するため必要最小限なものにとどまるべきであるとの考え方ばかりか、憲法13条の趣旨等に基づき、権力的行政一般に比例原則を認める考え方によっても肯定されるべきものである」。そして「原告ら家族が受ける著しい不利益との比較衡量において、本件処分により達成される利益は決して大きいものではないというべきであり、本件各退去強制令書発付処分は、比例原則に反した違法なもの」と判示している[231]。原告が受ける著しい不利益を導く考慮事項としては、在留期間、（現在と出身国に帰国後の予想される）収入状況、子どもの年齢と（出身国と比べた）居住国での（社会的・文化的・家族的）つながりの強さである。

また、最高裁大法廷判決でも、明示することなく、比例原則を採用したものもある。**寺西判事補戒告事件**では、通信傍受法案に反対する集会において、裁判官であることを明らかにした上での発言行為に対する戒告処分を適法とした。裁判官に対し「積極的に政治運動をすること」を禁止することは、「裁判官の表現の自由」の「制約が合理的で必要やむを得ない限度にとどまるものである限り、憲法の許容するところ」であり、「禁止の目的が正当で

---

227 崔善愛事件・福岡高判1994（平成6）年5月13日判時1545号46頁。
228 同・最判1998（平成10）年4月10日民集52巻3号776頁。
229 マクリーン事件・最大判1978（昭和53）年10月4日民集32巻7号1223頁。
230 東京地判2014（平成26）年2月27日 LEX/DB 文献番号25517719。
231 アミネ・カリル事件・東京地判2003（平成15）年9月19日判時1836号46頁。

あって、その目的と禁止との間に合理的関連性があり、禁止により得られる利益と失われる利益との均衡を失するものでないなら、憲法21条1項に違反しない」と判示した[232]。積極的な政治運動の禁止という手段の目的が正当であり、目的と手段との間に合理性と必要性があり、手段により得られる利益と失われる利益が比例性を欠くものではないことが審査されている。

そもそも、**マクリーン事件**最高裁判決は、「国際慣習法上、国家は外国人を受け入れる義務を負うものではなく、特別の条約がない限り、外国人を自国内に受け入れるかどうか、また、これを受け入れる場合にいかなる条件を付するかを、当該国家が自由に決定することができる」(第1命題)。「したがつて、憲法上、外国人は、わが国に入国する自由を保障されているものでないことはもちろん、所論のように在留の権利ないし引き続き在留することを要求しうる権利を保障されているものでもないと解すべきである」(第2命題)。さらに、「憲法第3章の諸規定による基本的人権の保障は、権利の性質上日本国民のみをその対象としていると解されるものを除き、わが国に在留する外国人に対しても等しく及ぶものと解すべき」であるものの、「したがつて、外国人に対する憲法の基本的人権の保障は、右のような外国人在留制度のわく内で与えられているにすぎない」(第3命題)と判示している[233]。

一方、ヨーロッパ人権裁判所は、「国家は、…条約上の義務に違反しない限りにおいて、その領土への外国人の入国と在留を管理する権限を有する。…公の秩序を維持するために、締約国は、刑事罰を科された外国人を追放する権限を有する。しかし、この点に関する決定は、ヨーロッパ人権条約8条1項の下で保護された権利を制約する限り、民主的社会における法と必要性に適合していなければならない。すなわち、やむにやまれぬ社会的必要性によって正当化され、とりわけ、追求される正当な目的と比例していなければならない」と比例原則をもとに審査する (Üner v. the Netherlands (2006) 45 EHRR 14)。

今後は、憲法13条の公共の福祉が、比例原則の根拠規定となる点に目を向け、規制手段が規制目的に照らし比例的かを審査すべきである。

---

[232] 東京地判2013(平成25)年9月27日 LEX/DB 文献番号25515119。
[233] **マクリーン事件**・最大判1978(昭和53)年10月4日民集32巻7号1223頁。この3つの命題の問題点については、近藤、2024、251頁。

第 5 章
幸福追求権とは何か

第1節　生命、自由、幸福追求

　憲法13条は「すべて国民は、個人として尊重される。生命、自由、および幸福追求に対する国民の権利については、公共の福祉に反しない限り、立法その他の国政の上で、最大の尊重を必要とする」と定める。この「生命、自由、および幸福追求に対する権利」は3つを区別することなく、「幸福追求権」と呼ばれている。これは、アメリカ独立宣言[234]に淵源がある。また、明治憲法が個人に重きを置かず、個人が国家のために滅私奉公する思想から戦争の破局に至ったことへの反省が背景にある。

1　幸福追求権の性格

　幸福追求権は、人権保障の一般原理を示したものにとどまらず、具体的な権利を定めたものと解される。有力な見解は、「個人の人格的生存に不可欠な利益を内容とする権利の総体」などと定義する[235]。この多数説は人間の人格的生存に不可欠な利益だけを幸福追求権とする点で、**人格的利益説**と呼ばれる。この場合の人権の享有主体としての人間像は、理性的な判断力をもった自立的な個人を念頭に置く。

　これに対し、国家権力を制限して個人の権利・自由を擁護することを目的

---

[234] ジェファーソンが中心的に起草したアメリカ独立宣言には、つぎの言葉がある。「われわれは、自明の真理として、すべての人は平等に造られ、造物主によって、一定の固有の奪いがたい権利を付与され、その中に生命、自由および幸福追求が含まれていることを信ずる」。
[235] 芦部、2019、121頁、さらに佐藤幸治、2020、196頁。

とする近代立憲主義の理念に照らせば、個人の自由は広く保護されなければならないという立場もある。そこでは、幸福追求権は、「広く一般的行為の自由」[236] を意味するので、**一般的自由説**と呼ばれる。この場合は、必ずしも理性的な行動をとるとは限らない、あるがままの人間像を前提としている。

人格的利益説からは、一般的自由説のように人権の範囲を無限定に広げると人権のインフレを招き、人権保障が相対的に弱められてしまうと批判する。他方、一般的自由説からは、人格的利益説のように人権の範囲を限定すると実質的に人権保障を弱めることになり、人格的価値にかかわらない行為については、裁判所のゆるやかな審査基準を適用すればよいと反論する。両説の違いは、たとえば、校則による髪型規制やバイクの禁止についてみられるが、それほど大きなものではない。一般的自由説の場合、髪型やバイクに乗る自由は幸福追求権の内容であるが、規制の必要性・合理性をゆるやかに審査することで足りるという。人格的利益説の場合、これらは、人格的自律の周辺に位置し、基本的には裁量権の問題として処理すれば足りるという。

2　幸福追求権の内容

幸福追求権の具体的な内容を正確に列挙することは困難である。なぜなら、人によって、幸福と感じるときは様々だからである。幸福を追求するうえでの権利として社会的に承認されたものもあれば、まだそうでないものもある。憲法の人権規定に列挙されている、表現の自由などの個別的人権も幸福追求のための権利といえなくもない。この場合、幸福追求権は他の個別的人権と競合関係にあるとして、**保障競合説**と呼ばれる。しかし、幸福追求権は、それが他の個別的人権と重なる場合には、その個別的人権の問題として扱えばよい。他の個別的な人権でカバーしきれない場合に、幸福追求権の問題として論じる方が生産的である。そこで、個別的な人権として列挙されていないものだけを補充的に保障するという**補充的保障説**が多数説である。

しかし、一定の不文の権利の場合には、明文の権利と13条を結びつけて根拠規定とする方が、抽象的な13条だけを根拠規定とするよりも具体的な

---

[236] 戸波、1998、167頁。

保障内容が明らかになる。また、明文の規定を準用するよりも人権保障を強化しうる。たとえば、環境権は、生存権に関する「25条と結びついた13条」が保障するという場合、環境権の有する環境保全のための生存権的特徴と個人の生命・健康の防御権的特徴がより明確になる。また、行政手続の適正手続は、刑事手続の適正手続に関する「31条と結びついた13条」が保障するという場合、人権を制約する規制手段が比例原則に照らして正当化されるかの審査を踏まえた人権保障の強化が期待される。そこで、本書は、憲法の他の規定と13条を結びつけて、新たな不文の人権の根拠規定とすることを、**融合的保障**と呼ぶ。補充的保障説を基本としながらも、一定の場合（人権条約上、人権として承認されているものの、憲法が明示の規定を欠く場合など）に融合的保障の解釈手法を取り入れることが適当であろう。

　広義の融合的保障として、複数の条文を結びつける（併せ読む）体系的かつ発展的な憲法解釈を多くの国（ドイツ、イギリス、アイルランド、スイス、スペイン、イタリア、カナダなど）が行っており、国連の人権機関やヨーロッパ人権裁判所でも一般的な解釈手法といえる[237]。

3　新しい人権

　社会の進展とともに、憲法制定当時には考えられていなかったような人権侵害が意識されることもある。このため、憲法が列挙していない人権を「**新しい人権**」と呼びながら、憲法上の権利として承認してきた。新しい人権を導き出す憲法上の根拠となるのが、憲法13条であり、**人格権**や**プライバシー権**は、判例上承認されてきた。しかし、**自己決定権**は、下級審の判例ではみられるものの、最高裁の判例としてはまだ承認されてはいない。また、**環境権**は、人格権として下級審で承認されたことがあるものの、環境権そのものは、判例上、まだ承認されてはいない。近年、最高裁は、憲法13条から**身体を侵襲されない自由**の保障を導いている[238]。

　社会の進展に伴う憲法の発展にとって、不文の人権は重要である。アメリカ憲法修正9

---

[237]　近藤、2024、19-35頁。
[238]　性同一性障害特例法違憲決定・最大決2023（令和5）年10月25日民集77巻7号1792頁、旧優生保護法違憲判決・最大判2024（令和6）年7月3日裁判所ウェブサイト。

条は、明文で「この憲法に一定の権利を列挙したことを根拠に、人民の保有する他の諸権利を否定し、または軽視したものと解釈してはならない」と定めている。後述するGriswold v. Connecticut, 381 U.S. 479（1965）のように、この修正9条を援用しながらプライバシーといった新しい人権を導き、Lawrence v. Texas, 539 U.S. 558（2003）のように、修正14条のデュー・プロセス（適正手続）条項における「自由」の中に同性愛者の性的な自己決定の自由を読み込む実体的デュー・プロセスの理論がアメリカでもみられる。

第2節　人格権とプライバシー権

　人格権とは、個人の人格にかかわる利益について保護を求める権利である。人格権はドイツ法に由来し、個人の人格的存在を包括的に保護する私法上の権利として生成してきた。しかし、「個人の尊厳」と密接に関連しているために、人格権は、憲法13条の幸福追求権から導き出される人権と解されるようになった[239]。従来は、名誉権、肖像権、プライバシー権、著作権などに限定して用いられてきたが、今日では広くとらえる傾向がある。

　プライバシー権とは、もともとは、「私生活をみだりに公開されない権利」という消極的な意味に解されてきた。今日では、「自己情報コントロール権」という積極的な意義も重視されている。人格権の一環として位置づけることもできるが、独自の領域を形成し、別に扱われるようになってきた。

　プライバシー権は、当初「ひとりで放っておいてもらう権利（the right to be let alone）」として説かれ[240]、「私的事項を公開されない個人の利益」や「一定の重要な決定を自ら行う利益」などの内容をもつものとして、アメリカの判例で確立した権利である[241]。連邦最高裁は、Griswold v. Connecticut, 381 U.S. 479（1965）で、避妊具の使用を禁じる

---

[239]　戸波、1998、179頁。

[240]　令状なしの警察による犯罪捜査のための電話の盗聴を合憲としたOlmstead v. United States-277 U.S. 438（1928）におけるブランダイス判事の反対意見において主張された。

[241]　Whalen v. Roe-429 U.S. 589（1977）では、医師が危険な薬物を処方した場合に患者の氏名や住所なども州政府に届けることを命じた州法が、上記の2つのどちらの利益も損なうものではないとして合憲とした。これ以後、プライバシーは、基本的権利としての厳格審査に服することはなくなった。

州法を違憲とし、はじめて「プライバシー権」を認めた。憲法上の明示の権利としては存在しなくても、修正1条の結社の自由、修正3条の住居の不可侵、修正4条の不当な捜索の禁止、修正5条の自己負罪拒否特権から、「プライバシーの領域」が形成され、上記の修正9条も援用する。また、Roe v. Wade, 410 U.S. 113（1973）で、連邦最高裁は、中絶を禁止する州法を修正14条のデュー・プロセス条項違反とし、妊娠を中絶するかどうかを決定する女性の権利は、プライバシー権に含まれるとした[242]。なお、Lawrence v. Texas, 539 U.S. 558（2003）では、同性愛者の性交渉を禁止する州法を違憲とする中で、子どもを産む意図や婚姻の有無にかかわらず、親密な肉体関係に関する個人の決定は、修正14条のデュー・プロセス条項が保障する「自由」の一形式であると判示した。

自由権規約17条は、「何人も、その私生活（privacy）…に対して恣意的にもしくは不法に干渉されない」旨を定めている。自由権規約委員会によれば、「コンピューター上のデータバンクなどの手段によって個人情報を収集・保有することは、公共機関によるものであれ、私的な個人・団体によるものであれ、法によって規制されなければならない。個人の私生活に関する情報は、それを受領・処理・使用することについて、法によって正当と認められない人々の手にその情報が届かないように保障するための有効な手段を各国はとらなければならない」という[243]。また、Toonen v. Australia（1994）において、タスマニア州が同性間の性交渉を処罰することが、17条の保障するプライバシー権を侵害するという。なお、日本では、性や家族的つながりに関する自己決定権の問題としてこれらは考えられている。

1 名誉権

名誉権とは、名誉毀損を受けない権利といえる。公権力による名誉毀損に対する憲法上の権利として、名誉権が保障されているだけでなく、私人に対する名誉権の主張もある[244]。その場合には、相手方の表現の自由との衝突の調整の問題がある。最高裁は、知事選立候補予定者に関する記事の出版差止

---

242 中絶の権利は、「基本的権利」であるとして厳格審査が必要であるとしている。
243 自由権規約委員会・一般的意見16（1988年3月23日）10段落。
244 私人からの侵害に対しては、刑法が名誉毀損罪（230条）で、民法が不法行為としての名誉毀損（709条、710条、723条）で、それぞれ保護している。

を例外的に認めた**北方ジャーナル事件**[245]において、「人格権としての個人の名誉の保護（憲法13条）」という表現を用いている。

なお、名誉は人の価値に対する社会的評価を下げることを問題とする。これに対し、プライバシーは私事の公開を問題とし、社会的評価を下げる名誉の侵害の有無を問題としない。いわば、社会的評価を上げる行為は、名誉毀損の対象とならないが、本人がその公表を望まない場合は、プライバシーの侵害となる。また、ここでの名誉とは、社会的評価にかかわる社会的名誉のことをさし、個人の主観的な名誉感情とは区別される。

2　肖像権

肖像権とは、本人の承諾なしに、容貌・姿態を撮影されない権利といえる。最高裁は、デモに参加する学生の行進状況の撮影が問題となった**京都府学連事件**[246]において、「個人の私生活上の自由の1つとして、何人も、その承諾なしに、みだりにその容ぼう・姿態（以下「容ぼう等」という。）を撮影されない自由を有するものというべきである。これを肖像権と称するかどうかは別として、少なくとも、警察官が正当な理由もないのに、個人の容ぼう等を撮影することは、憲法13条の趣旨に反し、許されない」と判示した。

3　プライバシー権

(1)　私生活をみだりに公開されないという消極的権利

「宴のあと」事件[247]では、政治家をモデルに料亭の女将との恋愛・結婚・離婚を描いた三島由紀夫の小説が、私事の公開に伴う不快感を本人と家族に与えたことは、表現の自由によって許されるかどうかが争われた。1審判決は、いわゆるプライバシー権を「私生活をみだりに公開されないという法的保障ないし権利」と定義し、プライバシーの侵害に対し法的な救済が与えられるための3要件を示した。公開された内容が、(1)私生活上の事実または

245　最大判1986（昭和61）年6月11日民集40巻4号872頁。
246　京都府学連事件・最大判1969（昭和44）年12月24日刑集23巻1625頁。
247　「宴のあと」事件・東京地判1964（昭和39）年9月28日判時385号12頁。三島は控訴したが、原告の死後、遺族と和解した。

私生活上の事実らしく受け取られるおそれのあること（私事性）、(2)一般人の感受性を基準にして当該私人の立場に立った場合公開を欲しないであろうこと（非公開性）、(3)一般の人々に未だ知られていないこと（非公知性）を挙げている。**プライバシーの 3 要件**を満たす本判決では、損害賠償が認められた。被告は控訴したが、原告の死亡後、遺族との間に和解が成立した。なお、本判決は、芸術的価値とプライバシーの価値の基準は異質であるので、芸術的価値はプライバシー侵害の違法性を阻却するものではないという[248]。

「石に泳ぐ魚」事件では、柳美里の小説は、現実の事実と虚構の事実を織り交ぜ、渾然一体として書いているので、一般読者が虚構の事実を現実の事実と誤解する危険性が高く、モデルの名誉を毀損し、プライバシーを侵害するかどうかが争われた。1 審判決は、プライバシーの 3 要件に該当するとして、損害賠償と出版差止を認めた[249]。2 審判決も、「私人が、その意に反して、自らの私生活における精神的平穏を害するような事実を公表されることのない利益（プライバシー）は、いわゆる人格権として法的保護の対象となる」として、同様の判決を下した[250]。最高裁も「名誉、プライバシー、名誉感情」の侵害により、重大で回復困難な損害を被らせるおそれがあるとして、損害賠償と出版差止を認めた[251]。本件は、最高裁がはじめて小説の出版差止を認めた事件であり、プライバシーの定義は行ってはいない。

早稲田大学プライバシー事件では、大学主催の講演会に参加を申し込んだ学生の氏名・学籍番号・住所・電話番号といった個人識別情報を本人の同意なく警察に開示することは、プライバシー侵害に当たるかどうかが争われた。原告は「自己の情報をコントロールする権利」としてのプライバシーの権利の侵害を訴えた。1 審は、プライバシーの 3 要件に照らし、氏名等の情報は、(1)「知られることにより、当該情報主体の私生活上の平穏が害されるおそれ」があり、(2)「開示を欲しない」、(3)「社会一般の人々には、いまだ知られていない情報である」として、プライバシー侵害を認めた。しかし、2 審

---

[248] ただし、特定のモデルを連想させない芸術的に昇華された作品の場合はプライバシーの侵害に当たらない。
[249] 東京地判 1999（平成 11）年 6 月 22 日判時 1691 号 91 頁。
[250] 東京高判 2001（平成 13）年 2 月 15 日判時 1741 号 68 頁。
[251] 「石に泳ぐ魚」事件・最判 2002（平成 14）年 9 月 24 日判時 1802 号 60 頁。

は、（プライバシー外延情報の）氏名等の情報は、（プライバシー固有情報の）「思想信条、前科前歴、資産内容、病歴、学業成績等のプライバシー情報と比較し、他人に知られたくないと感ずる程度、度合いは相対的に低い」ので、国賓の警備・警護の必要性等を総合考慮して、プライバシー侵害としての違法性はないとした。これに対し、最高裁は「秘匿されるべき必要性が必ずしも高いものではない」としても、氏名等の個人情報についても「自己が欲しない他者にはみだりにこれを開示されたくない」ことへの「期待は保護されるべき」として、「プライバシーを侵害する」と判示した[252]。最高裁が、プライバシーを定義することなく、これを保護するのは、なお流動しつつあるプライバシーに関する議論の熟するのを待つという趣旨であろう。

　前科照会事件[253] も、最高裁がプライバシーの権利を実質的に認めたものと評される。そこでは「前科及び犯罪経歴（以下「前科等」という。）は人の名誉、信用に直接にかかわる事項であり、前科等のある者もこれをみだりに公開されないという法律上の保護に値する利益」といい、自治体が弁護士の照会に安易に応じた行為を違法とした。また、**ノンフィクション『逆転』事件**[254] では、前科等の事実を著作物で実名を使用して公表する行為も不法行為にあたるとした。ついで、**関西電力従業員人格権侵害事件**[255] では、会社が特定政党の党員又はその同調者である従業員を監視し孤立させ、退社後尾行し、ロッカーを無断で開けて私物の手帳を写真に撮影した行為が人格的利益を侵害する不法行為に当たるとされた。さらに、**指紋押捺事件**[256] では、「憲法13条は、…個人の私生活上の自由の１つとして、何人もみだりに指紋の押なつを強制されない自由を有する」と判示した。しかし、指紋押捺は外国人登録の目的上合理的かつ必要であり、当時の指紋押捺は一指のみであり、その強制も罰則による間接強制にとどまるので、一般的に許容される限度を

252　早稲田大学プライバシー事件・最判 2003（平成 15）年 9 月 12 日民集 57 巻 8 号 973 頁、東京高判 2002（平成 14）年 7 月 17 日民集 57 巻 8 号 1045 頁、東京地判 2001（平成 13）年 10 月 17 日民集 57 巻 8 号 994 頁。
253　前科照会事件・最判 1981（昭和 56）年 4 月 14 日民集 35 巻 3 号 620 頁。
254　ノンフィクション『逆転』事件・最判 1994（平成 6）年 2 月 8 日民集 48 巻 2 号 149 頁。
255　関西電力従業員人格権侵害事件・最判 1995（平成 7）年 9 月 5 日判タ 891 号 77 頁。
256　指紋押捺事件・最判 1995（平成 7）年 12 月 15 日刑集 49 巻 10 号 842 頁。

超えず、合憲とした。もっとも、1992年の外国人登録法の改正で指紋押捺制度は永住者と特別永住者には廃止され、1999年には全廃されたが、2006年の入管法改正により、特別永住者と外交・公用・国の招待で来日した人を除く16歳以上の外国人は、指紋や顔写真などの生体情報を入国審査時に採取され、国際指名手配や過去に退去強制になった者の指紋リストと照合される。必要があれば、一般の犯罪捜査にも使用可能とされていることは、プライバシー侵害の点で、憲法13条違反となりうる大きな問題を抱えている。

(2) 国家機関等の管理する自己情報の訂正、削除等を求める積極的権利

近時、コンピューターを駆使する高度情報化社会となるに至り、公権力や大組織が個人に関する情報を保管する「データバンク社会」の到来が、個人の秘密にとって脅威となり、プライバシーの概念が拡大されつつある。

日本の最高裁では、自己情報コントロール権を認めたものはないが、下級審では認めた判決もある。住民基本台帳ネットワークシステムを運用している大阪市等に対する**住基ネット差止訴訟大阪高裁判決**でも[257]、「自己のプライバシー情報の取扱いについて自己決定する利益（自己情報コントロール権）は、憲法上保障されているプライバシーの権利の重要な一内容となっている」と判示した。しかし、最高裁は、自己情報コントロール権については言及せず、氏名・生年月日・性別・住所の本人確認情報は、「個人の内面に関わるような秘匿性の高い情報とはいえない」とし、住基ネットの不備により「第三者に開示又は公表される具体的な危険」が生じておらず、合憲とした。

本人確認情報のようなプライバシー外延情報よりも、思想・信条・精神・身体に関するプライバシー固有情報の違憲審査は厳格であるべきと一般にはいえる。しかし、本人確認情報であっても、データマッチングや名寄せによる具体的な侵害の危険が問題となる。こうした危険を防ぐ技術的・法制度的進展なしに、電子政府の利便性だけを追求することは困難である。

なお、刑事事件で無罪となった者が、指紋や顔写真やDNA型が警察のデ

---

257 **住基ネット差止請求事件**・大阪高判2006（平成18）年11月30日判時1962号11頁、同・最判2008（平成20）年3月6日民集62巻3号665頁。

ーターベースに登録されている情報の抹消を求めた事件では、「DNA型等の個人情報がみだりに保有され、利用されない自由」が、憲法13条によって保障されているとして、情報の抹消を名古屋高裁確定判決は命じている[258]。

第3節　自己決定権

　自己決定権とは、私的事項について公権力による干渉を受けずに自ら決定する権利である[259]。自己決定権は、人格的自律権とも呼ばれる。個人の自律的決定の保障をすべての自由権は含んでいるものと解することができるが、個別の自由権が保障していない領域のみをここでは扱う。自己決定権の名のもとにどのような権利がどの程度認められるかは、いまだ定説をみていない[260]。以下に、裁判で問題となった事例を中心に整理しておこう。

1　生命・身体

(1)　身体への侵襲を受けない自由

　憲法13条が自己の意思に反して**身体への侵襲を受けない自由**を保障していることは、旧優生保護法違憲判決（最大判2024（令和6）年7月3日裁判所ウェブサイト、本書第5章第3節(2)参照）、および性同一性障害特例法違憲決定（最大決2023（令和5）年10月25日民集77巻7号1792頁、本書第6章第2節(4)参照）において、最高裁も承認している。また、ドイツ基本法2条2項は「身体を侵襲されない権利」を定め、ヨーロッパ基本権憲章3条1項では「肉体的および精神的な一体性を尊重される権利」を定めている。

---

[258]　DNA型等抹消請求事件・名古屋高判2024（令和6）年8月30日裁判所ウェブサイト。大垣警察市民監視事件・名古屋高裁2024（令和6）年9月13日 LEX/DB 文献番号25621036も同旨。
[259]　アメリカでは、自己決定権もプライバシーの内容とされる。プライバシーには、私事の開示を避ける利益と、一定の種類の重要な決定を独自に行う利益を含むと判示されている。Whalen v Roe 429 US 589 (1977). ただし、同性愛者の性的関係の保護は、プライバシーの問題ではなく、自由の問題とされている。Lawrence v. Texas, 539 U.S. 558 (2003). ドイツでは、基本法1条の人間の尊厳と結びついた同2条の人格の自由な発展の権利から、性転換の権利を導いている。BVerfGE 49, 286 (1979).
[260]　竹中、2010、8-16頁。

(2) 患者の自己決定権と医師の説明義務違反

下級審の判決では、患者の自己決定権を認めている。頸椎椎間板ヘルニアの手術に際し、医師が機能障碍の可能性など手術の効果に関する説明を行わなかったため、説明義務違反による精神的苦痛に対する慰謝料請求が認容された。この医師の説明義務違反事件[261]では、「人は、自己の生命及び身体をどのように維持、保全するかという問題につき、自らの意思に基づいて決定する基本的な権利（自己決定権）」を有し、「患者は、当該治療行為を受けるか否かを自ら決定する権利」を有するという。患者の自己決定権の保障には、インフォームド・コンセントの法理により、医師が患者に十分な説明をした上で、患者の同意を得て治療を行う慣行が形成される必要がある。

乳癌患者に関する最高裁判決においても、自己決定権については言及しないものの、医師は「患者に対し、当該疾患の診断（病名と病状）、実施予定の手術の内容、手術に付随する危険性、他に選択可能な治療方法があれば、その内容と利害得失、予後などについて説明すべき義務がある」という[262]。

1997年に臓器移植法が制定され、いわゆる脳死による臓器移植手術に道が開かれ、2009年の改正法により、子どもの臓器移植や家族の承諾だけで移植できるようになった。しかし、臓器提供者自身の自己決定なしに、臓器移植を認めることは、自己決定権に反するといった問題が生じている。

(3) 治療拒否

エホバの証人輸血拒否事件において、エホバの証人の信者の輸血拒否が患者の自己決定権として問題となる。癌患者の手術に際し、本人の同意なしに輸血した医師に対する損害賠償請求について、最高裁は、損害賠償を認め、「患者が、輸血を受けることは自己の宗教上の信念に反するとして、輸血を伴う医療行為を拒否するとの明確な意思を有している場合、このような意思決定をする権利は、**人格権**の一内容として尊重されなければならない」と判示した。ここでは、**自己決定権**について言及していない。しかし、実質的に、患者の自己決定権を人格権の1つとして認めている。2審判決では、患者の

---

261 名古屋地判 2003（平成15）年10月30日裁判所ウェブサイト。
262 最判 2001（平成13）年11月27日民集55巻6号1154頁。

「同意は、各個人が有する自己の人生のあり方（ライフスタイル）は自らが決定することができるという自己決定権に由来する」とし、「死に至るまでの生きざまは自ら決定できるといわなければならない（例えばいわゆる尊厳死を選択する自由は認められるべきである。）」と判示していた[263]。

癌の告知について、かつては患者に対し真実と異なる病名を告げるのが一般的であった。患者やその家族に対し、初診の段階で告知しなかったことは、診療契約上の債務不履行にあたらないとの判例もあった[264]。しかし、充実した余命を全うするためには、末期がんの患者の家族に病状を告知しなかったことが診療契約に付随する義務に違反すると2002年の最高裁判決はいう[265]。

(4) 安楽死と尊厳死

安楽死とは、患者の死苦の苦しみを除去するために、意図的に死に至らしめる医師の行為をいう。この狭義の安楽死は、積極的安楽死とも呼ばれる。他方、広義の安楽死は多様な形がある[266]。とりわけ、人工呼吸器等の生命維持治療の発達に伴い、今日では、延命治療を中止する消極的安楽死としての尊厳死の問題も重要となっている。いわば、人間としての尊厳を保持させながら死を迎えることを尊厳死という。憲法13条の「生命、自由及び幸福追求」の権利の解釈次第では、比例原則に照らし、安楽死と尊厳死の正当化の余地があるように思われる。

オランダでは、1991年に安楽死を「『患者本人の意思』ならびに、その者の『真摯で継続的な要求』に基づいて、医師がその患者の生命を『故意』に終わらせること」と定義し

---

263 エホバの証人輸血拒否事件・最判2000（平成8）年2月29日民集54巻2号582頁、同・東京高判1998（平成10）年2月9日判タ965号83頁。なお、1審判決・東京地判1997（平成9）年3月12日判タ964号82頁では、医師と患者間の手術中いかなる事態になっても輸血しないとの合意は、公序良俗に反し、無効であるとしていた。
264 最判1995（平成7）年4月25日民集49巻4号1163頁。
265 最判2002（平成14）年9月24日判時1803号28頁。
266 安楽死は、広義には、1)生命短縮を伴わずに苦痛を除去する「純粋安楽死」、2)生命延長の積極的措置をとらず延命治療を中止して死期を早める「消極的安楽死」、3)苦痛を除去する治療の副作用により死期を早める「間接的安楽死」、4)苦痛を除去するために薬物を投与し、意図的に死を招く「積極的安楽死」を含む。なお、安楽死と区別される「自殺ほう助」とは、患者本人の行為により、自己の生命を終結させることを可能ならしめる明示的な意図で医師が薬剤を処方することなどをさす。スイスでは、古くから自殺ほう助を認めている。

た。オランダにおける安楽死の5要件として、①肉体的あるいは精神的な耐えがたい苦痛があること、②可能な限りの治療を行い、苦痛に回復の見込みがないこと、③十分な情報を理解した上での全く自発的な要求であること、④他の医師との相談、⑤すべての経過を書面に記録することが挙げられ、医師の刑事訴追免除を刑法に定めるための安楽死法が2001年に成立した。2015年にカナダの連邦最高裁も上記の①②③の要件を満たす成人の場合安楽死の選択を認めないことは「生命、自由および身体の安全の権利」を侵害すると判示した（Carter v. Canada（Attorney General）1 SCR 331）。

尊厳死とは、助かる見込みがない患者に延命治療を施すことをやめ、人間としての尊厳を保ちつつ死を迎えさせることをいう。日本尊厳死協会は、「尊厳死の宣言書」（リビング・ウィル）において、不治かつ末期の場合の延命治療の拒否、苦痛を最大限和らげる治療、植物状態に陥った場合の生命維持装置の離脱などを記入し、医師に提示することを働きかけている。この尊厳死の宣言書は、法的根拠のないまま、実務が先行している状況にある。

安楽死については、**東海大学安楽死事件**では[267]、積極的安楽死として許容されるための4要件を示した。(1)患者が耐えがたい肉体的苦痛に苦しんでいること、(2)患者は死が避けられず、その死期が迫っていること、(3)患者の肉体的苦痛を除去・緩和するために方法を尽くし他に代替手段がないこと、(4)生命の短縮を承諾する患者の明示の意思表示があることを指摘した。結局、本件では、(1)の肉体的苦痛と(4)の患者の意思表示が欠けているので、積極的安楽死には当たらないとした。なお、オランダにおける5要件と比べると、精神的苦痛の場合が除かれている。これは肉体的苦痛の場合と比べ、「自殺の容認へとつながり、生命の軽視の危険な坂道へと発展しかねない」との判断による。また、他の医師との相談や文書による記録の要件を欠いている。

尊厳死について、**川崎協同病院事件**では[268]、1審判決は、2つのアプロー

---

[267] 東海大学安楽死事件・横浜地判1995（平成7）年3月28日判時1530号28頁（確定判決）。殺人罪に当たるものの、情状酌量して執行猶予つきの有罪判決とした。

[268] 川崎協同病院事件・横浜地判2005（平成17）年3月25日判時1909号130頁、東京高判2007（平成19）年2月28日、最判2009（平成21）年12月7日刑集63巻11号1899頁。気管支喘息重積発作に伴う低酸素性脳損傷で意識が回復しないまま延命治療を受けていた患者に、家族の同意のもと、人工呼吸器を外して尊厳死をもたらそうとしたところ、苦しそうに呼吸をする

チにより治療の中止が認められるという。1)「患者の自己決定の尊重」のアプローチは、(1)回復の見込みがなく死が目前に迫り、(2)十分な説明がなされ、(3)患者の任意かつ真意に基づいた意思の表明が要件である。2)「医学的判断に基づく治療義務の限界」のアプローチは、医師が可能な限りの適切な治療を尽くし医学的に有効な治療が限界に達している状況に至れば、治療を続ける義務は法的にはない。本件は、上記の要件をいずれも満たしていないと判決はいう。2審判決は、「いずれのアプローチも解釈上の限界があり、尊厳死の問題を抜本的に解決するには、尊厳死法の制定ないしこれに代わり得るガイドライン[269]の策定が必要であろう」と指摘する。最高裁は、1)の場合の治療中止の要件を満たさないという。「被害者の回復をあきらめた家族からの要請」は、「被害者の病状等について適切な情報が伝えられた上でされたものではなく」、「被害者の推定的意思に基づくということもできない」として、「法律上許容される治療中止には当たらない」と判示した。

　アメリカでは尊厳死のことを自然死と呼ぶ場合もあり、連邦最高裁は、Washington v. Glucksberg, 521 U.S. 702（1997）において、自殺ほう助は重罪であるが、患者の判断に基づく生命維持装置の取り外しは、自殺ではないとして、ワシントン州自然死法を合憲とした。また、連邦最高裁は、Cruzan v. Director, Missouri Department of Health, 497 U.S. 261（1990）において、生命を保護する州の利益と、修正14条のデュー・プロセスが判断能力のある者に生命維持のための水分と栄養の補給を拒否する憲法上の利益を比較衡量する必要があるとして、本件の場合は、交通事故により植物状態になった患者が尊厳死を求めている「明確な確証」が両親にあるとは思われないと判示している。

2　家族的つながり

(1)　家族の形成維持

　婚姻の自由や離婚の自由は、憲法24条の「家族に関する…事項」の問題とされる。また、結婚・離婚の問題は、憲法14条の男女平等違反の問題、

　　ので、筋弛緩剤を注射して死に至らしめた。いずれも殺人罪に当たるものの、情状を酌量して執行猶予つきの有罪判決とした。

269　2007年の厚生労働省の策定した「終末期医療の決定プロセスに関するガイドライン」（2015年に「人生の最終段階における医療・ケアの決定プロセスに関するガイドライン」に名称変更、2018年に改訂）は、手続に限定した内容のため、治療中止の要件を示すものではない。

または私人間であるため民法90条の公序良俗違反の問題として扱われることが多い。しかし、結婚・離婚の自由は、（同性ないし異性の）婚姻類似のパートナーとの関係のあり方を含め、憲法13条の個人の自己決定の問題の側面も有する。**同性婚訴訟**では、「憲法13条は、婚姻をするかどうかについての個人の自由を保障するだけにとどまらず、…幸福追求権としての婚姻について法的な保護を受ける権利は、個人の人格的な生存に欠かすことのできない権利であり、裁判上の救済を受けることができる具体的な権利である。…同性のカップルを婚姻制度の対象外としている部分は、…同性の者を伴侶として選択する者の幸福追求権、すなわち婚姻の成立及び維持について法制度による保護を受ける権利に対する侵害であり、憲法13条に違反する」と福岡高裁は判示している[270]。

宝塚歌劇団の団員や神社の巫女のような場合を例外として、結婚退職制は合理的な理由がなく違憲とされる。判例上、**住友セメント事件**[271]では、女性だけの結婚退職制が、民法90条の公序良俗違反とされた。憲法13条その他の保障する結婚の自由も間接適用された。「結婚の自由は…基本的人権の一つとして尊重されるべく、これを合理的理由なく制限することは、…法律上禁止される」。「この禁止は公の秩序を構成し、これに反する労働協約、就業規則、労働契約はいずれも民法90条に違反し効力を生じない」と判示した。

(2) 子をもつ自由

妊娠、出産、妊娠中絶など、リプロダクション（生殖）の自己決定権は、相対的に日本での問題は少ない。中絶禁止をめぐり、欧米諸国では大きな憲法問題となっている。アメリカの連邦最高裁は、Roe v. Wade, 410 U.S. 113 (1973) で、胎児は修正14条における人として認められず、母体の生命を救済するために医学的助言によって行われる以外の中絶を禁止する州法を厳格な審査基準のもと修正14条のデュー・プロセス条項違反とし、妊娠を中絶するかどうかを決定する女性の権利はプライバシー権に含

---

270 同性婚訴訟・福岡高判2024（令和6）年12月13日裁判所ウェブサイト。
271 **住友セメント結婚退職制事件**・東京地判1966（昭和41）年2月20日判時467号26頁。憲法14条の性別による差別禁止も間接適用されている。

まれるとした。その後、Planned Parenthood of Southeastern Pennsylvania v. Casey, 505 U.S. 833（1992）では、女性の中絶の決定に「不当な負担」を課すことになるのかという中間審査基準を用いて、夫への通知の要件は妻に対する夫の力を強めすぎるとして違憲とし、親の同意、インフォームド・コンセント、24 時間の熟考期間の制約要件などは合憲とした。しかし、Dobbs V. Jackson Women's Health Organization, 597 U.S. 215（2022）では、Roe 判決と Cosey 判決を覆し、憲法には中絶に関する言及はなく、修正 14 条を含むいかなる憲法規定も中絶の権利を保障していないとして、州議会の決定に委ねるとした。

一方、ドイツ連邦憲法裁判所は、BVerfGE 39, 1（1975）で、胎児の生命は、妊娠の全期間、原則として妊婦の自己決定権に優先し、「主張可能性」の中間的な審査基準を用いて、受胎後 12 週間以内の医師または相談所の助言の制約のもとに中絶を無処罰とする改正刑法を違憲とした。その後、BVerfGE 88, 203（1993）では、中絶に比較的寛容な旧東ドイツとの統一後の改正刑法等による、受胎後 12 週間以内の助言の制約のもとの中絶を違憲としつつ、医学的・刑事学的・遺伝的適応事由による中絶を認めた。その後の実務は、社会的（窮迫状態）適応事由による中絶も認めている。**社会権規約委員会によれば、12 条 1 項の健康に対する権利は、「性と生殖の自由を含む自らの健康と身体を管理する権利」をも包含するものと解されている**[272]。

日本では、1948 年に旧優生保護法が施行され、戦前は禁止されていた人工妊娠中絶が法的に認められた。近年、遺伝性精神薄弱を理由に、旧優生保護法の下、強制不妊手術を受けさせられたことが、子どもを持つか持たないかを自ら決定する権利（リプロダクティブ権）を保障する憲法 13 条に違反するなどとして、国会が損害を賠償する立法措置を執らなかった立法不作為などの違法性が争われた。2019 年に仙台地裁は、「子を産み育てることを希望する者にとって幸福の源泉となり得る」など、「人格的生存の根源に関わるものであり、憲法上保障される個人の基本的権利」として、憲法 13 条違反を認めた。しかし、「我が国においてはリプロダクティブ権をめぐる法的議論の蓄積が少なく、…憲法違反の問題が生ずるとの司法判断が今までされてこなかった事情の下、…立法措置を執ることが必要不可欠であることが明白であったとはいえない」として、国家賠償請求を棄却した。しかし、ドイツ

---

[272] 社会権規約委員会・一般的意見 14（2000 年 8 月 11 日）8 段落。

では 1980 年から、スウェーデンでは 1999 年から優生思想に基づく類似の不妊手術に対する補償を認めている。旧優生保護法を廃止した 1996 年以前から、不妊手術の人権侵害を立法者は認識できたはずである。2004 年に厚生労働大臣が救済立法の必要性を発言していたことからも、国会が正当な理由なく長期にわたって立法を怠っている。そして 2022 年に大阪高裁は、「子を産み育てるか否かについて意思決定をする自由」、「意思に反して身体への侵襲を受けない自由」の侵害を憲法 13 条違反とし、除斥期間の適用は、「著しく正義・公平の理念に反する」として国家賠償を認め、東京高裁もほぼ同様の内容であった。最高裁は、優性上の見地からの不妊手術は正当な目的といえず、「自己の意思に反して身体への侵襲を受けない自由」を保障する憲法 13 条に反し、合理的な根拠に基づかない差別的取り扱いとして憲法 14 条 1 項に反し、「著しく正義・公平の理念に反する」除斥期間の適用は、信義則に反し、権利の濫用として許されないので、国家賠償を認めた[273]。

また、妊婦が妊娠初期に風疹に罹患し、重篤な先天性風疹症候群児を出産したことにつき、風疹罹患の有無とその時期の適切な診断を怠った過失があるとして、医師の損害賠償責任が認められた下級審判決がある。そこでは、親の「自己決定の利益が侵害されたときには、法律上保護に値する利益が侵害されたものとして、慰藉料の対象になる」と判示されている[274]。

さらに、生殖補助医療技術の発展により、代理母出産が問題となる。日本産科婦人科学会は自主規制をしており、代理母出産を認めている国で出産した場合について、最高裁は、「現行民法の解釈としては、出生した子を懐胎し出産した女性をその子の母と解さざるを得ず、その子を懐胎、出産していない女性との間には、その女性が卵子を提供した場合であっても、母子関係の成立を認めることはできない」と判示した[275]。加えて、子どもの権利条約 7 条 1 項が「子どもは…父母を知る」権利を定めており、憲法 13 条が同様の「出自を知る」権利を保障している[276]。

---

[273] 旧優生保護法不妊手術国賠訴訟・仙台地判 2019（令和元）年 5 月 28 日判タ 1461 号 153 頁、大阪高判 2022（令和 4）年 2 月 22 日裁判所ウェブサイト、東京高判 2022（令和 4）年 3 月 11 日裁判所ウェブサイト、最大判 2024（令和 6）年 7 月 3 日裁判所ウェブサイト。
[274] 東京地判 1992（平成 4）年 7 月 8 日判時 1468 号 116 頁（確定）。
[275] 最判 2007（平成 19）年 3 月 23 日判時 1967 号 36 頁。

3　個性的な生活様式

　男子中学生丸刈り校則事件[277]において、髪型をめぐる熊本の中学の校則が問題となった。憲法 21 条の表現の自由の問題として争われた。熊本地裁は「特に中学生において髪形が思想等の表現であると見られる場合は極めて希有であるから、本件校則は、憲法 21 条に違反しない」と判示した。しかし、髪型の自由は、憲法 13 条の自己決定権の問題として論じるべきである。その後、**修徳高校パーマ退学事件**1 審判決[278]では、「髪型を自由に決定しうる権利は、個人が一定の重要な私的事柄について、公権力から干渉されることなく自ら決定することができる権利の一内容として憲法 13 条により保障されている」と判示しながらも、パーマ禁止の校則は「特定の髪型を強制するものではない点で制約の度合いは低い」として有効とした。2 審と最高裁は、憲法の人権規定が私人間適用されないので、本件校則が憲法の人権規定に違反するかどうかを論ずる余地はないとした。大阪府立高校の生徒が頭髪を黒く染めるように強要され、授業等への出席を禁じられ不登校となり、生徒名簿から氏名を削除された事件の下級審では、染髪を禁じる校則と頭髪指導は裁量の範囲内で適法とする一方で、生徒名簿からの氏名の削除等は、教育環境を整える目的でされたものではなく、手段の選択も著しく相当性を欠くなどとして国家賠償を認めている。最高裁は、違憲及び理由の不備の上告理由は、事実誤認又は単なる法令違反の主張にすぎないとして、上告を受理しなかった[279]。おそらく、地毛の茶色の生徒への黒染めを命じる事例であれば、違法とされた可能性が大きく、本件提訴後、大阪府教育委員会は、府立高校の校則の点検・見直しを指示し、「茶髪を禁止」から「染色・脱色は禁

276　東京地判 2025（令和 7）年 4 月 21 日。

277　**男子中学生丸刈り校則事件**・熊本地判 1985（昭和 60）年 11 月 13 日判時 1174 号 48 頁。

278　**修徳高校パーマ退学事件**・東京地判 1991（平成 3）年 6 月 21 日判時 1388 号 3 頁、東京高判 1992（平成 4）年 10 月 30 日判タ 800 号 161 頁、最判 1996（平成 8）年 7 月 18 日判タ 936 号 201 頁。

279　**大阪府立高校黒染め訴訟**・大阪地判 2021（令和 3）年 2 月 16 日裁判所ウェブサイト、大阪高判 2021（令和 3）年 10 月 28 日裁判所ウェブサイト、最決 2022（令和 4）年 6 月 15 日 LEX/DB 文献番号 25593067。

止」に変更するようになっている。

　子どもの権利条約を日本が批准してからは、「締約国は、学校の規律が子どもの人間の尊厳に適合する方法で、およびこの条約に従って運用されることを確保するためのすべての適当な措置をとる」（28条2項）とあり、権利主体としての子どもの最善の利益（3条）や自己の意見を表明する権利（12条1項）を配慮した校則の見直しが求められる。

　また、**受刑者頭髪規制事件**[280]は、「各人が自己の頭髪の型に関して有する自由については、憲法上直接これを保障する明文の規定はないが、…憲法第13条の規定からも窺い得るところである」との一般的な前提に立つ。そのうえで、受刑者の頭髪を鬀剃する合理的な理由として、第1に「衛生の必要性」、第2に「外観上の斉一性を保つ必要」、第3に「財政上の負担がいっそう軽く受刑者の管理上もいっそう容易である」点が指摘されている。しかも、「頭髪を鬀剃させることが直ちに人間の尊厳を害するものとは認められない」との判断から、憲法13条等に違反しないと判示している。しかし、今日、こうした3つの理由の合理性は疑わしく、男女で実務の基準が違う点、性的少数者の取り扱いをどうするかなど、憲法13条の個人の尊重を踏まえた、多様性が認められるべきである。

第4節　環境権

　環境権についての定まった定義はない。「良好な環境を享受する権利」としての環境権は、1960年代の高度経済成長の時代に、大気汚染、水質汚濁、騒音、振動などの公害が大量に発生したのに伴い、新しい人権として提唱された。学説上、環境権の内容は、大気、水、日照などの自然環境の保護に限定する狭義説が、多数説である。遺跡、文化財、公園、学校などの文化的・社会的環境の保護も含む広義説は、少数説である。なぜならば、広義説では、内容が広汎になりすぎ、権利性が弱められるおそれもあるからである。

---

[280]　受刑者頭髪規制事件・東京地判1963（昭和38）年7月29日判時342号4頁。

環境権の憲法上の根拠規定については、3通りの立場がある。①**13条説**によれば、環境破壊を予防し排除するために主張された権利であり、防御権としての自由権的側面においては、憲法13条の幸福追求権のひとつの内容であるという。いわば、個人の人格権の外延という側面に着目している。②**25条説**によれば、環境保全ないし改善のための公権力による積極的な施策が必要であり、社会権的側面においては、憲法25条の生存権が根拠とされる。いわば、個人の生存に不可欠な環境の側面に着目する立場である。③自由権的側面と社会権的側面をともに含むべく、憲法13条とともに25条を根拠とする立場が多数説である。より明確には、「個人の生命と健康を尊重し、良好な環境の下での生活を保障する権利」としての**環境権**は、憲法「25条と結びついた13条」が独自に融合的に保障していると考えることが適当と思われる。したがって、「**25条と結びついた13条**」説と呼ぶことができる。

これまで、環境権という名の権利を承認した裁判所の判例はない。なぜならば、権利の内容や権利者の範囲が不明確だからである。この点、**大阪空港騒音訴訟2審判決**[281]では、騒音等の被害について、人格権に基づく差止請求の可能性を認めた。すなわち、「人間として生存する以上、平穏、自由で人間たる尊厳にふさわしい生活を営むことも、最大限度尊重されるべきものであって、憲法13条はその趣旨に立脚するものであり、同25条も反面からこれを裏付けているものと解することができる。このような、個人の生命、身体、精神および生活に関する利益は、各人の人格に本質的なものであって、その総体を人格権ということができ、このような人格権は何人もみだりにこれを侵害することは許されず、その侵害に対してはこれを排除する権能が認められなければならない」という。しかし、最高裁は、過去の損害賠償請求のみを認め、民事訴訟で航空行政権に関する請求を行うことを不適法として差止請求については却下しつつ、環境権にも、人格権にも触れなかった。

東海道新幹線騒音訴訟2審判決[282]でも、「権利の対象となる環境の範囲及びこれに対する支配の内容は極めて不明確であり、ひいてはその権利者の範

---

281 大阪空港騒音訴訟・大阪高判1975（昭和50）年11月27日判時797号36頁、最判1981（昭和56）年12月16日民集35巻10号1369頁。
282 東海道新幹線騒音訴訟・名古屋高判1985（昭和60）年4月12日判タ558号326頁。

囲も確定し難い…実定法上何らの根拠もなく、権利の主体、客体及び内容の不明確な環境権」に基づく、騒音等の差止請求の可能性を否認した。また、**小松基地騒音訴訟1審判決**[283]では、「環境権とは、良き生活環境を享受し、かつこれを支配しうる権利である…が、…法的権利として確立したものと認めることはできない…人格権の侵害の問題として把握すること…をもって足りる」と判示している。

なお、騒音被害などの人格権侵害を訴えた**厚木基地騒音訴訟1審判決**では[284]、夜間・早朝（午後10時～午前6時）の自衛隊機の飛行差し止めをはじめて認めた。2審判決では、自衛隊機の深夜・早朝の飛行差し止めを（艦載機を2017年に別の基地に移転することを想定して）2016年末まで命じるとともに、騒音被害の損害賠償について将来分（2016年末）までの支払いをはじめて国に命じた。しかし、最高裁は、（過去の賠償は認めるが）運航の自主規制や防音工事などを考慮して夜間・早朝の飛行差し止めと将来分の賠償を不要とした。

第5節　適正な行政手続

憲法31条が刑事手続における適正手続を定めており、通説・判例は行政手続における適正手続は31条を準用するものと考えてきた（**31条準用説**）。他方、有力な少数説は、13条に適正な行政手続の根拠を求めている（**13条説**）。本書では、**適正な行政手続**の根拠として、「**31条と結びついた13条**」説が適当と考える。また、適正手続の内容として、比例原則（憲法13条）、恣意禁止（自由権規約9条）が含まれることにも目を向ける必要がある。

283　小松基地騒音訴訟・金沢地判1991（平成3）年3月13日判タ754号74頁。
284　厚木基地騒音訴訟・横浜地判2014（平成26）年5月21日判時2277号123頁、同・東京高判2015（平成27）年7月30日判時2277号84頁、同最判2016（平成28）年12月8日民集70巻8号1833頁。

第 6 節　民族固有の文化を享有する権利

　日本国憲法は、文化的権利の明文規定を欠いている。自由権規約 27 条は、「民族的・宗教的・言語的マイノリティが存在する国において、当該マイノリティに属する者は、その集団の他の構成員とともに自己の文化を享有し、自己の宗教を信仰・実践し、自己の言語を使用する権利を否定されない」と定めている。そこで、下級審の判例上、自由権規約 27 条と同様の民族的少数者の「自己の文化を享有する権利」が憲法 13 条から導かれる。二風谷事件[285]では、「民族固有の文化を享有する権利は、自己の人格的生存に必要な権利」であって、アイヌ民族は、「多様性」を前提とし「個人を実質的に尊重」する「憲法 13 条により、その属する少数民族たるアイヌ民族固有の文化を享有する権利を保障されている」と判示した。

　自由権規約 27 条の民族的少数者の文化享有権は、国民だけがもつものではない[286]。社会権規約 15 条 1 項も、「文化的な生活に参加する権利」をすべての人に保障しており、とりわけ、先住民や移民などの権利の特別な保障が必要となる。文化の多様性の保障は、人間の尊厳の尊重と不可分の倫理的な要請である[287]。2006 年に総務省が「地域における多文化共生推進プラン」を策定したが、「国籍や民族などの異なる人々が、互いの文化的ちがいを認め、対等な関係を築こうとしながら、共に生きていく」多文化共生社会のための基本法の制定が望まれる[288]。なお、①「互いの文化的ちがいを認め合い」は、憲法 13 条が保障する文化享有権の問題であり、その権利は「文化の選択の自由」と呼ぶこともできる。②「対等な関係を築こうとしながら」は、憲法 14 条の「平等」保障の問題である。③「地域社会の構成員として共に生きていく」は、「現在及び将来の国民」に「基本的人権」を保障する憲法 11 条・97 条が、国民と外国人との「共生」に向けた憲法解釈を導く。

285　二風谷ダム事件・札幌地判 1997（平成 9）年 3 月 27 日判時 1598 号 33 頁。
286　自由権規約委員会・一般的意見 23（1994 年 4 月 6 日）5 段落。
287　社会権規約委員会・一般的意見 21（2009 年 12 月 21 日）34-37 段落、40 段落。
288　参照、近藤編、2011、255-7 頁。文化の選択の自由・平等・共生の理念に関する人権条約上の根拠規定については、近藤、2019、17-21 頁。

第7節　生命に対する権利

　従来、憲法13条が「生命」、「自由」、「幸福追求」の権利を定めていることは、一体としての幸福追求権を定めるものと解してきた。他方、自由権規約6条は「すべての人間は、生命に対する固有の権利を有する」と定め、「何人も、恣意的にその生命を奪われない」と規定する。そこで、生命権を独自に論ずる観点も、近年では問題となる。同条2項が「死刑を廃止していない国においては、死刑は、…最も重大な犯罪についてのみ科することができる」と定めているので、同条は、死刑を禁止するものではないが、自由権規約委員会によれば、同条は「廃止が望ましいことを強く示唆する」[289]。

　日本の最高裁は、憲法13条および31条によって死刑は禁止されていないと解釈している。憲法13条においては、「公共の福祉という基本的原則に反する場合には、生命に対する国民の権利といえども立法上制限乃至剥奪されることを当然予想している」。さらに、憲法31条によれば、「個人の生命の尊貴といえども、法律の定める適理の手続によって、これを奪う刑罰を科せられることが、明かに定められている。すなわち憲法は現代多数の文化国家におけると同様に、刑罰として死刑の存置を想定し、これを是認したもの」と判示した[290]。したがって、死刑は、憲法36条の残虐な刑罰にあたらず、合憲とされた。しかし、「多数の文化国家」が死刑を廃止している現状からは、死刑制度の正当化の根拠が失われている。

　南アフリカの憲法裁判所は、S v Makwanyane and Another（1995）において、死刑を定める刑事手続法を違憲とした。1993年の暫定憲法11条2項の「残虐・非人道的・品位を損なう取扱いもしくは刑罰」を禁止しているが、こうした刑罰についての定義はない。したがって、他の憲法規定との関連において、この文言に意味を与えなければならない。同9条が「すべての人は、生命への権利を有する」と定め、同10条が「すべての人は、自己の尊厳を尊重し、守る権利を有する」と定めている。そこで、同憲法裁判所は、終身刑や長期刑と比べた必要性などの比例原則に基づく審査により、生命の権利と人間の尊厳

---

[289]　自由権規約委員会・一般的意見6（1982年7月27日）6段落。
[290]　最大判1948（昭和23）年3月12日刑集2巻3号191頁。

に反し、残虐・非人道的・品位を傷つける刑罰からの自由に反するとして、違憲とした。

　他方、アメリカの連邦最高裁は、いったんは Furman v. Georgia, 408 U.S. 238（1972）において、ジョージア州法とカリフォルニア州法の定める死刑は、恣意的で人間の尊厳に反するなどの理由で修正8条の禁ずる「残虐で異常な刑罰」にあたるとして違憲としたものの、Gregg v. Georgia, 428 U.S. 153（1976）において、改正後のジョージア州法の死刑制度は恣意性が排除されたとして、合憲とした。一方、Roper v. Simmons, 543 U.S. 551（2005）においては、アメリカが批准した際に留保した「18歳未満の者が行った犯罪には死刑を科してはならない」と定める自由権規約6条5項や、アメリカが批准していない子どもの権利条約37条の未成年者への死刑禁止規定などを援用して、未成年者に対する死刑制度を違憲としている。

　なお、自由権規約委員会は、「生命に対する権利」の保護にあたり、国は、「積極的な措置」をとることを要求されるとして、「特に栄養失調と伝染病を除去する措置」を指摘する[291]。ここには、社会権規約11条の「十分な食料に対する権利」と同12条の「健康に対する権利」の相互依存性が認められる。また、「健康に対する権利」は、「食料、住居、労働、教育、人間の尊厳、生命、無差別、平等、拷問の禁止、プライバシー、情報へのアクセス、結社、集会および移動の自由を含む他の人権の実現と密接に関連しており、また依存している」[292]。人権の不可分性・相互依存性は、自由権と社会権という区別を飛び越え、人権保障を強化する。とりわけ、生命に対する権利は、緊急事態においても逸脱不能な至高の権利である[293]。

第8節　非人道的な取扱い・品位を傷つける取扱いの禁止

　日本国憲法36条は、拷問と残虐な刑罰を禁止しており、同「36条と結びついた13条」が、非人道的な取扱いと品位を傷つける取扱いを禁止しているものと解しうる。自由権規約7条前段は「何人も、拷問または残虐・非人

291　自由権規約委員会・一般的意見6（1982年7月28日）5段落。
292　社会権委員会・一般的意見14（2000年8月11日）3段落。
293　自由権規約委員会・一般的意見6（1982年7月28日）1段落。

道的・品位を傷つける取扱いもしくは刑罰を受けない」と定めている。非人道的な取扱いとして、たとえば、長期間の独居拘禁、拷問や生命の危険などの予想される国への外国人の送還がある。ヨーロッパ諸国では、死刑のある国へ死刑を執行されるおそれのある人を送還することを禁じている。ヨーロッパ人権裁判所は、死刑のあるヴァージニア州で殺人罪に問われているドイツ国籍のゼーリングを、イギリスがアメリカに引渡すことは、死刑執行を待ちながら収容される蓋然性があり、非人道的な取扱い等を禁じるヨーロッパ人権条約3条に反するとした（Soering v United Kingdom (1989) 11 EHRR 439）。また、同裁判所は、アフガニスタンからギリシアを経てベルギーで難民申請をしたアフガニスタン国民がギリシアに移送された事例について、ギリシアが本気で審査せず、効果的な救済措置へのアクセスなしに、危険が予想されるアフガニスタンに送還するおそれがあるとして（非人道的な取扱い禁止の）同条約3条と結びついた13条（の効果的な救済措置）に反し、ギリシアに移送したベルギーも「非人道的な取扱い」を禁ずる同条約3条違反にあたる。加えて、不衛生な収容施設への収容も、ギリシア政府の不作為ゆえに仮放免後数カ月間生活必需品もない状態で路上生活の継続を余儀なくされたことも、ギリシアへ移送したベルギー政府ともども、「品位を傷つける取扱い」の同条約3条違反とした（M.S.S. v Belgium and Greece (2011) ECHR 108）。イギリス貴族院の上訴委員会も、難民申請の遅れが理由の不許可者が、宿泊や食事などの支援なしに、ホームレス状態での仮放免が、同条約3条に反するとした（Adam, Limbuela and Tesema v Secretary of State for the Home Department (2005) UKHL 66）。

　自由権規約委員会も、「締結国は個人を、犯罪人引渡・追放・送還によって、他国に帰還させる場合、拷問または残虐・非人道的・品位を傷つける取扱いもしくは処罰の危険にさらしてはいけない」という[294]。自由権規約委員会は、Warsame v Canada (2011) では、1984年にサウジアラビアで生まれ、4歳からカナダに住んでいるソマリア国籍の男性が、2度の犯罪により、21歳のときに、住んだこともなく、言葉も十分にできず、一族の支援もなく、家族もいないソマリアに送還し、拷問、残虐な・非人道的・品位を傷つける取扱いの危険にさらすことは自由権規約7条に反するとした。O.Y.K.A. v. Denmark (2017) では、2015年に内戦を逃れ、ギリシアに渡り、

294　自由権規約委員会・一般的意見20（1992年4月3日）9段落。

不法入国で逮捕され、庇護申請をしたシリア国民が、抑留後、仮放免され、4カ月間自費でホステル暮らしをした後に、ホームレスとなり、ギリシア当局の支援を得ることができずに、2カ月間も路上と公園で生活をした。そこで、デンマークに移り、庇護申請したが、ギリシアが最初の庇護国だという理由で拒否された。ギリシアへの送還が、ホームレスの状態に置く「品位を傷つける取扱い」、路上で排外主義的な暴力にあう「非人道的な取扱い」の危険があるとして、自由権規約委員会は、自由権規約7条に反するとした。

受刑者や外国人の収容者への革手錠の使用や看守による暴行が日本では問題となっている。刑務所に拘禁中の被告人に、両手後ろの方法により革手錠を使用したことなどが違法であるとして国家賠償が認められた事件がある。東京高裁は、自由権規約7条前段等が「国内法としての直接的効力を有し、かつ、法律である監獄法に優位する効力を有する」としつつも、「拷問を禁止した憲法36条及びすべての国民が個人として尊重されることを保障した憲法13条の各規定の趣旨、内容に照らせば」、自由権規約7条前段等の文言は憲法の規定よりも具体的かつ詳細なものであるが、憲法の保障の範囲を超えるものでもないという[295]。そこで、憲法「**36条と結びついた13条**」は、**非人道的な取扱いと品位を傷つける取扱いの禁止**を保障内容として含んでおり、(自由権規約7条と同様の)「非人道的な取扱い」が予想される国への「退去強制」を禁止し、宿泊その他一切の支援を受けられない「仮放免者」をホームレスの状態に置く「品位を傷つける取扱い」を禁止する。

なお、憲法36条と同様、自由権規約7条も、絶対的権利といわれる。自由権規約7条所定の拷問・残虐な刑罰・非人道的な取扱い・品位を傷つける取扱いに該当する場合は、比例原則に照らして権利の制約が正当化される余地はない。しかし、同条が制約の余地がないという立場と正当化と比例性の概念は両立する場合がある[296]。比例性は、同条違反の認定に重要な役割を果たし、当該行為が同条の取扱いの類型に該当するかを考慮する際に比例性は関係する[297]。同条の絶対性からそれ自体正当化されない取扱いは利益衡量に

---

295 東京高判1998（平成10）年1月21日判時1645号67頁。
296 Taylor, 2020, 173.
297 Joseph and Castan, 2013, para. 9.43.

服さないが、一定の状況の下で正当化される取扱いかどうかの決定、すなわち拷問・残虐な刑罰・非人道的な取扱い・品位を傷つける取扱いの域に達していなかったかどうかの決定には、利益衡量が排除されるものではない[298]。したがって、たとえば、出国準備のための仮放免のように、短期に国が就労も生活支援も認めず、仮放免することは、まだ「品位を傷つける取扱い」に当たらないが、長期に国が就労も生活支援も認めず、人をホームレスの状態に置くことは、「品位を傷つける取扱い」に当たる。

　品位を傷つける取扱いとしては、たとえば、精神病院や老人施設で、自傷他害のおそれがないのに閉鎖病棟に入れられたり、徘徊するとの理由でベッドに縛り付けたりする行為が問題となる。かつての外国人登録法上の指紋押捺制度について、大阪高裁は、「B規約7条にいう『品位を傷つける取扱い』とは、公務員の積極的ないし消極的関与の下に個人に対して肉体的又は精神的な苦痛を与える行為であって、その苦痛の程度が拷問や残虐な、非人道的な取扱いと評価される程度には至っていないが、なお一定の程度に達しているものと解せられる」と判示し、「平和条約国籍離脱者等が抱く屈辱感、不快感、被差別感は、一般の外国人の場合よりも強いものがあり、その程度は、右の『一定の程度』に達すると評価できるのではないかと疑う余地がある」という[299]。したがって、かつての特別永住者への指紋押捺制度が、自由権規約7条の禁じる品位を傷つける取扱いの例とされたことがある。

298　参照、HRC, A.H.G. v. Canada (2015), Individual opinion, Shany (concurring), paras. 3-4; Schabas, 2019, 172; Taylor, 2020, 173.
299　大阪高判1994（平成6）年10月28日判時1513号71頁。

第6章
平等の現代的意義

第1節　法の下の平等の意味

　フランス革命のスローガンが「自由・平等・友愛」であったように、人が「生まれ」によって身分的に差別されないことが近代の市民革命の出発点である。もっとも、近代国家においても、当初は、理念と現実のあいだには落差があり、特権と差別が温存された。アメリカなどでは奴隷制度も容認され、人種差別や男女差別は依然として残っていた。1789年のフランス人権宣言1条は、権利の平等を定めているが、ここでの人（homme）とは当初は男を意味した。1791年のアメリカの権利章典（修正1条から10条までを一般に権利章典と呼んだ）には、平等の規定は定められていなかった。アメリカ憲法の平等保護条項は、奴隷解放後の1868年の修正14条を待たなければならなかった。

　明治憲法は、平等に関する一般規定がなかった。19条で「日本臣民ハ法律命令ノ定ムル所ノ資格ニ応シ均ク文武官ニ任セラレ及其ノ他ノ公務ニ就クコトヲ得」と定めるにすぎない。天皇家や華族は、貴族院議員としての特権が与えられた。女性は選挙権もなく、法律上の権限の上で差別された。また、内地人と（朝鮮や台湾の）外地人との差別もあった。

　日本国憲法14条1項前段が「法の下に平等」と定めているのは、法律の適用において平等であればよいとする立法者非拘束説の意味ではない。今日、法律の定立においても平等な内容を定めるべきであるとする立法者拘束説に立つ。「法」とは、憲法を含む広い意味での法を意味し、憲法の下に平等とはいえない法律も、法の下の平等に反する。裁判所は、違憲立法審査権により、法律が憲法14条に違反しているかどうかも審査する。

　具体的にどのような場合が平等違反となるのであろうか。人には、能力・

特性・年齢・健康・貧富その他種々の相違がある。このような相違を無視するか、考慮するのかに即して、形式的平等と実質的平等という2つの平等観の違いがある。

1　形式的平等と実質的平等

形式的平等とは、人の現実の差異を捨象して、形式的に一律平等に扱うことをさす。これは、機会の平等[300]（機会均等）を意味する。たとえば、大学入試において個人の能力差を前提において、試験の成績などで一律に合否を決める場合には、形式的平等に基づく。

実質的平等とは、人の現実の差異に着目して、実質的にその格差の是正を行うことをいう。これは、結果の平等（配分の均等）を意味する。たとえば、大学が奨学金の支給に際して、収入制限などを定め、経済格差を是正する場合には、実質的平等の考え方に立つ。

近代立憲主義の延長線にある日本国憲法における平等は、第一義的には、形式的平等を意味するものの、現代の社会福祉国家の進展とともに、社会的・経済的弱者の権利保障も重視するようになり、一定の範囲で実質的平等とも整合的である。女性差別撤廃条約4条などが積極的差別是正措置を、障碍者権利条約2条が合理的配慮を、人種差別撤廃条約1条などが間接差別も定めている。日本政府がこれらの条項について留保することなく条約を批准したことは、一定の場合の実質的平等も日本国憲法14条に適合的な解釈でありうることの証拠といえる。

今日、実質的平等は、しばしば積極的差別是正措置、合理的配慮、および間接差別の問題として各国の法規や判例に取り入れられつつある。

2　積極的差別是正措置

積極的差別是正措置とは、過去の社会的・構造的な差別によって不利益を被っている集団に対して、積極的に差別を是正し実質的な機会均等を実現す

---

[300] 機会の平等という用語は、多義的であり、実質的平等の意味で使われる場合もある。競争におけるスタートラインの平等のため、家庭環境の違いを考慮することで、機会の平等を図る場合には、実質的な機会の平等と呼ぶこともある。

るために、特別の機会を提供する暫定的な措置をさす。男女共同参画基本法では「積極的改善措置」と呼んでいる。

女性差別撤廃条約は「暫定的な措置」、人種差別撤廃条約と障碍者権利条約は「特別措置」という。女性差別撤廃条約4条1項は「締約国が男女の事実上の平等を促進することを目的とする暫定的な特別措置をとることは、この条約に定義する差別と解してはならない。ただし、…これらの措置は、機会・待遇の平等の目的が達成された時に廃止されなければならない」と定める。2007年に施行された改正男女雇用機会均等法8条が積極的差別是正措置を認める。人種差別撤廃条約1条4項（および2条2項）が類似の特別措置を定める。しかし、人種差別撤廃禁止法自体が、日本では、まだ制定されていない。障碍者権利条約5条4項も類似の特別措置を定める。障害者雇用促進法43条1項の法定雇用障害者数（障碍者雇用率[301]）は、クオータ（割当制）の手法を用い、就職に際して不利な状況にある障碍者に対する一種の積極的差別是正措置とみることもできる。障碍者雇用率は、以前から障碍者雇用の保護政策として存在しており、差別禁止法制とは区別されてきた。このため、逆差別であるとか、障碍者に対して偏見（スティグマ）を与えるものであるとの批判は少なく、この制度を支える共生社会の理念や多様性の尊重を評価する意見の方が多い。また、多様性確保のため、日本の大学の極端に女性の少ない理系の学部では、「女性枠」を設けることも増えている。

他方、日本では国公立の女子大学も存在するが、男女の進学率に差のない今日、積極的差別是正措置として正当化することは困難であろう。アメリカでは、1982年にミシシッピー州立女子大学の看護学校が女性の入学しか認めないことは、「女性に対する過去の差別を補償」する「教育上のアファーマティヴ・アクションを構成する」といった「目的」に基づくとはいえず、むしろ「看護は女性の仕事であるという性的固定観念を永続」する点にあり、現に男性の聴講を認めていることが教え方や女子学生の行動に影響を及ぼしていない以上、女性のみに入学を制限する「手段」との実質的な関連性はないので、平等保護条項に反し、違憲とした判例もある（Mississippi University

---

[301] 2026年7月までに37.5人以上雇用する民間企業は、雇用する労働者に占める障害者の割合が2.7%（国・地方・特殊法人は3.0%、教育委員会は2.9%）と法定雇用率が段階的に引き上げられ、雇用率の割当を満たさない場合には、納付金を徴収される。

for Women v. Hogan, 458 U.S. 718（1982））。

　自由権規約は、明文で積極的差別是正措置について定めていないものの、自由権規約委員会は、積極的差別是正措置を許容している[302]。憲法の明文で認めている国もある。スウェーデン統治法2章13条も「法令は、男女同権を達成する努力の一部をなす場合…を除き、性を理由とする不利益取り扱いをしてはならない」と定める。インド憲法16条4項が「後進階層」の公務員への優先採用枠としての留保を定めているが、最高裁は、公務における留保を拡大し、指定カーストと指定部族に22.5％、その他の後進諸階層に27％を留保しようとした政府案について、実際には社会経済的な弱者とはいえない「上澄み層（Creamy Layer）」をその他の後進階層の留保の対象から除外するよう判示した（Indra Sawhney v Union of India, AIR 1993 SC 477）。カナダ連邦最高裁によれば、3つの先住民集団にフレザー川の河口での24時間の操業・販売を許可したことが、人種差別に当たらないのは、法の下の平等の規定と積極的差別是正措置の規定を定める「15条1項と15条2項が相まって15条全体の根底にある実質的な平等のビジョンを促進する役割を果たしている」からである（R. v. Kapp 2008 SCC 41）。南アフリカでは、医学部入学に際し、インド系の枠が40しかないため、優秀な成績で不合格となったとしても、最高裁によれば、アパルトヘイトのもと、インド系よりも不利な状況にあったアフリカ系の地位向上に向けられた特別措置なので、平等権や差別禁止に反しない（Motala v University of Natal 1995 (3) BCLR 374 (D)）。

　アメリカの最高裁は、州立の医学大学院の定員100名のうち、16名のマイノリティ入学枠を定める割当制を平等保護条項違反とした（Regents of the University of California v. Bakke, 438 U.S. 265（1978））。州立のロースクールの入試では、人種間の理解促進・人種的偏見の打破を含む「多様性が生み出す教育効果をもたらすのに十分な数（critical mass）」のマイノリティの学生を確保するために、多様な審査項目の一つの要素として人種を考慮することは、割当制とは違い、合憲とされた（Grutter v. Bollinger, 539 U.S. 306（2003））。他方、同大学の学部入試では、150点満点中、すべてのマイノリティの受験生に20点を自動的に加算する制度は、人種的要素が決定的であり、違憲とされた（Gratz v. Bollinger, 539 U.S. 244（2003））。その後、ハーバード大学（とノース・カリフォルニア大学）の学部入試において、人種を考慮する優遇措置という手段が「多様性がもたらす教育

302　自由権規約委員会・平等に関する一般的意見18（1989年11月9日）10段落。

上の便益を達成する」目的との結びつきは不明確であり、採用されている恣意的な人種区分は、過大・過小包摂がみられるとともに、今後 25 年で人種に基づく優遇措置が不要となることを期待した Grutter 判決に照らしても、平等保護条項に反するとした（Students for Fair Admissions v. Harvard, 600 U.S. 181（2023））。一方、最高裁は、学生集団の多様性を確保するために、テキサス州のすべての高校の成績の上位 10％ の卒業生に入学を認める州立大学の入学試験を合憲とした（Fisher v. University of Texas at Austin, 136 S. Ct. 2198（2016））。今後、多様性の確保は、この方法またはカリフォルニア州のように高校の成績上位者と選抜試験を組み合わせた方法を採用することになろう。また、公共事業の分野では、マイノリティ企業と下請契約を結んだ元請会社に割増補償金を支給する零細企業法は、従来の判例の不統一（州や自治体による人種的区分は修正 14 条についての厳格審査だが、連邦による「よい」人種的区分は修正 5 条についての中間審査基準を適用した判例303）を見直し、連邦の場合も州の場合と同様に、厳格な審査基準が適用されるとした304。ミシガン州の州民投票で可決された、「公的教育・政府契約・公的雇用での人種、性別、民族・ナショナル・オリジンに基づく差別的・優遇的取扱いを禁止する州憲法改正」は、連邦憲法修正 14 条に違反しないという（Schuette v. Coalition to Defend Affirmative Action, 134 S. Ct. 1623（2014））。

　ドイツ基本法 3 条 1 項は「法の前の平等」、2 項が「男女の同権」、3 項が「性別、血統、人種、言語、出身地、門地、信仰・宗教・政治的意見のために、差別され、または優遇されてはならない」と定める。1994 年改正で、2 項に「国家は、男女の同権が実際に実現するよう促進し、存在する不平等の除去に向けて努力する」、3 項に「何人も、障碍を理由として差別されてはならない」という 1 文が付加された。（したがって、積極的差別是正措置は、性別による「優遇」ではなく）障碍を理由とした優遇は許される。一般平等待遇法 5 条は「積極的是正措置」が許される旨を規定している。障碍者雇用割当制度があり、社会法典 9 編 154 条 1 項によれば、20 人以上を雇用するすべての民間企業・官公庁に 5％

303　Metro Broadcasting Inc. v. Federal Communication Commission, 497 U.S. 547（1990）.
304　City of Richmond v. J.A. Croson Co., 488 U.S. 469（1989）では、人口の約 50％ がアフリカ系アメリカ人からなるリッチモンド市の公共建設事業の受注業者に対し、30％ をマイノリティ企業に下請けさせることを原則とする条例は、「過去の差別の影響の是正」という目的が、実際に市の建設業において差別を被っていないスペイン語系、東洋系などを含んでいるので「必要不可欠な利益」とはいえず、30％ の留保手段は「過大包摂」として、厳格審査基準のもと、平等保護条項違反とされた。

以上の重度障碍者の雇用を義務づけている。

3 合理的配慮[305]

合理的配慮とは、必要な支援をする配慮が不合理な負担を課すものではないことを意味する。合理的配慮は、障碍者権利条約2条において「障碍者が他の者と平等にすべての人権および基本的自由を享有・行使することを確保するための必要かつ適当な変更および調整であって、特定の場合において必要とされるものであり、かつ、均衡を失したまたは過度の負担を課さないもの」と定義されている。障碍にかぎらず、アメリカやカナダでは、宗教にも、ニュージーランド人権法では、宗教、年齢、家族形態にも合理的配慮は及ぶ。アメリカでは、公民権法上も、使用者にとって過度の負担となることを証明することなく、被用者の宗教上の戒律・慣行に対し、必要に応じた「合理的配慮」を提供しないことが、違法な宗教差別になる（42 USC §2000e (j)）。カナダでは、人権憲章15条1項[306]の平等権に関して、同1条[307]の「合理的制限」が「合理的配慮」の概念に相当し、最高裁は、医療サービス上の聴覚障碍者に対する合理的配慮として、手話通訳を提供することを命じ（Eldridge v. British Columbia (Attorney General), [1997] 3 S.C.R. 624）、厳重に梱包し着衣の下で携帯する「合理的配慮」を施せば、シーク教徒の生徒がキルパン（宗教用具として常に携帯を義務づけられている金属製の小刀）を中学・高校に携帯することを認めている（Multani v. Commission scolaire Marguerite-Bourgeoys, [2006] 1 S.C.R. 256）。

障碍者権利条約の批准に備え、2013年に制定された障害者差別解消法では、7条2項が「実施に伴う負担が過重でないときは、…障害者の性別・年

---

[305] 社会権規約委員会によれば、積極的差別是正措置は「実質的な平等が持続可能に達成されたときに廃止されるかぎりにおいて、正当なものである」一方、「言語的少数者に対する通訳サービス、感覚的な機能障碍のある人が医療施設にアクセスする際の合理的配慮といった、永続的な性質を備えていることが必要とされるものもある」。社会権規約委員会・一般的意見20（2009年7月2日）9段落。

[306] 人権憲章15条1項は「…とりわけ人種、国民的・民族的出身、皮膚の色、宗教、性別、年齢または精神的・身体的障碍を理由に差別されることなく、法の平等な保護および平等な利益を受ける権利を有する」と定める。

[307] 同1条は「人権憲章は、自由かつ民主的な社会において明確に正当化され得る合理性を持ち、かつ、法律で定める制限にのみ服することを条件に、この憲章で規定する権利および自由を保障する」と定める。

齢・障害の状態に応じて、社会的障壁の除去の実施について必要かつ合理的な配慮をしなければならない」と行政機関等に対する合理的配慮の義務を定めた。民間の事業者に対しても、2024年4月からは努力義務から法的義務に変更された。また、障害者雇用促進法に基づく合理的配慮の指針によれば、肢体不自由な人に机の高さを調節すること等作業を可能にする工夫を行うこと、知的障碍を有する人に習熟度に応じて業務量を徐々に増やしていくこと、精神障碍を有する人に出退勤時刻・休暇・休憩に関し、通院・体調に配慮することなどが合理的配慮として考えられている。

合理的配慮の欠如が、障碍を有する人、妊産婦、信仰を有する人などにとっては、差別取扱いとなることを明記した包括的な差別禁止法が望まれる。

4　間接差別

間接差別とは、直接には差別的な取扱いをしていない慣行が、特に正当な理由なしに、特定の人や集団にとって実質的に不利な影響を与えていることを指す。直接差別は、形式的な平等を目的とし、差別的な「意図」の有無を問題とする。間接差別は、実質的な平等を目的とし、差別的な「効果」の有無が問題である。人種差別撤廃条約1条・女性差別撤廃条約1条・障害者権利条約2条が、差別の定義に「目的」と「効果」の両面を定めるのは、直接差別とともに間接差別も禁止することを意味する。

日本でも、2003年の女性差別撤廃委員会の総括所見で間接差別の定義を明確にすべきことが指摘されたことを受けて、2006年に改正された男女雇用機会均等法により、間接差別の禁止が盛り込まれた。同7条は、事業主が「性別以外の事由を要件とするもののうち、措置の要件を満たす男性及び女性の比率その他の事情を勘案して実質的に性別を理由とする差別となるおそれがある措置」を「合理的な理由がある場合でなければ、講じてはならない」と定めている。厚生労働省令が例示する間接差別として、①募集・採用において、合理的理由なしに労働者の身長・体重・体力を要件とすること、②「総合職」の労働者の募集・採用にあたって、転居を伴う転勤に応じられることを要件とすること、③一般的な昇進にあたり、転勤の経験を要件とすることなどがある。2024年にはじめて、間接差別を認定した東京地裁（確

定）判決では、AGC グリーンテック社が転勤可能な総合職（男女比 33 対 1）にのみ社宅制度の利用を認め、一般職（男女比 1 対 6）には、住宅手当の支給にとどまるため、「女性従業員に相当程度の不利益を与えていること」は、「間接差別」に該当するとして、約 378 万円の差額と慰謝料を認めた[308]。

　EU では、2000 年の（宗教・信条、障碍、年齢、性的指向に関する）雇用・職業平等待遇一般枠組指令 2 条が間接差別とは、「外見上は中立的な規定、基準または慣行が、特定の人または集団に不利に影響する場合であって、その規定、基準または慣行が正当な目的とその目的の達成に適合する必要な手段により客観的に正当化されなければ、生じると思われるもの」と定義する。2000 年の人種・民族差別指令、2006 年の改正性差別指令も、類似の定義である。ヨーロッパ司法裁判所は、フルタイムとパートタイムの賃金格差（Jenkins v Kingsgate（1981）ECR 911）、年金制度からのパートタイム労働者の除外（女性の割合による性差別）を間接差別とした（Bilka-Kaufhaus GmbH v Weber von Hartz（1986）ECR 1607）。ヨーロッパ人権条約には、明文の規定はないが、ヨーロッパ人権裁判所の判例上、間接差別を認める。チェコの都市でロマの子どもの均衡を失する割合（人口比 2% なのに 56%）での特別支援学校への割り当ては、心理テストにおける多数者を想定したバイアスのためであり、同条約の第 1 議定書 2 条（教育に対する権利）と結びついた 14 条（差別禁止）に反する（DH and Others v Czech Republic（2008）47 EHRR 3）。

　イギリスでは、1975 年の性差別禁止法、1976 年の人種関係法などで「間接差別」の規定が明文化されていた。出産後、パートタイムで働きたいと申し出た女性に、フルタイム勤務を命じること（Home Office v Holmes（1984）IRLR 299）、シーク教徒にターバンを被るのやめて髪を短く切るのを入学条件とすることは（Mandla v Dowell-Lee（1982）UKHL 7）、性別や民族的出身に基づく間接差別となる。2010 年に従来の個別の差別禁止法を統合した平等法が施行され、間接差別も比例原則に基づいて定義されている。

　アメリカでは、直接差別は「差別的取扱い」の問題と呼ばれるのに対して、間接差別は、判例上、「差別的効果」の法理として登場し、「形式的には公正であっても差別的に機能する慣行」も、雇用に関する公民権法 7 編の差別の対象とした（Griggs v. Duke Power Co. 401 U.S. 424（1971））[309]。しかし、「人種的に差別的な効果があるという理由のみで、法律

308　東京地判 2024（令和 6）年 5 月 13 日 LEX/DB 文献番号 25620058。
309　差別的効果の証明責任は、第 1 段階で、原告は一応の証明として、統計などを利用して、表面的には中立的に見える基準が、相当程度に差別的な傾向を生み出していることを証明する。第

や政府の行為を違憲とする立場の判例はこれまでない」と判示し（Washington v Davis 426 US 229（1976））[310]、間接差別は違法性の問題とされ、違憲性について判例は消極的である。公民権法、障碍者法、雇用年齢差別禁止法は、「人種・皮膚の色・宗教・性・ナショナルオリジン」、「障碍」、「年齢」に基づく差別的効果を違法と定めている。刑務所の看守の募集に身長・体重要件を設けるのは、女性に対する差別的効果をもつ（Dothard v. Rawlinson, 433 U.S. 321（1977））。日本の刑務官の採用試験は、2019年に廃止されるまで、身長・体重要件があったが、この要件を復活させることは、憲法14条1項違反といえよう。

一方、カナダでは、間接差別の違憲性を判例上導いている。州立病院が聾者のための通訳を配備していなかったことは、聾者が耳の聞こえる者と同等の医療サービスを受けられない結果を生じさせ、間接差別にあたるとして、公費による通訳制度を定めていない立法不作為を憲法の平等権侵害とした（Eldridge v. British Columbia (Attorney General)（1997）2 SCR 624）。また、州の消防職員の運動能力試験の不合格を理由とする解雇は、運動能力試験という手段が安全確保の目的達成のために「相当程度に必要」かつ別の手段が「過度な負担」であることを州が立証していないため、女性を間接的に差別する（British Columbia (Public Service Employee Relations Commission) v. B.C.G.E.U.（1999）3 SCR 3）。

比較的新しい1996年の南アフリカ憲法9条3項では、「国は、人種…などの1ないし複数の理由をもとに、何人に対しても、**直接的にも間接的にも**差別してはならない」と間接差別の禁止を明示している。

日本では、男女雇用機会均等法の性差別だけにとどまっており、民族的出自や障碍に基づく差別などの場合でも、間接差別の禁止を導く包括的な差別禁止法が望まれる。

2段階で、被告はその基準が「業務上の必要性」ないし「職務関連性」を有することを反証する。第3段階で、原告が被告の合法的利益は、差別的効果のより少ない別の方法によって、十分に達成可能であることを証明する。

[310] 最高裁は、警察が口頭の言語能力を採用試験に課し、黒人の不合格率が高いとしても、黒人警官の募集の努力をしていることから差別的意図はなく、試験は一定レベルの言語能力を有する警官を確保するという正当な目的と合理的な関連性を有するとして合憲とした。もし、統計上の人種的不均衡だけに着目するならば、「裕福な白人よりも貧しい平均的な黒人により大きな負担となりうる税金、公的サービス、規制や許可に関するあらゆる範囲の法律が無効となってしまうという深刻な問題をまねきかねない」。

第2節　憲法14条1項後段の差別禁止事項

　すべての人を一切の例外なしに絶対に等しく扱うことを絶対的平等という。しかし、常に等しく扱うことは、実際には不合理な結果をまねくことが多い。そこで一般に、平等とは、アリストテレスの定義にしたがって、**相対的平等**、すなわち等しい者（同じ状況にある場合）は等しく、異なっている者（異なった状況にある場合）はその違いに応じて異なるように取扱われることを意味する[311]。この相対的平等の概念に基づく日本国憲法14条の平等においては、合理的な区別は認められ、不合理な差別だけが禁じられる。しかし、何が異なった状況、何が不合理な差別であるのかの基準設定は、容易ではない。この基準づくりに、一定の手がかりを憲法14条1項後段が明示していると考えられるようになってきた。

　憲法14条1項後段は「人種、信条、性別、社会的身分又は門地により、政治的、経済的、又は社会的関係において、差別されない」と定める。ここに挙げられた差別事由は、いずれも不合理な差別事由として歴史的に存在したものである。ただし、この列挙の意味の解釈については、学説は分かれている。差別事由は、後段に列挙したものに限るとする限定列挙説は、今日、支持されてはいない。ここでの列挙以外にも差別事由はあり、後段の列挙を単なる例示とする**例示説**が通説とされる。有力説である**特別意味説**は、例示説の中でも、後段の列挙に特別の意味を認め、憲法14条1項前段の法の下の平等に関する違憲審査は合理性の基準が適用されるのに対し、後段の列挙事由の場合は原則として不合理な差別にあたることが推定され、より厳しい審査基準が適用されるべきであるという[312]。さらに、今日の有力説は、後段の列挙事由以外にも、議員定数の不均衡のように、不合理な差別が推定され

---

[311] 1983年のオランダ憲法1条は、「オランダにいるすべての人は、同じ状況において平等に扱われる」と定めており、相対的平等の概念を明示する。アメリカやカナダでも「同じ状況」であるかどうかが、等しい者であるのか否かの区別において判例上重要とされる。しかし、実際、その違いをどの程度考慮するのかの具体的な基準については、この平等の概念は何も語ってくれない。Hoggs, 1997, 52. 6 (c).

[312] 伊藤、1995、249-5頁。

る余地を残しておく必要もあるという[313]（後述するように、人権条約や諸外国の憲法では、国民的・民族的出身、障碍、性的指向、年齢などの差別事由も列挙されている）。

一方、初期の最高裁判例は、前段の「法の下に平等である」ことと、後段の列挙事由において「差別的に取扱わない」ことは、同一の内容のものと解する同一内容説に立つものもみられた[314]。他方、今日の最高裁判例は、「後段列挙の事項は例示的なものである」との例示説に立つ[315]。しかし、憲法14条1項後段の列挙事由の場合に、一般的な法の下の平等の場合に比べて、より厳しい違憲審査の基準を適用する近年の学説を採用する最高裁判例はこれまでのところみられない。後述するように、最高裁の（反対または補足）意見や下級審判決が採用するにとどまっている。

* 平等に関するアメリカの三重の基準

アメリカの最高裁は、修正14条の平等保護条項のもとで正当化される平等の侵害かどうかを決定するための3段階の審査基準を発展させてきた。手段と目的の適合性の審査の厳格さの点で、この段階は異なっている。

第1に、人種に基づく立法その他の区別は、国家の「真にやむをえない利益」を増進し、区別がその目的を達成する上で「厳格に策定されている」場合にかぎって、正当化されるのであって、その意味で他の代替手段がない場合である。これは「厳格審査」と呼ばれる。南北戦争後に制定された修正14条の中心目的が州政府の行う人種差別を一掃する点にあったという歴史的事実・制定者の意思から、人種による区分を疑わしい区分として、厳格審査を適用する必要がある[316]。人種について、連邦最高裁は、人種を異にする婚姻を禁止するヴァージニア州法は、真にやむをえない州の目的は見当たらず、「厳格審査」の基準により違憲とした（Loving v. Virginia, 388 U.S. 1 (1967)）。

第2に、ジェンダーに基づく区別は、「すぐれて説得的」である必要があり[317]、差別的

---

313 野中ほか、2012、287頁〔野中〕。
314 最大判1948（昭和23）年5月26日刑集2巻5号517頁。
315 尊属殺違憲判決・最大判1973（昭和48）年4月4日刑集27巻3号265頁。
316 Mclaughlin v. Florida, 379 U.S. 184 (1964). 人種を異にする未婚男女の同棲を処罰するフロリダ州法を平等保護条項のもとに違憲とした。
317 United States v Virginia 116 S Ct 2264 (1996).

な区別は、政府の「重要な利益」を達成することと「実質的な関連性」がなければならない。これは「中間審査」と呼ばれる。性別について、連邦最高裁は、男性21歳、女性18歳と酒の販売を認める年齢に男女差を設けたオクラホマ州法を「中間審査」の基準により違憲とした（Craig v. Boren, 429 U.S. 190（1976））。18歳から20歳までの男性の酒気帯び・飲酒運転などの比率が高いという統計はあるものの、その差はわずかであり、立法目的と規制手段との「実質的な関連性」はない。

第3に、年齢その他の区別は、国家の「正当な利益」との「合理的な関連性」が示される必要があるにすぎない[318]。これは「合理性審査」と呼ばれる。年齢について、連邦最高裁は、年齢とともに身体能力は衰えていくので、制服警察官につき50歳定年制を定めたマサチューセッツ州法を「合理性」の基準を適用して合憲としている（Massachusetts Board of Retirement v. Murgia, 427 U.S. 307（1976））。

自由権規約2条・26条・社会権規約2条は「人種、皮膚の色、性、言語、宗教、政治的意見その他の意見、ナショナル・オリジン、社会的出身、財産、出生、他の地位等」による差別を禁じる。「他の地位等」という言葉で、その他の多様な差別事由をカバーする含みをもたせている[319]。人権諸条約は、差別禁止事由として、言語[320]、遺伝的特徴、障碍、年齢、性的指向など[321]、近年問題となっている事由も多く列挙する傾向にある。

以下に、憲法14条後段の列挙事由について、個々に検討しよう。「人種、信条、性別、社会的身分、門地」による差別に加えて、民族的出身、障碍、年齢、性的指向などの差別禁止を14条後段の列挙事由のうちに読み込む解釈の可能性が問題となる。

1　人種（および民族的出身など）

人種とは、「明確な人間のタイプとして性格づけるに十分な、遺伝子伝達された特性をもつ人類の中の生物学的グループ分け」とひとまずは考えることができる。かつて、およそ地理上の人種は、研究者ごとに何種類かに分類

318　Fredman, 2012, p. 71.
319　アフリカ人権条約2条も同じ。
320　ヨーロッパ人権条約14条。
321　ヨーロッパ基本権憲章21条。

されたこともある。しかし、人の国際移動と国際結婚を考えると、その種の人種的グループは、混ざり合うことになる。「人種」と名付けられたものには、言語集団（広義のアーリア人、すなわちインド・ヨーロッパ語族）や宗教集団（ユダヤ人）もあり、「共通の祖先、文化遺産または伝統を共有していると考えており、他からもそのようにみなされているメンバーからなる人々」を意味する民族との区別も曖昧である。人種という概念は過去の誤った学説に基づくものとする考えが有力である。現存するすべての人は、ホモ・サピエンスという一つの生物学的な種に属するという1951年のユネスコ宣言の立場である。しかし、その後のアパルトヘイトやネオ・ナチに代表される、人種的偏見に基づき人種間の優劣を説く人種主義の台頭もあって、各国の国内法や国際人権諸条約上の法律用語としては、人種・民族その他の少数者の権利が、ときに広い意味での「人種」のタイトルのもとに保障され、近時の重要問題となっている。人種も民族も近代的な概念である。ヨーロッパの人々がその領土を拡張しながら、地球上の他の人間社会と接する中でもたらされた。人種という概念は、18世紀後半から19世紀中盤にかけて登場し、当時の進化人類学の中心的なカテゴリーであった。人種概念を導入した社会ダーウィニズムの適者生存の思想は、帝国主義時代の征服と戦争を正当化し、その結果もたらされる社会序列を当然のものとすることに役だった。しかし、ナチスの人種差別政策の悲惨な経験を経た、第2次世界大戦後、学問上、「人種」に代わり、「民族」という言葉で何らかの特徴を共有すると思われる人間の集団を呼ぶ傾向をもつ。

(1) 民族的出身

　日本が1995年に加入した人種差別撤廃条約1条によれば、人種とは、広く「人種、皮膚の色、世系又は民族的若しくは種族的出身」を意味する[322]。「民族的若しくは種族的出身」というのは、「国をつくって国民となることを意識した民族の出身（national origin）」、もしくは「国をつくって国民となることを意識していない民族の出身（ethnic origin）」の両方をさす。いず

---

[322] 野中ほか、2012、292頁〔野中〕。ここで、「世系」というのは、先祖のことである。

れにせよ、人種差別は、民族的出身による差別を含むというのが、人種差別撤廃条約である。日本政府がこの条約の1条について、留保や解釈宣言なしに憲法に適合するものとして批准した以上、今日、日本国憲法14条後段の禁ずる人種差別は、民族的出身による差別を含むものと解すべきであろう。

　従来、日本では、憲法が人種による差別を禁じる規定を定めているのは、アメリカの影響を受けたからであり、皮膚の色を中心とした人種差別がアメリカのように顕著でなかったために、人種差別の問題が法的問題となることは日本では少ないと考えられてきた。一方、在日コリアンなどに対する民族差別の問題が深刻でありながらも、民族差別は人種差別と同様に憲法上禁じられるべき問題であるとの認識が不十分であった。学説上も、かつては憲法14条の解釈において、民族差別に関する言及をしない「民族差別不問説」が有力であった[323]。ただし、中には、民族差別には言及しないものの、アイヌに対する差別や[324]、アイヌ・国際結婚で生まれた子ども・帰化者に対する差別を[325]、人種差別の問題とする理解もみられた。人種差別撤廃条約批准後は、在日コリアンなどの民族差別を憲法14条1項後段の人種差別と同様に扱う見解が多数説である[326]。なお、1952年の平和条約の発効後の通達により本人の意思を問うことなく日本国籍を喪失した旧植民地出者とその子孫である特別永住者の場合は、形式的な国籍差別の問題というよりも、実質的には（朝鮮戸籍や台湾戸籍という民族的出身の徴表に基づく）national origin による人種差別の問題であることに留意する必要がある。

　＊　ethnic origin と national origin
　イギリスの平等法9条1項における人種には、(a)皮膚の色、(b)国籍、(c)民族的出身 (ethnic or national origins) が含まれる。ethnic origin による差別の問題となる「民族集

---

[323] 宮沢、1974、273-6頁。
[324] 宮沢、1978、209頁。
[325] 佐藤功、1983、214-36頁、佐藤幸治、2020、226頁、長谷部、2019、173頁、芦部、2023、225頁。
[326] 長尾、1997、148頁；吉田、2003、325頁；松井、2007、379-380頁；赤坂、2011、294頁；野中ほか、2012、292-3頁〔野中〕；浦部、2016、116頁；渋谷、2017、204頁；辻村、2018、164頁；樋口、2021、212頁；渡辺ほか、2023、140頁〔渡辺〕；高橋、2024、168頁など。

団 (ethnic group)」に、シーク教徒は含まれるとした判例の中で一定のガイドラインが示されている。民族集団と呼ぶために不可欠な2つの条件として、(1)他の集団から区別して意識される長い歴史、(2)独自の文化的伝統が必要であるという。加えて、(いくつかが該当する) 関連する5つの条件として、(3)共通の地理的出身または先祖、(4)共通の言語、(5)共通の文書、(6)共通の宗教、(7)大きなコミュニティの中のマイノリティ集団、被抑圧集団または支配的集団であることも判断材料となる。また、民族集団のメンバーと結婚した人の場合は、その民族集団に含めることも、含めないことも可能である[327]。他に、ユダヤ人やロマなども ethnic group とされている[328]。一方、イスラーム教徒は、共通の宗教を表明し、クルアーンという共通の文書を有し、深い文化的歴史的背景を有する宗教集団であるが、多くの国民にまたがり、多くの言語を有するので、ethnic group ではないとされた[329]。他方、スコットランド人、ウェールズ人、イングランド人は、個別の「国民性」をもち、歴史的にも地理的にも同じ集団とみなしうる、national origin の問題である。

　アメリカでは、1964年の公民権法703条 (a) (1) では「雇用者が、人種、皮膚の色、宗教、性または national origin を理由」とする雇用差別を違法としている。そして雇用機会均等委員のガイドライン (29 C.F.R. §§1606-1606.1 (2008)) により、national origin による差別とは「個人もしくはその祖先の出身地を理由として、または個人が national origin グループの身体的・文化的・言語的特徴をもっていることを理由として、平等な雇用の機会が認められないこと」と定義している。national origin を出身国と訳すことが多いが、厳密には本人にかぎらず、祖先の出身地や文化的特徴を問題とする概念であり、簡単にいえば、「出身国と民族的出身」といえる。また、皮膚の色などは多様な人々を含むので、人種とは区別されて用いられる。判例上 (ドイツ生まれの) ドイツ人などだけでなく[330]、(ロマ) ジプシー[331] なども、公民権法上の national origin とされている。第1言語は、national origin の特徴という意味合いがある。職場で英語だけを話すルールを課すことが、national origin による差別とならないためには、実効的なコミュニケーションを容易にするとか、従業員間の対立を避けるなどの「業務上の必要」が示されなければならな

---

[327] Mandla v Lee [1983] 1 All ER 1062.
[328] Seide v Gillete Industries Ltd [1980] IRLR 427; Commision for Racial Equality v Dutton [1989] IRLR 8, CA.
[329] Nyazi v Rymans Ltd [1988] EAT/6/88 (unreported, but available at LexisNexis).
[330] Brown v. Parker-Hannifin Corp., 746 F. 2d 1407 (10th Cir. 1984).
[331] Janko v. Illinois State Toll Highway Auth., 704 F Supp. 1531 (N.D. Ill. 1989).

い332。また、業務の遂行に支障をきたすわけではないアクセント（外国訛り）を理由とする不利益処分も、national origin による差別となる333。連邦最高裁は、修正14条のもと、national origin による差別について、「厳格審査」の基準を採用し334、（事実上の隔離教育が問題となった）ヒスパニックも修正14条のもとの部類を構成する旨を確認した335。

(2) 外見上、外国人に見えること

判例上336、典型的な人種差別としては、外見上、日本人に見えないことを理由とした、公衆浴場への入浴拒否、宝石店への入店拒否、肌の色を理由にした入居差別の事件がある337。これらの訴訟では、人種差別撤廃条約が民法の不法行為の解釈基準となり、差別した個人や業者に対する損害賠償は認め

---

332 参照、Pacheco v. New York Presbyterian Hospital, 593 F. Supp. 2d 599（S.D.N.Y. 2009）at 615-6.
333 Carino v. University of Oklahoma Board of Regents, 750 F. 2d 815（10th Cir. 1984）.
334 （非嫡出子の問題を中間審査基準で扱った）Clark v. Jeter, 486 U.S. 456, 461（1988）において、人種や national origin による区別は、厳格審査に服することが明示された。
335 Keyes v. School District No. 1, Denver, Colorado, 413 U.S. 189, 197（1973）.
336 人種差別と混同すべきではないとされたものとして、外国人一般に対する差別（いわゆる国籍差別）の問題である**外国人登録令被告事件**・最大判1955（昭和30）年12月14日刑集9巻13号2756頁。**住宅ローン拒絶事件**・東京地判2001（平成13）年11月12日判タ1087号109頁、東京高判2002（平成14）年8月29日金融・商事判例1155号20頁は、住宅ローンの貸付期間の非永住者の在留は不確実なので、永住資格を要件とすることに合理性があり、人種差別ではないという。
337 **小樽入浴拒否事件**では、外見上の「外国人」であることを理由に、被告Y1経営の公衆浴場で入浴を拒否されたので、憲法14条1項・自由権規約26条・人種差別撤廃条約5条（f）等違反を、被告Y2（小樽市）が人種差別撤廃のための措置をとらなかったので、人種差別撤廃条約2条1項（d）等違反を訴えた。1審判決（札幌地判2002（平成14）年11月11日判時1806号84頁）は、一部（Y1に対する人格権侵害）を認容し、一部（Y1に対する謝罪広告請求・Y2に対する請求）を棄却した。2審の札幌高判2004（平成16）年9月16日（判例集未登載）も、同様の判断であった。Y1は上告せず、慰謝料請求は確定した。Y2に対する不作為の違法性に基づく損害賠償請求の上告は、しりぞけられた。**浜松入店拒否事件**・静岡地判浜松支部1999（平成11）年10月12日判時1718号92頁では、外見上、外国人と判断できるブラジル国民の宝石店への入店拒否が、人種差別にあたるとされ、慰謝料100万円、弁護士費用50万円が認められ、確定した。**さいたま皮膚の色入居差別事件**・さいたま地判2003（平成15）年1月14日LEX/DB文献番号28081177、同・東京高判2003（平成15）年7月16日（判例集未登載）では、インド国民が転居しようとして問い合わせた賃貸不動産の従業員が「肌の色は普通の色か」、「日本人の肌のような色か」と発言したことが不法行為として慰謝料40万円、弁護士費用10万円が認定された。一方、宅建業法上の指導監督権限行使は、県の合理的裁量とされ、県の人種差別禁止を周知徹底する義務違反の訴えは、しりぞけられた。

られる。しかし、差別を禁止しなかった自治体の監督責任に対する請求は、自治体に広範な裁量が認められ、しりぞけられている。この点、包括的な差別禁止法の制定が待たれる。

　また、日本では、外見その他から判断して、外国人と思われる人に警察が職務質問をして、在留カードまたは旅券の提示を求める人種的プロファイリングが許されている。しかし、自由権規約委員会は、Lecraft v. Spain (2009) において、スペイン国籍を取得したアフリカ系アメリカ人の女性が、電車を降りた駅の近くで警察官に呼び止められ、身分証明書の提示を求められたが、夫と息子には求めなかったのは、人種的な特徴のみを理由とし、区別が合理的かつ客観的な基準を欠いているので、平等に関する自由権規約26条違反とした。ドイツの州高等行政裁判所も、差別禁止条項違反としている[338]。

(3) 先住民族、旧植民地とその子孫

　先住民族であるアイヌ[339]や旧植民地とその子孫[340]に対する「民族的出身による差別」も、広い意味での「人種差別」にあたる。この点に関する判例は、私人間における問題として、民法上の公序良俗（90条）や信義則（1条）違反の問題とされることが多い。

　判例は、1970年代に、在日朝鮮人であることを理由とする解雇の無効を確認し、国籍に基づく差別を禁止する「労働基準法3条に牴触し、公序に反

338　（ドイツ人の学生に対し、電車の中で非正規滞在者の取締りのために）警察官が皮膚の色をもとに身分証の提示を求めた人種的プロファイリングを基本法3条3項違反と判示している。OVG Rheinland-Pfalz-Az.: 7 A 10532/12. OVG (29. 10. 2012).

339　北海道旧土人保護法事件・札幌地判1975（昭和50）年12月26日判タ336号307頁では、アイヌに対する「旧土人という呼称」が「人種的差別として憲法14条に照らし問題がないわけではない」としながらも、北海道旧土人保護法は「生活困窮に立ち至った経済的弱者に保護を与え、その生活の維持をはかろうとするものであり」、合憲とした。同法は、1997年にアイヌ文化振興法の成立とともに廃止された。さらに、アイヌ施策推進法の2019年の成立によりアイヌ文化振興法も廃止される。

340　日本政府が、アイヌだけを民族的少数者として認めるにすぎないのに対し、自由権規約委員会・総括所見（1998年11月19日）は、「日本国民ではない在日韓国・朝鮮人マイノリティ」に対する差別の事例に懸念を表明している。日本国籍や帰化後の一定期間の経過をゴルフクラブの入会条件としていることは、外国人の風俗習慣や言語の違いなどの民族性の違いによるトラブルを回避することが問題であるので、広義の人種差別の要素をもちうる。

するから、民法90条により」不法行為にあたるとして損害賠償を認めている[341]。また、1980年代に、在日韓国人であることを理由とする婚約破棄が不法行為にあたるとして、慰謝料150万円の損害賠償を認めた事例がある[342]。ここでも、「民族的感情」による差別の存在に起因した結婚の躊躇が問題とされているが、いずれの事案も私人間の法律関係が問題となっており、憲法14条を争点とする必要を原告は認めなかったのであろう。

　1990年代前半に、在日韓国人であることを理由にマンションの賃貸借契約の締結を拒否したことが、信義則上の義務に反し損害賠償請求が認められた事例では[343]、憲法が「私人相互間の法律関係に直接適用されるものではない」し、国際人権規約も「私人相互間の法律関係に直接作用するものではない」といい、私法上の信義則違反のみを導く。しかし、自由権規約委員会によれば、自由権規約2条1項において「規約の権利が私人間に適用される場合において…個人・団体からの保護がなされ…職業や住居などの日常生活の基本的な側面に影響をあたえるような分野においても、個人は、自由権規約26条の意味の範囲において保護されなければならない」[344]。したがって、日本の裁判所は、職業や住居をめぐる私人間の争いに対して、自由権規約2条1項や26条の平等を確保する積極的義務を負う。

　一方、在日韓国人であることを理由に、ゴルフクラブのプレーイング・メンバーから法人会員への登録変更の申請を承認しなかったことは、「憲法14条の規定の趣旨に照らし、社会的に許容し得る限界を超えるものとして、違法」とし、慰謝料30万円を認めた事例もある[345]。いわば、ゴルフクラブの「社会性」ないし公共性を重視し、裁量の限界を導いたといえよう。

　しかし、その後の判決では、在日韓国人であることを理由に、共同経営者となることを意味する株主会員制ゴルフクラブへの入会拒否が「結社の自由を制限してまでも平等の権利を保護すべき特別な場合、すなわち憲法の規定

341　日立製作所就職差別事件・横浜地判1974（昭和49）年6月19日判時744号82頁。
342　民族差別婚約破棄事件・大阪地判1983（昭和58）年3月8日判タ494号167頁。
343　在日韓国人入居拒否事件・大阪地判1993（平成5）年6月18日判時1468号122頁。
344　自由権規約委員会一般的意見31（2004年4月21日）8段落。
345　在日韓国人ゴルフクラブ法人会員拒否事件・東京地判1995（平成7）年3月23日判タ874号298頁。

の趣旨に照らして社会的に許容し得る限界を超えて平等の権利が侵害されている場合であるとは、到底いえない」として、適法とした[346]。この判決は、帰化後5年半の期間を必要とする細則の運用により、2年9カ月の元在日韓国人の帰化者の株主会員制ゴルフクラブへの入会拒否を適法とした事例[347]と類似の判断を行っている。この点、ゴルフクラブの法人会員であるか、株主会員であるかも、違法性の結論の違いに影響しているように思われる。

なお、帰化者であることを理由にゴルフクラブの法人会員としての入会拒否を合理的な理由のない差別的取り扱いとした判決では、「民法は、個人の尊厳と両性の本質的平等を旨として解釈しなければならない（同法2条）から」、本件入会拒否が、憲法14条1項、自由権規約26条に反するだけでなく、人種差別撤廃条約1条1項の「人種差別」に当たるといわざるを得ないことは、「私人間における不法行為法上の違法性の有無において考慮されるべき」と判示している[348]。これは、民法の「個人の尊厳」から、私人間の「人種差別されない権利」を導いた判例と評することができよう。

2　信条

信条とは、本来は宗教や信仰を意味し、今日では、広く思想や世界観を含むと一般に解されているが、思想、信条と併記される場合も多い。信条差別かどうかが問題となるのは、国家公務員法38条5号・地方公務員法16条5号が「日本国憲法又はその下に成立した政府を暴力で破壊することを主張する政党その他の団体を結成し、又はこれに加入した者」を公務員の欠格事由にあげている点である。これは、憲法99条の定める公務員の憲法尊重擁護義務から、信条差別の例外として是認されうる。一般には、国家公務員法27条・地方公務員法13条は、信条差別を禁止する。私企業においても、労

---

[346] 在日韓国人ゴルフクラブ株主会員拒否事件・東京地判2001（平成13）年5月31日判時1773号36頁、東京高判2002（平成14）年1月23日判時1773号34頁。最決2002（平成14）年7月18日LEX/DB文献番号28080355は、上告理由に該当しないとした。
[347] 帰化者ゴルフクラブ株主会員拒否事件・東京地判1981（昭和56）年9月9日判時1043号74頁。
[348] 帰化者ゴルフクラブ法人会員拒否事件・名古屋高判令和2023（令5）年10月27日LEX/DB文献番号25596228。

働基準法3条が信条を理由とした差別的取扱いを禁じる。

(1) 雇入れの拒否と雇入れ後の解雇

　判例は、信条を理由とする雇入れの拒否は適法としつつ、雇入れ後の解雇の場合は、違法となる余地が大きいとしている。**三菱樹脂事件**[349] は「企業者が雇傭の自由を有し、思想、信条を理由として雇入れを拒んでもこれを目して違法とすることができない以上、企業者が、労働者の採否決定にあたり、労働者の思想、信条を調査し、そのためその者からこれに関連する事項についての申告を求めることも、これを法律上禁止された違法行為とすべき理由はない」という。しかし、学生運動や生協理事としての活動を秘匿していたことが雇入れの拒否理由ではなく、試用期間後の本採用の拒否としての解雇の理由とされているので、判決は解雇が「客観的に合理的な理由が存し社会通念上相当として是認されうる場合のみに許される」として事件を差し戻し、差戻審での審理中に和解が成立した。

(2) 不利益な賃金査定

　信条を理由とする不利益な賃金査定を違法とする下級審の判例がある。共産党員・その支持者に対し、「思想信条を主たる理由として差別意思の下に不利益な賃金査定を行ったこと及び思想信条の自由を侵す人権侵害行為を行ったことは民法90条に違反する」[350]。ただし、憲法14条等の憲法規定は「私人間において…適用又は類推適用することはできない」として、「会社が従業員の思想信条による差別的取扱いをしてはならないということは、労働基準法により公序を形成している」点から公序良俗違反を導いている。

(3) 傾向経営

　例外的に、事業目的と思想とが強く結びつく、いわゆる「傾向経営」の会社では、信条を理由とする解雇が認められる余地がある。憲法14条と労基

349　三菱樹脂事件・最大判1973（昭和48）年12月12日民集27巻11号1536頁。
350　東京電力思想差別損害賠償事件・前橋地判1993（平成5）年8月24日判夕829号68頁。東京電力は控訴したものの、1995年に和解した。

法3条が「差別的取扱禁止の保障を受けるのは、内心の問題にとどまる場合であって、政治的信条に基づく具体的行動があった場合には、それが事業に明白かつ現在の危険を及ぼすべき具体的危険を発生させた時は…保障の範囲外であって解雇が可能となる」[351]。傾向経営の会社の存立に、明白かつ現在の具体的危険がある場合に、解雇を制限し、政治的信条を理由とする解雇を無効とした判旨は、妥当であろう。

3　性別

性別は、本来、男女の生物学的・肉体的性差のことを意味するが、今日では、社会的・文化的性差としてのジェンダーによる差別が問題となる。男女の肉体的な性差を理由とする女性保護のための合理的な区別は認められる（生理休暇、出産休暇など）。しかし、女性保護のための規定が実質的には女性に不利益をもたらす場合もあり、深夜労働の禁止規定（旧労基法64条の3）は、男女雇用機会均等法が改正された1997年に削除された。

また、皇室典範1条の「男系の男子」が皇位を継承する規定は、そもそも憲法が平等原則の例外として世襲を認めている以上違憲とはいえないという多数説に対し、世襲原則が当然に性差別を内包するものでない以上、合理的理由なしに性差別を助長する点で違憲とする有力説がある[352]。「女性に対する差別となる既存の法律、規則、慣習および慣行を修正しまたは廃止するためのすべての適当な措置（立法を含む。）をとること」と定める女性差別撤廃条約2条（f）に基づく女性差別法律の改正の必要性も論点の1つである。女性差別撤廃委員会は、「皇位継承における男女平等を保障するために皇室典範を改正すること」を日本政府に勧告した[353]。女性差別撤廃委員会と自由権規約委員会は、男系の男子と定めるリヒテンシュタインの公位継承法について、繰り返し懸念を表明し、該当する条約の規定への留保や解釈宣言の撤回を勧告している[354]。日本は、

351　日中旅行社事件・大阪地判1969（昭和44）年12月26日判時599号90頁。日本と中国の共産党の路線対立に伴い、日中友好協会が分裂し、中国共産党の立場を支持する旅行社幹部による日本共産党の立場を支持する従業員の解雇が無効とされた。
352　辻村、2021、167頁。
353　女性差別撤廃委員会・総括所見（2024年10月30日）12段落。
354　たとえば、CEDAW/C/LIE/CO/5/Rev.1 (3 December 2018), paras. 9-10. CCPR/C/LIE/

女性差別撤廃条約の批准に際して、留保も解釈宣言もしていないので、憲法98条2項の条約誠実遵守義務から、対応が求められる一方で、歴史を理由に「憲法アイデンティティ」を主張する議論の余地もある[355]。

(1) 定年年齢

最高裁は、定年年齢の格差を違法としている。**日産自動車定年制事件**[356]では、「少なくとも60歳前後までは、男女とも通常の職務であれば企業経営上要求される職務遂行能力に欠けるところはなく」、定年の年齢が、男性60歳、女性55歳とあるのは、「性別のみによる不合理な差別を定めたものとして民法90条の規定により無効であると解するのが相当である（憲法14条1項、民法1条ノ2［現行2条］参照）」という。

(2) 結婚退職制と出産退職制

下級審は、結婚退職制・出産退職制について違法としている。**住友セメント結婚退職制事件**[357]では、「既婚女子労働者の非能率を理由に、勤務成績の優劣を問わず一律にこれを企業から排除することは合理性がない」性差別であるとして、民法90条に反するとした。ただし、ここでは、労働法上の公序が導かれており、憲法14条が間接適用されているかは明らかではない。これに対し、**山一証券結婚退職制事件**[358]では、女性労働者の結婚退職の「慣行は憲法第14条、第13条、第24条の精神に違反するから、結局民法第90条に違反し無効」として、間接適用説を明確にしている。なお、**三井造船結婚・出産退職制事件**[359]では、女性従業員のみの結婚退職制と、その後の雇用延長が第1子出産で打ち切られる出産退職制を併用しても、その不合理性を是正するに足りないとして、民法90条の公序良俗違反とされた。女性差別撤廃条約11条2項（a）は、「妊娠・母性休暇を理由とする解雇およ

CO/2 (21 August 2017), paras. 13-14.
355 近藤、2023、53頁。
356 日産自動車定年制事件・最判1981（昭和56）年3月24日民集35巻2号300頁。
357 住友セメント結婚退職制事件・東京地判1966（昭和41）年12月20日判時467号26頁。
358 山一証券結婚退職制事件・名古屋地判1970（昭和45）年8月26日判時613号91頁。
359 三井造船結婚・出産退職制事件・大阪地判1971（昭和46）年12月10日判タ271号147頁。

び婚姻の有無に基づく差別的解雇に制裁を課して禁止すること」を締約国の義務とした。男女雇用機会均等法 9 条では、婚姻・妊娠・出産等を理由とする不利益取扱いを禁止している。

(3) 昇進差別

野村證券事件[360]では、男女「コース別」の採用・処遇が性差別に当たるという。野村證券に採用され、勤続 36 年から 42 年にわたる原告たちの入社当時、男性は「大学新卒」「高校新卒」、女性は「高校新卒」「中途採用」というコース別で募集・採用していた。原告の女性たちと同期同学歴の男性社員は、入社後 13 年次に課長代理に昇格したのに、原告たちは同様の昇格をしていない。判決によれば、「憲法 14 条は、私人相互の関係を直接規律することを予定したものではなく、…性による差別待遇の禁止は、民法 90 条の公序」をなす。主に処理の困難度の高い職務を担当し、勤務地に限定のない男性の昇進を予定し、そうではない女性の昇進を予定しない、男女コース別の採用・処遇は、原告たちが入社した当時、「一定の合理性があり、それが公序に反するものとまではいえないものの」、改正均等法が施行された 1999 年 4 月 1 日以降は、「昇進」に関する男女平等を法的義務とした「同法 6 条に違反するとともに、不合理な差別として公序に反する」とした。

(4) 旧強姦罪

最高裁は、かつての強姦罪を合憲とした。刑法 177 条の強姦罪が「婦女」のみを対象とすることについて、①「男女両性の体質、構造、機能などの生理的、肉体的等の事実的差異に基き、実際上強姦が男性により行われることを普通とする」、②「社会的、道徳的見地から被害者たる『婦女』を特に保護」する目的から、憲法 14 条に反しないとした[361]。

しかし、2017 年の刑法改正により、（暴行や脅迫による）強姦罪・（心神喪失や抵抗不能な状態での）準強姦罪は廃止され、強制性交等罪および準強制性交等罪が新設され、性別は不問とされ、被害者からの告訴の要件をなく

360　**野村證券事件**・東京地判 2002（平成 14）年 2 月 20 日判時 1781 号 34 頁（控訴後和解）。
361　**強姦罪事件**・最大判 1953（昭和 28）年 6 月 24 日刑集 7 巻 6 号 1366 頁。

し、3 年以上から 5 年以上の有期懲役へと厳罰化した。

(5) 遺族年金受給資格の男性差別

最高裁は、堀木訴訟判決に依拠して広い立法裁量を認め、地方公務員災害補償法 32 条 1 項が遺族補償年金の受給資格として妻以外の遺族には年齢要件を課し、妻を優遇していることを合憲とした[362]。また、最高裁は、2014 年 4 月以前の旧国民年金法 37 条・37 条の 2 が遺族基礎年金の支給対象から父子家庭を除外していたことも、合憲とした[363]。妻が夫に生活を依存し、女性の方が男性よりも収入が少ない場合が多い社会的事実が、こうした判決の背景にある。現行の国民年金法は、「妻又は子」に支給するという規定を「配偶者又は子」に支給すると改正している。性別役割分業社会の構造変化とともに、この種の差別取扱いは解消されることになろう。

4 社会的身分（および性的指向など）

社会的身分とは、広義には、人が社会において占める継続的な地位をさし、狭義には、出生によって決定される社会的な地位をさす。有力説は、狭くとらえ、出生によって決定され、自己の意思で変えられない社会的な地位をさす[364]。社会的身分として、「非嫡出子」を挙げることは、異論はないと思われる[365]。

しかし、地方公務員の過員を整理する際、年齢などを考慮した待命処分が争われた**高齢者待命処分事件最高裁判決**[366]では、「高齢」であることは、社

---

[362] 遺族年金受給資格の男性差別合憲判決・最判 2017（平成 29）年 3 月 21 日判時 2341 号 65 頁。
[363] 最判 2018（平成 30）年 9 月 25 日 LEX/DB 文献番号 25561677。
[364] 2002 年・2012 年に政府が提案したものの、廃案となった人権擁護法案・人権委員会設置法案では、「社会的身分」とは、「出生により決定される社会的な地位」といった狭義の意味で用いられた。
[365] 親子関係に関する尊属と卑属を社会的身分と解することには異論も提起されている。後述する**直系尊属傷害致死事件**・最大判 1950（昭和 25）年 10 月 11 日刑集 4 巻 10 号 2037 頁において、斉藤裁判官の意見は、社会的身分とは、「合理的理由のある憲法上または法律上認められた身分をいうものではない」として、尊属または卑属という身分は「国家社会の秩序を維持するため極めて合理的理由」があるので、憲法の定める社会的身分に含まれないという。
[366] 高齢者待命処分事件・最大判 1964（昭和 39）年 5 月 27 日民集 18 巻 4 号 676 頁。待命処分とは、公務員がその地位を保ちながら、一時的に職務を担当しない、分限処分（懲戒以外の身分の

会的身分に該当せず、社会的身分とは、「人が社会において占める継続的な地位」をさすと広義の意味に用いられた（一方、下級審では、公的年金を受けることができる地位[367]、老齢年金を受給できる地位[368]、夫婦も[369]、社会的身分とされた。これらは、ともに出生により決定される社会的地位に限定されない例である）。

なお、性的指向[370]、障碍[371]を社会的身分に含める学説もみられる。ただし、性的指向は、出生によって決まるのか、後天的な要因でも変化しうるのか、必ずしも明らかになっていない。また、先天的な障碍もあれば、後天的な障碍もある。憲法14条1項にかかげた差別事由には、厳格度の高い審査基準を適用すべきとの立場からすれば、出生によって決定される社会的身分の狭義説を採用すべきとの意見もある[372]。しかし、憲法14条1項のかかげる差別事由のうち、信条は、出生により決定されるものではなく、後天的に形成されるものである。したがって、出生により決まる不変性は必ずしも厳格度の高い審査基準の必要条件とはいえない。広義説では広すぎ、狭義説では狭すぎる。そこで社会的身分とは、「容易に変えることのできない、社会的な制度や慣行により不利益を余儀なくされている継続的な地位」と定義するのが適当であろう。この定義ならば、老齢者夫婦も、婚外子も、性的指向も、障碍も、社会的身分の問題となる。

不利益変動）をいう。町長が条例に基づき、合併後の過員整理の目的で行なつた町職員に対する待命処分は、55歳以上の高齢者であることを一応の基準とし、その該当者の勤務成績等を考慮したことは、憲法14条1項・地方公務員法13条に違反しないとされた。

367 堀木訴訟・神戸地判1972（昭和47）年9月20日判タ282号145頁。「広く人が社会において占める或る程度継続的な地位を指すものであつて、人の出生によって決定される社会的地位または身分に限定されるものではない」社会的身分に該当するという。

368 東京地判1997（平成9）年2月27日判タ954号115頁。

369 **牧野訴訟**・東京地判1968（昭和43）年7月15日判タ223号118頁。老齢福祉年金における夫婦受給制限の規定は、単身老齢者に比べ、老齢者が「夫婦者であるという社会的身分」により差別的取扱いをするものであり、憲法14条1項に反するとされている。

370 長谷部ほか、2013、67頁（君塚）。

371 植木、2011、170頁。

372 長谷部ほか、2013、67頁（君塚）。

(1) 非嫡出子（婚外子）

自由権規約2条・26条は、「出生」を理由とする差別の禁止を定める。同24条は、子どもの「出生」による差別も禁じる。同17条は、家族への侵害からの保護を定める。自由権規約委員会は、1993年には「婚外子に関する差別的な…出生届・戸籍に関する法規定と実務慣行は、自由権規約17条・24条に違反する。婚外子の相続権上の差別は、自由権規約26条と矛盾する」との懸念を示し、「差別的な条項が削除されるよう」勧告した[373]。1998年には「自由権規約26条にしたがい、…民法900条4項を含む、法律の改正のために必要な措置」を勧告した[374]。2008年に「国籍法3条、民法900条4項…戸籍法49条2項1号も含めて、婚外子を差別するすべての条項を、法律から削除すべき」と勧告した[375]。

子どもの権利条約2条も、「出生」による子どもの差別を禁じる。子どもの権利委員会は、1998年に「婚外子に対して存在する差別を是正するために立法措置が導入されるべき」と勧告した[376]。2004年には「法令から『非嫡出』といった差別的用語を根絶するよう」勧告する[377]。2010年に「今なお、婚外子が、相続に関する法律において婚内子と同様の権利を享受していないことを懸念する」として、「包括的な差別禁止法の制定」を勧告した[378]。

社会権規約2条も「出生」に対する差別を禁止し、10条3項は「出生その他の事情を理由とするいかなる差別もなく」特別な措置がとられるべきであると規定する。社会権規約委員会は、「婚姻外で生まれた者…に対して、区別を設けてはならない」といい[379]、「現代社会では受け入れ難い『非嫡出子』という概念を立法および慣習から取り除き、…損なわれた個人の社会権規約上の権利（2条・10条）を回復させること」を勧告した[380]。

---

[373] 自由権規約委員会・総括所見（1993年10月28日）11、17段落。
[374] 同・総括所見（1998年11月5日）12段落。
[375] 同・総括所見（2008年10月30日）28段落。
[376] 子どもの権利委員会・総括所見（1998年6月5日）35段落。
[377] 同・総括所見（2004年1月31日）25段落。
[378] 同・総括所見（2010年6月11日）31、32段落。
[379] 社会権規約委員会・一般的意見20（2009年5月9日）26段落。
[380] 同・総括所見（2001年9月24日）41段落。

女性差別撤廃委員会も、「戸籍、相続権に関する法や行政実務における非嫡出子に対する差別およびその結果としての女性への重大な影響に懸念を有する」という[381]。

人権条約適合的解釈からすれば、嫡出子（婚内子）と非嫡出子（婚外子）の別異の取扱いは、憲法14条1項の禁止する出生による「社会的身分」の差別に当たる。

1995年の最高裁決定は、非嫡出子の法定相続分を嫡出子の2分の1と定める民法900条4号ただし書を合憲とした。その根拠は、①民法が「事実婚主義を排して法律婚主義を採用」した結果、嫡出子と非嫡出子との区別が生じる。②立法理由は「法律婚の尊重と非嫡出子の保護の調整」にあり、「非嫡出子にも一定の法定相続分を認めてその保護を図った」。③立法裁量の限界を超えるものではなく、「憲法14条1項に反するものとはいえない」[382]。多数意見は、「合理性の基準」により審査し、合憲とした。

5人の裁判官の反対意見は、「厳格な合理性の基準」を中心に審査し、違憲とした。「出生について何の責任も負わない非嫡出子」を法律上差別することは、「婚姻の尊重・保護という立法目的の枠を超え」、「立法目的と手段との実質的関連性は認められ」ない[383]。類似の訴訟は、その後も続いた[384]。

ようやく2013年の最高裁大法廷決定により、非嫡出子の相続差別が違憲とされ、同年の民法改正により、民法900条4号ただし書きが削除された。判決は、「民法改正時から現在に至るまでの間の社会の動向」、「我が国における家族形態の多様化やこれに伴う国民の意識の変化」、「諸外国の立法のすう勢及び我が国が批准した条約の内容とこれに基づき設置された委員会からの指摘」、「嫡出子と嫡出でない子の区別に関わる法制等の変化」、「当審判例

---

[381] 女性差別撤廃委員会・総括所見（2003年7月8日）371段落。
[382] **非嫡出子相続差別合憲決定**・最大決1995（平成7）年7月5日民集49巻7号1789頁。なお、決定とは、訴訟法上、口頭弁論を経ることが必要な判決よりも簡易な裁判をいう（民訴法87条1項但書、刑訴法43条2項）。
[383] 合理性の基準を採用したとしても、「立法目的は非嫡出子の保護を図ったものであって合理的根拠があるとする多数意見は」、「今日の社会の状況には適合せず、その合理性を欠く」と付言している。
[384] ①最判2003（平成15）年3月28日判タ1120号87頁：②最判2003（平成15）年3月31日判タ1120号87頁。

における度重なる問題の指摘」等を総合的に考察すれば、「家族という共同体の中における個人の尊重がより明確に認識されてきたことは明らかである」という。こうした認識の変化に伴い、「父母が婚姻関係になかったという、子にとっては自ら選択ないし修正する余地のない事柄を理由としてその子に不利益を及ぼすことは許されず、子を個人として尊重し、その権利を保障すべきであるという考えが確立されてきている」。したがって、遅くとも本件相続が開始された 2001 年 7 月当時に、合理的な根拠は失われていたと判示した[385]。

　一方、2011 年においても嫡出でない子の割合が 2.2% にすぎず、法律婚が一般的な国内状況にあって、判例変更を導く最大の要因は、国際環境の変化にあるものと思われる。1947 年の民法改正当時は、欧米諸国においては、宗教上の理由から嫡出でない子に対する差別の意識が強く、多くの国が嫡出でない子の相続分を制限していたことが本件規定の立法に影響を与えた。しかし、1960 年代以降、嫡出子と非嫡出子を同一に取り扱う法改正が諸外国の大勢となっている。1995 年大法廷決定時点でこの差別が残されていた主要国のうち、ドイツは 1997 年に、フランスは 2001 年に法改正を行い、「現在、我が国以外で嫡出子と嫡出でない子の相続分に差異を設けている国は、欧米諸国にはなく、世界的にも限られた状況にある」。1993 年の自由権規約委員会の勧告以来、子どもの権利委員会も合わせて、たびたび、非嫡出子に関する差別規定の削除が勧告されている。国際環境の変化と、2008 年の（非嫡出子の日本国籍の取得に関する）国籍法 3 条 1 項の違憲判決に代表される国内の判例や法制の変化が、判例変更をもたらした。なお、国籍法 3 条 1 項の違憲判決では、日本国籍は「重要な法的地位」であり、嫡出子であるか否かは「子にとっては自らの意思や努力によっては変えることのできない」ので、合理性の審査は「慎重に検討する必要」があるとして、審査密度を高めている（泉裁判官の補足意見では、非嫡出子の「社会的身分」などの差別理由は、憲法 14 条 1 項に反しないためには「強度の正当化事由が必要」という）。これに対して、本件の民法 900 条 4 号ただし書きの違憲判決では、

---

[385] 非嫡出子相続差別違憲決定・最大決 2013（平成 25）年 9 月 4 日民集 67 巻 6 号 1320 頁。

たんなる「合理性」の審査基準であった。出生による差別を憲法14条1項所定の社会的身分の問題として、厳格な合理性の審査を要求する立場には立っていない。

他方、最高裁は、本件判決以後に、同様の「合理性」の基準により、戸籍法49条2項1号を合憲とした。戸籍の届出の記載事項に嫡出子と非嫡出子の区別を要求するこの規定によって、「嫡出でない子について嫡出子との間で子又はその父母の法的地位に差異がもたらされるものとはいえず、憲法14条1項に違反するものではない」[386]。ただし、櫻井裁判官の補足意見にあるように、「嫡出子又は嫡出でない子の別」の記載がないために出生届が受理されず、「子が出生から7年以上にわたって戸籍に記載されず」、不利益が生じ得ることは明らかであり、「他に確認の手段がある」ので、出生届の記載方式の見直しが望まれる。目的と手段との合理的な関連性は疑わしく、厳格な合理性の基準や比例原則に照らせば、違憲となりうる事案であろう。

(2) 尊属
(i) 尊属殺の重罰規定

最高裁は、尊属殺に重罰規定を課していた刑法200条を違憲とした。①尊属殺の刑の加重の目的は合憲である。「尊属に対する尊重報恩は、社会生活上の基本的道義」であり、「尊属の殺害は通常の殺人に比して一般に高度の社会的道義的非難を受けて然るべきである」。②しかし、「加重の程度が極端であって、…立法目的達成の手段として甚だしく均衡を失し、…差別は著しく不合理なものといわなければならず、かかる規定は憲法14条1項に違反して無効である」。③尊属殺の刑の加重の程度（手段）は違憲であり、普通殺人は3年以下の懲役の場合、情状を酌量して刑の執行を猶予することができるが、尊属殺人では執行猶予が認められない。本件は、14歳で実父に姦淫され、その後10余年間夫婦同然の関係を強いられて数人の子を産まされた被告人が、職場の同僚との結婚を望んだところ、父に監禁・暴行され、酩酊中の父を絞殺した事例であり、執行猶予が相当である。したがって、「刑

---

[386] 最判2013（平成25）年9月26日判時2207号34頁。

法200条は、尊属殺の法定刑を死刑または無期懲役刑のみに限っている点において、その立法目的達成のため必要な限度を遥かに超え、普通殺に関する刑法199条の法定刑に比し著しく不合理な差別的取扱いをするものと認められ、憲法14条1項に違反して無効である」[387]。この「立法目的達成のため必要な限度を遥かに超え」の部分は、比例原則における必要性の審査に相当する。

(ii) 尊属傷害致死の重罰規定

他方、最高裁は、尊属傷害致死の重罰規定を課す刑法205条2項を合憲とした。まず、1950年の判決において、①憲法14条1項の解釈上、親子の関係は、「社会的身分その他いずれの事由にも該当しない」という。また、1976年の判決において、最高裁は、「刑罰加重の程度は、尊属殺人罪と普通殺人罪との間における差異のような著しいものではないから、…合理的根拠に基づく差別的取扱いの域を出ないものであつて、憲法14条に違反するものといえない」と判示した[388]。

なお、1973年の尊属殺違憲判決以後も、刑法200条は改正されず、実務上、普通殺人により起訴されてきたが、1999年の刑法改正により、尊属殺重罰規定にかぎらず、尊属傷害致死重罰規定（205条2項）も、削除された。

(3) 性的指向と性自認

性的指向は、どのような性別を恋愛や性愛の対象とするかに応じて、異性愛や同性愛などに区別される[389]。性自認とは、自分の性別をどのように認識しているかを意味する[390]。英米法の国では、性的指向（sexual orientation）と性自認

387　尊属殺違憲判決・最大判1973（昭和48）年4月4日刑集27巻3号265頁。
388　**直系尊属傷害致死事件**・最大判1950（昭和25）年10月11日刑集4巻10号2037頁、**傍系尊属傷害致死事件**・最判1976（昭和51）年2月6日刑集30巻1号1頁。
389　両性愛や無性愛の場合もある。前者のほかに、男女の区別以外の場合も含め、多性愛や全性愛といった性的指向もある。
390　世界保健機関（WHO）または精神医学会は、体の性と自分が認識する心の性が一致しない場合に、性別不合（Gender Incongruence）の名称を用いるようになったが、日本の法律は、性同一性障害（Gender Identity Disorder）という古い名称を用いている。

(gender identity) の頭文字をとって、SOGI の問題、または LGBT（レズビアン、ゲイ、バイセクシュアル、トランスジェンダー）など[391] と総称される人々の権利保障の問題として論じられる。

性的指向として、多くの人が異性愛であるとしても、近年、同性愛を選ぶのは、性的自己決定権の問題と考えられている。歴史的には、主に3つのレベルの問題が争われてきた。第1に、かつては同性愛者の性的行為を処罰する法律の違憲性の問題があった。自由権委員会は、Toonen v. Australia (1994) において、タスマニア州が同性間の性交渉を処罰することが、17条の保障するプライバシー権を侵害するという。第2は、性的指向に基づく不利益取扱いの違憲性の問題である。自由権規約委員会は、X v. Colombia (2007) において、性的指向により遺族年金の受給権を否定することを自由権規約26条違反とした。第3は、同性婚の合憲性または同性婚を認めない法律の違憲性の問題である。

日本では、第1に、明治初期の一時期を除き、1882年施行の刑法以来、同性愛を禁止する法令はない。第2に、判例上、**東京都青年の家事件**[392] では、同性愛者に対する差別や偏見の解消を目的とする団体の学習会のための宿泊拒否は、「同性愛者の利用権を不当に制限し、結果的、実質的に不当な差別的取扱いをしたものであり」、都教育委員会の裁量権の逸脱として、損害賠償が認められている。また、**浜名湖カントリークラブ事件**[393] では、性別不合により女性に性別を変更した者の女性用ロッカールーム・浴室の使用をめぐる既存会員の不安などを理由に株主会員制のゴルフクラブへの入会拒否が争われた。1審は「憲法14条1項及び国際人権B規約26条の規定の趣旨に照らし、社会的に許容しうる限界を超えるものとして違法」とし、110万円の損害賠償を認め、2審もこれを支持した。さらに、**同性パートナー犯罪被害者給付金訴訟**[394] では、「犯罪被害者の配偶者（婚姻の届出をしていな

391　LGBTQIA の場合は、Q（Questioning: 自分の性的指向や性自認を決めていない人）、I（Intersex: 男女両方の身体的特徴を持つ人）、A（Asexual: 誰に対しても恋愛感情や性的欲求を抱かない無性愛の人）をさす。
392　東京高判1997（平成9）年9月16日判夕986号206頁。
393　静岡地判浜松支部2014（平成26）年9月8日判時2243号67頁、東京高判2015（平成27）年7月1日LEX/DB 文献番号25540642。

いが、事実上婚姻関係と同様の事情にあった者を含む。）」と定める犯罪被害者等支援法5条1項1号に「犯罪被害者と同性の者が該当しうると解したとしても、その文理に反するものとはいえない」として、同性パートナーの受給資格が認められた。

　第3に、諸外国にみられるようになってきた同性婚、または同性婚の代替手段としての一定の権利保障を伴うパートナーシップの法的承認に関する国の法整備は、日本ではなされていない。パートナーシップ制度や（子どもを含む）ファミリーシップ制度を導入し、公営住宅への入居を認め、福利厚生などのサービスを拡充する自治体は増えている。ただし、こうした制度では、国の法整備が進んでも、同性婚が認められないことによる不利益がすべて解消されるわけではない。近年の下級審判例は、同性婚を認めないことを違憲とする傾向にある。同性婚を認めていない民法と戸籍法について、たとえば、札幌高裁は、憲法14条1項、24条に反するとし、東京高裁、名古屋高裁および大阪高裁は、憲法14条1項、24条2項に違反するとし、福岡高裁は、憲法13条、14条1項、24条2項に反するとした[395]。文言解釈上、憲法24条1項が「婚姻は、両性の合意のみに基いて成立し」と定めていることから、「両性」を男性と女性と解するならば、日本国憲法上は、異性婚が要請されており、同性婚を認めるためには憲法改正が必要との見方も一部にある。しかし、両性を必ずしも、男性と女性と解釈する必要はない。「異性」と書いているのではないので、「両性」は、男性と女性だけでなく、男性と男性、女性と女性の組み合わせを含むとの解釈も可能である（また、将来、ドイツなどのように、第3の性を法律で定めても、「両性」の組み合わせに含みうる開かれた柔軟な憲法規定といえる）。さらに、「両性のみの合意」ではなく、「両性の合意のみ」とあるのは、両人以外の同意を不要とするという意味である。

---

[394] 最判2024（令和6）年3月26日民集78巻1号99頁。
[395] 札幌高判2024（令和6）年3月14日判タ1524号51頁、東京高判2024（令和6）年10月30日裁判所ウェブサイト、福岡高判2024（令和6）年12月13日裁判所ウェブサイト、名古屋高判2025（令和7）年3月7日LEX/DB文献番号25622400、大阪高判2025（令和7）年3月25日。なお、6つの地裁判決のうち5つは違憲または違憲状態とし、大阪地判2022（令和4）年6月20日判時2537号40頁のみが合憲とした。

憲法の解釈は、文言解釈だけではなく、①憲法制定時の**歴史的解釈**、②他の規定との意味連関からなる体系解釈もあり、とりわけ、今日の③**比較法的解釈**、④**人権条約適合的解釈**、社会の発展を考慮する⑤**発展的解釈**からすれば、同性婚の合憲性が認められうる。①戦前の家制度における婚姻が、当事者である男女の合意ではなく、戸主の同意を必要とする家制度の存続という封建的価値を重視して成立していたことを否定するために憲法24条1項は「両性の合意のみに基いて成立し」と定めたのである。②同13条の個人の自由の尊重、同14条の（性的指向を含む）差別禁止との関連が重要であり、憲法24条2項所定の「個人の尊厳」と「平等」の理念に立脚する婚姻制度のためには、「両性」の解釈を広げ、「2人の性（をもつ婚姻当事者）」の「本質的平等」に立脚する婚姻に道を開くべきである。憲法13条の「個人の尊重」に根差す婚姻の自由を立法その他の国政の上で、最大に尊重することを命じている憲法「**24条と結びついた13条**」は、「**同性婚の権利**」を保障していると解しうる。③諸外国での同性婚の承認の広がりがみられる。④日本政府に対し、自由権規約委員会は「異性のカップルと同性カップルが平等に扱われることを」、社会権規約委員会も「同性カップル」に対する差別を解消する法改正を、女性差別撤廃委員会は「同性婚、国際私法に基づいて締結された婚姻および登録された婚姻を認め、同性婚または事実婚の女性による養子縁組を認めることを」勧告している[396]。⑤パートナーシップ制度を認める自治体が増えており、日弁連の「同性の当事者による婚姻に関する意見書」[397]の紹介する世論調査では過半数の賛成を得ている。

　スペイン憲法32条1項が「男性および女性は、法律上完全に平等に、婚姻する権利をもつ」と定めているものの、2012年に憲法裁判所は、「婚姻締結の両者が同一の性であれ異なる性であれ、婚姻は同一の要件の下に同一の効力をもつ」との規定を追加する改正民法44条を合憲とした[398]。その理由は、憲法の文言解釈、歴史的解釈上、憲法32条は男女の平等を確保したいという憲法制定者の意図を表明しただけであり、体系解釈上、婚姻

---

[396] 自由権規約委員会・総括所見（2008年10月30日）29段落、社会権規約委員会・総括所見（2013年5月17日）10段落、女性差別撤廃委員会・総括所見（2024年10月30日）52段落(d)。

[397] 日本弁護士連合会「同性の当事者による婚姻に関する意見書」（2019年7月18日）。

[398] Constitutional Court Judgment No. 198/2012, of November 6.

の権利の行使を同性間の婚姻にまで拡大することを想定していなかったとしても、比較法的解釈上、近年、多くの国が同性婚を異性婚と同等に承認し、人権条約適合的解釈上、同性婚は許容され、発展的解釈上、同性婚が社会的に広く受け入れられている統計調査があり、「婚姻という制度は、その制度内で同じ地位をもち、法で定める形式により明示されたその制度に固有の権利と義務に同意し、共通の家族生活を確立するために自発的な参加を決定する2人の間の相互扶助の絆または単位である」。したがって、「配偶者間の平等、自己の選択した人と婚姻する自由意思、およびその意思の表明が婚姻の本質要素である」。この婚姻制度の本質要素が改正法の同性婚に認められる以上、「制度的保障」の点でも、違憲とはいえない。カナダでも、2005年に同性婚を認めた。この改正法案について、カナダの最高裁は、「婚姻は、すべての他者を排除した2人の人の法的結合である」と定める市民婚姻法案1条は、「すべて個人は、法の前および法の下に平等であり、とりわけ、…性別…により差別されることなく、法による公平な保護及び利益を受ける権利を有する」と定める人権憲章15条1項に合致すると判断している[399]。アメリカでは、2015年に連邦最高裁は、Obergefell v. Hodges, 135 S. Ct 2584（2015）において、オハイオ州などの同性婚や同性愛者間で養子をとることを禁じる州法を修正14条（デュープロセス条項の保障する自由と平等保護条項）違反とし、同性愛者の求める「平等な尊厳」の求めに応じて、同性のカップルはすべての州で婚姻という基本的権利を有する旨を判示した。また、台湾の中華民国憲法22条では、「およそ人民のその他の自由および権利は、社会秩序および公共の利益を妨げない限り、等しく憲法の保障を受ける」と定めており、その他の自由としての不文の「婚姻の自由」違反、および不文の「性的指向」による差別禁止を含む憲法7条の「平等の権利」違反を同性愛事件憲法院判決は導いている（J.Y. Interpretation No. 748, 2017）。

　性自認の問題として、日本の2004年に施行された性同一性障害の性別の取扱いの特例に関する法律（以下、特例法）3条1項4号では「生殖腺がないこと又は生殖腺の機能を永続的に欠く状態にあること」の要件（「生殖不能要件」）を満たすため、性別適合手術を望まない者には、事実上、手術を強制することの違憲性が争われた。最高裁は、2019年1月には、「本件規定は、現時点では、憲法13条、14条1項に違反するものとはいえない」とし

---

[399] Reference re Same-Sex Marriage [2004] 3 S.C.R. 698, 2004 SCC 79.

た[400]。しかし、2019年に世界保健機関が疾患としての「性同一性障害」から「性別不合」に名称を変えるなどの医学的知見の進展を踏まえ、最高裁は、2023年には、判例を変更し、「生殖不能要件」は、憲法13条の保障する「自己の意思に反して身体への侵襲を受けない自由」の「必要かつ合理的な」制約とはいえず、憲法13条に反するとした[401]。一方、最高裁は、特例法3条1項5号の「外観要件」については、原審に差し戻し、広島高裁は、手術を伴わなくても、ホルモン療法により、外観要件を満たしているとして、性別変更を認めた[402]。他方、特例法3条1項3号の「現に未成年の子がいないこと」の要件について、最高裁は、憲法13条、14条1項に違反しないという。しかし、宇賀裁判官の反対意見のように、3号要件のような制限を設けている立法例は現時点で我が国以外には見当たらず、「自己同一性を保持する権利を侵害するものとして、憲法13条に違反する」ものと思われる[403]。

　また、戸籍上は男性であるものの女性として生きる経済産業省職員が、女性トイレの使用を制限される差別を受けたなどとして、国に132万円および遅延損害金の損害賠償の支払いを認めた1審判決では、国民の意識や社会の変化に照らせば、「性自認に即した社会生活を送るといった重要な法的利益等」の制約は正当化できないとした。一方、2審判決では、他の職員が有する性的羞恥心や性的不安などの性的利益を考慮し、室長の発言に対する慰謝料として11万円および遅延損害金を認めるに過ぎなかった。他方、最高裁は、人事院の判定が他の職員に対する配慮を過度に重視し、本件職員の不利益を不当に軽視するものであって、裁量権の濫用による違法を認定した[404]。2007年に国連人権理事会は「各人の自己規定する性的指向や性自認はその個人の人格に不可欠のものであり、自己決定権、尊厳、自由の最も基本的側面の1つである。性自認の法的承認の条件に性別適合手術や不妊手術やホルモン療法といった医学的治療は必須とされない」との見解を示している[405]。

---

[400]　最決2019（平成31）年1月23日裁判所ウェブサイト。
[401]　最大決2023（令和5）年10月25日民集77巻7号1792頁。
[402]　広島高決2024（令和6）年7月10日（判例集未登載）。
[403]　最決2021（令和3）年11月30日裁判所ウェブサイト。
[404]　最判2023（令和5）年7月11日民集77巻5号1171頁、東京高判2021（令和3）年5月27日判時2528号16頁、東京地判2019（令和元）年12月12日裁判所ウェブサイト。

ドイツ連邦憲法裁判所は、BVerfGE 128, 109（2011）において、性転換法が、性別の帰属につき外科的侵襲と生殖の永続的不能を要件とすることは、基本法1条1項（人間の尊厳）と結びついた2条1項（人格の自由な発展を求める権利）・2項（身体を害されない権利）違反としている。ヨーロッパ人権裁判所も、A.P., Garçon and Nicot v. France（2017）において、フランスが出生証明書の性別変更のために外観の不可逆的変更を要件とすることは、ヨーロッパ人権条約3条（非人道的・品位を傷つける取扱いの禁止）と結びついた8条（私生活を尊重される権利）に反するとした。その他、ドイツでは、基本法1条1項と結びついた2条1項が「自己決定に基づく性別のアイデンティティを承認してもらう権利」を保障し、年齢要件、非婚要件なども違憲とされており（BVerfGE 60, 123 (1982); BVerfGE 88, 87 (1993); BVerfGE 121, 175 (2008)）、日本の法律の制限規定も、法律の名称とともに見直す余地が大きい。

5　門地

門地とは、家系・血統などの家柄をさす。明治憲法下の華族・士族・平民、および朝鮮貴族がその典型である。ただし、日本国憲法下の皇族に認められる特別の地位は、憲法2条が世襲の皇位継承を認めていることから許される例外とされる。

日本政府は、「世系（descent）」に基づく差別に「部落差別」が含まれないとする立場であり、過去の世代における人種・皮膚の色・民族的・種族的出身に着目した概念なので、社会的出身に着目した概念を表すものとは解されないという[406]。しかし、そもそも、人種差別撤廃条約1条の「人種差別」の定義の中にある「世系」は、当初の原案にはなく、インドの提案によって挿入された。人種差別撤廃委員会によれば、「世系」という文言は「人種」のみを指すものではなく、その他の差別禁止事由を補完する意味と適用範囲を有する。「世系」に基づく差別は、カーストおよびカースト類似の地位の世襲制度等の差別を含む[407]。同委員会は、条約の適用から「部落民」を排除

405　国連人権理事会・ジョグジャカルタ原則3（2007年3月26日）。
406　人種差別撤廃委員会の日本政府報告審査に関する総括所見に対する日本政府の意見の提出（2001年8月）。
407　人種差別撤廃委員会・一般的勧告29（2002年8月21日）前文。

する日本政府の立場に懸念を示し、差別行為にさらされ得る戸籍情報への違法なアクセスから部落民を保護し、戸籍濫用事件を捜査し、責任者を処罰する法の実効的な適用を勧告している[408]。

　2016年に部落差別の解消を推進する法律が制定・施行された。この法律は、「現在もなお部落差別が存在するとともに、情報化の進展に伴って部落差別に関する状況の変化が生じている」ことを踏まえ、「部落差別のない社会を実現する」ことを目的としている。人間の尊厳および平等に対する尊重を欠いた、インターネット上の深刻な差別・人権侵害行為に対する救済制度の必要性が高まっている。また、「全国部落調査」復刻版出版差止・ウェブサイト削除・損害賠償を求める訴訟では、東京高裁は、「部落差別は、我が国の封建社会で形成された身分差別により、経済的、社会的、文化的に不合理な扱いを受け、一定の地域に居住することが余儀なくされたことに起因して、本件地域の出身であることなどを理由に結婚や就職を含む様々な日常生活の場面において不利益な扱いを受けることである。…憲法13条は、すべて国民は個人として尊重され、生命、自由及び幸福追求に対する権利を有することを、憲法14条1項は、すべて国民は法の下に平等であることをそれぞれ定めており、その趣旨等に鑑みると、人は誰しも、不当な差別を受けることなく、人間としての尊厳を保ちつつ平穏な生活を送る人格的な利益を有するのであって、これは法的に保護された利益というべきである」と判示した[409]。これは、憲法「14条1項と結びついた13条」から、私人間の「差別されない権利」を導いた判例と評することができよう。

第3節　憲法14条1項前段の一般平等原則

　その他の差別事由として、地域、選挙区、職業、財産、年齢などによる差

---

[408] 人種差別撤廃委員会・総括所見（2014年9月26日）22段落、同（2018年8月30日）20段落。

[409] 差別されない権利訴訟・東京高判2023（令和5）年6月28日裁判所ウェブサイト。最判2024（令和6）年12月11日（判例集未登載）は、双方の上告を棄却し、被告に削除・差止めと総額約550万円の損害賠償請求を命じた東京高裁判決が確定した。

別が考えられる。憲法14条1項後段の列挙事由にくらべ、その他の差別事由の場合には、合理的区別として立法府の裁量が認められる範囲が一般には広いと思われる。しかし、憲法14条1項前段の一般平等原則に照らし、不合理な差別が許されないことはいうまでもない。

1 地域

最高裁は、条例による地域間格差について、**売春防止条例事件**[410] において、合憲と判断している。すなわち、「憲法が各地方公共団体の条例制定権を認める以上、地域によって差別を生じることは当然に予想される」ので、このような差別は憲法みずからが容認しているという。また、参政権の第15章でみるように、衆議院議員選挙と参議院議員選挙での選挙区間（一種の地域間）における一票の価値の平等は、選挙のたびごとに裁判で争われている。

2 職業

職業については、**サラリーマン税金訴訟**において、必要経費の実額控除を認めない給与所得控除や捕捉率の高い源泉徴収制度などが、事業所得税と比べて給与所得者を不平等に扱うかが争われた。最高裁によれば、租税法の違憲審査は、「財政・経済・社会政策等の国政全般からの総合的な政策判断」と「専門技術的な判断」を必要とし、立法裁量を尊重せざるをえない。したがって、「合理性の基準」があてはまり、「立法目的が正当」で、区別の態様が「目的との関連で著しく不合理であることが明らかでない限り」、合憲となる。本件では、必要経費の額が給与所得の額を「明らかに上回る」とも、捕捉率の較差が「著しく」、「恒常的に存在して租税法制自体に基因している」とも、いえない以上、合憲とした[411]。ただし、木戸口裁判官の補足意見では、「給与所得者層の持つ不公平感は無視し得ない」として、「是正に向けての早急かつ積極的な努力が払われなければならない」と指摘している。

---

410 売春防止条例事件・最大判1958（昭和33）年10月15日刑集12巻14号3305頁。
411 サラリーマン税金訴訟・最大判1985（昭和60）年3月27日民集39巻2号247頁。

第4節　貴族制度の廃止と栄典の授与

1　貴族制度の廃止

　憲法14条2項は、「華族その他の貴族の制度は、これを認めない」と定めている。華族とは、公家や大名などの家系に属する者や国家に特別の功労のあった者であり、明治憲法下に公・侯・伯・子・男爵の爵位を与えられた者をさし、貴族院議員となったり、貴族院議員を互選で選んだりする特権を認められ、その地位は世襲された。その他の貴族とは、皇族の礼遇を受ける朝鮮王侯族、および華族に準ずる待遇を受ける朝鮮貴族をさした。

2　栄典の授与

　憲法14条3項は、「栄誉、勲章その他の栄典の授与は、いかなる特権も伴はない。栄典の授与は、現にこれを有し、又は将来これを受ける者の一代に限り、その効力を有する」とある。栄典とは、名誉を表彰するために認められる特殊な法的地位の総称である。栄誉の例として、内閣総理大臣による国民栄誉賞などがある。戦後は文化勲章以外の栄典を停止した。しかし、今日では、内閣の助言と承認に基づいて天皇が授与する栄典として（7条7項）、叙勲（1964年から再開）、文化勲章・褒章（1978年から再開）がある。このうち、文化勲章受章者は文化功労者法により文化功労者として終身年金を支給される。憲法問題に配慮して、勲章と年金の直接の結びつきを避けた方式を採用しているとしても、文化功労者年金が文化勲章と常に結びついていることに変わりはなく、憲法の禁ずる特権にあたるかどうかが問題となる。学説は合憲論が支配的である。特権とは、選挙権を2票もつ場合のように、その者の権利を他の者の権利より多く尊重することをいい、年金のような単なる経済的利益は「特権」にあたらないという[412]。しかし、経済的利益も内容、程度によっては「特権」とみなすべき場合もある。そこで、功労に報いるた

---

[412] 宮沢、1974、291頁。

めの合理的な物的利益として常識的限度内のものは「特権」にあたらないという[413]。違憲論は、ここで禁止される「特権」とは、栄典の授与それ自体を除いて、一般国民の受けていない法的処遇の一切を含むという[414]。違憲とはいわないまでも、一時的賞金ではなく、終身年金を受ける特権的地位に疑問がある[415]。

第5節 家族生活における両性の平等

憲法24条1項は、「婚姻は、両性の合意のみに基いて成立し、夫婦が同等の権利を有することを基本として、相互の協力により、維持されなければならない」と定める。ここでは、婚姻の自由と夫婦の同等の権利を定めている。また、同2項は、「配偶者の選択、財産権、相続、住居の選定、離婚並びに婚姻及び家族に関するその他の事項に関しては、法律は、個人の尊厳と両性の本質的平等に立脚して、制定されなければならない」と定めている。憲法13条からも導かれる「個人の尊厳」と、14条からも導かれる「両性の本質的平等」について、家族生活における重要性を強調している。明治憲法下の「家」制度を解体すべく、現行憲法下の民法は、長男の家督相続、妻の財産取引上の無能力、父のみの親権行使といった男性優位の旧制度を廃止した。しかし、個人の尊厳や両性の本質的平等が、問題とされる事例として、1)婚姻適齢の区別、2)女性のみの再婚禁止期間、3)夫婦同氏の原則、4)夫婦別産制がある。1996年に法制審議会民法部会が答申した民法改正要綱案では、前3者の改正が必要とされた。1)婚姻最低年齢を定める民法743条は、男女とも18歳とする。2)女性のみに再婚禁止期間を定める民法733条は、100日間とする。3)民法750条は、各自の婚姻前の氏を引き続き称することも選択できるものとする。

---

[413] 小林、1980、344頁。
[414] 戸波ほか、1992、124頁（安念）。
[415] 萩野、2001、80頁。

1　婚姻適齢

　婚姻適齢、すなわち婚姻に関する最低年齢の要件が男性18歳、女性16歳となっていたのは、男女の肉体的・精神的成熟度を考慮したものと考えられていた。しかし、個人差の多い肉体的・精神的成熟度を理由にすることの合理性が疑問視され、女性だけを16歳とするのは、女性の婚姻について社会的・経済的成熟を要しないという性別役割分担の意識に基づくという批判もあった。女性差別撤廃委員会は、女性の婚姻適齢を18歳に引き上げるように勧告している[416]。2018年の民法改正で、2022年から成人年齢を18歳に引き下げるとともに、女性の婚姻適齢も男性と同じ18歳に引き上げた。

2　再婚禁止期間

　旧民法733条1項は「女は、前婚の解消又は取消しの日から6箇月を経過した後でなければ、再婚をすることができない」と定めていた。最高裁は、「合理的な根拠」に基づいて区別を設けることは憲法14条1項に反しないとして、1995年にこの規定を合憲とした。同項の立法趣旨が、①「父性の推定の重複を回避し、父子関係をめぐる紛争の発生を未然に防ぐことにある」と解される以上、国会の立法不作為に対する国家賠償請求における違法性は認められない[417]。

　その後、嫡出推定の重複を回避するのに最低限必要な100日に再婚禁止期間を短縮しなかった国会議員の立法不作為に対する国家賠償訴訟が争われた[418]。2015年に最高裁は、「100日超過部分は、遅くとも上告人が前婚を解消した日から100日を経過した時点までには」、「立法目的との関連において

---

[416] 女性差別撤廃委員会・総括所見（2016年3月7日）13段落。

[417] 最判1995（平成7）年12月5日判タ906号180頁。広島地判1991（平成3）年1月28日判タ752号89頁も、同様の理由に加え、②「女性のみが懐胎するという生理的な理由」に基づくとした。広島高判1991（平成3）年11月28日判タ774号123頁は、「後に父性が争われてその判定が困難となる場合をできる限り少なくしたい」からであって、「女子が前婚解消後早く再婚するのは望ましくないという封建的な国民感情」に基づくものではないとして、適法とした。

[418] 再婚禁止期間事件・岡山地判2012（平成24）年10月18日判時2181号124頁、同・広島高判岡山支部2013（平成25）年4月26日判例集未登載、同・最大判2015（平成27）年12月16日裁判所ウェブサイト。

合理性を欠く」ものであり、「両性の本質的平等に立脚したものでなくなっていたことも明らかであり」、上記当時において、「憲法14条1項に違反するとともに、憲法24条2項にも違反する」と判示した。しかし、本件が提訴された2008年7月当時、憲法違反であることが明らかであったとはいえず、国会の立法不作為に対する国家賠償請求はしりぞけられた。

　100日に短縮するだけでは、その間に婚姻できない問題が残る。1898年に施行された民法が6カ月の再婚禁止期間を定めた時代には、DNA鑑定の技術はなく、父子関係を安定させ、家の財産を継ぐ者を明確にする必要があった。今日、DNA鑑定による父子関係の確認は可能であり、①「父性の推定の重複回避」と「父子関係をめぐる紛争発生の未然防止」という目的のために再婚禁止期間という手段が必要である根拠は乏しくなっている。2008年10月以来、自由権規約委員会[419]および女性差別撤廃委員会[420]は、女性の離婚後の再婚禁止期間に懸念を表明し、廃止を日本政府に勧告している。2016年の民法改正により、再婚禁止期間が100日に短縮され、さらに2022年の民法改正により、2024年から女性の再婚禁止期間は廃止された。

3　夫婦同氏原則

　最高裁は、夫婦同氏原則を定める民法750条も合憲としている[421]。法改正をしていない国会の立法不作為による国家賠償請求は、しりぞけられている。その理由は、①婚姻の際に「氏の変更を強制されない自由」が憲法上の権利として保障される人格権の内容といえず、憲法13条に違反しない。②夫の氏を選択する夫婦が圧倒的多数を占めることが認められるとしても、それが、本件規定の在り方自体から生じた結果であるということはできず、憲法14条1項に違反しない。③家族の呼称としての氏を一つに定めることには合理性が認められ、婚姻により氏を改める者がアイデンティティの喪失感を抱き、

---

[419]　自由権規約委員会・総括所見（2008年10月30日）11段落、同（2014年8月20日）8段落。
[420]　女性差別撤廃委員会・総括所見（2009年8月7日）17-8段落、同（2016年3月7日）13段落。
[421]　**夫婦選択別姓事件**・東京地判2013（平成25）年5月29日判時2196号67頁、同・東京高判2014（平成26）年3月28日LEX/DB文献番号25503188、同・最大判2015（平成27）年12月16日裁判所ウェブサイト。

婚姻前に形成してきた社会的な信用・評価・名誉感情等を維持することが困難になる不利益を受ける場合があるとしても、氏の通称使用により一定程度は緩和され得るので、憲法24条に違反しないという。

　しかし、個人が尊重され、多様性を認める、現代社会において、憲法「**24条と結びついた13条**」が、「個人の尊厳」に基づく婚姻の自由と氏名の自己決定権のうちに、**夫婦別姓を選択する権利**を保障し、立法における最大の尊重を必要とするので、その制約の正当性は、単なる合理性ではなく、必要性などを含む比例原則に照らして審査されるべきである。より制限的でない他の選びうる手段として選択的別姓制度があるので、必要性が認められず、違憲となる。また、96％近くが夫の氏を用いる現状は、典型的な「間接差別」の問題として、憲法14条1項の性差別にあたるものと思われる。女性差別撤廃委員会は、「夫婦に同氏の使用を要求する民法750条が、しばしば実際には女性に夫の氏を採用することを強いている」として[422]、夫婦の氏の選択に関する差別的な法規定の撤廃を勧告している[423]。女性差別撤廃条約16条1項（b）は「合意のみにより婚姻をする同一の権利」、（g）は「夫と妻の同一の個人的権利（姓および職業を選択する権利を含む。）」を定める。この点、1審も2審も、ともに同項（b）と（g）は自動執行力をもたないと判示する。自動執行力が認められるためには、「個人の権利内容が条約上具体的で明白かつ確定的に定められており、かつ、条約の文言及び趣旨等から解釈して、個人の権利を定めようという締約国の意思が確認できることが必要」と1審判決はいう。しかし、氏を選択する夫と妻の同一の個人的権利は、具体的で明白かつ確定的である。当該条約規定の直接適用可能性を排除する日本政府の明確な意思は確認できない。したがって、これらの規定は、自動執行力をもつと解すべきである。

422　女性差別撤廃委員会・総括所見（2016年3月7日）12段落。
423　同・総括所見（2009年8月7日）17-8段落、同（2016年3月7日）13段落。

第6節　家族の権利

　日本国憲法は、家族の権利に関する明示の規定が乏しい。憲法24条2項は「配偶者の選択、財産権、相続、住居の選定、離婚並びに婚姻及び家族に関するその他の事項に関しては、法律は、個人の尊厳と両性の本質的平等に立脚して、制定されなければならない」と定める。家族に関する法律が、個人の尊厳と両性の本質的平等に立脚して制定されるだけでなく、憲法24条と結びついた13条は、（自由権規約17条の）プライバシー権としての**家族への恣意的な干渉を受けない権利**、（自由権規約23条1項・2項の）**家族結合の権利**を保障する。自由権規約には、家族結合に関する期間の定めはないが、自由権規約委員会は、スイス政府の定期報告書に対して、居住する外国人労働者が18カ月も家族と引き離されることを長すぎると指摘し、短期滞在許可が認められたすぐ後に家族呼び寄せを認めるように勧告したことがある[424]。2018年の入管法改正で新設された「特定技能1号」は、最長5年間（技能実習の期間も合わせると8年以上）も、家族結合の権利が侵害される問題がある。

　また、日本では、**在留特別許可のガイドライン**に反し、学校に通う子どもだけの在留を許可し、親を退去強制する事例がみられる。しかし、住んでいる国の学校に通い、社会との関係を築いてきた子どもにとって、親だけを退去強制するか、親と一緒に出国するかを選ばせることは、家族への干渉であり、家族結合の権利を侵害し、子どもへの必要な保護を欠き、自由権規約17条1項、23条1項および24条1項に反する[425]。子どもの権利条約3条の

---

[424] 自由権規約委員会（1996年11月8日）18・29段落。
[425] Winata v Australia（2001）において、自由権規約委員会は、父と母が1985年と1987年にオーストラリアにそれぞれ短期滞在と留学のビザで入国し、超過滞在していたインドネシア国民であり、1988年にオーストラリアで生まれた子どもが10年の滞在後にオーストラリア国籍を取得したのち、両親は在留資格を申請したが拒否された。自由権規約委員会は、13歳となった子どもに一人だけオーストラリアに残るか、それとも親と一緒にインドネシアに住むのかの選択は、14年以上オーストラリアに住んでいる両親と、オーストラリアの学校に通い、社会とのつながりを築いてきた13歳の子どもの家族にとって恣意的な干渉であり、子どもの保護の必要な措置を提供していないので、自由権規約17条1項、23条1項および24条1項に反するとした。

「子どもの最善の利益」に反する場合には、子どもの権利委員会等により正規化が勧告されている。「両委員会は、入国・在留関連の入管法違反に基づく（両）親の追放によって家族の一体性を破壊することは比例性を欠くという見解に立つ。家族生活の制限に伴う損失と子どもの生命・発達に対する影響が、入管関連の不法行為を理由に国外退去を親に課すことから得られる利益を下回ることはないからである。また、移住者の子と家族は、追放が家族生活および私生活に対する権利への恣意的干渉である場合にも保護されるべきである。両委員会は、国が、子どもとともに非正規在留している移住者を対象として、とくに子どもが移住先の国で出生したり、長期間生活していたり、親の出身国への送還が子どもの最善の利益に反する場合には、地位の正規化の道を用意するよう勧告する」[426]。また、2024年に改訂された在留特別許可のガイドラインでは、（注4）で、「退去強制令書を発付された外国人は、速やかに本邦から退去することが原則となるため、退去強制令書が発付された後の事情変更等は原則として考慮されません」とある。このため、退去強制令書が出た後に婚姻する非正規滞在者と日本人のカップルもいて、長く法的婚姻が安定かつ成熟しているのに、在留特別許可が認められない問題など、家族への恣意的な干渉や家族結合の権利の侵害が懸念される。

---

[426] 子どもの権利委員会23（出身国、通過国、目的地国および帰還国における、国際的移住の文脈にある子どもの人権についての国家の義務に関する移住労働者権利委員会との合同一般的意見、2017年11月16日）29段落。

第7章
思想・良心の自由

第1節　精神的自由における思想・良心の自由の意義

　パスカルは『パンセ』のなかで、人間は「考える葦」であるといっている。人間の尊厳を、考えるという行為のなかに見いだす人も少なくないだろう。普通、人はまず、頭のなかでものを考え、それを他の人に伝え、他者とのコミュニケーションを通じて別の情報を入手する。こうした一連の精神活動が権力的な干渉により断ち切られたり、ねじ曲げられたりするようでは、民主主義は中身の乏しいお題目となってしまう。そこで、精神的自由は、民主政治の基礎である。そのうち憲法19条の思想・良心の自由といった内面的な精神活動は、21条の表現の自由のような外面的な精神活動の土台をなす。

　日本国憲法97条が「基本的人権は、人類の多年にわたる自由獲得の成果であって、これらの権利は、過去幾多の試練に堪」えたものだという。17世紀には、ガリレオは地動説が正しいと認識しながらも、聖書に反するとして、撤回せざるを得なかった。異端者は、拷問、火あぶりにされた時代である。ルソーが教会の権威を批判する『エミール』を書いた18世紀にもまだ、逮捕命令のため、亡命を余儀なくされた。20世紀の日本でも、国体（天皇制）に反対したり、私有財産制を否認する思想を弾圧した治安維持法のもと、作家の小林多喜二は特別高等警察の拷問により命を奪われている。

　思想・良心の自由の規定をもたない明治憲法下の思想弾圧の反省から、ポツダム宣言の中でも取り上げられ[427]、憲法19条で「思想及び良心の自由は、

---

[427]　言論、宗教および思想の自由ならびに基本的人権の尊重は確立せられるべし（10項）。

これを侵してはならない」と明記されることになった。宗教にかかわる思想や、特定の思想を表現することが弾圧された歴史から、諸外国の憲法では、思想・良心の自由は、信教の自由や表現の自由と関連して保障されることが多い[428]。自由権規約 18 条は、信教の自由と一緒に定めており、「すべての者は、思想、良心及び宗教の自由を有する」とあり、同 19 条の「表現の自由」とは区別する規定となっている。

思想と良心の意味の違いについて、通説は厳密に区別せず、一括してとらえている。たしかに、諸外国の憲法の用例からすれば、良心の自由を信仰の自由の意味に解する少数説[429]もありうる。しかし、日本国憲法の解釈としては、憲法 20 条の信教の自由と内容が重複するため、適当ではない。思想は論理的な側面を、良心は倫理的な側面を示す傾向があるとしても、思想・良心の自由として、一体のものと考えてよい。

より重要な論点として、思想・良心の自由は、人の内心の活動一般であるとする広義の**内心説**[430] と、世界観・主義・思想といった人格形成の核心にかかわる一定の内心活動に限定する狭義の**信条説**[431] の対立がある。両説の具体的な違いは、倫理的・道徳的な反省の表明が「良心の自由」の問題かどうかをめぐる争いにある。名誉を回復すべく、新聞紙上に謝罪広告の掲載を求める行為は、内心説では良心の自由の侵害となりうる。一方、通説・判例である信条説では、謝罪広告は、良心の自由の侵害とはならない。なお、思想・良心の自由は、（憲法 14 条 1 項が信条による差別を禁じており）思想・信条の自由と呼ばれることも多い。

謝罪広告事件[432] では、衆議院選挙に際し別の候補者の名誉を毀損し、裁判所から被害者の「名誉を回復するのに適当な処分」（民法 723 条）として、新聞紙上に謝罪広告の掲載を命じられた上告人が、良心の自由の侵害を主張

---

428 アメリカ合衆国憲法修正 1 条の「宗教上の自由」、「言論・出版の自由」。フランス人権宣言 10 条・11 条の「宗教上のものであっても、意見によって不安をもたらされてはならない」、「思想・意見の自由」。ドイツ基本法 4 条 1 項の「信仰、良心の自由、宗教・世界観白の自由」。
429 後述の謝罪広告事件における栗山裁判官の意見。
430 宮沢、1974、338 頁。
431 佐藤功、1983、300 頁。
432 謝罪広告事件・最大判 1956 年 7 月 4 日民集 10 巻 7 号 785 頁。

した。最高裁は 1・2 審と同様、これを否定し、「単に事態の真相を告白し陳謝の意を表明するに止まる程度」であれば、問題ないとした。狭義の信条説に立つ田中耕太郎裁判官の補足意見によれば、良心とは、「世界観や主義や思想や主張をもつこと」であり、謝罪の意思表示の基礎としての「道徳的」「反省」や「誠実さ」を含まない。一方、藤田八郎裁判官の反対意見では、良心とは、「事の是非善悪の判断」を含む広義に解し、心にもない陳謝を命じることは「良心の外的自由」の侵害という。

　もっとも、19 条の通説である信条説に立っても、他の憲法規定との関係で、屈辱的な謝罪方法の場合には 13 条の個人の尊重の問題となる。また、21 条の表現の自由に含まれる沈黙の自由の問題となる余地もある。「謝罪」という一定の倫理的意味をもつ行為の強制は、良心の自由の侵害にあたるとする内心説にも一理ある。しかし、判例は「世界観、人生観等個人の人格形成の核心をなすもの」に限られるとして、信条説に立つ[433]。むしろ、信条説を基にして、人格形成の核心を狭くとらえないように配慮するとともに、謝罪広告ではなく、取消広告を裁判所に求めるような実務が望ましい。

第 2 節　思想・良心の自由の保障の程度と内容

1　内心の自由の絶対性と内心の操作

　内心における精神活動は、絶対に制約してはならない。人の精神活動が内心にとどまるかぎり、他者の利益と衝突することはない。このため、思想・良心の自由は、憲法上、最も強い保障を受ける絶対的自由といわれる[434]。しかし、精神活動が外部に表明されるときは、他者の利益と衝突する場合もあ

---

[433]　勤評長野方式事件・長野地判 1964（昭和 39）年 6 月 2 日判時 374 号 8 頁では、教育長の通達による勤務評定書への教師の自己観察の記載義務が社会的、教育的価値観の表示・報告を強制し、思想・良心の自由の侵害するかについては、思想・良心に属すべき特定の価値観とは関係なく自己観察することができるとして、請求を棄却した。2 審・最高裁は、もっぱら訴訟法上の争点にかぎり、勤務評定書に基づく義務不存在確認の訴自体を、不適法とした。

[434]　伊藤、1995、260 頁。

り、一定の制約を受ける。

　政府が個人の内心に踏み込むことは、普通はできそうにない。しかし、精神医学、心理学の発達により、政府が内心に踏み込んでくる危険性がある。洗脳とか、精神障碍者にロボトミー手術を行うことも、内心の操作といえる。また、公衆への危険が存在しないのに精神障碍者を強制的に施設に入院させること、政府が精神病検査や心理学的検査を強制すること、またこの種の直接的な行動ではなくても、政府が一定の思想を繰り返し宣伝する場合には、内心の自由の侵害の可能性があるといわれている。

2　沈黙の自由

　沈黙の自由は、思想の表明を強制されないことを意味する。公務員採用試験において、応募者の思想に関する事項を質問することは許されない[435]。公権力が個人の内心の告白を強制する場面で、沈黙の自由が保障される。これに対し、民間企業の場合、思想に関する事項の申告を求めることも違法ではないと**三菱樹脂事件**最高裁判決[436]はいう。しかし、私人間の場合でも、応募者の職業上の適性に関する事項を超えて、政治的思想について質問することは、プライバシーの侵害にかぎらず、思想の自由の侵害になる[437]。

　謝罪広告事件において、謝罪の意思表示の強制が沈黙の自由に反するかが問題となるように、ポスト・ノーティス命令も同様の問題を有する。ポスト・ノーティスとは、不当労働行為（労働組合活動に対する使用者の妨害行為）に対し、労働委員会の行う救済命令として、法人の建物の正門に（post）、不当労働行為を繰り返さない旨の文書を掲示（notice）させる命令である。その際、「反省」し、「誓約」するといった文言を用いていても、それらは同じ行為を繰り返さない旨の約束であり、反省等の意思表明を強制するものではなく、思想・良心の自由を侵害しない[438]。

---

[435] 国家公務員の服務宣誓（国家公務員法97条・職員の服務の宣誓に関する政令）は、公務員の憲法尊重擁護義務（憲法99条）から、許される。ただし、一般的な憲法遵守の宣誓ではなく、特定の憲法解釈を内容とする宣誓や特定の思想に対する宣誓は、憲法19条違反となる。

[436] 三菱樹脂事件・最大判1973（昭和48）年12月12日民集27巻11号1536頁。

[437] 戸波、1998、217頁。

[438] ポスト・ノーティス命令事件・最判1990（平成2）年3月6日判時1357号144頁では、少数

3　良心的義務免除

　ここでの良心的義務免除とは、自己の思想・良心に基づいて、一般的義務の免除が認められることを意味する。戦前の天皇崇拝の強制は、思想・良心の自由を侵害することになり、許されない。同様に、国旗に対する敬礼や国家の斉唱を強制されることも問題となる[439]。**君が代伴奏拒否事件**[440]では、教師が入学式で「君が代」のピアノ伴奏を拒否したことを理由とする戒告処分は、憲法19条に反しないとされた。下級審は「思想・良心の自由も、公共の福祉の見地から、公務員の職務の公共性に由来する内在的制約を受ける」という。最高裁は「特定の思想を有するということを外部に表明する行為であると評価することは困難」であるという。なお、**君が代斉唱不起立事件**では、下級審の判決の中には、直接に生活に影響を及ぼす減給処分や停職処分は社会観念上著しく妥当性を欠くとして不適法とするものもある[441]。最高裁判決の中にも、過去に1回の戒告処分歴があることのみを理由に減給処分としたことは、処分が重すぎるとして社会観念上著しく妥当性を欠き、裁量権の範囲を超え、違法とした判決もある[442]。

　　組合の役員に対する単純作業への配置転換命令、新勤務体制実施に対する抗議行動を理由とする10名の組合員の懲戒処分の撤回とポスト・ノーティスを命じる不当労働行為救済命令が、1審・2審・最高裁、いずれも適法とされた。

[439]　1999年に制定された国旗・国歌法は、いかなる尊重規定も置いておらず、国会審議の過程で、当時の小渕首相が国民に何らかの強制を行うことを目的としない旨を説明している。しかし、すでに1989年の学習指導要領の改訂により、「入学式や卒業式などにおいては、その意義を踏まえ、国旗を掲揚するとともに、国歌を斉唱するよう指導するものとする」と記述されていた。日の丸・君が代を戦前の天皇制絶対主義と軍国主義のシンボルとみて、これに反対する生徒や教師の思想・良心の自由が問題となる。一般に、生徒に対して、国旗掲揚・国歌斉唱を強制することは、生徒の思想・良心の自由を侵害すると解されている。一方、教師に対して、国旗・国歌の教育を行うことを求める職務命令は合法であり、その教育が生徒に強制する内容でないかぎり、教師は教育を行う義務を免れないという。

[440]　**君が代伴奏拒否事件**・東京地判2003（平成15）年12月3日判時1845号135頁、同・東京高判2004（平成16）年7月7日判自290号86頁、同・最判2007（平成19）年2月27日民集61巻1号291頁。

[441]　福岡地判2005（平成17）年4月26日LEX/DB文献番号25451348、東京高判2012（平成24）年10月31日裁判所ウェブサイト、東京地判2013（平成25）年12月19日LEX/DB文献番号25502680、東京地判2014（平成26）年3月24日LEX/DB文献番号25503327。

[442]　最判2012（平成24）年1月16日判時2147号127頁。

国旗掲揚や国歌斉唱を妨害するような教師の行為が職務命令違反になるとしても、国歌斉唱を拒否して教師が良心的不服従＊を表明することを同列に論じるべきではない。少なくとも、生徒が国歌斉唱を拒否する自由を思想・良心の自由としてもっていることを伝える教師や校長の行為が、信用失墜行為（公務に対する国民の信頼を失わせるような非行）として、処分の対象とされるべきではない。さまざまな思想や価値観に寛容な憲法19条の意義を教える教育は正当な行為である。日の丸・君が代を現代の「踏み絵」として、それに反対する思想をもつことを公権力が禁じることは許されてはならない。

　ドイツ基本法4条3項のように、兵役義務のある国では、良心的兵役拒否が認められる場合も少なくない。自由権規約18条は「思想、良心及び宗教の自由についての権利を有する」定めている。自由権規約委員会によれば、「規約は良心的兵役拒否の権利に明示的には言及していないが、委員会は、致命的な武力を使用する義務が良心の自由、宗教・信念を表明する権利と深刻に対立する限りにおいて、かかる権利が18条の規定から派生しうると考える」という[443]。義務の免除の根拠としては、信仰上の理由が多いが、思想に基づく場合もある。国家斉唱の際に起立を拒否する教師の**良心的義務免除**が認められるとすれば、比例原則に照らし、①代替的手段があり、②真摯な良心の自由の問題であり、③個人の良心への負担の程度と不利益が義務を必要とする公共的利益よりも重大である場合であろう。

4　信条差別の禁止

　信条差別の禁止とは、特定の思想・信条をもつことを理由とする不利益の禁止を意味する。戦後のレッド・パージ事件のように、共産主義思想を有するという理由のみで解雇されることは、思想・良心の自由の侵害となる。この事件では、占領末期の1950年に、マッカーサー書簡に基づいて、共産党中央委員24名の公職追放などにはじまり、1万2000人以上に及ぶ報道機関、民間の重要産業、政府機関等から共産党員とその支持者が解雇された。いくつもの最高裁判決があるが、おおむね2つの傾向がある。1つは、占領下の

---

[443]　自由権規約委員会・一般的意見22（1993年7月20日）11段落。

マッカーサー書簡が超憲法的効力を有するので、憲法解釈を行うことなく、解雇を有効としている[444]。いま1つは、解雇理由が、会社の生産を阻害する危険のある「具体的言動」にあり、「共産主義を信奉するということ自体」ではないので、憲法14条違反ではないとした[445]。この場合は、共産主義思想の持主であることを理由とする解雇の場合は、思想・良心の自由に反する。いずれにせよ、これらは占領下の特殊な事例であり、レッド・パージのような解雇は、日本国憲法の下では許されない。

　私的団体の会員に対する思想強制も問題となる。旧国鉄の労働組合である国労の広島地方本部（国労広島地本）が脱退した組合員に未納の臨時組合費などの支払いを請求したのに対し、総選挙で特定の立候補者を支援するための政党献金などが含まれていたことを争った**国労広島地本事件**がある。最高裁は、選挙でどの政党や候補者を支持するかは、「投票の自由と表裏をなすものとして、組合員各人が市民としての個人的な政治的思想…等に基づいて自主的に決定すべき事柄である」とし、労働組合が組織として支持政党や統一候補を決定すること自体は自由であるが、「組合員に対してこれへの協力を強制することは許されない」と判示した[446]。この点、強制加入の公益法人の政治団体への寄付も問題となる[447]。

　中学校の校内でのビラ配り等の政治的活動が内申書に記載され、そのため高校入試で不合格とされた**麹町中学内申書事件**では[448]、内申書の記載は、外部的行為の記載で思想・信条そのものの記載ではないとしている。しかし、「校内において麹町中全共闘を名乗り」とか、「大学生ML派の集会に参加

444　共同通信レッド・パージ事件・最大判1952（昭和27）年4月2日民集6巻4号387頁。
445　日紡貝塚レッド・パージ事件・最判1955（昭和30）年11月23日民集9巻12号1793頁。
446　国労広島地本事件・最判1975（昭和50）年11月28日民集29巻10号1698頁。1審・広島地判1967（昭和42）年2月20日判時486号72頁は、憲法上の論点に立ち入ることなく、労働組合一般の目的の範囲を超えるので、組合員に強制してはならないとした。2審・広島高判1973（昭和48）年1月25日判時710号102頁は、「組合員において、支持政党を異にするなどこれに応じられない政治思想上の理由があるのに、労働組合が右組合員に対し、衆議院議員選挙の特定の立候補者のための選挙資金の拠出を強制することは、民主主義国家の基本原理である国民の政治的信条の自由（日本国憲法第19条、第21条）に対する侵害として許されない」と判示する。
447　南九州税理士会事件・最判1996（平成8）年3月19日民集50巻3号615頁。
448　麹町中学内申書事件・最判1988（昭和63）年7月15日判時1287号65頁、同・東京地判1979年3月28日判時921号18頁。

しているなどの内申書に記載された「外部的行為によっては、上告人の思想、信条を了知し得るものではない」とする最高裁の判旨は説得力に乏しい。外部的行為の記載による思想の推知が可能であろう。1審判決のように、「思想、信条のいかんによって生徒を分類評定することは違法」と認定する余地があったように思われる。

第3節　戦う民主制と思想の自由市場

　憲法のかかげる民主主義を否定する思想に対しても、思想の自由によって保障すべきという問題がある。ドイツでは、民主制は、それ自身を否定する者からの攻撃からまもるべきとする「戦う民主制」の立場に立つ。ナチズムの反省からドイツの憲法（基本法）は、「自由で民主的な基本秩序」を憲法の中核に据え、それを否定する思想には憲法の保障が及ばないとしている。しかし、思想にとどまるかぎり、その種の制約は日本国憲法では認められない。思想の表明としての行動（外部的行為）において規制されるのであって、思想において制限されてはならない。こうした背景には、アメリカのホームズ裁判官が唱えた「思想の自由市場」の考え方がある。どんなに危険な間違った思想であっても、それを弾圧しなくても、おのずから間違った思想は、淘汰される。その時代に危険思想とされたものも、次の時代を切り開く思想であった例は多い。むしろ他の思想を力で弾圧する思想がいかに高邁な理念に基づいていようとも、いつかは破れ去るという認識に支えられている。もっとも、テロとの戦いをかかげたブッシュ政権下のアメリカでは、思想の自由市場の理念が後景にしりぞく場面も少なくなかった。

　判例上、**渋谷暴動事件**では[449]、せん動罪（破壊活動防止法39条・40条）は、「政治上の主義」等をもって、せん動することを処罰するのであるが、「せん動として外形に現れた客観的な行為」の処罰であって、行為の基礎となった「思想、信条」の処罰ではないから、憲法19条に反しないとした。

449　渋谷暴動事件・最判1990（平成2）年9月28日刑集44巻6号463頁。

第8章
信教の自由と政教分離原則

第1節　信教の自由の意味

　中世のカトリック中心の宗教的迫害を逃れるべく、ピリグリムファーザーズと呼ばれるイギリスのピューリタンが新大陸に渡った。このアメリカの建国の歴史からも、信教の自由は近代的な人権の確立において中核的な役割を果たしていたことがうかがえる。

　明治憲法下では、安寧秩序を妨げず、臣民としての義務に背かない限りにおいて「信教の自由」が憲法上認められていた（28条）。しかし、信教の自由とは、人々が宗教を信ずる自由を意味するだけであって、すべての宗教が法律上平等の地位を有することを意味しなかった。神社神道が事実上の国教として、神主を公務員とするなどの特権を与えられた。一方、しだいに天皇を最高の祭主とする神社の信仰は、臣民の義務とされた。神社の信仰と抵触する宗教の信仰は、社会の安寧秩序を乱すとして、他の宗教を弾圧した。靖国神社参拝を強制しても、当時の政府は、神社は宗教ではないので、信教の自由の侵害ではないとした。

　日本国憲法20条1項は、「信教の自由は、何人に対してもこれを保障する。いかなる宗教団体も、国から特権を受け、又は政治上の権力を行使してはならない」と定めている。したがって、日本国憲法における信教の自由とは、人々が宗教を信ずる自由を意味するだけでない。信教の自由のために、すべての宗教が法律上平等の地位を有し、国家の政治上の権力から分離されるべきであるとの「政教分離原則」と結びついている。

　「宗教」の意味は多義的である。憲法学においては、宗教とは、広く「超自然的、超人間的本質（すなわち絶対者、造物主、至高の存在等々、なかん

ずく神、仏、霊等）の存在を確信し、畏敬崇拝する心情と行為」という津地鎮祭事件2審判決[450]の定義が用いられている。ただし、有力説は、個人の信教の自由に関しては、この広義の宗教概念を採用するものの、政教分離原則に関しては、「宗教」とは「何らかの固有の教義体系を備えた組織的背景をもつもの」と狭く解する。なぜならば、広義の宗教概念を政教分離原則に機械的にあてはめると、たとえば、広島、長崎の原爆祈念式典や、受刑者の申出による刑務所での教誨活動も、政教分離原則に反して違憲というような結論を導きかねないからである[451]。

第2節　信教の自由の内容と限界

信教の自由は、信仰の自由、宗教行為の自由、宗教結社の自由といった3つの内容を含む。近年、宗教上の良心的義務免除、宗教上の人格権という内容も問題となっている。

1　信仰の自由

信仰の自由とは、内心において信仰をもつ、またはもたない自由を意味する。第1に、江戸時代のキリスト教徒弾圧のための「宗門改め」のような内心の信仰の告白を強制されないことを内容とする。第2に、「踏み絵」のような信仰に反する行為を強制されないことを内容とする。第3に、信仰を理由として公権力による不利益を受けないことも内容とする。

信仰の自由の場合、過去の宗教的な迫害の悲惨な歴史に照らし、絶対的な保障が求められる。内心の信仰にとどまるかぎり、たとえある宗教が俗悪な邪教に思えても、邪教として国・自治体が禁止することは許されない[452]。

信仰を理由とした不利益の事例は、オウム真理教の後継団体であるアレフの信者に対し、いくつかの自治体が転入・転居届の不受理処分や住民票記載

450　名古屋高判 1971（昭和 46）年 5 月 14 日判タ 263 号 113 頁。
451　佐藤幸治、2020、262 頁。
452　樋口ほか、1994、391 頁〔浦部〕。

の消除処分が問題となる。提訴理由に信教の自由の侵害もみられるものの[453]、裁判所は一般に憲法論に立ち入ることなく[454]、住民基本台帳法上の違法を認定することで、信者への権利侵害を救済している[455]。

2 宗教行為の自由

宗教行為の自由とは、礼拝や儀式などの宗教行為をする自由、またはしない自由を意味する。明治憲法下に行われた生徒・公務員等に対する神社の参拝の強制や、一般国民に対する神社の礼拝の強制は、許されない。日本国憲法20条2項は「宗教上の行為、祝典、儀式又は行事に参加することを強制されない」と明文で定めている。また、宗教を宣伝する自由、すなわち「布教の自由」も、宗教行為の自由に含まれる。

宗教行為の場合、内心の宗教が外部的行為となって現れる以上、その行為は他者の権利との関係で調整される必要がある。外部的行為が、他者の権利や社会に具体的害悪を及ぼす場合は、国家権力による規制の対象となりうる。ただし、外部的行為と内心における信仰の自由とが密接な関係にあり、外部的行為が信仰の核心に基づいている場合、法益侵害の程度が重大でなければ、宗教行為の自由が尊重される。

加持祈祷傷害致死事件[456] では、精神傷害の治療のため、線香護摩による加持祈祷が行われ、線香の熱さのため身をもがく被害者を殴打し、死に至らしめたことは、「一種の宗教行為」であったとしても、「著しく反社会的」であり、「信教の自由の保障の限界を逸脱」しているとして、刑法205条の傷害致死にあたるとされた。他人の生命に危害を加える宗教行為までが、信教の自由の名の下に許されるものではない。

一方、**牧会活動事件**[457] では、牧師が、建造物侵入等の事件の犯人の高校生2人を1週間教会に宿泊させたのは、「自己省察」の機会を与えるためで

453　東京地判2001（平成13）年12月17日判時1776号25頁。
454　判決の中には、選挙権や国民健康保険の受給資格に基づく利益の侵害に言及するものもある。
　　さいたま地判2002（平成14）年12月18日LEX/DB文献番号28082393。
455　たとえば、最判2003（平成15）年6月26日判タ1128号368頁。
456　加持祈祷傷害致死事件・最大判1963（昭和38）年5月15日刑集17巻4号302頁。
457　牧会活動事件・神戸簡判1975（昭和50）年2月20日判時768号。

あり、刑法 103 条の犯人蔵匿罪にあたらないとした。外部的行為と内心における信仰の自由とが密接に関連する事例であり、法益侵害の程度が重大でないので、宗教行為の自由を保護したこの判決の結論も妥当であろう。牧会活動とは、キリストが弟子たちに「わたしの小羊を牧せよ」と命じたことから、人間を羊にたとえ、迷える羊がいれば「魂への配慮」を行い、人間として成長して行くようにその人を具体的に配慮する行為である。「礼拝の自由」にいう礼拝の一内容をなす牧会活動は「外面的行為」であっても、その制約が「内面的信仰の自由を事実上侵すおそれ」があるので、制約する場合は最大限に慎重な配慮を必要とする。

他方、**京都市古都保存協力税条例事件**[458]では、京都市が神社やお寺の文化財の観賞に対して、一回 50 円の税を課す条例は、「文化財の観賞という行為の客観的、外形的側面」に税を課すものであった。観賞者が文化財観賞目的か、信仰目的か、これらを混在させているかといった「観賞者の内心を問うことなく、一律に」税を課す。したがって、鑑賞者の「信仰行為」・「信仰の自由」を制限するものではない。外部的行為と内心における信仰の自由との密接な関連性が強くない事例であり、不利益の程度も重大でないので、宗教行為の自由・信仰の自由の侵害はみられないとした。

3 宗教結社の自由

宗教結社の自由は、教団を結成し、活動する自由、教団に参加する自由、または参加しない自由を意味する。戦前にキリスト教や大本教などを弾圧したようなことは、日本国憲法の下では許されない。

宗教法人法は「法令に違反して、著しく公共の福祉を害すると明らかに認められる行為」や「宗教団体の目的を著しく逸脱した行為」が判明した場合、裁判所が宗教法人の解散を命ずることを認めている (81条)。しかし、この解散命令は、宗教団体の法人格を剥奪するにとどまり、信教の自由を直接侵害するものではない。**オウム真理教解散命令事件**では[459]、大量殺人を目的として計画的、組織的にサリンを生成し、著しく公共の福祉を害することが明

458　京都市古都保存協力税条例事件・京都地判 1984（昭和 59）年 3 月 30 日判タ 521 号 71 頁。
459　オウム真理教解散命令事件・最決 1996（平成 8）年 1 月 30 日民集 5 巻 1 号 199 頁。

らかな宗教法人に対する解散命令は、「世俗的目的」によると判示された。宗教団体やその信者らが行う宗教上の行為に「間接的で事実上の」支障を生ずるとしても、「必要でやむを得ない」法的規制であり、憲法 20 条 1 項に反しないという。

4　宗教上の良心的義務免除

　宗教上の良心的義務免除の問題もある。エホバの証人の信者である工業高等専門学校生が、「戦いを学ばず」という聖書の教義にしたがって、剣道実技の受講を拒否した**エホバの証人剣道拒否事件**[460]では、義務の免除を認めた。ここでは憲法 20 条の信教の自由が争われた。剣道実技を受講する義務は「必須」とはいえ、「他の体育種目の履修などの代替的方法」も可能であり、生徒の拒否の理由は、「信仰の核心部分と密接に関係する真しなもの」であり、原級留置や退学処分という重大な不利益を回避するためには「自己の信仰上の教義に反する行動」を強制させられるので、剣道実技の受講という一般的義務の免除が認められた。一般的義務の免除が認められるポイントは、義務の必要性が少なく、代替的手段があり、信仰の核心に関係する真摯さ、良心に反する程度や不利益の重大さにある。

　これに対して、**キリスト教徒日曜参観事件**[461]では、教会学校のため公立小学校の日曜日の参観授業に欠席した児童を欠席と扱った学校の措置は、合理的な理由があり、不利益の程度も小さく、公教育の宗教的中立性の点からも、代替措置を設けないことに裁量権の逸脱はないとした。仕事をもっている父母も多く、授業参観のため日曜日に授業を行うことは、「特別の必要がある」場合にあたる。また、日曜日の午後や祝日を「代替措置」としなくて

---

[460]　エホバの証人剣道拒否事件の 1 審・神戸地判 1993（平成 5）年 2 月 22 日判タ 813 号 134 頁では、剣道は、その由来はともかく、現在においては健全なスポーツとして広い支持を得ているので、これを必修としても、信教の自由に対する制約の程度は極めて低いことなどを理由に、義務の免除を認めなかった。2 審・大阪高判 1994（平成 6）年 12 月 22 日判タ 873 号 68 頁・上告審・最判 1996（平成 8）年 3 月 8 日民集 50 巻 3 号 469 頁では、エホバの証人の生徒に対し、レポートの提出や他の運動をさせる代替措置を採用している学校もあることなどを理由に、義務の免除を認めた。

[461]　**キリスト教徒日曜参観事件**・東京地判 1986（昭和 61）年 3 月 20 日判時 1185 号 67 頁。

も、午前中に授業を参観し、午後を父母と教師・校長との懇談・説明の場に当てることも合理的である。新学年が始まり児童の学校生活が安定し、授業参観に適した6月に祝日が存在しなかった事情もある。「信仰の自由」といえども、それが「外形的行為」となって現れる以上、「一定の制約」を受ける。欠席記録が20年間残る不利益を回避するために、教会学校に出席できなくなることは、受忍限度内と思われる。宗派により土曜日や金曜日に信仰上の集会を行う場合もあり、宗教行為に参加する児童に公教育の授業出席を「免除」することは、「公教育の宗教的中立性」を保つ上で好ましくないとして、損害賠償請求は棄却された。政教分離原則から、宗教への特別の配慮は欠席記載というような軽度の不利益には妥当しないとする立場が有力である。しかし、この場合、欠席扱いしないという宗教への「合理的配慮」を学校長が裁量で行うことは容易であったと思われる[462]。

　何曜日を休日にするのかは宗教によって異なる。キリスト教の国や明治以降欧米にならった日本などでは日曜日、ユダヤ教の国では土曜日、イスラーム教の国では金曜日であった。週休2日制が普及すると、世界の多くは土・日、イスラエルは金・土、イスラーム諸国は木・金が休日となったが、その後、経済取引の便宜からいくつかの国は金・土に変更している。カナダでも宗教上の安息日の違いが裁判で問題となる。R. v. Big M Drug Mart Ltd. (1985) 1 S.C.R. 295 において、最高裁は、安息日法4条が日曜日の商品販売に刑事罰を科すことは、世俗的目的を見いだせないので、人権憲章2条（a）（信教の自由）を侵害すると判示した。他方、R. v. Edwards Books and Art Ltd. (1986) 2 S.C.R. 713 では、オンタリオ州の小売商休日法2条が日曜日を休日として選択したのは、世俗的な目的であるという。共通の休息日を1日設ける立法目的には緊要性があり、同法の適用除外規定は、土曜日を安息日とする原告らユダヤ教徒の信教の自由の侵害を最小限にとどめようとしている。したがって、目的と手段との比例性が認められるので、人権憲章1条のもとでの合理的制限として正当化され、同2条（a）の信教の自由の侵害とはいえないと判示した[463]。実は、アメリカの最高裁判決は、McGowan v. Maryland, 366 U.S. 420 (1961) のように、

462　参照、戸波、1998、223頁。
463　しかし、同法3条4項の適用除外規定とは、土曜日に休業し、従業員が7人以下であり、売り場面積が5000平方フィート未満ならば、日曜日に営業することができるというものであった。また、金曜日を安息日とするイスラーム教徒の場合にも適用除外が憲法上必要になるのではないかとの疑問も残る。

小売店に日曜日の休日を義務づける法律を合憲としてきた。なぜならば、多くの企業が日曜日に休むのは、もはや宗教的な性格というよりも、世俗的な性格をもっているからという。Braunfeld v. Brown, 366 U.S. 599（1961）では、日曜日の休業を義務づけるペンシルバニア州の法律が、土曜日を安息日とするユダヤ教徒の商人に間接的な負担を課す効果をもっているものの、憲法違反となるような宗教への干渉ではないと判示している。なお、今日では、米加両国とも、日曜日に営業している店は珍しくなく、営業時間の多様化が進んでいる。むしろ、フランスなど伝統的な日曜休業を守ろうとする労組の強い一部のヨーロッパ諸国での日曜休業法の規制緩和が問題となっている。

5 宗教的人格権

宗教上の教義から輸血を拒否するエホバの証人の信者である癌患者が、手術に際し、本人の同意なしに輸血した医師に対する損害賠償を認めた**エホバの証人輸血拒否事件**[464]では、「患者が、輸血を受けることは自己の宗教上の信念に反するとして、輸血を伴う医療行為を拒否するとの明確な意思を有している場合、このような意思決定をする権利は、人格権の一内容として尊重されなければならない」と判示した。いわば宗教的人格権の侵害を最高裁が認めた事例といえる。

他方、殉職自衛官の夫を自己の信仰に反して、山口県護国神社に合祀されたキリスト教信者が、損害賠償を請求した**自衛官合祀事件**[465]の１審では、「人が自己もしくは親しい者の死について、他人から干渉を受けない静謐の中で宗教上の感情と思考を巡らせ、行為をなすことの利益を宗教上の人格権の一内容としてとらえることができる」と判示した。２審も、これを支持する。しかし、最高裁は、「原審が宗教上の人格権であるとする静謐な宗教的環境の下で信仰生活を送るべき利益なるものは、これを直ちに法的利益として認めることができない」として、この場合の宗教的人格権を否定した。

464　エホバの証人輸血拒否事件・最判 2000 年 2 月 29 日民集 54 巻 2 号 582 頁。
465　自衛官合祀事件・山口地判 1979 年 3 月 22 日判時 921 号 44 頁、同・広島高判 1982（昭和 57）年 6 月 1 日判時 1046 号 3 頁、同・最大判 1988（昭和 63）年 6 月 1 日民集 42 巻 5 号 277 頁。

第3節　政教分離原則

1　政教分離原則の意味

　政教分離原則とは、国教分離原則ともいい、国家が宗教に干渉すべきではないとする、国家の非宗教性ないし宗教的中立性を意味する。日本国憲法は、20条1項後段で「いかなる宗教団体も、国から特権を受け、又は政治上の権力を行使してはならない」、同3項で「国及びその機関は、宗教教育その他いかなる宗教的活動もしてはならない」、89条で「公金その他の公の財産は、宗教上の組織若しくは団体の使用、便益若しくは維持のため、…これを支出し、又はその利用に供してはならない」と定めている。この政教分離原則を採用した理由は、国家と神道との結びつきによって、神道以外の宗教が抑圧され、信教の自由が著しく侵害された経験を踏まえたからである。明治憲法においては、神社神道は宗教でないとされたため、形式上国教ではありえなかったが、事実上国教としての待遇をえた。

　国家と宗教とのあり方については、国により、時代により異なるが、つぎの3通りに整理される。①国教制度を有するものの、他の宗教の自由を認めるイギリス型、②国家と宗教を分離するものの、特定の宗教団体に公法人としての憲法上の地位を認めるドイツ型、③国家と宗教とを厳格に分離し、宗教団体を私法人と扱うアメリカ型がある。日本国憲法は、第3の型に属する。ただし、国家が宗教との関わりあいをもつことをまったく許さないとするものではない。国家の宗教的行為への関与がどの程度許されるのかについて、意見が分かれる。1つの目安としては、政教分離原則の厳格な適用を基本としつつ、宗教的少数者の信仰の自由が問題となる場合には、多数者による少数者の抑圧になる可能性があるので、政教分離原則をゆるやかに適用することが望ましいように思われる。

　フランスのように公立学校でイスラーム教徒の生徒がスカーフを着用することを禁止することは、日本国憲法の政教分離原則からは要請されない。一方、ドイツのようにイスラーム教徒の教師がスカーフを着用することは、スカーフは宗教的なシンボルではなく、国

家が各宗教と等距離を保つのであれば、宗教的多様性と寛容を学ぶ場としての学校では許されてよい[466]。他方、スウェーデンのように試験時などの本人確認の必要からはニカブやブルカなどの顔をまったく隠す服装の規制の場合は、許されてよい。もっとも、公の場で顔をまったく隠す服装をすることを処罰するフランスのような規制は、行き過ぎであろう。

2 政教分離原則の法的性格

　政教分離原則の法的性格は、制度的保障と呼ばれ、憲法が信教の自由の保障を強化するための手段として、政教分離を制度として保障していると解されている[467]。判例も、**津地鎮祭事件**[468]において、「政教分離規定は、いわゆる制度的保障の規定であって、信教の自由そのものを直接保障するものではなく、国家と宗教との分離を制度として保障することにより、間接的に信教の自由の保障を確保しようとするものである」と位置づけた。

　この津地鎮祭事件では、市の体育館の建設にあたり、神道の儀式による地鎮祭を行うことが政教分離原則に違反するかどうかが争われた。最高裁は、制度的保障論を採用し、「国家は実際上宗教とある程度のかかわり合いをもたざるをえないことを前提としたうえで、そのかかわり合いが、信教の自由の保障の確保という制度の根本目的との関係で、いかなる場合にいかなる限度で許されないこととなるかが、問題とならざるをえない」という。ここでは、政教分離原則をゆるやかに解していることから、制度的保障論への疑問が提起されることが多い。**制度的保障論**は、制度の中核は立法権によっても侵害されないという理論なので、逆にいえば、制度の周辺部分は立法権による広範な制約可能性を認めることになる。しかし、宗教に関して立法権はいかなる権限も憲法上保障されていないことからすれば、ここに制度的保障の観念をもちこむことは問題である。

　むしろ、政教分離は、信教の自由の保障を完全にする人権保障条項であり、

466　BVerfGE 108, 282 (2003) では、公立学校における教徒のスカーフ着用禁止を州法で定めることを可能としたが、BVerfGE 138, 296 (2015) では、判例を変更し、学校の平和と宗教的中立性を脅かすという抽象的な危険は権利の制約根拠としては十分ではなく、その種の州法を信教の自由違反とした。

467　参照、野中ほか、2006、314 頁〔中村〕。

468　津地鎮祭事件・最判 1977 (昭和 52) 年 7 月 13 日民集 31 巻 4 号 533 頁。

信仰に関し間接的にも圧迫を受けない権利を意味するという**人権説**もみられる[469]。これに対して、信教の自由とは異なった、人権としての政教分離の具体的内容が必ずしも明確ではないとして、政教分離の法的性格は、国家が宗教に関与することを客観的に禁止する原則とされる[470]。自治体における市長や議員の公金支出の違法性を住民訴訟で争う場合には、信教の自由や宗教上の人権権侵害の有無にかかわらず、政教分離原則違反の有無の審査が可能である。しかし、国の公金支出の場合は、そうはいかないという問題がある。

アメリカの憲法修正1条の国教樹立禁止条項の意味するところは、Everson v. Board of Education, 330 U.S. 1 (1947) によれば、少なくとも「州も連邦政府も、教会を建てることはできない。ある宗教ないしすべての宗教を助長する法律、またはある宗教を他よりも優遇する法律は制定できない。個人の意に反して、教会に行くように、あるいは行かないように強制したり、影響を及ぼすことを…強制することはできない。…」。Engel v. Vitale, 370 U.S. 421 (1962) によれば、宗教の自由条項のように直接的な強制が立証されなくても、国教樹立禁止条項に反し、「政府の権力、威信および財政上の支持が、特定の宗教上の信仰の背後にある場合には、宗教上の少数者に対し、公の支持を得た主流派宗教に従うようにという間接的な強制的圧迫を受けることは明白である」。

3 目的効果基準

津地鎮祭事件[471]最高裁判決は、政教分離原則違反の判断基準として、目的効果基準を用いている。憲法20条3項により禁止される宗教的活動は、「宗教とのかかわり合いをもつすべての行為を指すものではなく、そのかかわり合いが…相当とされる限度を超えるものに限られる」のであって、①「当該行為の目的が宗教的意義をもち」、②「その効果が宗教に対する援助、

---

469 樋口ほか、1994、401頁〔浦部〕。
470 戸波、1998、228頁。
471 **津地鎮祭事件**・最判1977（昭和52）年7月13日民集31巻4号533頁。1審・津地判1967（昭和42）年3月16日判タ263号147頁は、工事の無事安全を祈るための「習俗的行事」であるとして合憲とした。これに対し、2審・名古屋高判1971（昭和46）年5月14日判タ263号113頁は、宗教的行為の3つの判断基準である、1)当該行為の主宰者が宗教家であること、2)当該行為の順序作法（式次第）が宗教界で定められたものであること、3)当該行為が一般人に違和感なく受け容れられる程度に普遍性を有してはいないこと、という基準をすべて満たす地鎮祭を宗教的行為と認定し、宗教的活動への公金支出を違憲とした。

助長、促進又は圧迫、干渉等になるような行為」をさすという。①目的について、市の体育館の起工式（地鎮祭）の目的は、「宗教的意義を認めず、建築着工に際しての慣習化した社会的儀礼として、世俗的な行事」と評価する。②効果について、「神職により神社神道固有の祭祀儀礼に則って、起工式が行われたとしても、それが参列者及び一般人の宗教的関心を特に高めることとなるものとは考えられず、これにより神道を援助、助長、促進するような効果をもたらすことになるものとも認められない」。したがって、地鎮祭の目的と効果に照らし、合憲とした。

　この判決による合憲性判断の基準は、アメリカの判例ルール（レモン・テスト）の影響を受けたものといわれるが、日本での目的効果基準の使われ方には問題があると指摘されてきた。Lemon v. Kurtzman, 403 U.S. 602 (1971) では、国の宗教とのかかわり合いを許す立法は、①世俗的な立法目的をもつものでなければならず、②主たるもしくは主要な効果が宗教を促進したり、抑圧したりしてはならず、③「宗教との過度のかかわり合い」を助長してはならない、という3要素の1つでもクリアできない場合には、国の行為は違憲とされる。**津地鎮祭事件**最高裁判決の目的効果基準では、③の「過度のかかわり合い」という要件が独自の要素として考慮に入れられておらず、①と②を満たすと③になるという内容であり、3要件の1つでもクリアできない国家行為はそれだけで違憲となる旨が明示されていない。したがって、日本では、政教分離原則がゆるやかに適用されていると評された[472]。

　これに対して、愛媛県知事が靖国神社と県護国神社に対して、玉串料などを公金から支出した行為を違憲とした**愛媛玉串料訴訟**[473]では、①目的について「宗教的意義が希薄化し、慣習化した社会的儀礼にすぎないものになっているとまでは到底いうことができ」ない。②効果について、「一般人に対して、県が当該特定の宗教団体を特別に支援しており、それらの宗教団体が他の宗教団体とは異なる特別のものであるとの印象を与え、特定の宗教への関心を呼び起こす」。したがって、目的効果基準に基づいて、政教分離原則が厳格に適用され、違憲とされた。ただし、③の「過度のかかわり合い」と

---

[472]　芦部、2023、268-70頁。
[473]　**愛媛玉串料訴訟**・最大判1997（平成9）年4月2日民集51巻4号1673頁。

いう独自の要件が考慮されてはいない点は同じである[474]。要は、目的と効果の判定の仕方しだいである。アメリカでも、Agostini v. Felton 521 U.S. 203（1997）により、レモン・テストは修正され、「過度のかかわり合い」の要件は「効果」の要件の1内容とされ、目的と効果の2つの基準で判断されている。また、一般人としての特定宗教の信奉者でない客観的観察者の視点に立って、政府が宗教を是認（endorsement）しているか、否認しているかということで目的と効果を判断するエンドースメント・テストが影響を及ぼしている場合もある。国の行為のメッセージ性を重視した愛媛玉串料訴訟は、エンドースメント・テストの影響も受けているものと思われる。

4　政教分離原則の内容

(1)　宗教団体に対する特権付与の禁止

　憲法20条1項後段は、宗教団体に対する国の特権付与を禁じている。「特権」とは、一切の優遇措置をさし、特定の宗教団体への優遇にかぎらず、すべての宗教団体を他の団体よりも優遇することも禁止される。

　この点、宗教法人に対する非課税措置（法人税法4条等）が問題となる。非課税措置は、実質上は免税額に相当する「公金」を補助するに等しいので、憲法89条前段に照らし、憲法上疑義があるとの違憲説もある[475]。しかし、社会福祉法人などとともに宗教法人にも免税しているので、「特権」に含まれないという合憲説が多数説である[476]。

　一方、文化財保護のための宗教団体への補助金（文化財保護法35条等）は、一般の文化財と同様に神社や寺院や仏像などの宗教的文化財を保護しても、「特権」にはあたらないことについては、異論がない。

　他方、宗教系の私立学校への補助金（私立学校法59条等）は、憲法89条前段が禁ずる「宗教上の組織若しくは団体」に「公金」を支出する結果とな

---

[474]　なお、下級審であるが、③の「過度のかかわり合い」の要件も考慮したものもみられる。市は「忠魂碑が礼拝の対象物とされていること（慰霊祭つきの忠魂碑であること）を認識し」、「その費用の多額なことや継続的関係が生じて行くことに照らして」、忠魂碑という「宗教施設に対し過度のかかわりをもったといえる」という（箕面市忠魂碑訴訟・大阪地判1982（昭和57）年3月24日判タ463号76頁）。
[475]　伊藤、1995、486頁。
[476]　芦部、2023、266頁。

るとの違憲説もある[477]。しかし、助成の目的と効果、宗教団体による学校法人の支配の程度などの判断によって、宗教団体への公金支出の実質を有する場合に違憲とする限定合憲説が多数説である[478]。

従来、アメリカでは、宗教系の私立学校への政府の補助金は、宗教団体に対する公金の支出とみなされ、政教分離を定めたアメリカ憲法修正1条に反すると解されてきた。しかし、1995年にオハイオ州クリーブランドで、教育の選択の機会を広げるために最大2250ドルまでを子どものいる家族に支給するとしたバウチャー制度の導入により、プログラムが宗教上中立であり、政府の補助金が、それを支給された親の真に独立した私的な選択の結果、宗教学校に流れたとしても、政教分離に反しないという判断が示された（Zelman v. Simmons-Harris, 536 U.S. 639（2002））。

特権の付与にあたり、違憲とされた最高裁判決としては、**空知太神社判決**[479]がある。最高裁は、市が無償貸与した市有地に神社を建て、町内会の氏子集団が祭事を行うことを違憲とした。なぜならば、市と神社ないし神道との「かかわり合い」が、信教の自由の保障の確保という制度の根本目的との関係で相当とされる限度を超え、憲法89条の禁ずる「公の財産」の利用提供に当たり、憲法20条1項後段の禁ずる「特権」の付与にも該当するからである。ここでは、目的効果基準が用いられていない。藤田宙靖裁判官の補足意見によれば、目的効果基準が機能するのは、「宗教性」と「世俗性」とが同居しておりその優劣が微妙であるときに、どちらを重視するのかを決定する場合であって、明確に宗教性のみをもった本件の場合、目的・効果基準による判断は不要であるという。

477　宮沢、1978、749頁。
478　芦部、2000、157頁。
479　**空知太神社判決**・最大判2010（平成22）年1月20日民集64巻1号1頁。砂川市が無償貸与した市有地に鳥居を立て、町内会館内部に空知太神社の祠を建てていることを1審・2審・最高裁ともに違憲とした。その後、違憲性解消手段の存否を審理するために差戻された高裁は、町内会館の外壁の「神社」の表示を撤去し、宗教的色彩のない文字に彫り直した上で、氏子集団の費用で祠を鳥居と近接した場所に設置し、その敷地を適正価格で賃貸し、賃貸部分にロープを張って、その範囲を明確にしたことを合理的で現実的なものと判断した。なお、砂川市が無償譲渡した私有地に建てた富平神社を町内会が管理する場合は、1審・2審・最高裁ともに合憲としている。

(2) 「政治上の権力」行使の禁止

憲法20条1項後段は、宗教団体が「政治上の権力」を行使することを禁止している。「政治上の権力」とは、かつて国家神道が政治権力と結びつき、軍国主義政策の宗教的基礎づけを行ったような「政治的権威の機能」を意味するという見解[480]や「積極的な政治活動によって政治に強い影響力を与えること」と解する見解[481]がある。しかし、政治的権威の機能の意味は不明確であり、宗教団体の政治活動の禁止は宗教を理由とする差別となりうる。したがって、「政治上の権力」とは、立法権、課税権、裁判権、公務員の任免権など「国または地方公共団体に独占されている統治的権力」と解するのが通説[482]である。

(3) 「宗教的活動」の禁止

憲法20条3項は、「国及びその機関」が「宗教教育その他いかなる宗教的活動」もしてはならないと定めている。私立学校は「国及びその機関」ではないので、宗教教育を禁じられてはいない。他方、国公立の学校が特定の宗教のための宗教教育をすることは禁じられている。ただし、宗教に関する寛容の態度や、宗教の社会生活における意義を教える教育は、むしろ尊重されなければならない（教育基本法15条）。

憲法の禁ずる「宗教的活動」にあたるか否かについて、最高裁は、目的効果基準を用いる。宗教的活動にあたらないとされた最高裁判例として、**津地鎮祭事件**[483]のほかに、**自衛官合祀事件**[484]がある。県隊友会に協力して自衛隊職員が、殉職した自衛官を県護国神社に合祀した行為は、①「自衛隊員の社会的地位の向上と士気の高揚を図る」宗教的意識の希薄な「目的」であり、②一般人に「特定の宗教への関心を呼び起こし、あるいはこれを助長」等する「効果」をもたず、宗教的活動にあたらないと判断した[485]。また、**箕面忠

---

[480] 佐藤功、1983、308頁。
[481] 清宮・佐藤功、1963、39頁〔田上〕。
[482] 宮沢、1978、240頁。
[483] **津地鎮祭事件**・最判1977（昭和52）年7月13日民集31巻4号533頁。
[484] **自衛官合祀事件**・最大判1988（昭和63）年6月1日民集42巻5号277頁。
[485] 1審・山口地判1979（昭和54）年3月22日判時921号44頁では、当該合祀行為は、目的に

魂碑訴訟[486]では、市の忠魂碑の移設・再建・敷地無償貸与は、①小学校の校舎立替・増築・校庭拡張のため隣接する「戦没者記念碑的な性格」の忠魂碑を他の場所に移設し、その敷地を「学校用地として利用する」世俗的な「目的」であり、②「特定の宗教を援助」等する「効果」は認められず、宗教活動にあたらないとした[487]。さらに、**鹿児島大嘗祭訴訟**[488]では、1990年に皇居で行われた大嘗祭に参列するための鹿児島県知事による公費の旅費支出は、①天皇の即位に伴う皇室の伝統儀式に際しての「社会的儀礼」の「目的」であり、②特定の宗教への「援助」等の「効果」は認められないので、宗教的活動にあたらない。加えて、**神奈川大嘗祭・即位の礼訴訟**[489]では、即位の礼についても、大嘗祭と同様に、目的と効果に照らし、宗教的活動にあたらないとした。しかし、①社会的儀礼の目的と裁判所が認定し、②宗教性を弱めた国事行為としての即位の礼がある以上、宗教性の強い皇室行事としての大嘗祭の費用を、私費たる内定費ではなく公費たる宮廷費から政府が支出した点への疑問は少なくない[490]。近時の**白山比咩神社判決**[491]では、白山市長が同神社の記念式典に参加し、祝辞を述べることは、「観光振興的な意義」を有する「社会的儀礼」の「目的」で行われ、「特定の宗教に対する援助」等の「効果」を伴うものではないという。

宗教的活動にあたり、違憲とされた最高裁判例としては、第1に、上述の**愛媛玉串料訴訟**[492]がある。なお、**岩手靖国訴訟**[493]のように、高裁の確定判

において「宗教的意義を有し」、効果において「県護国神社の宗教を助長、促進する」ので、宗教的活動にあたるとした。2審・広島高判1982（昭和57）年6月1日判時1046号3頁も、これを支持した。

[486] 箕面市忠魂碑訴訟・最判1993（平成5）年2月16日民集47巻3号1687頁。
[487] なお、「戦没者の慰霊、追悼のための慰霊祭が、毎年一回、市遺族会の下部組織である地区遺族会主催の下に神式、仏式隔年交替で行われているが、本件忠魂碑と神道等の特定の宗教とのかかわりは、少なくとも戦後においては希薄であり、本件忠魂碑を靖国神社または護国神社の分身（いわゆる「村の靖国」）とみることはできない」との判旨の部分は、③「過度のかかわり」の判断にあたるようにも思われる。また、1審は、宗教的活動にあたるとしたが、2審は、最高裁と同様、宗教的活動にあたらないとしていた。
[488] 鹿児島大嘗祭訴訟・最判2002（平成14）年7月11日民集56巻6号1204頁。
[489] 神奈川大嘗祭・即位の礼訴訟・最判2004（平成16）年6月28日判時1890号41頁。
[490] 長谷部ほか編、2019、100-1頁〔佐々木〕。
[491] 白山比咩神社判決・最判2010（平成22）年7月22日判時2087号26頁。
[492] 愛媛玉串料訴訟・最大判1997（平成9）年4月2日民集51巻4号1673頁。

決で違憲とされたものもある。①「主観的意図が追悼の目的であっても、参拝のもつ宗教性を排除ないし希薄化」できないので、「目的が宗教的意義をもち」、②「国又はその機関が靖國神社を公的に特別視し、あるいは他の宗教団体に比して優越的地位を与えているとの印象を社会一般に生じさせることは容易に推測される」ので、「特定の宗教への関心を呼び起こす」効果があり、憲法20条3項の禁止する宗教的活動にあたるとした。**那覇孔子廟事件**では、最高裁は、那覇市が市の管理する都市公園内に孔子を祀り、その霊の存在を前提として崇め奉る儀式を行う施設を所有する一般社団法人に対して敷地の使用料を全額免除した行為について、**空知太神社判決**（注479）と同様に、目的・効果基準を用いることなく、「憲法20条3項の禁止する宗教的活動に該当する」とした[494]。

* 首相の靖国参拝

1985年の中曽根首相による靖国神社公式参拝[495]について、福岡高裁の確定判決では、宗教的人格権などの法的利益の侵害を否定しながらも、「宗教団体であることの明らかな靖国神社に対し、『援助、助長、促進』の効果をもたらすことなく、内閣総理大臣の公式参拝が制度的に継続して行われうるかは疑問」とし、違憲の疑いを指摘している。同様に、大阪高裁の確定判決も「公費から3万円を支出して行った本件公式参拝は、憲法20条3項、89

493　岩手靖国訴訟・仙台高判1991（平成3）年1月10日判時1370号3頁。1審・盛岡地判1987（昭和62）年3月5日判時1223号30頁では、「公人と私人とは不可分であり、内閣総理大臣等は私人として思想および良心の自由、信教の自由」を有するので、合憲としていた。なお、控訴審判決は、靖国神社公式参拝を求める県議会の議決を違法としたものの、議員や議長の行為の違法は認定されず、県議会が勝訴したため、県議会の上告および特別抗告は却下されており、最高裁のこの点に関する判断はない。また、毎年、宮中で行われる新嘗祭のために各地の篤農家が米などを献上する行事を問題とした献穀祭訴訟控訴審（確定）判決・大阪高判1998（平成10）年12月15日判時1671号19頁では、①目的上「神道において新穀献納は重要な宗教的意義がある」し、②滋賀県と近江八幡市の公金支出は、「神道を特別に支援しており、神道が他の宗教とは異なる特別のものとの印象を与え、神道への関心を呼び起こす」効果があり、宗教的活動にあたるとした。

494　那覇孔子廟事件・最大判2021（令和3）年2月24日民集75巻2号29頁）。

495　福岡高判（確定）1992（平成4）年2月28日判時1426号85頁、大阪高判（確定）1992（平成4）年7月30日判時1434号38頁。

条に違反する疑いがある」という。

　一方、2001年の小泉首相の参拝については、いずれも政教分離は制度的保障であり法的保護に値する利益ではなく、信教の自由や宗教的人格権等の侵害はないとして請求を棄却しながらも、政教分離に関する下級審の判断は3通りに分かれた。第1に、請求を棄却する以上、憲法判断には踏み込まない判決がある[496]。第2に、違憲判決では、①公用車を使用し首相秘書官を伴っていた、②公約の実行としてなされた、③首相が私的参拝と明言していなかった点から、公的参拝であり、参拝者の増加など靖国神社への「助長」等の効果をもつとして、宗教的活動にあたるという[497]。第3に、合憲判決は、①8月15日に予定していた参拝を、公的参拝と受け取られないよう同13日に変更し、②献花代を私費で負担し、③内閣総理大臣と記帳したのは肩書を付したにすぎない点から、首相の職務行為とは違う私的参拝であり、宗教的活動にあたらないとした[498]。

　最高裁は、「人が神社に参拝する行為自体は、他人の信仰生活等に対して圧迫、干渉を加えるような性質のものではないから、他人が特定の神社に参拝することによって、自己の心情ないし宗教上の感情が害されたとし、不快の念を抱いたとしても、これを被侵害利益として、直ちに損害賠償を求めることはできない」と判示するだけである[499]。政教分離の審査は、不要とされた。滝井繁男裁判官の補足意見によれば、「この憲法の規定は国家と宗教とを分離するという制度自体の保障を規定したものであって、直接に国民の権利ないし自由の保障を規定したものではないから、これに反する行為があったことから直ちに国民の権利ないし法的利益が侵害されたものということはできない」という。

---

[496]　大阪高判2005（平成17）年7月26日訟月52巻9号2955頁。
[497]　大阪高判2005（平成17）年9月30日裁判所ウェブサイト。
[498]　東京高判2005（平成17）年9月29日裁判所ウェブサイト。
[499]　最判2006（平成18）年6月23日判時1940号122頁。

第9章

学問の自由

第1節　学問の自由の保障の根拠

　憲法23条は、「学問の自由は、これを保障する」と定めている。学問の自由は、精神的自由の本質領域に属する。しかし、近代市民革命を早くから経験している国では、学問の自由を憲法の明文で保障していない。この理由は、思想・良心の自由や表現の自由が保障されれば、研究の自由も当然に保障されると考えられたからである。また、大学教授その他の研究者に一般市民の共有しない特別の自由を与えることは、民主主義の原理に反すると考えられたからである。したがって、明文で特別に「学問の自由」を保障することなく、表現の自由などの一環として、学問の自由の内容が憲法上、保障される場合も少なくない。自由権規約にも学問の自由の規定はない。ただし、教育への権利に関連して、社会権規約委員会は、明文の規定はないが、「学問の自由」を教育部門のすべての教職員が有することを強調している[500]。

1　市民的自由

　アメリカでは、学問の自由それ自体が、独立の憲法上の権利とは考えられていない。しかし、私立大学の多いアメリカでは、実業家理事の比重が増大した大学管理体制の変化に応じて、大学教員などの研究教育を行なう者が、理事機関からの不当な干渉を受けず、専門的職能を自由に遂行しうることを保障すべきであるという[501]。そこで、憲法修正1条と適正手続条項による表現の自由が、学問の自由に適用され、身分保障の権利、学部（教授

---

[500]　社会権規約委員会・一般的意見13（1999年12月8日）38段落。
[501]　有倉・小林、1986、99頁〔高柳・大浜〕。

団）自治の権利、学生参加その他の領域に憲法上の保障を拡張するように解釈される[502]。また、アメリカおよびイギリスでは、学問の自由は、初等中等教育を含むすべての段階の教育機関における問題を論ずる説も有力である[503]。フランスでも、教員および研究者の表現の自由と独立を 1958 年のフランス憲法前文で保障された権利として、「大学の自由」が認められる。こうした経緯から、学問の自由は、表現の自由などの市民的自由と同質であり、研究者だからといって、同僚市民より高度な特別の自由を享受するものではないと説く、市民的自由説がみられる。なお、英米諸国における市民的自由とは、個人の自由に不可欠な権利であり、日本における自由権・受益権・包括的人権に相当する。

2　専門的特権

一方、早くから「学問の自由」を憲法の明文で保障してきたドイツでは、学問の自由の保障根拠は、大学教員の専門的特権に求められてきた。市民革命が未完成であり、市民的自由が十分に保障されていなかったこともあって、学問の自由は、大学教授の特権として観念された[504]。ドイツでは、1849 年のフランクフルト憲法 152 条または 1850 年のプロイセン憲法 20 条において、「学問およびその教授は自由である」と定める。その後、1919 年のワイマール憲法 142 条では、「芸術、学問およびその教授は自由である。国は、これらのものに保護を与え、かつその育成に参与する」と定め、学問の自由を芸術の自由とともに保障し、国の積極的義務を明言している。現行の 1946 年のドイツ基本法 5 条 3 項 1 文では、「芸術および学問、研究および教授は自由である」と規定する。ただし、今日の学問の自由は、大学における教師の研究と教授の自由にかぎらず、学問・研究・教授の活動をしようとする者すべてを含むと連邦憲法裁判所は解している[505]。

日本国憲法は、学問の自由を憲法で独立に保障している点は、ドイツに近いものの、大学教授の特権とのみ考えるのではなく、表現の自由その他と密接に関連する幅広い要素も含むと解するのが妥当であろう。

502　酒井、1979、341 頁以下。
503　芦部、2000、205 頁。
504　高柳、1983、53 頁。
505　BVerfGE 35, 79 (29. 5. 1973).

第 2 節　学問の自由の意味と享有主体

　憲法 23 条は、「学問の自由は、これを保障する」と定めるのみである。学問の自由は、何を誰に保障しているのであろうか。まず、市民的自由説に立てば、学問の自由は、論理的手段をもって真理を探求する人の意識または判断の作用であり、何人もこの自由の主体となりうる[506]。一方、専門的特権説に立てば、学問の自由とは、大学に代表される高度な研究教育機関の研究者における学問的研究活動の自由を意味することになる。

　沿革的には、学問の自由は、とくに大学における研究教育従事者の自由を保障する趣旨であった。明治憲法のモデルとしたプロイセンでは、大学は国立大学であり、大学の教師は官吏法上の従属関係に置かれていたものの、学問の自由を憲法の明文で保障していた。これに対し、明治 10 年代の日本では、私立大学が「学問の独立」を唱え、自由民権運動にも大きな影響力を及ぼしていたことから、政府は「学問の自由」の保障規定を明治憲法に取り入れなかった[507]。その後、大正時代には、沢柳京大総長の専断で 7 名の教授を辞職させた沢柳事件を契機に、総長が選挙で選ばれ、教授・助教授の任免について教授会の議を必要とするという慣行が確立した。しかし、満州事変以後の軍国主義化において、学問が権力による干渉を強く受けるようになってきた。滝川事件では、トルストイの人道的な刑罰思想を紹介し、犯罪の原因を調査することを唱えた滝川京大教授の著書を発禁処分にし、その休職処分を文部大臣が教授会の同意なしに行なっている。天皇機関説事件では、それまでの通説であった天皇機関説、すなわち統治権は国家にあり、天皇もまた国家機関であると説く美濃部達吉の著書が発禁処分となり、天皇機関説を教えることが禁じられた。こうした歴史の反省から、大学における研究教育の国家権力からの自由を保障するために、日本国憲法が学問の自由を明文で定めたので、学問の自由は、大学における学問の自由を中心にしている。

　しかし、憲法の人権条項として規定された学問の自由を、大学における学

---

[506] 芦部編、1979、382 頁〔種谷〕。
[507] 山崎、1968、471 頁以下。

術研究活動の自由に限ることは、日本国憲法の人権思想に反するとして、憲法23条の学問の自由をすべての人に属する学問的活動の自由と解するのが今日の通説である[508]。判例上も、**東大ポポロ事件**[509] では、憲法23条の学問の自由は「一面において、広くすべての国民に対してそれらの自由を保障するとともに、他面において、大学が学術の中心として深く真理を探求することにかんがみて、特に大学におけるそれらの自由を保障することを趣旨としたものである」と判示し、通説の市民的自由説の立場に近い。

第3節　学問の自由の内容と限界

学問の自由の内容について、一般に、(1)学問研究の自由、(2)研究発表の自由、(3)教授・教育の自由の3つがある。

1　学問研究の自由

学問研究の自由とは、学問研究それ自体が、公権力、上級者、研究機関の管理者または社会の干渉を受けることなしに、自由に行なわれることを意味する。また、学問研究の自由は、自由権的側面にかぎらず、請求権的側面をあわせもつ[510]。科学技術の発展とともに研究費の国家補助に依存するようになっており、研究者は国に対して研究費や研究施設を請求し、国は研究環境整備につとめる義務を負う。

*　先端科学と生命倫理

近年の急激な科学技術の発展の下、臓器移植、遺伝子治療、クローン研究、生殖医療などの先端技術の研究が、個人の尊厳、生命・身体などの高次の人権の価値のために制約されざるをえない状況にある。学問研究の規制については、立法権や行政権が立ち入るべきでなく、研究者（集団）による自律的

508　芦部、2000、205頁。
509　東大ポポロ事件・最大判1963（昭和38）年5月22日刑集17巻4号370頁。
510　戸波、1998、276頁。

規制に委ねるべきとの見解もある[511]。他方、重要な人権を規制する点でも、また研究の限界を明確にする点でも、法律でルールを設定すべきとの見解もある[512]。2000年のヒトに関するクローン技術等の規制に関する法律は、クローン人間等の産出を禁じ、違反者には10年以下の懲役または1000万円以下の罰金を課す。2020年に制定された「生殖補助医療の提供等及びこれにより出生した子の親子関係に関する民法の特例に関する法律」は、生殖技術の規制を定めるものではない。生殖技術については、日本産婦人科学会の自主規制のルールや日本生殖医学会のガイドラインがあるにすぎない[513]。

2 研究発表の自由

　研究発表の自由とは、学問研究の成果を、公権力その他の干渉なしに自由に発表することを意味する。この研究発表の自由は、表現の自由（21条）の特別法的性格を有する。この研究発表の自由の保障が、通常の表現の自由よりも強い保護を受けるかという点に付随していくつかの問題点がみられる。強い保護を主張する見解は、学問が真理の探求を目的として行なわれる人間の論理的知的な精神活動であり、芸術的表現や政治的行為と区別して、学問の自由を狭くとらえる[514]。しかし、研究者の発言や著作が政治的行為なのか、研究発表なのかの判定は困難である。

　東大ポポロ事件[515]では、東大構内において、ポポロ劇団が「松川事件[516]」を題材にした演劇を上演していた際、学生が観客の中に常日頃学内の情報収集活動をしている私服警官を発見し、暴行を加えて警察手帳をとりあげたことが暴力行為等処罰に関する法律1条違反にあたるかどうかが争われた。1審・2審は、警察官の学内立入りに対し、学問の自由と大学の自治を尊重し

511　小林・芹沢、2006、177頁〔成嶋〕。
512　戸波、1998、279頁。
513　特定生殖補助医療法案が超党派の国会議員連盟によって検討されてはいる。
514　伊藤、1995、282頁以下。
515　東大ポポロ事件・最大判昭和1963（昭和38）年5月22日刑集17巻4号370頁、同・東京地判1954（昭和29）年5月11日判時26号3頁、同・東京高判1956（昭和31）年5月8日判時77号5頁。
516　未解決の列車転覆冤罪事件。

て、原告の違法性を阻却し無罪とした。他方、最高裁は有罪とし、学生の集会が真に学問的な研究または研究成果の発表のためのものではなく、「実社会の政治的社会的活動に当る」として、大学の有する学問の自由や自治を享受しないと判示した。しかし、大学が正規の手続を経て許可した集会である以上、その専門的な判断が尊重されるべきである[517]。

研究発表の自由の限界として、人権条約上の制約が問題となりうる。人種差別撤廃条約4条が、人種差別思想の流布、扇動等の禁止を定めているが、日本は法律で処罰すべき旨を定めた同4条（a）および（b）を、憲法の表現の自由その他の権利の保障と抵触しない程度で義務を履行するといった留保をつけて批准した。しかし、「差別・敵意・暴力の扇動となる国民的・人種的・宗教的憎悪の唱道は、法律で禁止する」自由権規約20条2項は、留保なしに批准している。したがって、「処罰」は条約上の義務ではないが、人種的憎悪を扇動する思想の流布を目的とする学問には、研究発表の自由を「法律で禁止」することが、条約を誠実に遵守する旨を定めた日本国憲法98条2項から必要とされる。

3　教授・教育の自由

教授の自由および教育の自由とは、学問研究の成果を教える自由を意味する。かつての通説・判例は、伝統的な大学の自由を念頭に置き、憲法23条の保障する内容を、狭く、大学での講義の自由のみをさす言葉として「教授の自由」に限定する傾向があった（狭義説＝教授の自由説）。しかし、今日の通説・判例は、広く、初等中等教育機関における教師の「教育の自由」も含む概念としてとらえている（広義説＝**教授・教育の自由説**）。

狭義説の根拠は、つぎの4点である。①沿革上、大学における教授の自由のみが想定された。②教育の自由は教育を受ける権利を充足するために行う精神的活動であり、学問研究の結果を公表する自由としての教授の自由とは異なる。③大学における学生が批判能力を備えているのに対して、初等中等教育機関の生徒は批判能力が十分ではない。④初等中等教育機関には、教育

---

[517]　芦部、2000、211頁。

の機会均等の観点から、教育内容・教授方法について画一化が要請される[518]。

これに対して、広義説からつぎの反論がなされている。第1に、ドイツ憲法的な伝統は、大学の観念を異にする今日の日本にそのまま持ち込むべきものではない。第2に、教育を受ける権利ないし学習権の充足をはかることは、今日の大学教育にも妥当する。第3および第4の論拠は、初等中等教育における教育の自由が大学のそれより広い制約を受けることの根拠となりえても、教育の自由を否定する根拠にならない。したがって、初等中等教育機関の教師の教育の自由は、児童生徒の心身の発達段階に対する科学的認識と経験に基づく教育学の学問的実践として、学問の自由に含まれるという[519]。

判例上、**東大ポポロ事件**最高裁判決[520] は、憲法23条により、「大学において教授その他の研究者がその専門の研究の結果を教授する自由」が保障されるという狭義説に立つ。一方、**第2次家永訴訟1審判決＝杉本判決**[521] は、「憲法23条は、教師に対し、学問研究の自由はもちろんのこと学問的見解を教授する自由をも保障している」のであって、「下級教育機関における教師についても、基本的には、教育の自由の保障は否定されていない」と広義説に立つ。教育の自由に関する今日の判例の広義説の立場を明らかにしたのは、中学校の全国一斉学力テストの是非が問題となった**旭川学力テスト事件最高裁判決**[522] である。いわく「専ら自由な学問的探求と勉学を旨とする大学教

518　宮沢、1974、396頁。

519　樋口ほか、1997、125頁〔中村〕。

520　東大ポポロ事件・最大判1963（昭和38）年5月22日刑集17巻4号370頁。

521　第2次家永訴訟1審判決＝杉本判決・東京地判1970（昭和45）年7月17日判タ251号99頁。歴史学者の家永三郎東京教育大学教授（当時）が執筆した高校用の教科書『新日本史』が文部省（当時）検定により、1963年に不合格（翌年、300項目の修正意見付きの条件付合格）となったことに対し、検定制度の違憲性を争った国賠訴訟が第1次家永訴訟であり、不合格処分取消訴訟が第2次家永訴訟である。その後も、1980年と1983年に検定で記述の書き換えを命じられたことへの国賠訴訟が第3次家永訴訟である。第2次家永訴訟の1審判決が、多くの画期的な論点を提供しているので、裁判長の名をとって、杉本判決と呼ばれる。第1次家永訴訟の最判1993（平成5）年3月16日民集47巻5号3483頁は、違憲・違法の論点をすべてしりぞけた。第2次家永訴訟の最判1982（昭和57）年4月8日民集36巻4号594頁により差戻された東京高判1089（平成1）年6月27日判時1317号36頁は、学習指導要領の改正により訴えの利益なしとした。第3次家永訴訟の最判1997（平成9）年8月29日民集51巻7号2921頁は、検定制度を合憲とするものの、南京大虐殺や731部隊などに関する記述の検定の違法性を認めた。

522　旭川学力テスト事件・最大判1976（昭和51）年5月21日刑集30巻5号615頁。

育に比してむしろ知識の伝達と能力の開発を主とする普通教育の場においても」、「一定の範囲における教授の自由が保障される」。その理由は、「教師が公権力によって特定の意見のみを教授することを強制されない」ためであり、「子どもの教育が教師と子どもの間の直接の人格的接触を通じ、その個性に応じて行われなければならない」からである。

4　大学の自治

学問の自由は、沿革的に大学における学問研究の自由として発展してきた。このため、伝統的に学問の自由には大学の自治の保障が含まれていると考えられている。通説の制度的保障説によれば、大学の自治は学問の自由を実質的に保障するための「客観的な**制度的保障**」であり、法律により制度の本質的内容を侵害することは、憲法23条違反となる。この説に対する疑問として、1)法律によっても不可侵とされる制度の本質とは何か、2)制度の侵害を誰がいつ判断し、裁判に訴えることができるのか、3)そもそも制度とは何か、4)公教育として組織化された学校教育を制度と呼ぶのであれば、初等中等教育も制度的保障の対象とされるべきではないのか、という問題が提起されている。

判例上、**東大ポポロ事件**1審判決[523]は、大学の自治が「既に確立された、制度的とすら言ってよい慣行として認められる」と判示した。同最高裁判決[524]は、「大学における学問の自由を保障するために、伝統的に大学の自治が認められる」と述べ、制度的保障説に立つものと一般に理解されている。

大学の自治の内容としては、(1)教員の人事、(2)施設の管理、(3)学生の管理、(4)研究教育内容、(5)予算管理の5つがあげられる。

第1に、教員の人事権は、大学の自主的な判断に基づいて行われなければならない。教育公務員特例法4条1項が、教員の採用・昇任の選考は、大学管理機関（評議会、学長、教授会）が行う旨を定めている。かつて、任命権者である文部大臣が、大学管理機関の申出を拒否できるかが問題となった**九州大学学長代行（事務取扱）発令拒否事件**[525]では、「申出が明らかに違法無

523　**東大ポポロ事件**・東京地判1954（昭和29）年5月11日判時26号3頁。
524　同・最大判1963（昭和38）年5月22日刑集17巻4号370頁。

効と客観的に認められる場合」に拒否権を限定した。一方、私立大学の場合も、学校教育法93条により、人事を含む「重要な事項を審議する」機関は、国公立大学と同じく「教授会」であった。2014年の同条の改正により、教員人事において、教授会は、学長の決定に当たり必ず「意見を述べる」役割等に改められた。また、2003年に制定された国立大学法人法12条により、学外者である経営協議会委員が半数以上を占める学長選考会議による選考がなされ、大学内での民主的な学長選挙の伝統が変容しつつある。

　第2に、施設の管理で問題となるのは、大学の自治と警察権との関係である。警察が大学構内に立入ることが認められるのは、**愛知大学事件**[526]控訴審判決のあげる、1）緊急やむを得ない場合、2）、令状による場合、3）、大学の許諾のある場合である。予想外の大規模な不法行為が構内に発生し、大学構内の秩序回復のために、大学当局が警察力の出動を要請することもありうる。しかし、将来起こるかも知れない犯罪の危険を見越した警備情報収集活動のために、警察が大学構内に立入ることは認められない。この点、ポポロ事件1審判決[527]が、警察が「無制限に大学内において警備の活動を為す場合、大学側はこれを拒否する正当な権利を有する」とし、同2審判決[528]が、「予防」的な「学問や教育の本務の実質を害する程度の警察活動…は警察権

---

[525] 九州大学学長代行（事務取扱）発令拒否事件・東京地判1973（昭和48）年5月1日訟月19巻8号32頁。九州大学の大学評議会で井上教授を学長事務取扱に選考したが、大学紛争が激化する中で、同教授の発言が国会で問題となり、文部大臣は2ヵ月にわたり発令をしなかったことに対し、同教授が損害賠償請求・名誉回復請求を行った事件。裁判所は、文部大臣の発令義務を認めたものの、本件の諸事情を特段の事情とみなし、文部大臣の不作為について、合理的期間を超えた違法なものとは判断しなかった。

[526] 愛知大学事件・名古屋高判1970（昭和45）年8月25日判時609号7頁は、大学構内に立ち入った制服巡査2名が学生により警察手帳を取り上げられ、暴行を加えられたとして、学生が起訴された事件。情報収集活動としての警察官の学内立ち入りを違法とし、正当防衛の余地を認める一方で、学生の行為は、学問の自由と大学の自治への急迫不正の侵害と誤信した誤想防衛と判断しつつ、諸般の事情を考慮して、刑を免除した。1審・名古屋地判1961（昭和36）年8月14日判時276号4頁では、警察官の立ち入りの目的を深夜大学構内でみかけた挙動不審の者に職務質問する目的と認定したが、学生らの詰問・連行は正当行為とし、殴打・捕縛・謝罪文の強要を過剰行為としつつ、刑を免除した。上告審・最判1973（昭和48）年4月26日判時703号107頁は、違憲の主張をすべて不適法としている。

[527] 東京地判1954（昭和29）年5月11日判時26号3頁。

[528] 東京高判1956（昭和31）年5月8日判時77号5頁。

の限界を踰越する」と判示したのは正当である。ただし、近年、大学が学生の個人情報を不用意に警察に提供した**早稲田大学プライバシー事件**[529]にみられるように、大学が安易に警察権に依存する傾向がみられる問題もある。

第3に、学生の管理で問題となるのは、学生が大学の自治の主体と認められるか否かである。学生も大学における学問研究の主体であり、大学の不可欠の構成員として、「大学自治の運営について要望し、批判し、あるいは反対する」権利を有するものと解するのが妥当といわれる（**東北大学事件控訴審判決**[530]）。この点、東大ポポロ事件最高裁判決が、自治の主体を教授その他の研究者にかぎり、学生を営造物（公共のために用いる施設）の利用者にすぎないとした点には、批判が大きい。学生の行為が違法性阻却理由にあたらないとした結論は、学生を自治の主体と認めないことに起因している。

第4に、研究教育内容については、教育課程、卒業要件などが大学設置基準で定められているほかは、大学の自主的な決定に委ねられている。ただし、国立大学法人は、評価委員会等の業務実績の評価により、運営費交付金や組織の改廃が決まる側面が強化されている。

第5に、予算管理については、近年、公的な研究費の主体が科学研究費補助金などに移行しており、外部競争的資金の比率が増大し、財政統制による研究教育内容の間接的なコントロールも可能となり、大学の自主性を弱めている問題もある。（対 GDP 比における）教育への公的支出が比較可能な OECD 加盟国中で最低の水準にある現状は、学問の自由の保障にとって、深刻な問題を投げかけている。

529　最判 2001（平成 13）年 10 月 17 日民集 57 巻 8 号 994 頁。
530　**東北大学事件**・仙台高判 1971（昭和 46）年 5 月 28 日判時 165 号 55 頁。東北大学の移転問題について、学部教授会の意向を無視して決定されることを危惧した学生が集合することを察知した大学事務局は、大学評議会の開かれる会議室への通路を封鎖したため、事務局長の説明を求めるべく室外に連れ出そうと椅子や机を揺り動かした行為が、実質的違法性を欠くとして、控訴審では無罪とされた事件である。1 審・仙台地判 1968（昭和 43）年 4 月 20 日（判例集未登載）・上告審・最判 1975（昭和 50）年 12 月 25 日判時 801 号 15 頁は、有罪としているが、最高裁は、大学の自治における学生の役割などの憲法上の判断をしていない。

第10章

表現の自由

第1節　表現の自由の意義

　憲法21条1項が「集会、結社及び言論、出版その他一切の表現の自由は、これを保障する」と定める。表現の自由とは、人の内心における精神活動を外形的手段を用いて表に現わす自由である。19世紀の諸憲法は「言論、出版の自由」という形でこの自由を保障するのが常であり、言論は口頭、出版は印刷物による表現行為をした。しかし、日本国憲法は「その他一切の表現の自由」と表現しており、現代の映画、写真、演劇、テレビ、インターネットなどによるすべての表現の自由を含む。「表現」と「行為」は区別されることが多いが、一定の行為が一定の表現とみなされる場合もある。

1　象徴的表現も憲法が保障する表現か

　象徴的表現とは、言語によらず、何かの意見・思想を象徴する行為によって、意見・思想を伝達する行為である。象徴的表現は、言論の自由の保障の対象に含まれると解する学説は多い。しかし、判例は、国旗の焼却を「象徴的表現」と位置づけるかどうかはさておき、かりに象徴的表現行為の法理を適用しても、器物損壊罪などの規制は、表現の抑圧とは無関係であるので、処罰を合憲としている[531]。なお、学校での君が代斉唱における不起立・不斉唱は、一種の象徴的表現であり、君が代斉唱を義務づけることは、表現の抑圧の要素をもちうる点にも留意する必要がある。

---

[531]　福岡高判那覇支部1995（平成7）年10月26日判夕901号266頁（確定判決）。

アメリカでは、純粋言論とは違い、一定の外形的行為によってメッセージを伝える象徴的表現も、表現の自由の問題とされる。当初、United State v. O'Brien 391 U.S. 367 (1968) では、戦争反対の意思表明のために徴兵カードを燃やす行為を、「行為による思想の伝達」としての「象徴的表現」ではないとした。したがって、厳格な審査は不要であるとして、中間審査基準のもと、処罰を合憲とした。「オブライエン・テスト」と呼ばれる、同じ行為のうちに言論の要素と言論以外の要素が結びついている場合の審査基準では、1)規制が憲法によって与えられた政府の権限の範囲内であること、2)規制が重要なまたは実質的な政府利益を促進すること、3)その政府利益が自由な表現の抑圧とは無関係であること（内容中立規制）、4)修正１条に対する付随的な制限が政府利益の促進にとって必要な限度を超えないこと、の要件のすべてに合致するので、政府の規制は正当化される。

　しかし、Spence v. State of Washington, 418 U.S. 405 (1974) 以後は、ピース・マークの落書きを付した国旗の逆さの掲揚は、戦争に反対する「象徴的表現」と位置づけ、処罰を違憲としている。象徴的表現にあたるかどうかは、「コミュニケーションの要素が十分であるか」、すなわち「特定のメッセージを伝える意図があり、周りの状況から、それを見ている者にメッセージが理解される蓋然性が高い」かどうかで判断される。また、Texas v. Johnson 491 U.S. 397 (1989) では、国旗の焼却をコミュニケーションの要素が十分にある「象徴的表現」の問題として、国旗焼却を処罰する州法を違憲とした。なぜならば、州の主張する「国民および国家統合の象徴の保護」の利益は、「自由な表現の抑圧」につながり、「治安の維持」の利益は、国旗を燃やしても実際に治安が乱れてはおらず、州には別に治安を維持するための刑法規定があるので、国旗等の冒涜に関する法規定を用いて治安を維持する必要がないからである。

2　表現の自由を支える価値

　表現の自由を支える価値として、①個人が表現活動を通じて、自己の人格を発展させる「自己実現の価値」と、②国民が表現活動を通じて、政治的意思決定に関与し、民主政に資する「自己統治の価値」が指摘される[532]。②の民主政につかえる価値によって、表現の自由の優越的地位が導き出される。また、表現の自由の優越的地位の根拠として、「思想の自由市場」の考え方

532　芦部、2023、291 頁。

が示される[533]。「思想の自由市場」とは、どんなに危険に思える思想であろうと、「明白かつ現在の危険」[534]が差し迫っていないかぎり、思想の自由市場さえ機能すれば、やがては真理に到達するとして、表現の自由の高い価値を正当化する古典的な理論である。しかし、現代の国家権力への情報集中とマス・メディアやSNSの発達により、思想の自由市場は疑問視され、競争により真理に到達することは楽観視できないとの見方も有力である。

第2節　知る権利

　自由権規約19条2項は「すべての者は、表現の自由についての権利を有する。この権利には、口頭、手書き若しくは印刷、芸術の形態または自ら選択する他の方法により、国境とのかかわりなく、あらゆる種類の情報・考えを求め・受け・伝える自由を含む」と規定する。

　表現の自由は、表現の送り手の自由にとどまらず、表現の受け手の自由も含む。今日の高度情報化社会では、個人は自分で必要な情報を収集することが困難となっており、「情報を求め、受け取る自由」がますます重要となってきた。表現の受け手の自由のことを、憲法学では、「知る権利」と呼ぶ。

　知る権利は、複合的な性格を有する。①国家によって情報を受け取る自由

---

[533] 連邦最高裁判事のホームズ（1841-1935）は、Abrams v. United States, 250 U.S. 616 (1919) において、「真理の最良の判定基準は、市場における競争のなかで、みずからを容認させる思想の力である」という。これは、戦時下にあって、戦争に反対し、ゼネラルストライキを呼びかけるビラをまいた被告人らの扇動行為を有罪とする多数意見に対し、ホームズ判事の唱えた反対意見にみられる。

[534] ホームズ判事が、Schenck v. United States, 249 U.S. 47 (1919) において、徴兵制度に反対するパンフレットを配布した社会党書記を起訴した事件で、最初に唱えた。言論の自由の最も厳格な保護は「劇場の中で誤って火事だと叫んで、パニックを引き起こす人には及ばないであろう」と指摘し、「明白かつ現在の危険」を生み出す性質をもつ言葉を議会は防止する権利を有するとして、スパイ防止法が修正1条の言論の自由に反しないとした。この判決自体は、「悪性の傾向」をもつ言論は規制できるとする、かつての厳格ではない審査基準に近いものであった。その後、暴力的な違法行為の唱導をめぐる Brandenburg v. Ohio, 395 U.S. 444 (1969) において、「明白かつ現在の危険」のテストを、ブランダイス判事が、今日の言論の自由についての厳格な審査基準として定式化した。

を妨害されない権利としては、自由権的側面をもつ。②国家に対して積極的に情報の公開を請求する権利としては、受益権的側面をもつ[535]。③情報の獲得が個人の政治参加の前提条件として結びつく点では参政権的側面をもつ。

1　情報公開請求権とその享有主体

情報公開請求権とは、政府に対する知る権利であり、政府が保有する情報の公開を請求する権利をさす。憲法21条は、抽象的な権利として情報公開請求権を認めているにすぎず、具体的な権利は法律による定めが必要である。多くの自治体の情報公開条例が先行する中、1999年に国の情報公開法が制定され、2001年から施行されている。行政機関の保有する情報の公開に関する法律（情報公開法）は、「知る権利」を明記することなく、「国民主権の理念にのっとり、…政府の有する諸活動を国民に説明する責務」があることを規定する（1条）。一方、開示請求権者は「何人も」とあり（3条）、外国人にも広く（国外居住者の場合でも）認めている[536]。したがって、「国民の知る権利」という表現はミスリーディングであり、法人や外国人も含む「すべての人の知る権利」が、憲法21条の表現の自由から導かれる。同様に、自由権規約19条2項が「国境とのかかわりなく」、「すべての人」の表現の自由について規定している。知る権利（ないし情報の自由）は、同3項所定の「国の安全」などの特別な理由のないかぎり[537]、国境や国籍の壁によって制限されるべきではない。

2　アクセス権

アクセス権とは、新聞・放送といったマス・メディアに対する権利である。

---

[535] 国務請求権ないし社会権としての性格（芦部、2023、152、292頁）と説明される場合があるが、知る権利は、社会的経済的弱者保護の社会権と異なり、人権を確保するための国務請求権（受益権）の性格をもつというべきであろう。

[536] このことは「国民主権」を「国籍保有者の総体である国民の主権」と考える通説的な国民主権の理念とは、大きな齟齬がある。むしろ、「公正で民主的な行政の推進」（1条）を目的とする情報公開法は、「国籍や居住地を問わず、広く行政の活動に何らかの利害関係や関心をもつすべての人に、情報を知らせ、理解と批判を求める民主主義観」に立っている。

[537] 表現の自由の制限は、法律で定められ、「他の者の権利または信用の尊重」、「国の安全、公の秩序または公衆の健康若しくは道徳の保護」の目的のために必要とされるものに限る。

反論文の掲載・番組への参加など、自己の意見を主張する場としてマス・メディアに対するアクセス（接近）を求める権利である。しかし、アクセス権は、マス・メディアの表現の自由と衝突する。マス・メディアの編集の自由を侵害し、表現活動の萎縮的効果の危険性がある。したがって、アクセス権は、法的権利としては認められないと一般に考えられている。

判例も、**サンケイ新聞意見広告事件**[538] では、共産党を批判する自民党の意見広告を掲載したサンケイ新聞に対し、共産党が無料で反論文の掲載を求める反論権の制度は、新聞等の「表現の自由を間接的に侵す危険につながるおそれ」も多分にあり、「具体的な成文法がないのに」、反論権をたやすく認めることはできないという。

ただし、反論権は認められないとしても、マス・メディアの巨大な影響力を考えるとき、誤った情報提供については、マス・メディアの責任で情報の訂正を行うことを求める情報訂正請求権は、具体的な法律を通じて認められるべきである。たとえば、放送法9条1項は、情報訂正請求があった場合には、「調査」し、真実でないことが判明したときは「訂正又は取消しの放送」を放送事業者に義務づけている[539]。

第3節　違憲審査基準

表現の自由の規制に関する違憲審査基準は、二重の基準論により厳格なものであることが要請される。

1　事前抑制禁止の理論

表現が行われる前に、公権力が抑制することは、禁止される。この事前抑制禁止の理論の根拠は、①「思想の自由市場」の考えからすれば、すべての思想は公の批判にさらされるべきであること、②訴追による事後抑制は特定

---

[538] サンケイ新聞意見広告事件・最判1987（昭和62）年4月24日民集41巻3号490頁。
[539] 放送業界は独自にBPO（放送倫理・番組向上機構）をつくり、放送による表現の自由を確保しながら、視聴者からの苦情の内容を審理し、見解や提言を公表する制度を整えている。

の表現に限定するが、事前抑制は一般的で広汎であること、③手続上の保障や実際の抑止的効果の点で事後抑制よりも問題が多いことにある。

　北方ジャーナル事件[540]において、最高裁も、雑誌掲載予定の記事が、知事選立候補予定者の名誉を毀損するとして例外的に事前差止めを認めた。事前抑制は、①「表現物がその自由市場に出る前に抑止し」、②「事後制裁の場合よりも広汎にわたり易く」、③「実際上の抑止的効果が事後制裁の場合より大きい」。したがって、「事前抑制は、表現の自由を保障し検閲を禁止する憲法21条の趣旨に照らし、厳格かつ明確な要件のもとにおいてのみ許容されうる」と判示する。

　この点、事前抑制の禁止と検閲の禁止とはどのような関係にあるのかが問題となる。最高裁は、北方ジャーナル事件において、憲法21条2項前段が「絶対的禁止」を宣言した「検閲」とは、1)「行政権」が主体となって、2)「思想内容等」を対象とし、3)「発表の禁止」を目的とし、4)「網羅的一般的」な方法で、5)「発表前」の時期に、内容を審査して発表を禁止することと定義した**札幌税関検査事件**[541]を判例として引用する。裁判所が主体となって判断する北方ジャーナル事件は、「検閲」には当たらない（税関検査は、国外ですでに「発表済み」であり、**第1次家永訴訟**[542]における教科書検定も、一般図書としての発行を妨げるものではなく、「発表禁止」や「発表前」や「思想内容」の審査の特質がないから、「検閲」には当たらない）。

　一方、憲法21条1項から導かれる「裁判所」の行う「事前抑制」は、「原則として許されない」のであって、①「表現内容が真実でなく、又はそれが専ら公益を図る目的のものでないことが明白」、かつ、②「被害者が重大にして著しく回復困難な損害を被る虞があるとき」は、「例外的に事前差止めが許される」と判示している。

　学説は、判例が「発表前」とか[543]、「網羅的一般的」といった限定を付け

540　北方ジャーナル事件・最大判 1986（昭和 61）年 6 月 11 日民集 40 巻 4 号 872 頁。
541　札幌税関検査事件・最大判 1984（昭和 59）年 12 月 12 日民集 38 巻 12 号 1308 頁。
542　第 1 次家永訴訟・最判 1993（平成 5）年 3 月 16 日民集 47 巻 5 号 3483 頁。
543　広義説は表現の自由における知る権利の観点を重視して「情報」の「受領前」とし、狭義説も情報提供だけでなく情報受領との関連も含む「表現行為」を問題としている（芦部編、1978、487 頁〔佐藤幸治〕）。

て、検閲概念を狭く解釈しすぎていることへの批判はあるものの、判例と同じく、検閲の主体を「行政権」による場合に限定する狭義説[544] と、検閲の主体を司法権も含む「公権力」による場合とする広義説[545] に分かれる。しかし、狭義説は、行政権による検閲の絶対的禁止を強調し、司法権による事前抑制の原則禁止と区別するのに対し、広義説の場合でも、行政権と司法権による場合の同様の区別をしているので、実際上、この点の違いは少ない。

2 明確性の理論

不明確な法律によって規制を加えると、萎縮的効果が生じ、個人の表現活動が閉塞状態に陥って、民主主義の崩壊を招きかねないので、原則として文面上違憲となる。これは、アメリカにおいて漠然不明確な規定が「莫然性のゆえに無効」とされたり、規定は明確であっても、必要以上に広汎に自由を規制する場合は「過度の広汎性のゆえに無効」とされたりする法理の影響を受けている。この理論を支える根拠は、憲法 21 条 1 項（表現の自由）にかぎらず、刑罰法規の明確性を求める 31 条（適正手続）である。ただし、これまでの日本の判例上、合憲限定解釈が可能な場合は、違憲とはならないとして、違憲とされた例はない。

最高裁は、**徳島市公安条例事件**[546] において、「交通秩序を維持すること」という規定は、道路における集団行進が秩序正しく行われる場合の交通秩序の阻害の程度を超えた「殊更な交通秩序の阻害をもたらすような行為」を避けることを命じていると解す合憲限定解釈の下では、だ行進、うずまき行進、すわり込み等の行為を処罰する公安条例の規定を「明確性を欠き憲法 31 条に違反するものとはいえない」と判示した。また、**札幌税関検査事件**[547] で

---

544 佐藤幸治、2020、286 頁。

545 芦部、2000、362-5 頁。

546 徳島市公安条例事件・最大判 1975（昭和 50）年 9 月 10 日刑集 29 巻 8 号 489 頁。徳島地判 1972（昭和 47）年 4 月 20 日刑集 29 巻 8 号 552 頁では、道交法違反のみで有罪とし、道交法の範囲以外の規制対象が不明確として、本件条例を憲法 31 条違反とした。高松高判（昭和 48）年 2 月 19 日刑集 29 巻 8 号 570 頁も、同旨の判決であった。

547 札幌税関検査事件・最大判 1984（昭和 59）年 12 月 12 日民集 38 巻 12 号 1308 頁。札幌地判 1980（昭和 55）年 3 月 25 日判時 961 号 29 頁は、本件の郵便物の引渡拒否は、検閲に当たり、曖昧な概念での規制などの理由から違憲とした。一方、札幌高裁 1982（昭和 57）年 7 月 19 日判時 1051 号 57 頁は、税関規制が必要不可欠などの理由から合憲とした。

は、関税定率法 21 条 1 項 3 号（現行関税法 69 条の 11 第 1 項 7 号）の「風俗を害すべき書籍、図画」等における「『風俗』とは専ら性的風俗を意味し…限定的な解釈が可能である以上…明確性に欠けるものではなく、憲法 21 条 1 項の規定に反しない」と判示している[548]。さらに、**広島市暴走族追放条例事件**[549] では、同条例 19 条が処罰の対象としている 17 条の「公共の場所において、特異な服装をし、顔面の全部若しくは一部を覆い隠し、円陣を組み、又は旗を立てる等威勢を示す」行為とは、集会との関係で、暴走行為を目的として結成された集団である本来的意味の「暴走族」および「その類似集団」が 16 条 1 項 1 号の「公衆に不安又は恐怖を覚えさせるような」場合に限定して解釈すれば、「憲法 21 条 1 項、31 条に違反するとまではいえない」と判示している。

　こうした合憲限定解釈を多用すると、萎縮効果に無頓着な稚拙な立法が横行する危険があり[550]、違憲と判断して、法令の改正を促すことが望ましい。

3　明白かつ現在の危険の基準

　表現行為の規制は、近い将来、重大な害悪を発生せしめる蓋然性が明白であり、重大な害悪の発生が時間的に切迫しており、規制が害悪を避けるのに必要不可欠な場合でなければ、違憲となる。下級審では、明白かつ現在の危険の基準を用いたものもある。公選法の戸別訪問禁止規定（138 条 1 項）の憲法 21 条違反を争った東京地裁判決では、戸別訪問により買収等の「重大な害悪を発生せしめる明白にして現在の危険」があると認めうるときに限り、

---

[548] 同様に、**福岡県青少年保護育成条例事件**・最大判 1985（昭和 60）年 10 月 23 日刑集 39 巻 6 号 413 頁では、条例の処罰規定の「淫行」とは、「青少年…の心身の未成熟に乗じた…ほか、青少年を単に自己の性的欲望を満足させるための対象として扱っている…性交または性交類似行為」と限定解釈し、「処罰の範囲が不当に広過ぎるとも不明確であるともいえない」とした。また、新東京国際空港の安全確保に関する緊急措置法が集会の自由を侵害するか否かが争われた、**成田新法事件**・最大判 1992（平成 4）年 7 月 1 日民集 46 巻 5 号 437 頁では、「暴力主義的破壊活動等を行い、または行うおそれがあると認められる者」とは、「暴力主義的破壊活動を現に行っている者またはこれを行う蓋然性の高い者」の意味に限定解釈できるので、「過度に広範」とも「不明確」ともいえないと判示した。

[549] **広島市暴走族追放条例事件**・最判 2007（平成 19）年 9 月 18 日刑集 61 巻 6 号 601 頁。

[550] 長谷部ほか編、2019、181 頁〔木村〕。

初めて合憲的に適用しうるにすぎないとして、適用違憲により無罪とした[551]。しかし、最高裁は、戸別訪問1967年判決では、「害悪の生ずる明白にして現在の危険」があると認められるもののみを禁止しているのではないと解すべきであるとして、合憲とした[552]。なお、最高裁は、後述する集会の自由に関する**泉佐野市民会館事件**（注564）のように、明白かつ現在の危険の基準の趣旨を用いて限定合憲解釈を施す場合はある。

明白かつ現在の危険の基準は、Brandenburg v. Ohio, 395 U.S. 444（1969）で確立したアメリカの判例準則である。オハイオ州の刑事サンディカリズム法が、犯罪・営業・暴力・テロの違法行為の義務・必要性・正当性を産業・政治変革の手段として唱導することを禁じているため、アメリカの白人至上主義団体KKK（クー・クラックス・クラン）のリーダーのブランデンバーグを有罪とした下級審判決を最高裁は、全員一致でくつがえした。彼の集会で行った「大統領・議会・最高裁が、白人・白色人種を抑圧し続けるならば、復讐がなされなければならないかもしれない」、「7月4日に議会に向けて40万人の人員をもって行進する」などの発言が問題とされた。ブランダイス判事の起草した判決では「暴力の使用や法律違反の唱導を政府が禁止する場合、唱道が差し迫った違法行為の煽動・実行に向けられ、かつ、違法行為を煽動・実行する蓋然性がある場合を除き、唱道の禁止は許されない」という。同法は「差し迫った違法行為の煽動」と区別されない「単なる唱導」を処罰しているので、合衆国憲法修正1条・14条違反とされた[553]。

4　必要最小限度の基準

表現の自由を規制する法令の立法目的が正当であっても、その目的を達成するために、「より制限的でない他の選びうる手段（less restrictive alterna-

---

551　東京地判1967（昭和42）年3月27日判タ206号200頁。しかし、東京高判1968（昭和43）年11月27日判タ206号200頁は、下記の1967年最高裁判決を援用して、原判決を破棄し、有罪とした。
552　最判1967（昭和42）年11月21日刑集21巻9号1245頁。
553　2001年の9.11事件以後、多くのテロ対策立法が制定される中で、「明白かつ現在の危険」の基準に反する判例が登場するに至った。Holder v. Humanitarian Law Project, 561 U.S. 1 (2010) において、最高裁は、愛国者法が、故意に外国のテロリスト組織への「物質援助」と資金提供を行うことを犯罪とし、物資援助の例として「訓練」、「専門的助言や援助」、「サービス」、「人材」を含む規定であっても、故意を要件としているので漠然性ゆえに修正5条に反するものでもなく、言論・結社の自由を保障する修正1条に反するものでもないとした。

tives: LRA)」を利用することが可能であると判断される場合には、違憲とする基準である。この LRA の基準は、表現の時・場所・方法の規制の合憲性を審査する場合に用いられる。アメリカの判例法理にみられる LRA の基準は、立法目的を達成するための必要最小限度の規制手段を要求する[554]。

　日本では、下級審でこの基準を用いた例がある。公務員（非管理職で現業の一般職国家公務員であった郵政事務官）が勤務時間外にその職務を利用することなく行った政治活動（選挙ポスター張り）に対する刑事罰が問題となった猿払事件[555] では、1審・2審では、「人事院規則で定める政治的行為をしてはならない」と定める国家公務員法 102 条 1 項の委任を受けた人事院規則 14-7 による公務員の政治活動に対する刑事罰は、「必要最小限（度）の域を越えたもの」として、違憲とした。しかし、最高裁は、公務員の政治的中立性の維持という強い政府の側の利益を考慮し、「懲戒処分と刑罰とは、その目的、性質、効果を異にする別個の制裁なのであるから」、懲戒処分をもって「より制限的でない他の選びうる手段であると軽々に断定することは、相当ではない」として、合憲とした。

第 4 節　集会の自由

　日本国憲法 21 条は、表現の自由の一類型として集会の自由を定めている。諸外国の憲法では、集会の自由（や結社の自由）を表現の自由と別の規定で定めている場合も少なくない。自由権規約も、表現の自由（19 条）、集会の自由（21 条）、

---

[554]　Shelton v. Tucker, 364 U.S. 479 (1960) において、(教員採用・継続採用に際して、過去 5 年間の所属団体情報の提出を命じた州法を修正 14 条のデュー・プロセスにより保障された結社の自由を侵害するとした判決の中で)「個人の基本的自由をより侵害する手段を追求することはできず、…同じ基本目的を達成するためのより過酷でない手段（less drastic means）」に照らして審査しなければならないという。

[555]　猿払事件・旭川地判 1968（昭和 43）年 3 月 25 日判時 514 号 20 頁。また、「近代民主主義国家において公務員の政治活動禁止違反の行為に対し刑事罰を科している国はない」し、アメリカの例は「通例の場合、懲戒処分のみというより狭い制裁方法で十分法目的を達成することができることを示すものである」と判示している。同・札幌高判 1969（昭和 44）年 6 月 24 日判時 560 号 30 頁、同・最大判 1974（昭和 49）年 11 月 6 日刑集 28 巻 9 号 393 頁。

結社の自由（22条）と分かれている。

　集会とは、特定または不特定多数の人々が一定の場所に集まる一時的な集合体をさす。集会の自由は、人権相互の調整という観点から、道路や公園などの他の利用者の権利との調整、集会の競合による混乱回避も必要になる。集会の申請が競合する場合は、原則として申請順とし、毎年決まった日と場所で多くの参加者を集める場合にかぎり例外的に優先権が認められる[556]。集会の自由は、集会に対する公権力による制限を排除する権利に加えて、道路、公園、広場、公会堂といった、公共施設の利用を要求できる権利を含んでいる。一般公衆が自由に出入りできる場所をパブリック・フォーラム*といい、そこでの所有権や公物管理権による制約を受けざるをえないとしても、表現の自由の保障を可能なかぎり配慮する必要がある[557]。

　＊　パブリック・フォーラム論
　日本の判例上、**吉祥寺駅構内ビラ配り事件**における伊藤正巳裁判官の補足意見の中で指摘された[558]。「一般公衆が自由に出入りできる場所は、それぞれその本来の利用目的を備えているが、それは同時に、表現のための場として役立つことが少なくない。…道路のような公共用物と、…私的な所有権、管理権に服するところとは、性質に差異があり、同一に論ずることはできない。しかし、後者にあっても、…駅前広場のごときは、…パブリック・フォーラムたる性質を強くもつことがあり、…そこでのビラ配布を…処罰することは、憲法に反する疑いが強い。…本件においては、…駅舎の一部であり、パブリック・フォーラムたる性質は必ずしも強くなく、むしろ鉄道利用者など一般公衆の通行が支障なく行われるために駅長のもつ管理権が広く認められるべき場所である」という。また、**大分県屋外広告物条例事件**では[559]、商

556　佐藤幸治、2020、321 頁。
557　伊藤、1995、297 頁。
558　吉祥寺駅構内ビラ配り事件・最判 1984（昭和 59）年 12 月 18 日刑集 38 巻 12 号 3026 頁。井の頭線吉祥寺駅南口 1 階階段付近で、駅係員の許諾なしに、多数の乗降客に対し、ビラを配布し拡声器を使用して、狭山事件被告の救援集会に参加を呼びかける演説等を繰り返し、駅管理者からの退去要求を無視して約 20 分間にわたり階段付近に滞留したため、鉄道営業法 35 条違反・不退去罪に問われ、いずれも科料 3 千円・罰金 1 万円に処せられた。

店街の街路樹の支柱といった「ビラやポスターを貼付するに適当な場所や物件は、道路、公園等とは性格を異にするものではあるが、…パブリック・フォーラム…たる性質を帯びるものともいうことができる」と指摘している。

　アメリカの判例上、公共財産へのアクセスの権利とその制約の基準は3通りに区別される[560]。①街路や公園のように、昔から公衆の利用にあずかり、集会、市民間の思想伝達、公的問題の討議を目的として使用されてきた場所は「伝統的パブリック・フォーラム」と呼ばれる。この典型的なパブリック・フォーラムでは、表現内容に着目した規制については「真にやむをえない政府利益」の厳格な審査が、時・所・方法による内容中立的な規制については「重大な政府利益」の中間審査が妥当する。②大学の集会施設、市立劇場のように、表現活動の場所として公衆の利用のために設けられた場所は「指定的パブリック・フォーラム」と呼ばれ、施設の開かれた性質を維持する限り、時・所・方法による合理的な規制は許され、表現内容に着目した規制は厳格な審査基準が適用される。③伝統や政府の指定によって公的なコミュニケーションのためのフォーラムとされていない公共の財産は、非パブリック・フォーラムと呼ばれる。ここでは、表現内容に基づく規制についても、公務員が話し手の見解に反対するためだけに抑圧するのでない限り、合理性の基準による審査でよいことになる。

　駅前広場は伝統的なパブリック・フォーラムといえても、駅舎は非パブリック・フォーラムとされる一方、街路樹の支柱も伝統的なパブリック・フォーラムに付随する性質をもつとされた。なお、後述する、皇居外苑事件は伝統的なパブリック・フォーラムにあたり、泉佐野市民会館事件や上尾市福祉会館事件は、指定的パブリック・フォーラムとしての性質を有するが、日本の判例では、公物管理権による規制の問題として論じられている。

(1) 公物管理権による規制

　学説上、公物のうち、国や公共団体が使用する公用物（国会議事堂や市役所など）は、一般の使用に開放されていないので、管理者の許可なしに集会

---

[559] 大分県屋外広告物条例事件・最判1957（昭和32）年3月3日刑集41巻2号15頁。ただし、伊藤正巳裁判官の補足意見によれば、本件は、内容中立規制であるので、厳格な審査の基準は適用されない。表現の有する価値が美観風致の利益に優越するときに、刑事罰を課すことが適用違憲となるという。

[560] Perry Education Association v. Perry Local Educator's Association, 460 U.S. 37 (1983).

の場所として使われることはない。他方、一般の利用に供される公共用物（道路や公園など）は、公物管理権に基づいて集会の許可制をとることが、憲法21条の集会の自由に違反するか否かが問題となる。

皇居外苑事件[561]で、最高裁は、国民公園管理規則4条が、皇居外苑などにおいて、集会・示威行進につき、「厚生大臣の許可」を必要とする許可制を定めていることは[562]、「大臣の有する国民公園の管理権の範囲内」として認められると傍論で指摘する[563]。一方、適正な管理権の行使を誤り、国民の利用を妨げる場合は違法となる。しかし、管理権者である大臣が総評主催のメーデー記念集会に皇居外苑の使用を不許可とした理由は、約50万人が長時間集まるため「公園自体が著しい損壊を受ける」おそれがあり、「公園としての本来の利用が全く阻害される」点による。したがって、表現の自由・団体行動権の制限を目的としておらず、憲法21条・28条に反しないとした。

泉佐野市民会館事件[564]は、関西新空港建設反対集会のための公の施設の使用不許可に対する国家賠償請求を棄却した。自治体が集会の用に供する公の施設を設けた場合、地方自治法244条により、住民の利用を拒否するには「正当な理由」が必要である。正当な理由とは、①「適正にその管理権を行使すべき」点から拒否が認められる場合、②「利用の希望が競合する場合」、③「他の基本的人権が侵害され、公共の福祉が損なわれる危険がある場合」に限られる。本件は、③に該当する。泉佐野市条例7条1号の「公の秩序をみだすおそれがある場合」とは、「集会の自由を保障することの重要性」よりも、集会によって「人の生命、身体又は財産が侵害され、公共の安全が損なわれる危険を回避し、防止することの必要性が優越する場合」に限定して解すべきである。その危険性の程度は、「明らかな差し迫った危険の発生が具

---

[561] 皇居外苑事件・最大判1953（昭和28）年12月23日民集7巻13号1561頁。
[562] 現行は、環境大臣の許可制。
[563] 1審・東京地判1952（昭和27）年4月28日行裁例集3巻3号634頁は、「一般国民に甚しい迷惑をかけず、公園の損傷を最少限度にくい止める方法」での使用は可能であるので、本件不許可処分は、憲法第21条に反するとした。これに対し、2審・東京高判1952（昭和27）年11月15日行裁例集3巻11号2366頁は、被控訴人（原告）が使用許可を申請した日はすでに経過しているので、「判決を求める実益が失われた」として、請求を棄却した。最高裁も、同様に請求を棄却したが、「なお、念のため」と傍論により、憲法判断を行った。
[564] 泉佐野市民会館事件・最判1995（平成7）年3月7日民集49巻3号697頁。

体的に予見されること」が必要である。主催者グループが「当時、関西新空港の建設に反対して違法な実力行使を繰り返し、対立する他のグループと暴力による抗争を続けてきたという客観的事実」からみて、「グループの構成員だけでなく、本件会館の職員、通行人、付近住民等の生命、身体又は財産が侵害されるという事態を生ずることが、具体的に明らかに予見される」として、本件不許可処分が憲法21条・地方自治法244条に反しないとした。

上尾市福祉会館事件では[565]、他方、何者かに殺害された労働組合幹部の合同葬のための公の施設の使用が不許可となったことに対する国家賠償請求が認容された。「主催者が集会を平穏に行おうとしているのに、その集会の目的や主催者の思想、信条等に反対する者らが、これを実力で阻止し、妨害しようとして紛争を起こすおそれがあることを理由に」公の施設の利用を拒否しうるのは、「警察の警備等によってもなお混乱を防止することができないなど特別な事情がある場合に限られる」として、不許可処分を違法と判断した。管理権者が、敵対する別の団体の妨害行為による混乱を避けることを理由に、施設の利用を拒否することは、憲法の保障する集会の自由の趣旨に反する[566]。ここでは、集会に対する敵意をもつ聴衆の存在によって治安妨害が発生するおそれがある場合には、「正当な権利の行使者を法律上弾劾すべきではない」というイギリスやアメリカの判例法理「敵意ある聴衆の法理（the doctrine of the hostile audience）」が採用されている。

(2) 公安条例による規制

各地の公安条例は、道路、公園その他公共の場所で集会、集団行進（動く集会）を行う場合、「公共の安全」等を保持するために、一定期間内に（72

---

565 上尾市福祉会館事件・最判1996（平成8）年3月15日民集50巻3号549頁。
566 教職員組合が全国研究集会を開催するために公の施設の使用承認取消処分の執行停止が認められた京都府勤労会館事件・京都地判1990（平成2）年2月20日判時1369号94頁では、「表現の自由ないしその一つである集会の自由は、…民主主義社会を支える基礎をなすものであって、公権力はもとより、他の個々人またはその集団から憎まれ、排撃される言論ないし集会を保障することにこそ表現の自由を保障する意義がある。もし、反対勢力ないし団体の違法な妨害行為を規制することの困難さやそのための出費を理由として安易に集会や言論の制限を許すならば、…憲法の保障する集会ないし言論の自由の趣旨に反する」という。

時間が多い)、公安委員会に許可を受けなければならない旨を定めている(届出の場合もある)。

新潟県公安条例事件[567]をはじめ、最高裁は、一貫して公安条例による規制を合憲とする。①「一般的な許可制を定めてこれを事前に抑制することは、憲法の趣旨に反し許されない」。②明確性の基準から、「特定の場所又は方法につき、合理的かつ明確な基準の下に」、事前に抑制するのであれば許される。③明白かつ現在の危険の基準から、「公共の安全に対し明らかな差迫った危険を及ぼすことが予見されるとき」は、集団行動を禁止できるとした。

東京都公安条例事件[568]では、①「公共の安寧を保持する上に直接危険を及ぼすと明らかに認められる場合」のほかは、許可しなければならないという「許可制はその実質において届出制」と異なるところがない。②「場所のいかんを問わない」と不明確であるのも、やむをえない。③集団行動、とくに集団示威運動は「暴力に発展する危険性のある物理的力を内包している」という、いわゆるデモ暴徒化論により、合憲とした。ここでは、②の明確性の基準が軽視されている問題がある[569]。垂水裁判官の反対意見では、「場所のいかんを問わず」の文言を削り、新潟県条例のように、集団行動開始の一定時間前までに不許可の意思表示をしない場合に許可があったものとして行動できる規定を設けないかぎり、憲法 21 条 1 項に違反するという。

(3) 道路交通法による規制

公安条例が制定されていない自治体では、一般交通に著しい影響を及ぼすような集団行動は、道路交通法 77 条 1 項の定める警察署長の許可制による規制を受ける。最高裁は、**エンタープライズ寄港阻止佐世保闘争事件**[570]において、同 2 項に「明確かつ合理的な基準」をかかげ、集団行進が不許可となる場合を道路の機能を著しく害するものと認められ、警察署長が条件を付

---

567 新潟県公安条例事件・最大判 1954（昭和 29）年 11 月 24 日刑集 8 巻 11 号 1866 頁。
568 東京都公安条例事件・最大判 1960（昭和 35）年 7 月 20 日刑集 14 巻 9 号 1243 頁。
569 1 審・東京地判 1959（昭和 34）年 8 月 8 日（判例集未登載）は、許可制により一般的制限を課し、その基準も不明確であるなどの理由から憲法 21 条に反し、被告人らを無罪とした。
570 エンタープライズ寄港阻止佐世保闘争事件・最判 1982（昭和 57）年 11 月 16 日刑集 36 巻 11 号 908 頁。

与しても、このような事態の発生を阻止することができないと予測される場合に厳格に制限しているので、合憲としている。

(4) 成田新法による規制

成田新法（新東京国際空港の安全確保に関する緊急措置法）は、暴力主義的破壊活動者が規制区域内の工作物を集合、爆発物等の製造、保管、航空機の航行妨害のために使用することを禁止する。最高裁は、**成田新法事件**[571]において、航空機の航行の安全確保等の公共の利益は、制限される集会の自由の利益よりも、優先させることが公共の福祉に適合するとの利益較量論から、工作物の使用禁止命令は、憲法 21 条 1 項に反しないとした。

第 5 節　結社の自由

1　結社の自由の内容

結社とは、共同の目的のためにする特定の多数人の継続的な結合を意味する。集会が、一定の場所に事実上集まることであるのに対し、結社は一定の場所とは関係のない精神的な結合である。通説は、政治的結社にかぎらず、経済、学術、社交などすべての結社が含まれると解している[572]。特別に、宗教結社は憲法 20 条、労働組合は同 28 条がカバーする。会社や職業団体などの経済結社は、憲法 22 条 1 項または 29 条の問題と解する見解もある[573]。

結社の自由の内容は、①公権力の干渉を受けることなく、団体を結成・加入・脱退する自由、またはそれらをしない自由、②公権力の干渉を受けることなく、団体が団体としての意思を形成する自由である。①の点で、弁護士会など、高度の専門性・公共性を有する職業団体については、加入強制を法律で定めている（弁護士法など）が、その専門技術的水準・職業倫理の確保、

571　成田新法事件・最大判 1992（平成 4）年 7 月 1 日民集 46 巻 5 号 437 頁。
572　宮沢、1978、245 頁。
573　樋口ほか、1997、39 頁〔浦部〕。

事務の改善進歩をはかる目的に限定されているかが問われる必要がある[574]。②の点で、労働組合が特定の候補者を支持する政治活動をすることは認められる。しかし、労働組合の方針に反して立候補した組合員を、勧告または説得の域を超えて除名することは、許されない（三井美唄炭鉱労組事件）[575]。

2 結社の自由の制約

　結社の自由の内在的制約として、犯罪を目的とする結社は禁止される。また、憲法秩序の暴力による破壊を目的とする結社も、禁止されうる。しかし、その規制のあり方によっては、立憲民主主義秩序そのものを破壊しかねない危険を内包している[576]。破壊活動防止法は「暴力主義的破壊活動を行った団体」に対して、「継続的または反復して将来さらに、暴力主義的破壊活動を行う明らかなおそれがある」場合、6カ月を越えない期間および地域を定めて、集団示威運動、集団行進、集会、機関誌の発行を禁止し、これらの規制では有効でないと判断した場合には、結社の解散指定も可能としている。これには、団体の活動制限の包括性、（裁判所でなく）公安審査委員会という行政機関による結社の解散の合憲性に疑問が出されている[577]。

　1995年に地下鉄サリン事件をひき起こしたオウム真理教団に対し、公安調査庁長官が1996年に公安審査委員会に破壊活動防止法に基づく団体解散指定処分の請求を行った。しかし、公安審査委員会は1997年に教団幹部の身柄拘束、宗教法人としての解散や破産宣告、人的・物的・資金的能力の弱体化などを理由に、「継続的または反復して将来さらに、暴力主義的破壊活動を行う明らかなおそれがある」とはいえないとして請求を棄却した。その後、1999年に制定されたオウム新法（無差別大量殺人行為を行った団体の規制に関する法律）により、サリンの使用などによる無差別大量殺人行為を行った団体が、現在も危険な要素を保持している場合に、施設への立入検査や団体に報告義務を課す「観察処分」などを定めた[578]。

574　佐藤幸治、2020、328頁。
575　三井美唄炭鉱労組事件・最大判1968（昭和43）年12月4日刑集22巻13号1425頁。
576　佐藤幸治、2020、329頁。
577　野中ほか、2012、375頁〔中村〕。
578　2000年に、公安審査委員会はオウム真理教・その後継団体アレフ（同年創設）に対して、3

第6節　表現内容の規制

表現の内容に着目する規制の合憲性審査は、厳格な審査基準が要求され、①「真にやむをえない」政府の規制目的の存在、②政府の規制目的を達成するための「必要最小限度」の手段として規制が設けられていることを、政府の側で立証しなければならない。

1　煽動

煽動とは、人にある行動を起こすように仕向ける表現行為をいう[579]。犯罪・違法行為の煽動を処罰する規定として、破壊活動防止法38条（刑法の内乱罪・外患罪のせん動）、同39・40条（政治目的の放火・騒擾等のせん動）、国税通則法126条（不納税の煽動）、地方税法21条（不納税のせん動）などがある。

食糧緊急措置令違反事件では[580]、最高裁は、主要食糧を政府に売り渡さないように煽動することは、「公共の福祉を害する」ので、煽動した者を処罰する食糧緊急措置令11条が憲法21条に反しないとした。

渋谷暴動事件では[581]、破壊活動防止法39・40条の煽動は、放火罪や騒乱罪などの「重大犯罪をひき起こす可能性のある社会的に危険な行為であるから、公共の福祉に反し、表現の自由の保護を受けるに値しない」という。

しかし、多くの学説は、「公共の福祉」によって表現行為の処罰を容認する判例の立場に批判的である[582]。「唱道が差し迫った違法行為の煽動・実行に向け

年間の観察処分を決定した。2003年、2006年にはアレフに対し、2009年、2012年、2015年、2018年には、アレフ、（アレフから2007年に分かれた）ひかりの輪および（アレフから2015年に分かれた）山田らの集団に対しても、公安審査委員会は3年間の観察処分を更新している。東京地判2017（平成29）年9月29日判時2363号3頁では、アレフと同じ組織体とは認めることができないとして、ひかりの輪に対する観察処分を違法としたが、東京高判2019（平成31）年2月28日裁判所ウェブサイトは合法とした。

579　判例は、破壊活動防止法4条の「せん動」の定義とほぼ同じ定義をしている（地方税法違反事件・最大判1962（昭和37）年2月21日刑集16巻2号107頁）。
580　**食糧緊急措置令違反事件**・最大判1949（昭和24）年5月18日刑集3巻6号839頁。
581　**渋谷暴動事件**・最判1990（平成2）年9月28日刑集44巻6号463頁。

られ、かつ、違法行為を煽動・実行する蓋然性がある場合を除き、唱道を禁止することは許されない」というアメリカの判例準則（**明白かつ現在の危険**）を基準とすべきという。差し迫った違法行為の煽動が、違法行為を実際に発生させる具体的な危険性があると思われる場合にかぎり、表現内容の処罰が許されるべきである。

2　わいせつ

　刑法175条は「わいせつな文書、図画その他の物」の頒布、販売、公然陳列、販売目的の所持を処罰の対象とする。判例上、「わいせつ」とは「徒らに性欲を興奮又は刺激せしめ且つ普通人の正常な性的羞恥心を害し善良な性的道義観念に反するもの」と定義される[583]。

　チャタレー事件[584]では、最高裁は、刑法175条が憲法21条に反しない根拠として、憲法12・13条の「公共の福祉」を援用する。D・H・ロレンスの小説『チャタレー夫人の恋人』の翻訳者と出版社社長が有罪とされた。出版その他表現の自由は「極めて重要なものではあるが、…公共の福祉によって制限されるもの」であり、「性的秩序を守り、最少限度の性道徳を維持することが公共の福祉の内容をなす」とし、さらに「性行為の非公然性の原則」という社会通念を制約の根拠とした。そして、「わいせつ」の概念と判断基準について、①性欲を興奮、刺激させ、②性的羞恥心を害し、③善良な性的道義観念に反するもの、という3要件を示し、「一般社会において行われている良識すなわち社会通念」によって裁判官が判断するという[585]。

582　野中ほか、2012、387頁〔中村〕。
583　「サンデー娯楽」事件・最判1951（昭和26）年5月10日刑集5巻6号1026頁。
584　**チャタレー事件**・最大判1957（昭和32）年3月13日刑集11巻3号997頁。1審・東京地判1952（昭和27）年1月18日判時105号7頁は、本来の芸術作品を大衆版として出版し、性的描写の露骨さを強調したため、その限りにおいて猥褻文書となったとして、出版者のみを有罪とした。2審・東京高判1952（昭和27）年12月10日高刑集5巻13号2524頁は、本来の猥褻文書であるとして翻訳者と出版者をともに有罪とし、「社会通念とは、個々人の認識の集合又はその平均値を指すものでなく、これを超えた集団意識を指す」といい、社会通念は「時代による変遷」に応じて、「猥褻文書」の範囲を減縮して行くと指摘している。
585　最高裁判決も「性一般に関する社会通念が時と所とによって同一でなく、同一の社会においても変遷がある」と指摘している。伊藤整の子の伊藤礼が、社会通念が変化したとの判断のもと、補訳という形で削除された部分を復活し、誤訳を修正し、古風な表現を現代風に改めた『チャタレイ夫人の恋人』（新潮社、1996）が出版されたが、とくに問題とされてはいない。

アメリカとイギリスでも、『チャタレー夫人の恋人』は、裁判で争われた。1959 年にアメリカで出版された際、Grove Press, Inc. v. Christenberry, 276 F. 2d 433 (2d Cir. 1960)の確定判決では、「わいせつ物とは、好色的興味に訴える仕方で性を扱っているものであり、芸術、文学、科学的作品における性の描写は、それだけでは、当該文書から言論、出版の自由の憲法上の保障を奪う十分な理由にならない」という。この本を「全体として考えるならば」、「好色的興味」に訴えるものではないことは明らかである。本書の主題は、「自然人」を抑圧する当時のイギリスの「非常な工業化」、「階級制度」、「禁じられた性関係」に対する抗議であり、抑圧されている夫人が「自然な」言葉として性表現を用いることは、主題にとって有益であり、好色ではないと、結論づけられている。1960 年にイギリスで出版された際にも、1857 年のわいせつ出版法に反するかどうかが Regina v. Penguin Books Limited〔1961〕Crim LR 176 で争われた。同法 1 条にわいせつ性判定基準が定められている。ある記事の「効果が、全体として見たときに、関連するすべての状況を考慮に入れ」、人々を「腐敗堕落させる傾向」があれば、わいせつと考えられる。他方、同 4 条により「科学、文学、芸術、学問または他の一般的関心事に貢献するという理由で、公共の利益があるとして正当化されることが証明されるならば」、わいせつの罪には問われない。12 人の陪審員の評決の結果は、無罪となった[586]。

「悪徳の栄え」事件では[587]、芸術性・思想性との関係でわいせつ概念を相対的にとらえるかが争点となった。マルキ・ド・サドの小説の翻訳者と出版社社長がともに有罪とされた。①「芸術性・思想性が、文書の内容である性的描写による性的刺激を減少・緩和させて、刑法が処罰の対象とする程度以下に猥褻性を解消させる場合」でなければ、「芸術的・思想的価値のある文書であっても、猥褻の文書としての取扱いを免れることはできない」と消極的な立場である[588]。むしろ、イギリスのように、芸術的・思想的価値のある文書は、

---

[586] 参照、倉持、2007。
[587] 「悪徳の栄え」事件・最大判 1969（昭和 44）年 10 月 15 日刑集 23 巻 10 号 1239 頁。1 審・東京地判 1962（昭和 37）年 10 月 16 日判時 318 号 3 頁は、性的描写の内容が空想的、非現実的であり、その表現が無味乾燥であり、残忍醜悪な描写が性的描写と結びついているため性的刺激が不快感によって打ち消され、一般人の性欲を興奮、刺激させる要素に欠けるとして、翻訳者と出版社をともに無罪とした。しかし、2 審・東京高判 1963（昭和 38）年 11 月 21 日判時 366 号 13 頁は、一般人の性欲を興奮、刺激させるとして、両者を有罪とした。
[588] 奥野健一判事の反対意見は、利益衡量説の立場から、「作品の猥褻性によって侵害される法益と、芸術的、思想的、文学的作品として持つ公益性とを比較衡量して、なおかつ、後者を犠牲に

公共の福祉にかなうと判断すべきであろう。②「文書の個々の章句の部分」の「猥褻性の有無は、文書全体との関連において判断されなければならない」ことを指摘する。しかし、一方で、「特定の章句の部分について猥褻性の有無が判断されている場合でも、その判断が文書全体との関連においてなされている以上、これを不当とする理由は存在しない」ともあり、全体的な考察方法の立場は、徹底していない。

「四畳半襖の下張」事件では[589]、全体的考察方法が問題となり、永井荷風の作品ではないかとされる戯作を雑誌に掲載した編集者が有罪とされた。①性描写の程度と手法、②性描写の文書全体に占める比重、③思想等との関連性、④文書の構成や展開、⑤芸術性・思想性等による性的刺激の緩和の程度、⑥文書全体の好色的興味への訴えかけなどから、総合的に判断する。しかし、わいせつ概念の客観化、明確化の努力がみられるものの、判例と学説、学説相互の間にも見解の相違が大きく、いまだ定説のない状態にある[590]。

学説は、刑法175条の合憲性について、表現の自由の価値とわいせつ文書の罪の保護法益（性風俗の維持、青少年の保護など）との衡量をはかりながら、大きく合憲限定解釈説と違憲説に分かれる。合憲限定解釈説は、通常人にとって明白に嫌悪的なもので、埋め合わせることができる社会的価値を欠いている文書類の規制に限定する[591]。違憲説は、未成年者の保護などの特定の頒布・販売の規制の必要性を認めつつ、わいせつ文書の全面的な頒布・販売を禁止する刑法175条を過度に広汎な規制として、憲法21条違反とする[592]。しかし、未成年者が成人を通じてわいせつ文書を間接的に入手しうる問題がある。また、違憲説の指摘する保護法益のほかに、女性差別を助長することを理由に、いわゆるハードコア・ポルノに限定して刑法175条を正当

しても、前者の要請を優先せしめるべき合理的理由があるときにおいて、始めて猥褻な罪として処罰さるべき」という。田中二郎判事の反対意見は、相対的わいせつ概念の理論をもとに、「猥褻の概念は、…その社会の文化の発展の程度その他諸々の環境の推移に照応し、その作品等の芸術性・思想性等との関連…作者の姿勢・態度や、その販売・頒布等にあたっての宣伝・広告の方法等との関係において」相対的に判断すべきという。

589 「四畳半襖の下張」事件・最判 1980（昭和55）年11月28日刑集34巻6号433頁。
590 芦部、2000、327頁。
591 佐藤幸治、2011、264頁。
592 樋口ほか、1997、55頁〔浦部〕。

化する立場もある。しかし、ハードコア・ポルノとソフトコア・ポルノの区別の線引きは、わいせつの線引きと同様に、判然としない。いずれにせよ、3つの判例にみられるような文学作品をわいせつとしたことは、文学的価値の過小評価といわざるをえない。

3　名誉とプライバシー

名誉は、憲法13条で保障された人格権であるが、表現の自由との調整が必要となる。刑法230条の2第1項は、(1)「公共の利害に関する事実」であって、(2)「目的が専ら公益を図ること」にあり、(3)「真実であることの証明」があったときは、名誉毀損罪を免責する[593]。判例も、**北方ジャーナル事件**[594] において、(1)、(2)、(3) がそろえば、違法性がないとしている。

(1) の公共性は、公務員や公選による公務員の候補者の不正行為などがその例である。私人であっても、公的人物[595]であれば、保護される名誉権の範囲は公務員と同じように狭まる。判例は、創価学会の会長の女性関係を掲載した記事の名誉毀損を争った「**月刊ペン**」**事件**[596]で、「私人の私生活上の行状であっても、そのたずさわる社会的活動の性質及びこれを通じて社会に及ぼす影響力の程度など」により、公共の利害に関する事実にあたるとした。

(3) の真実性の証明は、表現の自由を萎縮させないように、ゆるやかに解される。判例は、「吸血鬼」という表現により、市役所職員の汚職の疑いをもとに別の新聞の経営者が飲食を要求したという記事が問題となった「**夕刊和歌山時事**」**事件**では[597]、「真実である」と「誤信したことについて、確実

---

[593] 民事上の不法行為としての名誉毀損にも、判例上、同様の免責が認められる（最判1966（昭和41）年6月23日民集20巻5号1118頁）。
[594] 最大判1986（昭61）年6月11日民集40巻4号872頁。
[595] アメリカの判例 Curtis Pub. Co. v. Butts-388 U.S. 130 (1967) でも、「公的人物」すなわち「重要な公的問題の解決に密接に関与している人々や、その知名度のゆえに社会全体の関心事になっている人々」に対する批判も、修正1条の言論の自由の保障の範囲内としている。
[596] 「月刊ペン」事件・最判1981（昭和56）年4月16日刑集35巻3号84頁。1審・東京地判1978（昭和53）年6月29日判時978号132頁・2審・東京高判1979年12月12日判時978号130頁は、公共性がないとして、名誉毀損罪により有罪とした。差し戻し後の1審・東京地判1983（昭和58）年6月10日判時1128号38頁・2審・東京高判1984（昭和59）年7月18日判時1128号32頁は、公共性、目的の公益性を肯定しながら、真実性の立証がないとして、名誉毀損罪により有罪とした。

な資料、根拠に照らし相当の理由があるとき」は、真実であることの証明がない場合でも、名誉毀損罪は成立しないとした。これを**相当性理論**と呼ぶ。この点、表現の自由の保障をさらに広げるべく、アメリカの判例法理である「現実の悪意」の法理を提唱する学説もある[598]。New York Times Co. v. Sullivan, 376 U.S. 254 (1964) では、アラバマ州モンゴメリー市の警察による公民権運動の指導者キング牧師の逮捕を批判する記事が、4回の逮捕歴に対し7回と記述するなど誤った内容を含んでいたものの、公人に対するプレスの名誉毀損については、報道情報が虚偽であるという理由だけでなく、表現が「現実の悪意」をもってなされたこと（すなわち、虚偽であることを知っていたか、虚偽であるか否かを無謀にも顧慮しなかったこと）を被害者の側で立証しなければならないとした[599]。

　プライバシーも、憲法13条で保障され、表現の自由との調整が必要となる。プライバシーの侵害は、名誉毀損の場合と異なり、公表内容が真実であればあるほど、被害者の損害が大きくなるので、真実性の証明によって免責されることはない。また、名誉毀損と違い、社会的評価を上げる内容でも、本人が公表を望まない場合は、プライバシーの侵害となる。公共の利害に関する事実の公表である場合や、被害者が社会的に著名である場合には、プライバシーは制約されうる[600]。

4　ヘイトスピーチ

　人種差別撤廃条約4条 (a) (b) は、人種的優越・憎悪に基づく思想の流布・人種差別の扇動、人種差別団体への加入とその宣伝活動などの差別的行為を法律で処罰すべき義務を締結国に課している。日本政府は、条約の締結の際、「日本国憲法の下における集会、結社及び表現の自由その他の権利の

597　「夕刊和歌山時事」事件・最大判1969（昭和44）年6月25日刑集23巻7号975頁。結局、差し戻し審では、本件では真実相当性がないとして、有罪とされた。
598　佐藤幸治、2020、297頁。北方ジャーナル事件最高裁判決における谷口正孝裁判官の意見。
599　この事件は、1960年に逮捕されたキング牧師の法廷弁護資金を募るために、南部キリスト教指導者会議がニューヨーク・タイムズ紙に掲載した全面広告に端を発する。アラバマ州モンゴメリー市警を統括する市政委員のサリバンは、この広告が市警の行為について虚偽を述べ、自分の名誉を毀損したとして、広告を掲載した4人の聖職者と、広告内容のチェックを怠ったニューヨーク・タイムズ紙を訴えた。
600　戸波、1998、258頁。

保障と抵触しない限度において、これらの規定に基づく義務を履行する」という留保をつけた。その理由については、憲法21条の表現の自由の重要性から、過度に広範な制約は認められず、憲法31条から、刑罰法規の規定は具体的であり、意味が明瞭でなければならないが、人種差別撤廃条約4条の定める概念は、様々な場面における様々な態様の行為を含む非常に広いものが含まれる可能性があり、それらすべてにつき現行法制を越える刑罰法規で規制することは、表現の自由その他憲法の規定する保障と抵触するおそれがあると日本政府は人種差別撤廃委員会に報告している[601]。しかし、同委員会は、人種的優越・憎悪に基づく思想の流布を禁止することは、表現の自由と整合するとして、人種差別の処罰化と、裁判所その他の国家機関による効果的な保護と救済へのアクセスを確保し、人種差別を非合法化する特定の法律の制定を日本政府に勧告している[602]。

　他方、人種差別撤廃条約4条（c）が「国・地方の公の当局・機関が人種差別を助長・扇動することを認めないこと」を定めている部分、自由権規約20条2項が「差別・敵意・暴力の扇動となる民族的・人種的・宗教的憎悪の唱道は、法律で禁止する」と定めている部分には、日本政府は留保をつけていない。両条約の趣旨を踏まえた差別禁止法の制定が望まれる。かつて、新聞のコラムで石原元東京都知事（地方の公の当局に当たる）が、凶悪犯罪を○○人の「民族的DNA」を表示するような犯罪と表現したことなどが問題となったことがある。また、いわゆる**ヘイトスピーチ街頭宣伝差止等請求事件**では、民族的出自を理由とする差別的憎悪表現は、私人間においても民法709条の不法行為としての損害賠償や差止が認められている[603]。しかし、

---

[601] 人種差別撤廃条約に関する第1回および第2回報告（1999年6月）、人種差別撤廃委員会・総括所見（2001年3月20日）11-12段落。

[602] なお、20条1項の「戦争の宣伝」の禁止についても留保を付していないが、1988年の第2回定期報告書審査で日本政府は、自国での戦争の宣伝は事実上考えられないので、特別な法律は不要と回答している（A/43/40 §623）。同項は、侵略戦争等の唱道を禁止するものであり、自衛戦争等の唱道を禁止するものではない（自由権規約・一般的意見11（1983年））。同項については、2項と違い、個人通報の事例は、1件もなく、自由権規約委員会の委員は、2000年以後、もはや関心をもっていないという（Shabas, 2019, 583）。ある意味で、死文化に近い条項といえるので、ヘイトスピーチ規制とは違い、日本での立法の要請は乏しい。

[603] ヘイトスピーチ街頭宣伝差止等請求事件・京都地判2013（平成25）年10月7日判時2208号

人種差別撤廃条約自体を適用したわけではなく、損害の認定を加重させる要因として援用しているにすぎない。

　人権条約適合的解釈をするならば、憲法「**21条と結びついた13条**」が、**民族的・人種的・宗教的憎悪の唱導（ヘイトスピーチ）によって人間の尊厳を侵されない自由**を保障し、表現の自由の必要やむをえない制約として、人間の尊厳を侵す民族的憎悪唱導への刑事罰は、許される。たとえば、集団に対する民族的憎悪唱導が、侮辱・誹謗・中傷により人間の尊厳を害する表現、差し迫った危険を伴う扇動、違法な暴力行為を加える真の脅迫にあたる場合は、表現の自由の制約が、正当化されるものと思われる。2016年に制定された「本邦の域外にある国若しくは地域の出身である者又はその子孫」をさす「本邦外出身者に対する不当な差別的言動の解消に向けた取組の推進に関する法律」は、理念法として処罰規定を欠く。同様に処罰規定をもたない、同年の「大阪市ヘイトスピーチへの対処に関する条例」について、最高裁は、憲法21条1項により保障される表現の自由は、「公共の福祉による合理的で必要やむを得ない限度の制限を受けることがある」という。そして「ヘイトスピーチの抑止を図る」正当な目的に照らし、「過激で悪質性の高い差別的言動」の拡散防止措置および表現活動者の氏名の公表といった規制手段は、「合理的で必要やむを得ない限度にとどまる」ので、合憲とした[604]。

　他方、2019年に制定された「川崎市差別のない人権尊重のまちづくり条例」では、市内の道路、公園、広場その他の公共の場所において、「本邦外出身者に対する不当な差別的言動」が三度繰り返される場合に、50万円以下の罰金を定める。「人種、国籍、民族、信条、年齢、性別、性的指向、性自認、出身、障がいその他の事由を理由とする不当な差別的取扱い」を禁じ、

74頁、同・大阪高判2014（平成26）年7月8日判時2232号34頁、同・最決2014（平成26）年12月9日LEX/DB文献番号25505638。1226万円3140円の損害賠償や差止を認めた。なお、刑事事件としての**京都朝鮮学校襲撃事件**・京都地判2011（平成23）年4月21日LEX/DB文献番号25471643、同・大阪高判2011（平成23）年10月28日LEX/DB文献番号25480227、同最判2012（平成24）年2月23日LEX/DB文献番号25480570では、侮辱罪・威力業務妨害罪・器物損壊罪により懲役2年・1年6カ月・1年（いずれも執行猶予4年）の有罪とした。

604　大阪市ヘイトスピーチ条例合憲判決・大阪地判2020（令和2）年1月17日裁判所ウェブサイト、大阪高判2020（令和2）年11月26日LEX/DB文献番号25591852、最判2022（令和4）年2月15日裁判所ウェブサイト。

①居住地域からの退去の扇動、②生命・身体・自由・名誉・財産への危害の扇動、③人以外のものにたとえるなどの著しい侮辱といった「本邦外出身者に対する不当な差別的言動」に対し、審査会の意見を聴きながら、一度目は「勧告」し、二度目は同一理由の差別的行為をやめるように「命令」し、三度目は命令違反者の氏名を公表し、処罰する。表現の自由に配慮した3段階の慎重な手続のもと、人間の尊厳を侵す民族的憎悪唱導に刑事罰を科すことは、憲法「21条と結びついた13条」の要請に十分にかなっている。

　また、刑事罰を除いた形で、必要な行政措置の根拠法令を制定することも重要であり、人種等[605]を理由とする差別の撤廃のための施策の推進に関する法律や条例の制定が待たれる。さらに、多くの職場や大学でハラスメント防止の規則が整備されているが、セクシャルハラスメントと並んでエスニックハラスメントを禁止する取り組みも必要である。

　ドイツでは、刑法130条1項が民衆扇動罪を以下のように定めている。「公共の平穏を害しうる態様で、①国民的集団・人種的集団・宗教的集団・民族的出身によって特定される集団や、その構成員である個人に対して、憎悪をあおり、暴力的・恣意的な措置をとるよう扇動した者、または、②そのような集団や個人を、そのような集団に属することを理由として、侮辱・誹謗・中傷することにより、他の者の人間の尊厳を害した者は、3カ月以上5年以下の自由刑に処する」。イギリスでは、公共秩序法18条1項が「脅迫的・罵倒的・侮辱的言葉もしくは行為、またはそのような文書を示すことにより、人種的憎悪を扇動することを意図した者、またすべての状況を考慮して人種的憎悪の扇動の蓋然性がある場合を有罪」としている。スウェーデンでは、刑法16章8条において、「頒布される言論・声明の中で、人種、皮膚の色、国民的・民族的出身、宗教または性的指向と結びつけて民族集団・その他の集団に対し威嚇・侮辱する者は、民族集団への迫害として2年以下の自由刑または罰金に処す。罪が重大な場合は、6カ月以上4年以下の自由刑に処す」と定める。フランスでは、出版自由法において「出生または特定の民族・国民・人種・宗教への帰属の有無」あるいは「性別・性的指向・性自認・障碍」を理由とする個人・集団に

---

[605] 人種、皮膚の色、世系又は民族的若しくは種族的出身をいう。この内容は、人種差別撤廃条約1条に由来するが、人種的偏見に基づく差別は存在するものの、1978年のユネスコの宣言にもあるように人類は1つの種であり、人種の存在を前提とする法令用語は避け、「民族等」とした方が適当であろう。スウェーデンの差別禁止法5条3項では「民族的属性」を「民族的若しくは種族的出身、皮膚の色、その他の類似の状況」と定めている。

対する差別・憎悪・暴力の扇動罪、および同様の個人・集団に対する名誉毀損罪には、1年の拘禁および4万5000ユーロの罰金あるいはそのいずれかが科される（24条および32条）。また、同様の個人・集団に対する侮辱罪には、6カ月の拘禁および2万2500ユーロの罰金あるいはそのいずれかが科される（33条）。

カナダでは、R v. Keegstra, 3 S.C.R. 697（1990）において高校教師が、ホロコースト（ナチスによるユダヤ人の大量虐殺）はユダヤ人が同情をひくためのつくり話であり、ユダヤ人の不誠実・残虐さを説く授業や試験を行い、彼の考えに反する生徒の答案には低い評価を与えたことが問題となった。最高裁は、「私的会話以外の伝達可能な発言により、いずれかの識別可能な集団に対する故意による憎悪の助長」を禁じる刑法281条2項2号[606]違反とし、同規定は表現の自由を定める人権憲章2条（b）等に反せず、同1条によって正当化される表現の自由の制限とした。

一方、アメリカの最高裁は、人種・民族等の一定の観点からの表現内容を規制するヘイトスピーチ規制には消極的である（R.A.V. v. St. Paul, 505 U.S. 377（1992））。ただし、「けんか言葉」、すなわち「発せられた言葉によって精神的傷害を生じさせ、あるいは即時的な治安妨害を引き起こす傾向のある言葉」は、表現の自由の保障の外にあるとして処罰可能としたことがある（Chaplinsky v. New Hampshire, 315 U.S. 568（1942））。また、（黒人等に対する暴力の象徴としての十字架焼却などの）違法な暴力行為を加える意図を特定の集団に伝える「真の脅迫」ならば、処罰可能としている（Virginia v. Black, 538 U.S. 343（2003））。さらに、暴力的な違法行為の唱導を「明白かつ現在の危険」の基準を用いて「差し迫った」違法行為の「蓋然性」がある場合にだけ、処罰可能としている（Brandenburg v. Ohio, 395 U.S. 444（1969））。そして一部の州では、集団的名誉毀損罪の規定を今日でももっている（マサチューセッツ州一般法272章98c条など）。

5　営利広告

商品やサービスの宣伝を目的とした営利広告の憲法上の保障について、学説は4つに大別できる。①情報伝達に主眼がある広告などの言論の自由の内

---

[606] 現行は刑法319条2項「公的な場での伝達可能な発言により、いずれかの識別可能な集団に対する憎悪を助長するすべての者は、(a)陪審裁判により有罪とし、2年を超えない収監刑に処すか、または(b)略式裁判により有罪とする」。「識別可能な集団」とは、同318条4項により、「皮膚の色、人種、宗教、民族的出身または性的指向によって区別される」集団をさす。

容と、純然たる営利広告とを区別する「2分説（経済的自由説）」では、後者は経済的自由権の行使との関連が強く、合理的な目的による制限を受ける[607]。②表現の自由と経済的自由の2面性を有するという「2面説」は、他の表現の自由よりも広い規制を受ける[608]。③表現の自由の側面だけを考慮しつつ、政治的言論よりも保障の程度は低いとする「低位の表現の自由説」がある[609]。④表現の自由の側面だけを考慮しつつ、一般の言論の自由と同様の厳格な基準がその制約には適用されるという「高位の表現の自由説」がある[610]。

あん摩師等広告制限事件で[611]、判例は、営利広告の憲法上の保障根拠を明らかにしていない。あん摩師はり師きゅう師および柔道整復師法7条が[612]、適応症に関する広告を禁ずる理由は、「虚偽誇大」広告により、「適時適切な医療を受ける機会を失わせる」ことを防ぐためであり、「保健衛生上の見地から、公共の福祉を維持するためにやむを得ない措置」として合憲とした。

学説は、営利広告の保障を最も高位に設定する④説であっても、広告の受け手の健康や日常生活への影響が大きいことから、営利広告の場合の虚偽広告・誇大広告の制約を認める。しかし、保障の弱い①ないし③説にあっても、きゅう師の適応症として神経痛、リュウマチ等の病名を記載した（真実の）広告までも禁止する具体的な合理的根拠が示されていないと指摘するなど、学説からの批判は多い。

6　表現の時・所・方法に関する規制（内容中立規制）

表現内容の規制は、明白かつ現在の危険などの厳格な審査基準が要求される。とりわけ政治的表現の規制においては、権力者が自己に都合の悪い表現内容を規制したのではないかという疑いがある。他方、表現の時・所・方法

607　伊藤、1995、312頁。
608　佐藤功、1983、355頁。
609　芦部、2023、319頁。
610　樋口ほか、1997、44頁〔浦部〕。
611　**あん摩師等広告制限事件**・最大判1961（昭和36）年2月15日刑集15巻2号347頁。
612　現在のあん摩マッサージ指圧師、はり師、きゅう師等に関する法律7条、柔道整復師法24条参照。

に関する規制は、厳格な審査が不要とされる。もっとも、表現内容とは無関係な、町の美観を損なうとか、静穏を害するといった理由による規制であっても、表現の自由の重要性から、厳格な合理性（中間審査）の基準が原則として適用されるべきであると、理論的には解されている[613]。しかし、判例は、ゆるやかな合理性の基準により、表現の時・所・方法に関する規制を合憲とする傾向がある。

(1) 街頭演説、ビラ貼り、ビラ配りなど

道路での街頭演説・ビラ貼り・ビラ配りなども、「一般交通に著しい影響を及ぼす」場合は、道路交通法77条1項4号により、警察署長の道路使用許可を受けなければならない。ビラ貼りについては、屋外広告物法およびそれに基づく各地の条例も、「美観風致を維持」する目的で、表示の場所と方法を規制している。また、電力会社等が所有し広告会社等が管理する電柱のビラ貼りについて、軽犯罪法1条33号前段が「みだりに他人の家屋その他の工作物にはり札」をした者を処罰している。

街頭演説許可制事件では[614]、街頭演説を許可制としていた（道路交通法の前身の）道路交通取締法の合憲性が争われた。憲法21条の表現の自由が「公共の福祉の為め必要あるときは、その時、所、方法等につき合理的に制限できる」ので、道路での演説による人寄せが「道路交通上の危険の発生、その他公共の安全を害するおそれ」から、許可制は合憲とされた。しかし、「公共の福祉」のための必要性から、ただちに合憲とする初期の最高裁判決の手法には批判が多い。この種の規制は、時・所・方法といった表現の態様に着眼して必要最小限であるべきであって、街頭演説の無限定・網羅的な許可制は憲法21条違反の疑いがある[615]。

大阪市屋外広告物条例事件では[616]、電柱などのビラ貼りを禁止する条例の合憲性が争われた。都市の「美観風致を維持」する目的による「必要且つ合

---

[613] 芦部、2023、377頁。
[614] **街頭演説許可制事件**・最判1960（昭和35）年3月3日刑集14巻3号253頁。
[615] 佐藤幸治、2020、303頁。
[616] **大阪市屋外広告物条例事件**・最大判1968（昭和43）年12月18日刑集22巻13号1549頁。

理的な制限」であるとして、合憲とされた。また、政党の立看板をめぐり街路樹などのビラ貼りを禁止する条例が争われた**大分県屋外広告物条例事件**でも[617]、同じ理由により、合憲とされている。こちらは伊藤正己裁判官の補足意見がついており、ビラやポスターを添付する適当な場所は、パブリック・フォーラムとしての性質をもっているので、表現内容の価値と美観風致の維持の利益を比較衡量して、適用違憲とすべき場合もありうるという見解を支持する学説は多い。また、**ビラ貼り軽犯罪法違反事件**では[618]、電柱のビラ貼りについて、軽犯罪法1条33号前段は「他人の家屋その他の工作物に関する財産権、管理権を保護する」目的による「必要かつ合理的な制限」であるとして、合憲とされた。しかし、表現の自由の保護の観点からは、取りはずしが容易か、既存の広告を害しないかなど、ビラ貼りの方法や被害の程度などを考慮して、処罰の必要性の有無を判断すべきとの見解が妥当であろう[619]。

　吉祥寺駅構内ビラ配り事件[620]では、私鉄の駅構内でのビラ配りを処罰することについては、「他人の財産権、管理権」を保護する目的により「必要かつ合理的な制限」であるとして、合憲とした。ただし、駅前広場のようなパブリック・フォーラムでの処罰の場合は、違憲の疑いが強いと伊藤正己裁判官の補足意見はいう。

(2)　選挙運動の自由

　選挙運動の自由の規制を合憲とした最初の最高裁判例は、公選法138条の戸別訪問禁止に関する1950年判決である。戸別訪問が「種々の弊害」を伴うので、「選挙の公正」の目的により禁止されていることは、憲法21条が言論の自由について、「公共の福祉のためにその時、所、方法等につき合理的制限」を認めている以上、合憲であるとした[621]。最高裁が「種々の弊害」の具体的内容を明らかにしたのは、**戸別訪問1968年判決**である[622]。しかし、

617　大分県屋外広告物条例事件・最大判1987（昭和62）年3月3日刑集41巻2号15頁。
618　ビラ貼り軽犯罪法違反事件・最大判1970（昭和45）年6月17日刑集24巻6号280頁。
619　芦部・髙橋・長谷部編、2000、129頁〔髙橋〕。
620　吉祥寺駅構内ビラ配り事件・最判1984（昭和59）年12月18日刑集38巻12号3026頁。
621　戸別訪問1950年判決・最大判1950（昭和25）年9月27日刑集4巻9号1799頁。
622　戸別訪問1968年判決・最判1968（昭和43）年11月1日刑集22巻12号1319頁。

そこでの3つの弊害論のみでは、説得力に欠けるとの批判も有力である。①の買収などの不正行為温床論は、「抽象的な危険」にとどまる。②の選挙人の生活への迷惑論は、一律に戸別訪問を禁止する理由として不十分である。③の候補者側の煩瑣論は、選挙人に有益な判断資料を与える手段を制限する理由として適当でない[623]。欧米の先進民主主義諸国に戸別訪問を禁止する例がない。戸別訪問を禁止する条例を言論の自由等に反するとしたアメリカの判例として、Schneider v. State of New Jersey, 308 U.S. 147 (1939). 国民の政治意識や社会状況の変化を考慮するならば、戸別訪問を一律に禁止する根拠は十分でない。

また、公選法は、選挙用はがき（142条）、ポスター類（143条）のほか、法定外文書図画の頒布・掲示を一律に禁止している（146条）。この点も、最高裁は、「選挙運動に不当の競争を招き」、「選挙の自由公正を害」するおそれがあるという「弊害を防止する」目的による「必要且つ合理的」な制限として、合憲とした[624]。

さらに、公選法129条の事前運動の禁止についても、最高裁は、「不当、無用な競争」、「不正行為の発生等」、もしくは「経済力の差による不公平」といった「弊害を防止して、選挙の公正を確保する」目的による「必要かつ合理的」な制限として、合憲とした[625]。

近年、戸別訪問禁止や法定外文書図画の頒布・掲示の禁止が、選挙運動の自由を保障する自由権規約19条および25条にも違反するとの新たな主張が裁判で争われている。自由権規約19条2項により、「すべての者は」、「あらゆる種類の情報・考えを求め、受け・伝える自由を含む」「表現の自由」についての権利を有する。また、同25条（b）号により、「すべての市民」は、「選挙人の意思の自由な表明を保障する真正な定期的選挙において、投票し・選挙されること」を保障されている。自由権規約委員会は、「公選法による戸別訪問の禁止や選挙活動期間中に配布することのできる文書図画の数と形式に対する制限など、表現の自由と政治に参与する権利に対して加えられている不合理な制限に、懸念を有する。…締約国は、規約19条および

---

[623] 最判1981（昭和56）年7月21日刑集35巻5号568頁に付された伊藤裁判官の補足意見。
[624] 最大判1955（昭和30）年4月6日刑集9巻4号819頁。
[625] 最大判1969（昭和44）年4月23日刑集23巻4号235頁。

25条のもとで保障されている政治活動やその他の活動を警察・検察・裁判所が過度に制限することを防止するため、公選法から、表現の自由および政治に参与する権利に対するあらゆる不合理な制限を撤廃すべきである」という[626]。また、一般的意見において「政治的言説に対する制限の中で、委員会が特に懸念しているのは、戸別訪問の禁止、選挙活動中に配布できる文書の数および種類の制限」等であると指摘している[627]。しかし、広島高裁は、戸別訪問禁止規定等が、同19条3項が表現の自由の制限事由としてかかげる「公の秩序」の保護を目的とし、同25条（b）号から「候補者あるいは団体の選挙運動の自由の権利の保障を導き出すことのできないことは明らかである」として、訴えをしりぞけている[628]。最高裁は、理由を詳述することなく、違反しないとだけ判示している[629]。

7　マス・メディアの自由

(1)　報道の自由

憲法21条1項は、報道の自由を明示していないが、最高裁も、報道機関の報道は、「知る権利」に奉仕するものであるから、「報道の自由は、表現の自由を規定した憲法21条の保障のもとにある」と判示している[630]。

　報道の自由とは、印刷メディアである新聞や雑誌、電波メディアである放送を通じて、事実を伝達する自由を意味する。新聞や雑誌に比べ、放送への規制は大きい。放送法は、①公序良俗を害しない、②政治的に公平である、③事実を曲げない、④意見が対立している問題はできるだけ多くの角度から論点を明らかにする、といった4つの番組準則を定める（4条）。このような規制が放送にのみ認められる理由として、1)周波数の希少性、2)映像による衝撃力の強さ、3)時間単位でスポンサーに番組が売られることによる番組

626　自由権規約委員会・総括所見（2008年10月30日）26段落。
627　自由権規約委員会・一般的意見34（2011年9月12日）37段落。
628　広島高判1999（平成11）年4月28日高判速平成11年136頁。
629　最判2002（平成14）年9月9日；最判2002（平成14）年9月10日、ともに判時1799号174頁。
630　博多駅テレビフィルム提出命令事件・最大決1969（昭和44）年11月26日刑集23巻11号1490頁。

の画一化傾向が指摘されてきた。

サンケイ新聞意見広告事件[631]において、最高裁は、1）について、「放送事業者は、限られた電波の使用の免許を受けた者」であるので、放送法4条（現行9条）の定める訂正放送の制度を、新聞に対する反論文掲載請求権の根拠とすることはできないという。

政見放送削除事件[632]では、2）について、「テレビジョン放送が強い影響力を有していること」を考慮して、公選法150条の2は、政見放送としての「品位を損なう言動」が放送される弊害を防止する目的でそのような言動を禁止したものである。したがって、最高裁は、政見放送における品位を損なう言動が、そのまま放送されなくても、法的利益の侵害はないという。

近年の衛星放送やケーブルテレビなどの新しいメディアの出現により電波の希少性は緩和され、放送の社会的影響力や画一化の危険も相対的なものとなっている。そこで、番組準則のうち、②と④の「公正原則」は、憲法21条に反するとの見解もみられる[633]。ただし、一般には、放送法の番組準則は、法的効力のない倫理的意味の規定として運用されているので、違憲ではないとされる。総務大臣が放送法4条違反を理由に、電波法76条に基づいて電波停止を命じることは、憲法21条違反といえよう。国際NGO「国境なき記者団」による2024年の「報道の自由度ランキング」では、日本は世界180カ国・地域中、70位と低い。「表現の自由」国連特別報告者は、2017年と2019年に、放送法4条の公正原則に基づいて、政府が放送メディアを規制する権限をもっていることに懸念を表明し、同条の見直し、政府から完全に独立した規制機関の枠組みをつくる点など、多くの勧告を表明している[634]。

なお、NHKの受信料の合憲性について、最高裁によれば、「放送は、憲法21条が規定する表現の自由の保障の下で、国民の知る権利を実質的に充足し、健全な民主主義の発達に寄与するものとして、国民に広く普及されるべきものである」。したがって、「放送を公共の福祉に適合するように規律し、

631　サンケイ新聞意見広告事件・最判1987（昭和62）年4月24日民集41巻3号490頁。
632　政見放送削除事件・最判1990（平成2）年4月17日民集44巻3号547頁。
633　松井、2022、454頁。
634　デビッド・ケイ「表現の自由」国連特別報告者訪日報告書（2017年5月29日）65段落。同フォローアップ報告書（2019年5月30日）4頁。

その健全な発達を図る」放送法の目的や電波の希少性から、具体的な制度の構築には立法裁量が認められる。放送法64条1項が、受信設備設置者に「適正・公平な受信料徴収のために必要な内容の受信契約の締結を強制する」ことは、放送法の「目的を達成するのに必要かつ合理的な範囲内のもの」であり、契約の自由（憲法13条）、知る権利（21条）、財産権（29条）に違反するものではない[635]。

(2) 取材の自由

取材の自由とは、報道の内容となる素材を収集する自由である。取材の自由は、報道機関が取材源にアクセスすることの自由、取材の結果を強制的に開示させられない自由の2つの面から構成される。

外務省秘密漏洩事件[636]において、第1の取材源へのアクセスの面が争われた。沖縄返還協定における米軍用地復旧補償費を日本政府が肩代わりする密約に関する新聞記者の取材活動が、1年以下の懲役を定める国家公務員法111条等の定める守秘義務違反[637]の「そそのかし」にあたり、懲役4カ月、執行猶予1年とされた。取材の「手段・方法が法秩序全体の精神に照らし相当なものとして社会通念上是認されるものである限りは、実質的に違法性を欠く」との判断基準を示している。しかし、「秘密文書を入手するための手段として利用する意図で」外務省職員の女性と関係を持ち、「依頼を拒み難い心理状態に陥ったことに乗じて秘密文書を持ち出させた」取材行為は、「正当な取材活動の範囲を逸脱している」と判示した。

朝日新聞石井記者事件では、第2の取材源の秘匿の面が問題となった。狭義の取材源秘匿権について、汚職事件の逮捕状執行前に逮捕状の内容が漏れた疑いがある件につき裁判での証言を拒否した新聞記者が、証言拒否罪（刑

635　NHK受信料訴訟・最大判2017（平成29）年12月6日民集71巻10号1817頁。
636　外務省秘密漏洩事件・最決1978（昭和53）年5月31日刑集32巻3号457頁。
637　2014年に施行された特定秘密保護法では、防衛・外交・スパイ活動防止・テロ活動防止に関する特定秘密の漏洩に10年以下の懲役、漏洩の共謀・教唆・煽動に5年以下の懲役が科される。自由権規約委員会・総括所見（2022年11月30日）37段落では、比例原則を遵守し、特定秘密保護法により「国家の安全を害さない正当な公共の利益の情報を流布することによって個人が処罰されないことの保障の確保」を日本政府に勧告している。

事訴訟法 161 条）で有罪とされた。憲法 21 条の表現の自由は、「新聞記者に特種の保障を与えたものではない」ので、「証言拒絶の権利までも保障したものとは到底解することができない」と判示した[638]。

NHK 取材源秘匿事件では、上記の刑事事件とは違い、民事事件であり、脱税事件の報道の取材源に関する嘱託尋問を受けた NHK 職員に対し、報道機関の取材源は民事訴訟法 197 条 1 項 3 号の「職業の秘密」にあたり、「秘密の社会的価値」と「公正な裁判を実現すべき必要性」を比較衡量して、「証言を得ることが必要不可欠であるといった事情が認められない場合」には、原則として証言を拒絶することができるという[639]。たしかに、誤判の可能性の排除のために、刑事事件では、公正な裁判の実現という利益の方が重視される傾向がある。しかし、民事事件では、記者と情報提供者の間に取材源を公表しないという信頼関係があって、はじめて正確な情報が提供されるのであり、取材源の秘匿により一般の人々が享受しうる正確な報道の利益の方が重視されるべきであろう。

博多駅テレビフィルム提出命令事件では、広義の取材源の秘匿が問題となる。裁判所は、エンタープライズ佐世保寄港阻止闘争に参加した学生に対する警察官の特別公務員暴行陵虐・職権乱用罪について、審理中の刑事事件の証拠として、取材フィルムの裁判所への提出を命じた[640]。フィルムの提出は、報道機関のこうむる不利益としての「将来の取材の自由が妨げられるおそれ」があるとしても、「公正な刑事裁判の実現」を保障するために、「取材の自由」がある程度の制約をこうむると最高裁はいう[641]。さらに、裁判所ではなく、捜査機関にあっても、最高裁は、「適正迅速な捜査」のため、リクルート事件の現金授受を隠し撮りしたビデオテープや[642]、暴力団員の債権取立を取材したビデオテープ[643]の押収を認めた。

---

[638] 朝日新聞石井記者事件・最大判 1952（昭和 27）年 8 月 6 日刑集 6 巻 8 号 974 頁。
[639] NHK 取材源秘匿事件・最決 2006（平成 18）年 10 月 3 日民集 60 巻 8 号 2647 頁。
[640] 博多駅テレビフィルム提出命令事件・福岡地決 1969（昭和 44）年 8 月 28 日刑集 23 巻 11 号 1513 頁。
[641] 同・最大決 1969（昭和 44）年 11 月 26 日刑集 23 巻 11 号 1490 頁。
[642] 日本テレビビデオテープ押収事件・最決 1989（平成元）年 1 月 30 日刑集 43 巻 1 号 19 頁。
[643] TBS ビデオテープ押収事件・最決 1990（平成 2）年 7 月 9 日刑集 44 巻 5 号 421 頁。

北海タイムズ事件[644]において、最高裁は、強盗殺人事件を取材していた新聞記者が裁判長の許可なく写真撮影をした行為は、法廷等の秩序維持に関する法律2条違反にあたるとした。この点、「公判廷における審判の秩序を乱し被告人その他訴訟関係人の正当な利益を不当に害する」ことは許されず、刑事訴訟規則215条は、憲法21条に反しないとした。刑事訴訟規則215条（および民事訴訟規則77条）によれば、法廷における写真の撮影、速記、録音、録画または放送は、裁判所の許可を必要とする。しかし、法廷における取材は、法廷の秩序や訴訟関係人の利益を害しないかぎり認められるべきである。最高裁は、「法廷内カメラ取材の標準的な運用基準」を定め、1991年からは、裁判官入廷時から開廷前2分間の撮影を認めるようになった。アメリカでは裁判所の審理をテレビの生中継で放送することもあるように、報道の制約は今日少なくなっている。

　レペタ事件において[645]、法廷で傍聴人がメモをとる自由が争われた。所得税法違反事件の公判を傍聴するアメリカ人の弁護士が、訴えた事件である。最高裁は、法廷警察権に基づき傍聴人のメモを一般に禁止していた当時において、国賠法上の違法性は認められないとしながらも、「傍聴人が法廷においてメモを取ることは、その見聞する裁判を認識、記憶するためになされるものである限り、尊重に値し、故なく妨げられてはならない」と判示した。この判決を受けて、最高裁事務総局は下級審に当てて、傍聴人のメモを原則として認めるように通知を出した。

(3)　通信の秘密

　憲法21条2項後段は、「通信の秘密は、これを侵してはならない」と定めている。通信の秘密とは、手紙、はがき、電話、電報、ファックス、Eメールなどの内容およびその存在自体に関する事柄について、第1に、調査の対象とされないこと、第2に、通信業務従事者によって職務上知り得た情報を漏洩されないことを意味する。

　第1の面について、郵便法7条・電気通信事業法3条は、検閲の禁止を定

---

[644]　北海タイムズ事件・最大判1958（昭和33）年2月17日刑集12巻2号253頁。
[645]　レペタ事件・最大判1989（平成元）年3月8日民集43巻2号89頁。

めている。最高裁は、旭川覚せい剤密売電話傍受事件において[646]、「電話傍受は、通信の秘密を侵害し、ひいては、個人のプライバシーを侵害する強制処分であるが、一定の要件の下では、捜査の手段として憲法上全く許されないものではない」と判示した。1999 年には犯罪捜査のための通信傍受に関する法律（通信傍受法）が制定され、組織犯罪に対処するため、薬物、銃器、集団密航、組織的な殺人の 4 つの犯罪に限定して、10 日間（最長 30 日）、立会人の常時立会い、傍受した全通信の記録などの法定された要件の下、裁判官の発する傍受令状によって通信の傍受が認められることになった。2016 年に容疑者取調べの可視化のための刑訴法改正に際して、取り調べに代わる証拠収集方法として通信傍受の対象をその他の組織犯罪にも広げた[647]。

第 2 の面について、郵便の業務に従事する者（郵便法 8 条 2 項）および電気通信事業に従事する者（電気通信事業法 4 条 2 項）は、職を退いた後でも、職務上「知り得た他人の秘密を守らなければならない」と定めている。

(4) インターネットと表現の自由

放送は、1 対多の 1 方向的な公開の情報伝達であるのに対し、通信は、1 対 1 の双方向的な非公開の情報伝達といわれる。しかし、インターネットは、特定の視聴者だけの「非公開の放送」や、電子掲示板における「公開の通信」を可能にし、従来の放送と通信の区別の見直しを迫っている。また、インターネットは、情報発信が安価で双方向的であるため、一般公衆がマス・メディアに対抗する手段としてその可能性が期待されている。

他方、情報の発信と受信が容易となることに伴い、わいせつ表現[648]、名誉毀損・プライバシー侵害、麻薬等の売買、自殺方法、爆発物の製造方法などに関する情報などに関する規制が問題となる。とりわけ、子どもに対するリ

---

[646] 最決 1999（平成 11）年 12 月 16 日刑集 53 巻 9 号 1327 頁。

[647] 2000 年から 2023 年までの毎年の件数は、0、0、2、2、4、5、9、7、11、7、10、10、10、12、10、10、11、13、12、10、20、20、24、22 である。

[648] アルファネット事件では、「わいせつな画像データを記憶、蔵置させたホストコンピュータのハードディスクは、刑法 175 条が定めるわいせつ物に当たる」とし、「公然と陳列した」とは、「わいせつな内容を不特定又は多数の者が認識できる状態に置くこと」をいうと判示している。最決 2001（平成 13）年 7 月 16 日刑集 55 巻 5 号 317 頁。

スクを回避するため、パターナリスティックな規制が必要となる。他人の文章や画像の流用が容易になる中で、著作権のあり方も見直しを迫られている[649]。インターネットを通じて情報が拡散し、半永久的に残る中で、自己に不利益な情報についてプロバイダや検索エンジンに削除要請を求める「**忘れられる権利**」が、新たなプライバシー権として登場している。しかし、下級審では認めた判例はあるものの、最高裁では認められていないものの、逮捕歴をプライバシーに属する事実として削除を命じた判例もある[650]。高度情報化社会において、表現の自由や知る権利に対し、プライバシー権や自己情報コントロール権をいかに調整するのかは、古くて新しい問題といえる。

　また、名誉毀損については、通常の名誉毀損の法理がインターネットにも適応され、ニフティが運営するインターネット上の電子会議室での書き込みが名誉毀損にあたると共に、書き込みを削除しなかったシステムオペレーターの過失を理由にニフティの使用者責任も認めた事例がある[651]。これに対し、インターネットの場合、「被害者が、加害者に対し、必要かつ十分な反論をすることが容易な媒体」であることに着目し、「言論による侵害に対しては、言論で対抗するというのが表現の自由（憲法21条1項）の基本原理であるから」、「対抗言論」の法理から、名誉毀損の違法性を阻却した事例もある[652]。従来の名誉毀損よりも、インターネット上の電子会議室では、対抗言論の可能性を重視すべきといわれる[653]。ただし、同じ話題がさまざまなサイトに拡

649　ウォーバートン、2015、105-115頁。
650　Google 検索結果削除請求訴訟決定・さいたま地決 2015（平成27）年12月22日判時2282号78頁は、「一度は逮捕歴を報道され社会に知られてしまった犯罪者といえども、人格権として私生活を尊重されるべき権利を有し、更生を妨げられない利益を有するのであるから、犯罪の性質等にもよるが、ある程度の期間が経過した後は過去の犯罪を社会から『忘れられる権利』を有する」とした。しかし、東京高決2016（平成28）年7月12日判時2318号24頁および最決2017（平成29）年1月31日民集71巻1号63頁は、忘れられる権利を否定している。一方、ツイッター逮捕歴削除請求訴訟判決・最判2022（令和4）年6月24日民集76巻5号1170頁では、8年前の旅館の女性用浴場の脱衣場への建造物侵入罪で罰金刑に処せられた逮捕歴をプライバシーに属する事実として削除を命じている。
651　ニフティ「現代思想フォーラム」事件・東京高判2001（平成13）年9月5日（確定）判時1786号80頁。
652　ニフティ「本と雑誌のフォーラム」事件・東京地判2001（平成13）年8月27日判時1778号90頁。東京高判2002（平成14）年7月31日（確定・判例集未登載）も、同趣旨。
653　松井、2022、457頁。

散しうるインターネットの性質を考慮すると、対抗言論による名誉回復の可能性は限られたものとみる必要もある。「自己の名誉を毀損する内容の表現が存在することを知らない被害者に対しては、反論を要求すること自体そもそも不可能である」ので、こうした場合には、通常の名誉毀損の相当性理論が採用される[654]。

　真実性や相当性については、プロバイダの立場では判断できない場合も多い。2001年に制定（翌年施行）された特定電気通信役務提供者の損害賠償責任の制限及び発信者情の開示に関する法律（プロバイダ責任制限法）では、プロバイダ（特定電気通信役務提供者）の損害賠償責任を軽減している。発信者情報は、発信者のプライバシー、表現の自由、通信の秘密にかかわる情報であり、正当な理由がない限り第三者に開示されるべきものではない。そこで、開示請求者の権利侵害が「明らか」であることなどの厳格な要件を定め（4条1項）、不法行為に関する一般原則に従って損害賠償責任を負わせるのは適切ではないことから、重大な過失がある場合にのみその賠償責任を制限している（同条4項）。

　インターネット上のヘイトスピーチについて、①集団等を構成する自然人の存在が認められる、②集団などに属する者が精神的苦痛などを受けるなどの具体的被害が生じている（又はそのおそれがある）、差別的言動には、2019年に法務省人権擁護局がプロバイダに削除要請する旨の通知を出している[655]。また、最高裁は、在日朝鮮人のフリーライターに対する社会通念上許される限度を超えるインターネット上の侮辱発言などの不法行為に対して、在日特権を許さない市民の会（在特会）側に77万円の損害賠償を命じた[656]。

---

[654] ラーメン・チェーン店名誉毀損事件・東京高判2009（平成21）年1月30日判タ1309号91頁、同・最判2010（平成22）年3月15日刑集64巻2号1頁。

[655] 法務省権調第15号（2019年3月8日）。

[656] 大阪地判2016（平成28）年9月27日裁判所ウェブサイト、大阪高判2017（平成29）年6月19日裁判所ウェブサイト、最決2017（平成29）年11月29日判例集未登載。

第11章

人身の自由

　人身の自由とは、人がその身体を不当に拘束されない自由を意味し、身体の自由ともいう。身体の自由は人の自由な活動の根源であり、特に尊重されなければならない。日本国憲法では、奴隷的拘束・苦役の禁止（18条）と刑事手続（31条以下）の規定がある。

第1節　奴隷的拘束・苦役からの自由

　憲法18条は「何人も、いかなる奴隷的拘束も受けない。又、犯罪に因る処罰の場合を除いては、その意に反する苦役に服させられない」と定める。類似の規定は明治憲法にはない。「奴隷および意に反する苦役は、適法に宣告された犯罪処罰の場合を除き、合衆国およびその統治に服するいかなる場所においても、存在してはならない」と定めるアメリカ連邦憲法修正13条1項の影響を受けた規定である。

1　奴隷的拘束からの自由

　奴隷的拘束とは、非人間的な状態に置かれる身体の拘束を意味する。奴隷制度の存在しない日本では、奴隷に類する拘束をいう。奴隷的拘束からの自由は、私人間においても直接適用可能である。戦前の日本に存在した「たこ部屋」と呼ばれる居所における監禁同様の状態による鉱山などでの強制労働、戦後の日本でも「娼妓契約」などの前借金により長期に自由を拘束された人身売買的契約が[657]、これにあたる[658]。

---

[657] 酌婦契約を公序良俗違反で無効とした判例として、最判1955（昭和30）年10月7日民集9巻11号1616頁。

奴隷解放宣言を出したアメリカにとっては、重要な規定であっても、奴隷的拘束の禁止規定は、日本ではそれほど重要ではないと従来は考えられてきた。しかし、今日、現代的奴隷制とも呼ばれる「人身取引」の禁止は、2000年の人身取引禁止議定書の要請だけでなく、日本国憲法18条の要請と位置づける視点が重要といえよう。さらに、人身取引は、憲法13条の個人の尊重・自己決定権・プライバシーの侵害をもたらし、22条の居住・移転の自由も侵害する。

1994年の国際組織犯罪世界閣僚会議において国際組織犯罪防止条約の必要性が認識され、1998年の国連総会で、この条約を補足するために、「人身取引」[659]、「密入国」、「銃器」に関する3つの議定書の起草のための委員会が設置された。2000年に人身取引禁止議定書が国連総会で採択され、2003年に発効した。ヨーロッパでは、各国の憲法だけでなく、EU基本権憲章5条でも、奴隷労働・苦役・強制労働と並んで人身取引を禁止している。

憲法18条から、同様の人身取引禁止の要請が導かれる。2005年に刑法・入管法の改正をしたものの[660]、アメリカ国務省の人身取引報告書や国連の人権機関からは、2007年から今日まで（当初は研修生）技能実習生の「パスポート没収」、「保証金」、「過剰な手数料」、「罰則」、「強制貯金」、「強制送還の脅し」などによる「強制労働」状態の「搾取」を受け、移動の自由や雇用主選択の自由が制限されている問題が指摘されてきた[661]。そこで2027年か

---

658 野中ほか、2012、405-6頁〔高橋〕。
659 日本政府がこの議定書の訳語を検討する中で、金銭の授受などを伴う狭義の「人身売買」にかぎらず、金銭の授受などを伴わない場合も含む広義の概念として「人身取引」という用語が選ばれた。性的搾取や強制労働だけでなく、隷属や臓器売買を含む。人身取引とは「搾取の目的で、暴力その他の形態の強制力による脅迫若しくはその行使、誘拐、詐欺、欺もう、権力の濫用若しくはぜい弱な立場に乗ずること又は他の者を支配下に置く者の同意を得る目的で行われる金銭若しくは利益の授受の手段を用いて、人を獲得し、輸送し、引き渡し、蔵匿し、又は収受すること」と議定書では定義されている。
660 2004年にアメリカの人身取引報告書で、日本は人身取引の除去の最低基準を満たしていない国の中でも下から2番目の「監視対象国」と指定されたこともあり、政府は、2005年に刑法、入管法などを改正した。
661 自由権規約委員会（2008年10月30日、2014年8月20日、2022年11月30日）、女性差別撤廃委員会（2009年8月7日、2016年3月7日）、女性と子どもの人身取引特別報告者（2010年6月3日）、移住者の人権に関する特別報告者（2011年3月21日）、人種差別撤廃委員会（2018年8月31日）。

らは1〜2年後に転籍可能な「育成就労」の制度に移行する。

2　意に反する苦役からの自由

苦役とは、苦痛を伴う労役のことであるが、ここでは「裁判に因る処罰の場合を除いては」とあるので、懲役などと同じ程度の通常人からみて普通以上に苦痛に感じられる任務をいう。

徴兵義務は、憲法18条違反と解される[662]。体系解釈上、9条の平和主義の規定との関連で、国民を強制的に兵役に従事させることは、苦役にあたると解されるのが一般である。しかし、比較憲法的にみれば、徴兵義務を定める憲法も多く、徴兵は国民の自律的義務であって苦役ではない。自由権規約8条3項（C）(ii) も、軍事的性質の役務は「強制労働」には含まれないと定めている。

なお、社会権規約6条では、「労働の権利」には、「すべての者が自由に選択・承諾する労働によって生計を立てる機会を得る権利を含む」と定めている。社会権規約委員会は、同6条から「強制労働が存在しないことを確保する義務」を導き[663]、日本政府の定期報告書に対し、刑法12条2項が、「刑務作業を伴う懲役」を定めていることに懸念を示し、「矯正の手段または刑としての強制労働」を廃止するように勧告している[664]。日本の懲役刑にみられる強制労働としての側面を見直す必要がある[665]。2022年の刑法改正により、2025年6月からは従来の懲役と禁固に代えて、拘禁刑が導入され、刑務作業は義務ではなく、受刑者の「改善更生を図るため、必要な作業を行わせ、又は必要な指導を行うことができる」と改正された（12条）。

一方、非常災害時における救援活動等への従事命令[666] は、憲法18条違反

---

[662] 国会における政府答弁（1980年8月15日および1981年3月10日）。
[663] 社会権規約委員会・一般的意見18（2005年11月24日）4段落。
[664] 社会権規約委員会・総括所見（2013年5月17日）14段落。
[665] 一方、自由権規約8条3項では、「犯罪に対する刑罰として強制労働を伴う拘禁刑」を強制労働の禁止の対象外としている。他方、日本も批准している1930年のILO条約29号は、「強制労働」を「処罰の脅威によって強制され、また、自らが任意に申し出たものでないすべての労働」と定義し、「裁判所による有罪判決の結果としてなされる労働」は例外としつつも、「私人、会社、団体の利益のため強制労働」を禁止している。このため、民間企業の製品をつくる民間企業との刑務作業契約をしている点、受刑者の任意性と最低賃金などの労働条件の保障を欠く点が問題となる。

とは解されていない。この場合は、通常人には、苦痛とは感じられないからである。また、犯罪者の治療を目的とする保安処分も、18条違反ではない。この場合は「犯罪に因る処罰の場合」に含まれると解される。ただし、犯罪を予防するための保安処分や、刑期を越えた長期の保安処分は、「犯罪に因る処罰の場合」に含めることはできず、18条違反となる。

第2節　適正手続の保障

　憲法31条は、「何人も、法律の定める手続によらなければ、その生命若しくは自由を奪われ、又はその他の刑罰を科せられない」と定める。この条文は、合衆国憲法修正5条・14条のデュー・プロセス条項[667]に由来する。さらに、適正手続は、1215年のイギリスのマグナ・カルタ39条[668]にさかのぼることができる。適正な刑事手続の保障は、イギリスのコモン・ローとして発展し、「法の支配」の原理と結びついてアメリカに継受された。アメリカでは、違憲審査制の下で、適正手続が立法権に対する保障にまで高められるとともに（手続的デュー・プロセス）、プライバシーその他の実体の適正まで要求し、日本でいう幸福追求権のように憲法上の明文規定のない人権の根拠規定として発展した（実体的デュー・プロセス）[669]。

　一方、ヨーロッパ大陸では、手続よりも、実体を重視する伝統が強く、罪刑法定主義が発展した。1789年のフランス人権宣言7条[670]および8条[671]には、罪刑法定主義とそのコ

666　修正14条が「いかなる州も、法の適正手続によらず、人から生命、自由、財産を奪ってはならない」と定め、修正5条が「何人も、…法の適正な手続によらず、生命、自由または財産を奪われない」と定める。

667　「いかなる自由人も、その同輩の適法な裁判によるか、または国法によるのでなければ、逮捕・監禁・差押・法外放置・追放・その他の方法によって、侵害されない」。

668　もっとも、手続と実体は、相反する対立概念であるので、実体的デュー・プロセスという表現は、形容矛盾といわれる。

669　「何人も、法律により定められた場合で、かつ、法律の命ずる形式によるのでなければ、訴追・逮捕・拘留されない」。

670　「法律は、絶対かつ明白に必要な刑罰しか定めてはならず、何人も、犯行以前に制定・公布され、かつ適法に適用された法律によらなければ、処罰されない」。

671　①刑罰法規の法定主義（犯罪・刑罰を慣習法や行政命令で定めることの禁止）、②遡及処罰の禁止、③類推解釈の禁止、④絶対的不定期刑の禁止、⑤刑罰規定（構成要件）の明確性の要求な

ロラリー（論理的帰結）としての遡及処罰の禁止などを定めている。日本では、明治憲法23条が「日本臣民ハ法律ニ依ルニ非スシテ逮捕監禁審問処罰ヲ受クルコトナシ」と、罪刑法定主義を定めていた。罪刑法定主義とは、どのような行為が犯罪となり、いかなる刑罰を受けるのかについて、あらかじめ法律によって、定められていなければならないという原則である。

しかし、法律でありさえすれば、どのようにでも処罰できるというものではない。日本国憲法下では、法律そのものの内容が適正でなければならず、法による裁判は、よき法の支配という英米諸国の考え方も採り入れている。ここでの「法律」は、国会の制定法だけでなく、行政立法としての政令や条例なども、司法立法としての裁判所規則も含むとされている。

1　「法律の定める手続」の解釈

憲法31条が「手続」の法定に加え、手続内容の「適正」が必要か否か、刑事法の「実体」としての犯罪や刑罰の要件の法定が必要か否かに応じて、学説は5つに分かれる。

第1に、手続が法律で定められていればよいとする手続法定説は、人権規定が立法者をも拘束するとした日本国憲法の理念に合わない。また、後述する違法収集証拠の排除法則などの法定されていない手続保障の今後の発展を考える上では、適正な手続をも本条の内容とする必要がある。第2に、適正な手続が法律で定められていればよいとする適正手続法定説では、犯罪や刑罰の実体が法律で定められるべきとする罪刑法定主義の憲法上の明示の根拠規定が存在しないことになり、問題である。第3に、手続と実体が法定されていればよいとする手続実体法定説は、第1の場合と同様、適正な手続を内容としないことが問題である。第4に、適正な手続と実体が法定されていればよいとする適正手続実体法定説は、実体の適正さとして、1)刑罰規定の明確性、2)罪刑の均衡、3)刑罰の謙抑主義がないとしたら、問題である。

そこで、第5に、適正な手続と適正な実体が法定されるべきとする適正手続適正実体法定説が、多数説となっている。最高裁の判例も、罪刑法定主義

ど。

とそのコロラリー（論理的帰結として派生するもの）[672]を 31 条の問題として扱っている[673]。

なお、日本語を十分に理解できない外国人に対し、翻訳・通訳等の配慮をしながら刑事手続を進めることも、本条の問題となり、言語的デュー・プロセスの観点も重要である。

2　生命・自由の剥奪またはその他の刑罰

生命の剥奪には、部分的剥奪である、ロボトミー、強制断種[674]などの身体の傷害も含まれる。また、自由の剥奪には財産の没収も含むとするのが判例である。関税法が密輸出しようとした船舶の貨物を第三者の所有物の場合でも没収できるとしていたことは、所有者である第三者に告知・弁解・防御の機会を与えることなく、所有権を奪うことになる。第三者所有物没収事件において、最高裁は、憲法 29 条の財産権とともに、憲法 31 条の適正手続に反するとした[675]。憲法 31 条は、告知・聴聞の手続を保障している。

その他の刑罰としては、秩序罰[676]、執行罰[677]、懲戒罰もある。

3　適正な行政手続

個人の生命や自由を侵害するのは、国家刑罰権に限らない。現代国家においては、行政が生活のすみずみまで介入し、個人の権利に大きな影響を与える。そこで、刑事手続だけでなく、行政手続にも、適正手続の保障が及ぶかどうかが問題となる。従来の学説は、大きく5つに分かれる。

第1に、否定説の根拠は、アメリカの場合と違い、「その他刑罰を科されない」とあるように日本国憲法 31 条の文言が刑事手続に限定されていると

672　徳島市公安条例事件・最大判 1975（昭和 50）年 9 月 10 日刑集 29 巻 8 号 489 頁。
673　大脳の前頭葉白質にある神経線維を切断する手術。
674　憲法 13 条のリプロダクティブ・ライツの問題でもある。
675　第三者所有物没収事件・最大判 1962（昭和 37）年 11 月 28 日刑集 16 巻 11 号 1593 頁。
676　実害の少ない、行政上の秩序違反に課す、過料という軽い罰金。住民票の住所変更の届出違反がこれにあたる。
677　将来において行政上の義務の履行を促すための過料という軽い罰金。砂防法上、災害防止上の義務を一定期間内に行わない場合がこれにあたる。

いう点にある。しかし、行政聴聞、伝染病予防法による強制入院、少年法の保護処分、行政調査のための立ち入り調査などには、刑事手続類似の適正性が必要といわれる。

　第2に、適用説の根拠は、行政権の拡大した今日、人権保障のため行政手続の適正さが必要という。第3に、類推適用説の根拠は、刑事手続との類似点に求められる。しかし、両説は、刑事手続に要求される適正さを、そのまま行政手続にも適用することを意味するものではない。行政の性質に応じ、修正するのでは、肝心の刑事手続における保障を弱めるおそれもある。

　第4に、準用説は、行政の性質に応じて、一定の修正を加えた上で31条を準用する。準用の場合、行政という形式を理由に、行政手続の保障を弱めるおそれも大きい。最高裁の判例は、準用説に近い。**成田新法事件**では、「一般に、行政手続は、刑事手続とその性質においておのずから差異があり、また、行政目的に応じて多種多様であるから、行政処分の相手方に事前の告知、弁解、防御の機会を与えるかどうかは、行政処分により制限を受ける権利利益の内容、性質、制限の程度、行政処分により達成しようとする公益の内容、程度、緊急性などを総合較量して決定されるべきであり、常にそのような機会を与えることを必要とするものではない」とといい、本件においては告知、弁解、防御の機会を与える旨の規定がなくても良いとした[678]。

　第5に、13条説は、31条は刑事手続に限定されるとした上で、行政手続には13条により適正手続が保障されるという。その根拠は、13条がアメリカの適正手続条項に相当する点や、明文の規定のない新しい人権として、13条による行政手続の適正手続を求める。ただし、抽象性の高い13条の規定から内容を具体化するためには、31条も援用することが得策であろう。

　そこで、第6に、ドイツ連邦憲法裁判所などでは一般的な表現として定着している、複数の条文を結合させた根拠条文をあげる方法を採用するならば、「**31条と結びついた13条**」説が適当なように思われる。**チャーター機一斉送還違憲判決**では、（恣意的に）難民不認定処分の異議申立棄却決定の告知を送還の直前まで遅らせ（難民異議申立事務取扱要領の速やかな通知に反し、行政事件訴訟法

---

[678] 成田新法事件・最大判1992（平成4）年7月1日民集46巻5号437頁。

46条の教示制度の趣旨に反し)、第三者と連絡することを認めずに強制送還したことは、憲法32条で保障する裁判を受ける権利を侵害し、「同31条の適正手続の保障及びこれと結びついた同13条に反する」とした[679]。行政の適正手続の内容として、このような恣意禁止に限らず、比例原則が含まれることにも目を向ける必要がある。

なお、そもそも入管行政と帰化行政が行政手続法や行政不服審査法の適用除外とされていることは、「31条と結びついた13条」の適正手続を受ける権利を侵害している深刻な問題がある。

第3節　身体の拘束に対する保障

犯罪の嫌疑を受けて、捜査段階にある被疑者と、その後、起訴されて公判段階にある被告人のいずれもが身体の自由を保障されるための細かな規定を日本国憲法は定めている。

1　不当逮捕からの自由

憲法33条は「何人も、現行犯として逮捕される場合を除いては、権限を有する司法官憲が発し、且つ理由となっている犯罪を明示する令状によらなければ、逮捕されない」と定める。「逮捕」とは、犯罪の嫌疑を理由として身体を拘束する行為を意味する。33条は、被疑者の身体拘束について、令状主義の原則と、その例外としての現行犯逮捕を規定する。

(1) 令状主義の原則と現行犯逮捕の例外

令状主義は、逮捕が令状に基づかなければならないという令状逮捕の原則である。令状を発する「司法官憲」とは、裁判官にかぎる。令状主義の目的は、2つある。第1は、不当な逮捕の抑止である。逮捕すべきかどうかの判断は、捜査する者と別人でなければ、逮捕権の濫用のおそれがある。第2は、

---

[679] チャーター機一斉送還違憲判決・東京高判（確定）令和3年9月22日裁判所ウェブサイト。

逮捕される者の防御権の保護である。憲法が「理由」となっている「犯罪」を明示する令状を要求しているのは、罪名を告知させ、自己の防御のための機会を与えるためである。

現行犯逮捕とは、「現に罪を行い、又は現に罪を行い終わった」現行犯は、令状なしでも逮捕できるという例外である（刑訴法212条）。現行犯逮捕が認められる理由は、2つある。第1は、誤認逮捕のおそれがない点で、犯罪と犯人が明らかである。第2は、令状を請求する時間的余裕がない点で、逃亡・罪証隠滅の阻止には、直ちに逮捕する必要が大きい。

(2) 緊急逮捕・別件逮捕・準現行犯

令状主義については、緊急逮捕と別件逮捕が問題となる。緊急逮捕とは、刑訴法210条1項所定の犯罪が重大で、犯罪の嫌疑が十分にあり、逮捕の緊急性がある場合に、まず逮捕し、その後逮捕状を請求する方式である。一般には、合憲と解される。合憲説の根拠は、3通りに分かれる。①現行犯の一種とみなす現行犯逮捕説である。しかし、この場合は、事後の令状も不要となるので問題である。②令状主義に対する公共の福祉による制約とみる公共の福祉説である。しかし、憲法所定の例外のほかに、新たな例外を公共の福祉の名のもとに認めるのは問題である。そこで③通説は、逮捕に接着した時期に逮捕状が発せられるかぎり、令状逮捕に含める令状逮捕説である。

別件逮捕とは、証拠のそろっている軽微な犯罪容疑（別件）で逮捕して、本来の捜査対象である重大な犯罪容疑（本件）についての自白を得ようとする捜査方法のことである。通説は、本件基準説である。本件を基準としてみた場合、取調べ時間の大部分が本件の取調べに費やされているならば、別件逮捕は、憲法33条の令状主義に反し、違憲となる。しかし、逮捕勾留中に、余罪の取調べをすることが禁じられていない現行制度の下では、どこまでが別件逮捕になるのかの区別は容易ではない。判例も、「別件」と「本件」とが「社会的事実として一連の密接な関連」があると認められる場合には、別件で逮捕した後に本件の取調べをしても違法ではないとしている[680]。ただし、

680　狭山事件・最決1977（昭和52）年8月9日刑集31巻5号821頁。

別件逮捕による自白に証拠能力を認めるべきではない。

準現行犯とは、「誰何されて逃走しようとする」者などが、「罪を行い終わってから間がないと明らかに認められるとき」をいう（刑訴法212条2項）。通説は、後者の要件を厳格に解釈するかぎり、合憲とする。判例も、口頭で「だれか」と問わないでも、逮捕当時の具体的状況において、「罪を行い終わってから間がない」と明らかに認められるときにあたればよいとしている[681]。

(3) 行政手続における令状主義

行政手続における身体の拘束も、適正手続の点で多くの問題を抱えている[682]。入管行政における外国人の収容手続は、刑事手続に比して考えられるべきでありながら、多くの点で異なっている。まず、裁判官が発付する逮捕令状を原則とする憲法33条とは違い、収容令書は、入国警備官の請求により、その所属官署の主任審査官が発布する（入管法39条・39条の2）。同じ行政府の判断機関が中立的といえるかどうか疑問である[683]。判例は、事後的に裁判所での救済の道があることを理由のひとつとして合憲とする[684]。

また、収容令書の発付をまっていては逃亡の恐れがある場合の要急収容（同法43条）について、東京高裁は、刑事手続におけるほど厳格な憲法上の制約に服する必要はないとし[685]、最高裁は要急収容が現行犯逮捕に類するものとして令状は不要であるとした[686]。しかし、要急収容は、緊急逮捕に類するものであり、適正手続の趣旨からは事後的な（司法機関による）収容令書が必要と思われる。

681　最判1967（昭和42）年9月13日刑集21巻7号904頁。
682　そのほか、麻薬及び向精神薬取締法58条の8（強制入院）、精神保健及び精神障害者福祉に関する法律29条～34条（措置入院・医療保護入院・応急入院）、感染症の予防及び感染症の患者に対する医療に関する法律19条・20条（入院）、警察官職務執行法3条（泥酔者の一時的保護）。
683　芦部編、1981、143頁〔杉原〕、野中ほか、2012、421頁〔高橋〕。
684　東京地判1974（昭和49）年7月15日判時776号61頁。
685　東京高判1972（昭和47）年4月15日判タ279号359頁は、収容は行政処分にすぎず、刑事手続におけるほど厳格な憲法上の制約に服する必要はなく、収容令書の発付者と要急収容を行った者が同一官署に属したとしても、別個の職務権限を担当するので問題はないという。
686　最決1974年4月30日裁判所ウェブサイト。

また、行政調査のための出頭命令も問題である。犯罪捜査の目的で容疑者に出頭を命じ、命令違反に罰則を科すとすれば、憲法33条の脱法的行為であり、憲法違反となる[687]。

2 不法な抑留・拘禁からの自由

憲法34条は「何人も、理由を直ちに告げられ、且つ、直ちに弁護人に依頼する権利を与へられなければ、抑留又は拘禁されない。又、何人も、正当な理由がなければ拘禁されず、要求があれば、その理由は、直ちに本人及びその弁護人の出席する公開の法廷で示されなければならない」と定めている。

(1) 抑留と拘禁

逮捕した身柄の一時的拘束を「抑留」、継続的拘束を「拘禁」という。おおよそ刑事訴訟法上の「留置」が抑留に、「勾留」が拘禁にあたる。このとき憲法34条が定める被疑者の権利は、3つある。

第1に、理由の告知請求権がある。嫌疑の罪名に限らず、逃亡あるいは罪証隠滅の具体的理由が必要である。

第2に、理由開示請求権がある。本人と弁護人が出席する公開法廷での「正当な理由」が示されなければならない。「正当な」とは、ある程度の証拠の提示によって支えられたという意味である。

第3に、弁護人依頼権がある。弁護人と立会人なしに合う接見交通権に限らず、起訴前国選弁護人制度[688]および当番弁護士制度[689]が重要である。アメリカでは、Miranda v. Arizona, 384 U.S. 436 (1966) 以後、ミランダ・ルールが採用され、身体的拘束下の取調べに先立って、1)黙秘権があること、2)供述が法廷で不利な証拠として用いられうること、3)取調べにおいて弁護

---

[687] 野中ほか、2012、422頁〔高橋〕。
[688] 2004年の刑訴法改正（2006年の施行）時は重大事件に限られていたが、2009年からは死刑・無期・3年を超える懲役・禁錮にあたる事件の勾留中の被疑者で経済的理由により私選の弁護人の付いていない者に対して国費で弁護人を付けることができる（刑訴法37条の2）。
[689] 1990年に大分県弁護士会ではじまり、1992年から全国的に広がった。初回のみ、刑の重さにかかわらず、勾留および留置中の被疑者に弁護士を無料で派遣すべく、日弁連や各県弁護士会の会費などにより運営している。

人の立会いを求める権利があること、4)弁護人を依頼する資力がなければ、公選弁護人を付けてもらう権利があることを告知する義務がある。告知がなされなかった場合の供述は、証拠として使えない。黙秘権の告知については刑事訴訟法（198条2項・291条5項）が定めているが、日本でもミランダ・ルールと同様の告知義務を課すべきである。本来、刑事手続を知らない人に告知し、自らを防御する権利を保障することは、適正手続（31条）、弁護人依頼権（34条）、不利益供述拒否権（38条1項）から、要請されている。また、この種の告知と起訴前国選弁護人制度は、不公正な裁判による誤判を防止するため、「公正な裁判」の実現という憲法上の要請から導かれる。

自由権規約委員会と拷問等禁止委員会は、「代替収容制度」の廃止を勧告している[690]。警察の留置所での抑留ののち、拘置所での拘禁に代え、「代用監獄」と呼ばれた留置場で最長23日も拘禁しうる日本の取調べ実務は、古くから冤罪の温床となっていると批判されてきた。日本政府は、刑事施設の増設には多額の予算を要し、家族や弁護士の面会に便利な場所に留置施設がある点などを理由に、代替収容制度を続けている。しかし、自由権規約7条・拷問等禁止条約16条の拷問等の禁止、自由権規約9条の恣意的な収容の禁止等に反していると指摘されている。

(2) 行政手続における身体の拘束

刑事手続に認められる適正手続や比例原則は、しだいに入管手続にも適用される傾向にある。憲法34条の趣旨は、入管収容にも及ぶ。自由権規約9条1項の「すべての者は、身体の自由・安全についての権利を有する。何人も、恣意的に逮捕・収容されない。何人も、法律で定める理由・手続によらない限り、その自由を奪われない」という規定は、当初、多くの国では、刑事事件に限定されると主張された。しかし、自由権規約委員会によれば、同項は、入管手続にも適用されるようになり、9条1項の「恣意性」の概念は、「法律違反」と同じに扱うべきではなく、「より広く、不適切、不正義、予測可能性の欠如、法の適正手続の欠如とともに、合理性、必要性、比例性

690　自由権規約委員会・総括所見（2014年8月20日）18段落、拷問等禁止委員会・総括所見（2013年5月29日）10段落。

の要素も含むように解釈されなければならない」のであって、違法に入国した難民申請者の身元の特定のための短期間を超えて、「さらに申立内容の審査のあいだも収容するためには、逃亡の個別的蓋然性、他者に対する犯罪の危険性、国家の安全保障への危険といった特別な理由が個人になければ、恣意的になるであろう」という[691]。そして同委員会は、個人通報制度に基づき、オーストラリアの入管の義務的な全件収容を9条1項違反とする見解をたびたび示している[692]。バングラデシュ出身の無国籍の難民申請者が、不許可後も長期にオーストラリアで収容されていることを個人通報で訴えたShafiq v. Australia (2006) では、収容は、その必要性を定期的に審査し直す必要があり、締約国が相当の理由を開示しうる期間を超えて収容すべきではないとして、9条1項に反するとした。収容は諸般の事情における必要性、逃亡または罪証隠滅の防止などの目的との適合性がなければ恣意的とみなしうる。日本政府の報告書に対し、自由権規約委員会は「収容が、必要最小限度の期間のみ、かつ行政機関による収容措置に対して存在する代替措置が十分に検討された場合にのみ、最後の手段として用いられ、…収容の合法性について判断する裁判所の手続に実効的に訴え出ることができるよう確保する措置の実施」を勧告している[693]。人権理事会の「恣意的拘禁作業部会の報告書」では、入管手続における無期限収容は正当化されえず、恣意的であるという (Human Rights Council, A/HRC/39/45, para 26)。

長期の収容を適正手続違反としたアメリカの判例 Zadvydas v. Davis, 533 U.S. 678 (2001) では、ドイツの難民キャンプでリトアニア人を両親として出生した Zadvydas は、無国籍者としてアメリカに正規滞在していたところ、犯罪を理由に退去強制処分を受けたが、ドイツから受け入れを拒否された後、退去先がみつからないまま収容が続いたので、人身保護請求を提起し、司法判断を求めた[694]。連邦最高裁は、適正手続に基づいて、収容

---

691 自由権規約委員会・一般的意見8 (1982年6月30日) 1段落、同・一般的意見35 (2014年12月16日) 12・18段落。
692 A. v. Australia (1997); C. v. Australia (2002); Baban et al. v. Australia (2003); Bakhtiyari v. Australia (2003); D&E v. Australia (2006).
693 自由権規約委員会・総括所見 (2022年11月30日) 33段落 (e)。
694 1審は、無国籍者は永遠に収容されることになるとして請求を認容したが、2審は、5年に及ぶ収容にもかかわらず、送還不能を示す決定的事情がないとして原審を覆した。

後6カ月を経過した後、合理的予見可能な将来に国外退去の有意な見込みがないことを被収容者が示し、政府がこれを反証できなかった場合には、送還先が見つかるまでという条件つきで仮放免されなければならないと判示した。EUの「不法に滞在する第三国国民の帰還に関する共通基準及び加盟国内手続に関する欧州議会・理事会指令」15条5号・6号において、収容期限は6カ月以内とし、送還先の国の協力が得られず、必要な文書の入手が遅れている場合の延長が12カ月までと定められているので、最長でも18カ月までである。2013年2月6日に台湾の憲法裁判所は、無期限収容を憲法8条1項の定める「抑留」の適正手続違反とし（No.708）、上限を100日とする法改正をした。2023年3月23日に韓国の憲法裁判所も、無期限収容を（比例原則に照らし）過剰禁止の原則違反とし、憲法12条1項の定める「適法手続」に反する「拘束」であり、身体の自由を侵害するとした（被退去強制者の無期限収容事件）。

　日本の入管実務では、退去強制手続の執行のために身柄を確保する必要（逃亡や証拠の隠滅を防止する必要）以外にも、非正規滞在の容疑者を原則として収容する原則収容主義が基本とされた[695]。（難民申請者も含め）在留資格のない者の在留活動を禁止することを収容の目的とする「在留活動禁止説」の影響が強く残っている。しかし、逃亡のおそれのない者の収容には慎重であるべきであり、退去強制を円滑に実施する点に限定する「執行保全説」に立つ「例外収容主義」への転換が必要である[696]。2004年に難民申請者に対する仮滞在の制度が導入されても、仮滞在の許可率は非常に低い状況にある[697]。収容令書は30日（延長された場合でも60日）を期限としているが、退去強制令書での収容に期限はなく、難民審査や訴訟が長引いたり、不許可の後も送還先が受け入れを認めなかったりして、長期の収容が問題となっていた[698]。2023年の入管法改正で収容に代わる管理措置が導入されても、収容の上限規定は導入されていない。収容後一定期間を経過した後でも、退去強制の見込みが立たない被収容者は仮放免することが適正手続の要請とい

---

[695]　坂中・斎藤、2012、638頁。
[696]　児玉ほか、2012、309頁。移民政策学会設立10周年記念論集刊行委員会編、2018、51頁〔児玉〕。
[697]　児玉ほか、2012、467頁。
[698]　2020年末において、1年以上2年未満の被収容者が63人、2年以上3年未満の被収容者が33人、3年以上の被収容者が41人であった。

えよう。(憲法34条が準用されるべきというよりも)「何人も、正当な理由がなければ、拘禁されず」と定める憲法「34条と結びついた13条」により、比例原則に反して、**恣意的に収容されない権利**が保障されるものと解しうる。たとえば、子どもの収容は、原則として違憲となる[699]。長期の収容も、比例原則違反となる。

また、自由権規約9条4項は「逮捕または収容によって自由を奪われた者は、裁判所がその抑留が合法的であるかどうかを遅滞なく決定することおよびその収容が合法的でない場合にはその釈放を命ずることができるように、裁判所において手続をとる権利を有する」と定めている。適正手続からは、収容に際し、執行機関から独立した裁判所の関与が必要である。したがって、恣意的に収容されない権利の保障においては、要求すれば、憲法34条所定の「正当な理由」が「公開の法廷で示されなければならない」という裁判所が収容の必要性審査に関与する手続も不可欠である。

第4節　証拠の収集・採用に関する保障

憲法35条は「何人も、その住居、書類及び所持品について、侵入、捜索及び押収を受けることのない権利」が、33条の場合を除き、正当な理由に基づき、司法官憲が発する令状がなければ侵されない旨を定めている。

1　不法な捜索・押収からの自由

(1)　令状主義の原則

憲法35条は、証拠収集についても令状主義の原則を定めている。令状主義の目的は、第1に、不当な捜索・押収の排除(司法的抑制)であり、第2に、被捜索・押収者の防御権の保障である。したがって、令状は、捜索する

---

[699] 子どもの権利条約委員会は、在留資格を理由とする子どもの収容は、子どもの権利を侵害し、子どもの最善の利益に反するとして、すべての子どもの収容をやめるよう締約国に勧告している。CRC, Report of the 2012 Day of General Discussion on the Rights of All Children in the Context of International Migration (28 September 2012), para. 78.

場所、押収する物、捜索・押収の「正当な理由」を明示し、異議申し立ての基礎となりうる程度の内容を備えていなければならない。しかし、令状の提示までを要求するものではなく、令状提示を想定できない通信傍受も35条違反とはいえない。

(2) 逮捕の場合の例外

憲法35条は、令状主義の例外として、「33条の場合」を挙げている。これは、現行犯逮捕に限らず、令状逮捕の場合も含む。判例は、捜索・押収が「緊急逮捕に先行したとはいえ、時間的にはこれに接着し、場所的にも逮捕の現場と同一」であれば、事前捜索・事前押収も、合憲としている[700]。

(3) 捜索・押収の限界

捜索・押収が憲法35条に適合しても、他の人権と衝突する場合もある。たとえば、通信の秘密については、刑訴法100条1項が、被告人・被疑者の発信または受信する郵便物等は、犯罪の証拠物と思われるかどうかに関係なく、差し押さえてよいと定めていることが問題となる。通信の秘密を侵害しないためには、事件と関連のある郵便物等に限るとする限定解釈をすべきであろう。また、報道機関が取材した写真、テレビフィルムを捜索・押収する場合にも、「取材の自由」と「公正な裁判の実現」の比較衡量が必要である[701]。さらに、強制採尿などの身体内部の捜索・押収が合憲であるとしても[702]、人格権との衝突に配慮した慎重な手続が必要であろう。また、警察が令状なしに、捜査対象者の車に衛星利用測位システム（GPS）の端末をひそかに仕掛けて監視することも違憲の疑いがある。最高裁は、GPS捜査は「プライバシーを侵害し得る」ので、「令状がなければ行うことのできない処分」であり、「憲法、刑訴法の諸原則に適合する立法的な措置が講じられることが望ましい」と判示している[703]。連邦最高裁は、United States v. Jones, 132 S.

700　最大判1961（昭和36）年6月7日刑集15巻6号915頁。
701　博多駅テレビフィルム提出命令事件決定：最大決1969（昭和44）年11月26日刑集23巻11号490頁。
702　最判1980（昭和55）年10月23日刑集34巻5号300頁。
703　最大判2017（平成29）年3月15日刑集71巻3号13頁。

Ct. 949 (2012) において、修正4条は「国民が、不合理な捜索および押収または抑留から身体、家屋、書類および所有物の安全を保障される権利は、これを侵してはならない」と定めているが、「所有物」という用語の中に、自動車も含まれ、4週間にわたる GPS を使った自動車の捜索が「プライバシーの合理的な期待」に反するとして、GPS を使った令状の10日間の期限を超えた（麻薬密売容疑の）犯罪捜査を違憲とした。

2 行政手続における捜索

憲法35条は、刑事手続に関する規定である。しかし、行政手続にも類似の問題がある。

(1) 所持品検査

犯罪の予防・鎮圧のために行政処分としての所持品検査において、令状の有無は、犯罪の予防・鎮圧という行政目的の実現との関連で「比例原則」に基づいて判断される。判例も、「所持品検査の必要性、緊急性、これによって害される個人の法益と保護されるべき公共の利益との権衡などを考慮し、具体的状況のもとで相当と認められる限度においてのみ、許容される」とした[704]。また、捜索の令状主義を定めた憲法35条、適正手続を定めた憲法31条等から、「違法収集証拠排除の原則」が導かれる。判例によれば、憲法35条等の「令状主義の精神を没却するような重大な違法があり、これを証拠として許容することが、将来における違法な捜査の抑制の見地からして相当でないと認められる場合においては、その証拠能力は否定される」という。しかし、警察官が職務質問中に、覚醒剤中毒の疑いをもった者の承諾なしに、上着の内ポケットに手を差し入れて所持品検査をした場合、押収手続の違法を認めたが、令状主義を潜脱する意図も強制の事跡も認められないので、「重大な違法」とはいえず、「違法な捜査の抑制の見地に立ってみても相当でないとは認めがたい」として、証拠能力を肯定した[705]。

---

[704] 最判1978（昭和53）年6月20日刑集32巻4号670頁。銀行強盗で逃走中、警察官が職務質問に付随して、ボーリングバッグとアタッシュケースを所持人承諾なしに開披したことにより、強奪した大量の現金を発見し、緊急逮捕した米子銀行強盗事件。

[705] 最判1978（昭和53）年9月7日刑集32巻6号1672頁。なお、覚醒剤取締法違反に関し、採尿手続についての違法を認めながらも、重大な違法とはいえず、証拠能力を認めた判例として、

(2) 行政調査

行政調査とは、行政機関が、行政に必要な情報を収集する目的で、他人の家屋等に立ち入り、調査を行うことをいう。刑事手続の犯罪捜査とは違って、相手方の抵抗を実力で排除することは通常認められていない。行政調査の妨害に対しては、罰則を課すことで、間接的に強制することが多い。そこで、憲法35条が行政調査にも準用され、犯罪捜査の一環としての行政調査が行われる場合や[706]、違反に対する是正命令の手続がない場合は、裁判所の許可を得る必要がある。他方、処罰の前に是正命令の手続がある通常の行政調査の場合は[707]、裁判所の許可を得る必要はない。

判例は「憲法35条1項の規定は、本来、主として刑事責任追及の手続における強制について、それが司法権による事前の抑制の下におかれるべきことを保障した趣旨であるが、当該手続が刑事責任追及を目的とするものでないとの理由のみで、その手続における一切の強制が当然に右規定による保障の枠外にあると判断することは相当ではない」という[708]。そして、「立入りが、公共の福祉の維持という行政目的を達成するため欠くべからざるものであるかどうか、刑事責任追及のための資料収集に直接結び付くものであるかどうか、また、強制の程度、態様が直接的なものであるかどうかなどを総合判断して、裁判官の令状の要否を決めるべきである」と判示している[709]。

最判1986（昭和61）年4月25日刑集40巻3号215頁；最判1988（昭和63）年9月16日刑集42巻7号1051頁。一方、令状なしの逮捕で、逮捕状への虚偽記入と公判廷での虚偽証言といった重大な違法がみられる採尿の場合、鑑定書の証拠能力が否定された例として、最判2003（平成15）年2月14日刑集57巻2号121頁。

[706] 関税法121条等の定める税の犯則事件調査や、出入国管理及び難民認定法31条の定める退去強制事由違反調査。

[707] 消防法3条等の定める火災の予防に危険な物の除去等。

[708] 川崎民商事件・最大判1972（昭和47）年11月22日刑集26巻9号554頁。所得税の過少申告を疑う税務署職員の調査は、刑事責任の追及を目的とするものではないので、令状を不要とし、所得税法上の検査拒否罪で罰金1万円が科された事件。

[709] 成田新法事件・最大判1992（平成4）年7月1日民集46巻5号437頁。

第5節　拷問および残虐な刑罰の禁止

　憲法36条は「公務員による拷問及び残虐な刑罰は、絶対にこれを禁ずる」と定めている。「絶対に」禁ずるという表現からは、他の相対的な権利として一定の場合に制約の余地があるとされる人権規定とは違い、絶対的な権利として、無制約とされる。問題は、ある行為が、拷問に当たるか、残虐な刑罰に当たるか、という概念の射程である。

1　拷問の禁止

　拷問とは、自白を強要するために肉体的・精神的苦痛を与えることである。拷問等禁止条約の定義によれば、「拷問」とは、「身体的・精神的であるかを問わず、人に重い苦痛を故意に与える行為であって、本人・第三者から情報・自白を得ること、本人・第三者が行った（疑いがある）行為について本人を罰すること、本人・第三者を脅迫・強要・その他これらに類することを目的とし、または何らかの差別に基づく理由から、公務員その他の公的資格で行動する者またはその扇動・同意・黙認により行われるものをいう」。ただし「拷問」は、「合法的な制裁の限りで苦痛が生ずること、または合法的な制裁に固有のもしくは付随する苦痛を与えることを含まない」（1条1項）。

　憲法36条が公務員による拷問を禁止し、憲法38条2項が拷問により得られた自白の証拠能力を否定し、刑法195条が特別公務員暴行凌虐罪を定めることで、拷問の実質的な防止を確保する仕組みは用意されている。下級審の確定判決によれば、誤った戒具の使用により被留置者を死亡させた事件で国賠法上の違法を認定しながらも、留置場における防声具[710]、鎮静衣[711]などの戒具の使用を認める被疑者留置規則20条の2第1項の規定は、「必要最小限度の使用にとどまる限り、留置施設内の規律及び秩序の維持のため必要かつ合理的な範囲内において被使用者の発声及び身体の自由を制限するもので

710　口と上下のあごを完全にふさぐ大きさの半截楕円形のマスク。
711　首から下の身体をつつみ、通気孔を設けた袋状のもの。

ある」として、憲法36条（および18条）、自由権規約7条および拷問等禁止条約に違反しないという[712]。しかし、拷問等禁止委員会は、「被拘禁者を拘束する器具の使用の完全禁止を検討するよう」勧告している[713]。

2　残虐な刑罰

判例上、残虐な刑罰とは、不必要な精神的・肉体的苦痛を内容とする人道上残酷と認められる刑罰をさす[714]。この定義からすると、死刑が残虐な刑罰にあたる可能性は大きい。しかし、通説・判例は、憲法自体に死刑を予想している規定があることを根拠に、死刑は残虐な刑罰にあたらず、合憲としてきた。最高裁によれば、憲法13条は「生命…については、公共の福祉に反しない限り、立法その他の国政の上で、最大の尊重を必要とする」と定め、同31条は、「生命の尊貴といえども、法律の定める適理の手続によって、これを奪う刑罰を科せられることが、明かに定められている」。死刑制度の目的は「死刑の威嚇力」による凶悪犯罪の「一般予防」にある。一方、憲法36条について「死刑そのものが、一般に直ちに同条にいわゆる残虐な刑罰に該当するとは考えられない」としたうえで、「火あぶり、はりつけ、さらし首、釜ゆでの刑のごとき残虐な執行方法…ならば、…憲法第36条に違反する」と判示している。4人の裁判官の補充意見によれば、「公共の福祉のために死刑の威嚇による犯罪の防止を必要と感じない時代に達したならば、死刑もまた残虐な刑罰として国民感情により否定されるにちがいない」との見解を示していた[715]。したがって、ある時点の国民感情に照らして、死刑は残虐な刑罰とはいえず、合憲とされたとしても、国民感情の変遷とともに、将来、死刑は残虐な刑罰にあたり違憲となる可能性がある。

今日、誤犯による死刑執行の危険性、死刑による凶悪犯罪の予防効果がないこと、死刑廃止ないし不実施国が140か国を超えている世界的趨勢から、死刑廃止論が日本でも唱えられている。しかし、日本政府は、国民世論[716]

712　大阪地判2009（平成21）年2月18日判時2041号89頁（確定）。
713　拷問等禁止委員会・総括所見（2013年5月29日）13段落。
714　最大判1948（昭和23）年6月30日刑集2巻7号777頁。
715　最大判1948（昭和23）年3月12日刑集2巻3号191頁。
716　2024年の内閣府「基本的法制度に関する世論調査」では、「死刑もやむをえない」が83.1％、

の多数が極めて凶悪な犯罪については死刑もやむを得ないと考えていること、凶悪犯罪がいまだ後を絶たない状況等を理由に、ただちに、死刑を廃止することは適当でないと考えている。

　犯罪と刑罰が極端に均衡を失している場合も、不必要な苦痛を伴う刑罰として、残虐な刑罰にあたる。この場合、尊属殺違憲判決の多数意見は、憲法14条1項の法の下の平等違反の問題としたが、田中裁判官の意見のように、憲法36条の残虐な刑罰の禁止の問題と構成する方が適当であろう[717]。一種の比例原則に反して、尊属殺人に過度に重たい刑罰を科していたことが、問題の本質とされていたように思われる。比例原則を適用するのであれば、死刑は憲法違反となる可能性が大きい。より制限的でない終身刑などと比べるならば、死刑の凶悪犯罪の防止効果の大きさが立証できず、生命や個人の尊重といったとりわけ重要な人権の制約を正当化できるとは思われない。この点、南アフリカの最高裁判決は、S v Makwanyane and Another（1995）において、より制限的でない手段としての終身刑や長期刑と比べて、死刑の犯罪防止効果の大きさが立証されず、人権の制約は正当化されないという。すなわち、(a)死刑が侵害する権利の性質は、最も重要な権利である生命に対する権利と人間の尊厳であり、残虐・非人道的・品位を傷つける刑罰からの自由も人間の尊厳の保障の構成要素として重要である。(b)政府のいう死刑の目的は、凶悪犯罪の防止、凶悪犯罪の再犯防止、凶悪犯罪への応報の3点にある。しかし、応報の目的は、自由で民主的な社会をめざす憲法にとってふさわしいものではない。(c)死刑の執行は、取り返しがつかないものであり、死刑によって制約される不利益の性質と範囲は、上記の3つの重要な権利に対して深刻かつ回復困難な効果を伴う。(d)凶悪犯罪の再犯防止という目的は、死刑という手段との合理的な関連性を有する。しかし、凶悪犯罪の防止と死刑との合理的な関連性を示す十分な証拠は示されていない。(e)終身刑や長期刑といった、より制限的でない他の手段と比べて、死刑の方が凶悪犯罪の防止の目的に効果的であるという証拠も、終身刑と比べて、死刑の方が凶悪犯罪の再犯防止に効果的であるという証拠もないので、生命の権利、人間の尊厳、残虐・非人道的・品位を傷つける刑罰からの自由に反する。

　「死刑を廃止すべきだ」が16.5％、そして仮釈放がない「終身刑」が導入された場合に「死刑を廃止する方がよい」が37.5％、「死刑を廃止しない方がよい」が61.8％であった。
717　最大判1973（昭和48）年4月4日刑集27巻3号265頁。

自由権規約7条前段は、「何人も、拷問または残虐・非人道的・品位を傷つける取扱いもしくは刑罰を受けない」と定める。死刑の方法によっては、死刑は「残虐・非人道的」取扱いとなりうる。自由権規約委員会は、Chitag Ng v. Canada（1993）で、カリフォルニア州の青酸ガスでの窒息死による死刑は、10分以上の苦しみと苦痛をもたらすことがあり、規約7条の一般的意見20（6段落）で確認した死刑は「身体的および精神的苦痛を可能な限り最小にする方法で執行しなければならない」という基準に合わず、残虐・非人道的取扱いとして7条違反が予測できたので、カナダが犯罪人をアメリカに引渡したことを7条違反とした。なお、アメリカの諸州では、絞首刑は残虐な刑罰と考えられており、薬物注射が一般化していることと合わせて考えると、日本の絞首刑が残虐・非人道的取扱いとして、自由権規約7条違反となりうる。

　さらに、自由権規約6条1項により「すべての人間は、生命に対する固有の権利を有する」とし、同2項により「死刑を廃止していない国においては、死刑は、…最も重大な犯罪についてのみ科することができる」と定めている。自由権規約委員会は、日本に対し「死刑が相当する19の犯罪のうちいくつかの罪が、死刑を『最も重大な犯罪』に限るとの規約の要請を充たしていない」との懸念を示し、「死刑を科しうる犯罪の数を、生命の喪失に至る最も重大な犯罪に削減すること」を勧告している。また、「袴田巌の事件を含め、強制された自白の結果としてさまざまな機会に死刑が科されてきた」こと、「死刑確定者がいまだに死刑執行まで最長で40年の期間、昼夜間独居に置かれていることこと」などに懸念を表明し、「死刑事件における義務的かつ効果的な再審査の制度を確立し」、「厳格に制限された期間を除き、昼夜独居処遇を科さないことにより、死刑確定者の収容体制が残虐・非人道的・品位を傷つける取扱いまたは刑罰とならないように確保すること」、「死刑の廃止を目指し、規約の第2選択議定書への加入を考慮すること」などを勧告した[718]。自由権規約第2選択議定書（死刑廃止条約）1条は「この選択議定書の締約国の管轄内にある何人も、死刑を執行されない」と規定する。

---

[718] 自由権規約委員会・総括所見（2014年7月23日）13段落。

第6節　公平な裁判所の迅速な公開裁判

(1) 公平な裁判所

憲法37条1項が「すべて刑事事件においては、被告人は、公平な裁判所の迅速な公開裁判を受ける権利を有する」と定めている。憲法37条の定める公平な裁判所とは、構成その他において偏っていないということであり、裁判官が事件について予断をもつことなく、白紙の状態で望むことを要請している。自由権規約14条1項は「すべての者は、…公平な裁判所による公正な公開審理を受ける権利を有する」と定めている。自由権委員会によれば、「陪審員による人種差別的態度の表明が裁判所によって容認されたり、もしくは人種的に偏った陪審員の選定がなされたりすることも、手続の公正さに悪影響が及ぶ場合である」という[719]。従来から、刑訴法21条により、不公平な裁判をするおそれがあるときは裁判官を忌避することができた。今日、裁判員の参加する刑事裁判に関する法律（裁判員法）36条により、検察官と被告人は、裁判員候補者について、それぞれ、原則4人まで「理由を示さない不選任の請求」ができる。不選任の制度は、アメリカの陪審員の忌避制度と同様、公平な裁判所の実現をめざすのか、それとも不利な判断をしそうな候補者を排除する目的に使われてしまうのかという問題もある。

裁判所構成上の公平にかぎらず、訴訟手続の公平の観点から、「起訴状一本主義」（事件についての予断をいだかせないために検察官が裁判所に起訴状だけを提出して公訴を提起する原則）と「当事者主義」（事件の解明や証拠提出の主導権を両当事者がになう原則）が採用されている。

(2) 迅速な裁判

裁判の遅延は、迅速な裁判を受ける権利に反し、15年もの間公判を中断していた、高田事件[720]では被告人は全員免訴となった。今日、2003年の裁

---

[719] 自由権規約委員会・一般的意見32（2007年8月23日）25段落。
[720] 高田事件・最大判1972（昭和47）年12月20日刑集26巻10号631頁は、「迅速な裁判をうける被告人の権利が害せられたと認められる異常な事態が生じた場合には、…審理を打ち切る」

判迅速化法2条により「2年以内のできるだけ短い期間内に」1審の終局が求められ、裁判員を長く拘束しないために、事前に争点を整理する「公判前整理手続」が2004年の改正刑訴法316条の2以下に定められた。

(3) 公開裁判

憲法82条1項が裁判一般における公開裁判を保障しており、憲法37条1項は特に刑事被告人の権利として保障している。簡易裁判所で一定額の財産刑を科す略式手続は、非公開の書面審理であっても、被告人の事前の同意を要件とし、事後に請求により、正式の裁判を受ける権利を認めている以上、公開裁判の例外として許容される。証人尋問の遮へい措置やビデオリンク方式が用いられたとしても、「審理が公開されていることに変わりはないから」、憲法82条1項・37条1項に反しない[721]。裁判の公正の確保と2次被害の予防の観点からすると、合憲として問題はない[722]。

従来、裁判の公開は、対審・判決の言渡しが公開される裁判を意味し、一般の（限られた人数の）人の傍聴が認められるかどうかが問題とされた。しかし、今日、刑事裁判の公開は、公正な裁判の実現と知る権利（憲法21条）の要請から、「判決にアクセスする権利」の保障も重要である。日本の現状は、（1審対応検察庁での閲覧など）判例集未登載の判決へのアクセスは容易ではなく、この意味での裁判の公開が不十分である。多くの国ですでに実現しているように、少なくともすべての判決文は（プライバシー保護などの特別な理由を除き）原則として裁判所のウェブサイトで公開すべきである。

として、免訴とした。1952年に約40名が高田派出所を襲撃した事件と、それ以前に起きた同様の事件の総称である。被告人らは起訴されたが、うち20名は同時期に起こった大須事件の被告人でもあったので、大須事件の審理を優先し、高田事件の審理は中断され、1969年の大須事件の結審を待って再開されるまで15年にわたって放置された。

[721] 最判2005（平成17）年4月14日刑集59巻3号259頁。
[722] 渋谷、2017、252頁。

第 7 節　証人審問権・証人喚問権・弁護人依頼権

　憲法 37 条 2 項が「刑事被告人は、すべての証人に対して審問する機会を充分に与へられ、又、公費で自己のために強制的手続により証人を求める権利を有する」と定め、同 3 項が「刑事被告人は、いかなる場合にも、資格を有する弁護人を依頼することができる。被告人が自らこれを依頼することができないときは、国でこれを附する」と規定する。

　通説によれば、「すべての証人」とは、訴訟法上の証人のみならず、鑑定人・参考人・通訳人・翻訳人・（供述が証拠とされる限りで）共同被告人も含まれるという[723]。しかし、判例は「裁判所の職権により、又は訴訟当事者の請求により喚問した証人」と狭義に解していた[724]。古い判例よりも、通説の方が、刑事裁判の実態に即した考えといえよう。

1　証人審問権

　証人審問権とは、被告人に不利な供述をする証人に対する反対尋問の権利をいう。被告人が審問する機会を充分に与えられなかったときは、その者の供述は証拠とならないので、これにより、被告人の反対尋問にさらされていない、伝聞証拠禁止の原則が導き出される。ただし、刑事訴訟法は伝聞証拠禁止を原則としながらも（320 条）、裁判官や検察官の面前調書など一定の場合の例外を認めている（321 条）。ロッキード事件丸紅ルート判決では、被告人に審問する機会がない中で、アメリカにいる証人が（刑事免責を保障された上で）行った嘱託尋問調書の証拠能力が認められなかったことがあるが、2016 年の刑訴法改正で刑事免責制度が導入された[725]。

　1999 年の刑訴法改正（現行 157 条の 5）により、証人の精神的負担の軽減が必要な場合に導入可能となった、1) 証人尋問の遮へい措置（証人と被告人・傍聴人との間を遮へいする措置）について「被告人は、証人の姿を見る

---

[723]　宮澤、1978、314-5 頁、佐藤功、1983、579 頁。
[724]　最大判 1949（昭和 24）年 5 月 18 日刑集 3 巻 6 号 789 頁。
[725]　長谷部、2022、273 頁。

ことはできないけれども、供述を聞くことはでき、自ら尋問することもでき、…弁護人による証人の供述態度等の観察は妨げられないのであるから」証人審問権は侵害されない。同様に、同条の6に基づく、2)ビデオリンク方式（証人を法廷以外の同一構内の場所に座らせ、映像と音声により相手の状態を相互に認識しながら通話する方式）も、「証人の姿を見ながら供述を聞き、自ら尋問することができるのであるから、被告人の証人審問権は侵害されていない」と最高裁はいう[726]。

2 証人喚問権

証人喚問権とは、被告人に有利な供述をする証人の喚問を請求する権利のことである。「公費」で証人を求める権利とあるのは、被告人の防御権を十分に保障するためである。ただし、「訴訟進行の過程」において、被告人に「証人の旅費、日当等」を負担させないという意味であって、「被告人が、判決において有罪の言渡を受けた場合にも、…訴訟費用の負担を命じてはならないという趣意の規定ではない」と解されている[727]。

3 弁護人依頼権

憲法37条3項が、国選弁護人制度を定めているのは、専門的知識を有する弁護人を依頼する権利を実質的に保障して、被告人の不利益を最小限にとどめるためである。刑訴法では死刑、無期または3年を超える懲役・禁固にあたる事件、公判前整理手続・期日間整理手続・即決裁判手続による事件には、弁護人が必要とされ（289条1項、316条の29、350条の18）、その他の事件では、未成年者・高齢者などに対し裁判所が職権で選任しなければ（37条、290条）、被告人が、任意・請求により、国選弁護人を求めることになる。刑訴法は、被告人の「請求により」国選弁護人を付すと定めている（36条）。この点、憲法37条3項は、「弁護人の選任を請求し得る旨を告知すべき義務を裁判所に負わせているものでない」といった請求権説が判例の立場である[728]。しかし、「国でこれを附する」と定めているのは、「国がこれ

---

[726] 最判2005（平成17）年4月14日刑集59巻3号259頁。
[727] 最大判1948（昭和23）年12月27日刑集2巻14号1934頁。

を附すことができる」という意味ではなく、憲法上、「請求」は要件とされていない。したがって、被告人の防御権の保障の観点からは、国選弁護人選任の請求権がある旨の告知義務を憲法上の要請とする絶対的保障説が適当と思われる[729]。人権条約適合的解釈からも、自由権規約14条3項（d）は「弁護人がいない場合には、弁護人をもつ権利を告げられること」と定めており、告知義務を課す絶対的保障説が妥当である。

また、被疑者と違い、被告人は、（2006年の改正刑訴法施行以前の）当初より、貧困その他の理由で、請求により、国選弁護人を依頼することができた。憲法37条3項において、「被告人が自らこれを依頼することができないときは、国でこれを附する」と被告人の国選弁護人制度の根拠規定をもっていたのに対し、憲法34条の被疑者の弁護人依頼権が、類似の文言を欠いていることが、（文理解釈・体系解釈上）被疑者の国選弁護人制度を憲法上の要請としない通説・判例の根拠とされてきた[730]。しかし、比較法的解釈・歴史的解釈からは、憲法37条3項のモデルとなったアメリカ憲法修正6条およびマッカーサー草案では、accusedとなっており、被疑者・被告人双方を含む言葉であるので、憲法37条3項の「被告人」は被疑者も含むと解し、同項と憲法34条を根拠に身柄の拘束が始まった被疑者への国選弁護人制度を憲法上の要請とする学説もある[731]。

人権条約適合的解釈からも、被疑者の弁護人依頼権の保障が要請される。自由権規約14条3項は、「すべての者」に、(b)「防御の準備のために十分な時間と便益を与えられ、自ら選任する弁護人と連絡する」権利の保障を定める。自由権規約委員会によれば、「便益には、弁護人を依頼し、連絡する機会をもつこと」等が含まれ[732]、かつての日本において被疑者段階の国選弁護人がないことにつき、自由権規約14条の「保障が完全に満たされていな

---

[728] 最大判1953（昭和28）年4月1日刑集7巻4号713頁。刑訴法272条が「貧困その他の事由により弁護人を選任することができないときは弁護人の選任を請求することができる旨を知らせなければならない」と告知義務を定めているのは、憲法上の要求ではないとされた。

[729] 野中ほか、2012、446頁〔髙橋〕、渋谷、2017、259頁。

[730] 大判平11・3・24民集53巻3号514頁。

[731] 野中ほか、2012、443頁〔髙橋〕。参照、オプラー、1990、119頁では、「かりに被疑者が弁護士を得ることができないときは、裁判所は彼のために弁護士を選任しなければならない」と述べている。

[732] 自由権規約委員会・一般的意見13（1984年4月12日）段落9。

いこと」に「懸念」を表明し、改革を「勧告」していた[733]。自由権規約14条3項（b）は、「公正な裁判を保障するための重要な要素であり、……資力に乏しい被告人の場合には、弁護人との連絡は、公判前段階および公判段階で無料の通訳人が提供されることによって、はじめて確保されうる」[734]。公正な裁判の実現のためには、被疑者の「防御」のための「便益」として、憲法34条は「何人も、理由を直ちに告げられ、且つ、直ちに」（必要ならば無料の通訳人の援助を得た国選弁護人の場合も含む）「弁護人に依頼する権利を与へられなければ、抑留又は拘禁されない」という意味に解すべきである。（資力・公用語理解力の乏しい人への無料の通訳を伴う）被疑者国選弁護人が保障されないことは、憲法34条の弁護人依頼権に反する。

第8節　自白の強要からの自由

日本国憲法38条は、1項で不利益供述拒否権、2項で自白排除法則、3項で自白補強法則を定めている。すなわち「1、何人も、自己に不利益な供述を強要されない。2、強制、拷問若しくは脅迫による自白又は不当に長く抑留若しくは拘禁された後の自白は、これを証拠とすることができない。3、何人も、自己に不利益な唯一の証拠が本人の自白である場合には、有罪とされ、又は刑罰を科せられない」。

1　不利益供述拒否権

アメリカ憲法修正5条では「何人も、刑事事件において自己に不利な証人となることを強制されることはない」と定めている。自己負罪拒否特権とも呼ばれるこの権利を日本国憲法38条1項が規定している。自己に不利益な供述を強要されない権利を確保するためには、黙秘権も日本国憲法38条1項の要請とみるのが適当であろう。もっとも、判例は、「自己に不利益な供述」を「自己の刑事上の責任に関する不利益な供述」に限定し、氏名の供述は、原則として不

---

[733] 同・総括所見（1998年11月19日）22段落。
[734] 同・一般的意見32（2007年8月23日）32段落。

利益事項には該当せず、黙秘の対象とはしていない[735]。しかし、氏名が判明することにより、その者が犯人として特定されることになるような場合には、本項の保障が及ぶと解すべきである[736]。また、黙秘の不利益推認といったイギリスにおける黙秘権の制限は、自由権規約14条3項（g）の不利益供述拒否権を脅かし、同14条2項の推定無罪をも脅かしかねない[737]。同14条3項（g）は、「自己に不利益な供述または有罪の自白を強要されない」権利を保障している。この保障は、有罪の自白を引き出すことを目的とした、被疑者に対する捜査機関からの直接・間接の身体的圧力・不当な心理的圧力がないことという意味で理解されなければならない[738]。なお、自由権規約14条2項が明文で定める推定無罪の原則は、日本国憲法では、31条の適正手続から導かれるとともに、国家に立証責任を負わせ、被告人に真実解明に協力する証言義務を否定する38条1項の不利益供述拒否権に支えられている。

　不利益供述拒否権の対象が「供述」に限定されるかどうかも問題となる。うそ発見器（ポリグラフ）の使用について、合憲説は、生理的反応をみる非供述証拠だからよいとする。しかし、質問への返答と結びついているので、供述と同じ意味をもつとする違憲説の方が適当であろう。アメリカでも、Schmerber v. California, 384 U.S. 757 において、うそ発見器の検査は「事実上、本質的に供述的な応答を採取するもの」と判示している。「強要されない」とあることから、実務上、被疑者・被告人へのポリグラフ検査の強制は、不利益供述拒否権の侵害となるが、刑訴法326条1項により検察官と被告人が証拠とすることに同意した場合には、「作成されたときの情況等を考慮したうえで」、ポリグラフ検査結果回答書も証拠となりうる[739]。しかし、ポリグラフ検査の信頼性は疑わしく、証拠から排除する方が適当と思われる。なお、酒気帯び運転の疑いがあるとして、警察官から「呼気」検査に応じるように求められ、これを拒否したことが道交法120条1項11号（現行118条の2）の「呼気」検査

---

[735] 佐藤幸治、1995、603；最大判1957（昭和32）年2月20日刑集11巻2号802頁。氏名の黙秘を理由とした弁護人選任届の却下を合憲としている。
[736] 野中ほか、2012、429〔高橋〕。
[737] Joseph and Castan, 2013, para. 14. 181.
[738] 自由権規約委員会・一般的意見32（2007年8月23日）41段落。
[739] 最決1968（昭和43）年2月8日刑集22巻2号56頁。

拒否罪（飲酒検知拒否罪）にあたるとした判例では、「呼気を採取してアルコール保有の程度を調査するものであって、その供述を得ようとするものではないから」憲法38条1項に違反しないという[740]。

2　自白排除法則

明治憲法下では、自白は「証拠の王様」であるといわれ、被告人を有罪とする最大の決め手であった。かつての自白偏重の取調べにおいては、自白を強要すべく、拷問がなされたことへの反省から、日本国憲法38条2項では、強制・拷問・脅迫・長期拘束による場合の自白の証拠能力を否定した。この自白排除法則の理由として、判例は、任意性を欠く自白は虚偽を含んでいる可能性が強いから、証拠能力を否定するという虚偽排除説の立場である[741]。そこで、自白が任意であるかどうかにかかわりなく、違法に収集された証拠を排除するために本項があるとする**違法排除説**が適当と思われる。この説は、違法収集排除法則を自白の採取の過程にも取り入れるものである。

3　自白補強法則

3項の自白補強法則は、自白だけで有罪とするのを禁止し、自白に補強証拠を要求する。その理由は、自白の主観性よりも、手続の客観的な違法性を問題とする（違法排除説に対応した）**自白忌避説**に求められる。この説によれば、自白はできるだけ使わず、他の証拠の収集に力を注ぐ必要がある。

刑事訴訟法319条2項は「被告人は、公判廷における自白であると否とを問わず、その自白が自己に不利益な唯一の証拠である場合には、有罪とされない」と定めている。しかし、最高裁は、公判廷では、被告人の自白には任意性があり、裁判所が真実性の心証を得た場合には、「さらに他の補強証拠を要せずして犯罪事実の認定ができる」として、憲法38条3項の「本人の自白」は、「被告人の公判廷における自白は含まれない」という[742]。今後、被告人が最初の罪状認否の段階で有罪を認めた場合に、ただちに量刑判断を行う、英米流の

740　最判1997（平成9）年1月30日刑集51巻1号335頁。
741　最大判1948（昭和23年）7月14日刑集2巻8号856頁。
742　最大判1948（昭和23）年7月29日刑集2巻9号1012頁。

アレインメント制度を日本に導入する場合には、この判例の解釈が有用となろう。

第9節　被告人に不利益な処罰からの自由

1　遡及処罰の禁止

　憲法39条前段前半は、「何人も、実行の時に適法であった行為…については、刑事上の責任を問はれない」と定めている。過去に遡って処罰することを禁じるこの規定は、遡及処罰の禁止（事後法の禁止）といわれる。本規定により、個人は、刑法や刑事訴訟法[743]が変わっても、あとから処罰されることなく、安心して暮らせる。「適法」とは、刑罰規定に反しないことを意味し、（未成年者の推知報道を禁止する少年法61条のように）禁止・違法の規定があるだけで、刑罰規定がない場合は、遡及処罰が禁止される「適法」な場合に含まれる[744]。本来、刑法等の実体法の問題であって、刑事手続法の不利益変更については、公訴時効や挙証責任規定のように、実体法と密接な関係をもつ場合に限るとするのが有力な見解であった[745]。しかし、2010年の刑法及び刑事訴訟法の一部を改正する法律により、人を死亡させた罪の公訴時効を廃止または期間延長する不利益変更がなされている。時効が完成した場合には、憲法39条前段後半の「既に無罪とされた行為については、刑事上の責任を問はれない」ことから、不利益適用が認められないが、時効が進行中の事件では、不利益適用は、遡及処罰の禁止に反しないというのが実務の立場である。また、判例変更と遡及処罰の禁止に関しては、都教組事件最高裁判決において、行為当時の最高裁判例（全逓東京中郵事件）に従えば無罪となるべき行為を処罰しても憲法39条に反しないという[746]。しかし、通常、人は法律の文言だけでなく、法律の意味についての最高裁の解釈を踏

---

[743]　ただし、「単に上告理由の一部を制限したにすぎない訴訟手続」の場合は、39条の事後法の禁止が類推適用されない。最大判1950（昭和25）年4月26日刑集4巻4号700頁。
[744]　渋谷、2017、263頁。
[745]　佐藤幸治、2020、387頁。
[746]　最判1996（平成8）年11月18日刑集50巻10号745頁。

まえて行動するものと思われるから、判例に従って行動した者を判例変更後の法解釈に基づき処罰することも憲法39条違反と解すべきである[747]。

2　一事不再理と二重処罰の禁止

憲法39条前段後半は、「何人も、…既に無罪とされた行為については、刑事上の責任を問はれない」と定める。同条後段は、「又、同一の犯罪について、重ねて刑事上の責任を問はれない」と規定している。この2つの規定の関係については、①両者が相まって大陸法的な「一事不再理」を定めているとする説、②前者は「一事不再理」を、後者は「二重処罰の禁止」を定めているとする説、③両者が相まって英米法的な「二重の危険」を定めているとする説に分かれる。

一事不再理とは、同じ事件は、ひとたび審理し終えたならば、再び審理しないことを意味する。ひとたび確定判決を得たならば、判決の既判力により、同じ事件を裁判所に提訴できなくなる。前段後半にある「既に無罪とされた行為については、刑事上の責任を問はれない」ことと符合する[748]。この一事不再理説の問題は、後段の内容が意味のない規定となってしまう点にある。

そこで、通説は、前段後半が一事不再理を定め、後段は二重処罰の禁止を定めたものと解する。**二重処罰の禁止**とは、一度、ある罪で処罰した後、同じ行為をさらに別の罪として処罰しないことを意味する。この場合、確定判決を覆す一事不再理とは違い、新たに別の罪状のもとの別の判決を重ねて下すことを禁止する。このことは、後段にある「同一の犯罪について、重ねて刑事上の責任を問はれない」ことと符合する。この説は、文言に即した解釈であるが、39条が人権規定であることと調和しない難点があるといわれる。

3　二重の危険

これに対して、**二重の危険**とは、同一の犯罪につき重ねて生命身体の危険にさらされることを禁止することを意味する。この点、アメリカ憲法修正5条は「何人も、同一の犯罪について、重ねて生命身体の危険にさらされることはない」と定め

747　市川、2022、197頁。
748　他方、有罪の確定判決の場合は、それを重く変更することは許されないと解される。

ている。被告人は、経済的にも、心理的にも裁判の重圧に耐えているので、被告人の権利救済から、国家が訴追できるのは一度だけにとどめようとする、英米法の発想に基づいている。39条の英訳が double jeopardy となっていることもあって、前段後半と後段がともに二重の危険の禁止を定めていると解する。英米法では、原則として下級審での無罪判決に対する検察官の上訴も二重の危険として禁止されている。しかし、日本の判例では、二重の危険を一事不再理の意味に理解し、「危険とは、同一の事件においては、訴訟手続の開始から終末に至るまでの一つの継続的状態」とみて、検察側が上訴することは、二重の危険にさらすものではないので、合憲としている[749]。裁判員制度の導入により、国民から選ばれた裁判員が参加して下した一審の裁判員裁判の無罪判決を検察側が控訴することは、特に慎重な対応が必要であるものの、実務上は、控訴も許されているのが現状である[750]。二重の危険説は、人権をより重視する解釈である。しかし、問題は、二重の危険としては前段後半と後段に分割して規定されている点で、不自然であるといわれる。

---

749 最大判1950（昭和25）年9月27日刑集4巻9号1805頁。
750 最判2012（平成24）年2月13日刑集66巻4号482頁「控訴審が第1審判決に事実誤認があるというためには、第1審判決の事実認定が論理則、経験則等に照らして不合理であることを具体的に示すことが必要であるというべきである。このことは、裁判員制度の導入を契機として、第1審において直接主義・口頭主義が徹底された状況においては、より強く妥当する」として、裁判員裁判の結論を尊重することをうながしている。

第12章
経済的自由

　人が生活を営むには経済的手段を必要とし、その確保に向けられる活動の自由が、広く経済的自由と呼ばれる。近代憲法の人権カタログのうちで、経済的自由は重要であった。このことは、ロックの「生命・自由・財産」を総称する用語がプロパティ（property）であったことからもうかがえる。しかし、現代憲法では、社会権を保障する一方で、経済的自由に広い制約の可能性を認めている。一般に、居住・移転の自由、職業選択の自由、財産権は、経済的自由として分類されるが、これらは多面的な性質を有する。

第1節　居住・移転の自由

　封建時代の土地への束縛と身分的拘束から解放された、近代の資本主義社会は、居住・移転の自由を確認する。今日、国民の移動の自由の制限は、極端な事例で問題となるにすぎない[751]。外国人の移動の自由の問題が多い。

　居住・移転の自由は、一般に経済的自由として分類されるものの、多面的な性質が問題となる。居住・移転の自由は、すでに明治憲法でも規定していたが、日本国憲法では、精神的自由と隣接する22条に規定する。講演旅行のように表現の自由や学問の自由と居住・移転の自由は密接に関連する。居住・移転の自由は、人身の自由や幸福追求権の側面もあり、人格形成に必要

---

[751] 自治体が特定の宗教団体の信者の住所変更に伴う転入届を受理しないことは、住民基本台帳法に反するとする。アレフ信者転入拒否事件・最判2003（平成15）年6月26日判時1831号94頁。違法にとどまらず、居住・移転の自由に対する重大な制約であり、違憲と評されている。佐藤幸治、2020、332頁。渋谷、2017、224頁。

な条件でもある。**ハンセン病国家賠償訴訟判決**では「居住・移転の自由は、経済的自由の一環をなすものであるとともに、…人身の自由としての側面をもつ。のみならず、自己の選択するところに従い社会の様々な事物に触れ、人と接しコミュニケートする…人格権…ととらえるのが相当である」[752] という。

1 居住・移転の自由の制限

憲法22条1項は、何人も「公共の福祉に反しない限り」居住・移転の自由を有すると定めている。公共の福祉による制限をめぐり、従来の学説は3つに分かれている。

第1に、**政策的制約説**によれば、社会公共の見地から政策的考慮に基づく制約をうける。しかし、一律に政府の政策的制約（外在的制約）を受けるとすることは、この権利の多面的性格を軽視するものであり、適当ではない。

第2に、**内在的制約説**によれば、権利の内在的制約にのみ服する。しかし、この立場は、公共の福祉という文言を無視し、経済的自由の側面を軽視する。

そこで、第3の**二重の基準説**が通説とされる。この場合は、居住・移転の自由が、「公共の福祉」による制約の文言にも配慮しつつ、経済的自由の側面と民主制の根幹をなす精神的自由の側面をも考慮する。規制が経済的自由の側面にかかわるときは、ゆるやかな基準で違憲審査を行い、精神的自由の側面にかかわるときは、厳格な基準を適用する。

しかし、実際には、諸外国や日本の裁判実務でみられるように、制約が正当化されうるかどうかについては、より多面的な要因を考慮する必要があり、第4の**比例原則説**が、適当と思われる。たとえば、ハンセン病の患者の隔離を違法と認定した**ハンセン病国家賠償訴訟判決**では、居住・移転の自由の多面性、とりわけ憲法13条の人格権侵害の問題を踏まえた上で、「伝染予防のために患者の隔離以外に適当な方法がない場合でなければならず、…新法の隔離規定は、新法制定当時から既に、ハンセン病予防上の必要を超えて過度な人権の制限を課すものであり、公共の福祉による合理的な制限を逸脱して

752　ハンセン病国家賠償訴訟判決・熊本地判2001（平成13）年5月11日判時1748号30頁。

いたというべきである」と判示している[753]。ここには、比例原則という言葉はない。しかし、他の代替手段の有無を問題とする「必要性」を審査し、過度な制限を違法とする比例原則の視点がみられる。本来、憲法「**22条1項と結びついた13条**」が、比例原則に反して**隔離されない権利**を導くと説明する方が、事柄の本質にかなっているように思われる。

2　外国旅行の自由の根拠規定と制限

外国旅行の自由の根拠は、居住・移転の自由を定めた憲法22条1項に求めるか、「外国に移住」する自由を定めた憲法22条2項に求めるか、人格の自由な発展を含む憲法13条の幸福追求権に求めるのかは、学説が分かれる。

①**22条1項説**は、短期的な外国旅行を「移転」に含める立場である[754]。しかし、22条2項が外国移住の自由として国外への移動を定めていることからすれば、同1項の居住・移転の自由は、日本国内での居住・移転を保障する権利と解すべきであり、国外への移動を含まないとする批判がある。

②通説、判例は、**22条2項説**の立場である[755]。これは、「外国」への移動の共通性に着目している。しかし、「移住」というのは、長期的な移動を意

---

[753] ハンセン病国家賠償訴訟判決・熊本地判2001（平成13）年5月11日判時1748号30頁。

[754] 宮沢、1974、389頁。

[755] 芦部、2023、378頁。**帆足計事件**・最大判1958（昭和33）年9月10日民集12巻13号1969頁。1952年に、元参議院議員がモスクワで開催される国際経済会議に出席するための旅券を請求したところ、外務大臣により旅券の発給が拒否された事件。「憲法22条2項の『外国に移住する自由』には外国へ一時旅行する自由を含むものと解すべきであるが、…旅券法13条1項5号が、…公共の福祉のために合理的な制限を定めたもの」として合憲とした。公共の福祉による紋切型の先例であり、今後は、比例原則に照らして判断されるべきである。この点、トルコからシリアに入国し、武装組織に拘束され、3年4カ月後に解放され、（旅券法13条1項1号の旅券発給制限規定「渡航先に施行されている法規によりその国に入ることを認められない者」に該当する）トルコ政府から5年間の入国禁止が命じられていたフリージャーナリストに対し、外務大臣が旅券発給を拒否したので、その処分取消を求めた事件について、東京地判2024（令和6）年1月25日裁判所ウェブサイトは、「海外渡航の自由は、単なる経済的自由にとどまらず、人身の自由ともつながりを持ち、更には、…個人が自己の人格を発展させるとともに、…精神的自由の側面をも持つ」ので、「合理的で必要やむを得ない」制限のみが許されるとした。そして「トルコ及びトルコと地理的に近接する国を除く地域に原告が渡航することによって、トルコと我が国との二国間の信頼関係が損なわれる蓋然性がない」ので、旅券発給拒否処分に裁量権の濫用があり、違法としている。

味する用語であり、短期的な外国旅行を含めるのは無理がある。

③ **13条説**によれば、憲法の明文の規定のない権利は、憲法13条の幸福追求権がカバーするという。ドイツ連邦憲法裁判所の判決BVerfGE 6, 32（1957）では、国内での移動の自由を定めるドイツ基本法11条が外国旅行の自由を含まず、「人格の自由な発展」を定める同2条1項を外国旅行の自由の根拠規定としている[756]。しかし、憲法22条が、（領域内という明文の制限なしに）人の移動の自由をカバーする規定であり、人格の自由な発展の要素にのみ着目して憲法13条だけを根拠規定とすることは憲法全体の整合的な解釈としては不十分であろう。

自由権規約の規範構造と比較してみると、同12条1項が明文で「領域内」での居住・移転の自由を定め、「合法的にいずれかの国の領域内にいるすべての者は、当該領域内において、移動の自由及び居住の自由についての権利を有する」とある。同2項が出国の自由を定め、「すべての者は、いずれの国（自国を含む。）からも自由に離れることができる」と規定する。同4項が自国への入国（再入国）の自由を定め、「何人も、自国に入国する権利を恣意的に奪われない」と規定する。同13条が恣意的な追放（退去強制）[757]禁止を定める。もし、憲法22条1項の居住・移転の自由を通説のように、明文の規定のない「領域内」に限定し、同22条2項の国外移住の自由に、出国の自由を読み込んだとしても、再入国の自由と恣意的な退去強制の禁止の要素を憲法の明文規定から読み込むことが困難になる。

④そこでむしろ、自由権規約との整合的な憲法解釈をするのであれば、**「22条と結びついた13条」**が外国旅行の自由を保障すると解釈するのが適当であろう。本来、外国旅行の自由は、後述する出国の自由と再入国の自由をともに含む性質のものである。憲法22条の規定が、外国旅行の自由を定めているかどうかが不明確なのは、出国の自由と再入国の自由の明文規定を欠く点にある。自由権規約の注釈書によれば「自由権規約12条2項の出国の権利は、短期の国外滞在とやや長く延長された国外滞在（たとえば、…外国旅行の自由）と…長期の出国（移住の自由）の両方をカバーする[758]」。ま

---

[756] BVerfGE 6, 32 (1957).
[757] 自由権規約13条の追放は、日本の入管法上の退去強制と同じ外国人の国外追放を意味しており、退去強制と訳しうる。ただし、厳密には、犯罪人引渡しも含む。

た、12条4項は、「自国を離れた後に帰国する権利を含む」[759]。日本国憲法では、出国の自由は、憲法22条2項の「外国に移住」する自由と結びついた13条が保障し、再入国の自由は、憲法22条1項の「居住、移転」の自由と結びついた13条が保障するものと考えられる。そこで、出国し、再入国する、海外旅行の自由は、「22条1項・2項と結びついた13条」（簡略すれば「22条と結びついた13条」）が保障すると考えるのが適当であろう。

次に、日本の判例上の重要な問題は、外国旅行の自由を制限する、旅券法13条1項5号（現行7号）の合憲性である。そこでは、一定の犯罪行為などのほかに「著しく且つ直接に日本国の利益又は公安を害する行為を行う虞があると認めるに足りる相当の理由がある者」は、外務大臣が旅券の発給を拒否できると定めている。

第1に、多数説である違憲説によれば、このような「漠然かつ不明確な基準」による規制は、外務大臣の自由裁量により、外国旅行の自由を奪うものであり、文面上違憲となる[760]。しかし、海外渡航の自由は精神的自由そのものではなく、文面上違憲とするよりも、害悪発生の相当の蓋然性がない旅券発給拒否は、適用違憲の問題とみる有力な見解もある[761]。

第2に、合憲限定説によれば、外国旅行の性質上、国際関係の見地から特別の制限が可能であるとするものの、一定の犯罪行為に限定して、合憲限定解釈を施す[762]。しかし、犯罪行為とは別に、エボラ出血熱のようにワクチンがまだつくられていない特定の感染症流行地域への渡航制限など、国および公共の安全を理由とした制約は認められる余地がある。

第3に、合憲説によれば、犯罪行為に限らず、「国家の安全保障」という立法目的と合理的に関連する行為を政策的に判断して旅券の発給を外務大臣が拒否することは合憲となり、裁判所の審査は目的と手段との合理的関連性の有無で足りる[763]。しかし、「日本国の利益」という表現は、外務大臣の恣

---

[758] Schabas, 2019, 309.
[759] 自由権規約・一般的意見27（1999年11月2日）14・19段落。
[760] 宮沢、1974、389-390頁。
[761] 伊藤、1995、366頁。
[762] 佐藤功、1983、399頁。
[763] 河原、1957、37頁。

意的な運用を許す、広範な概念である。「国家の安全保障」という特定の国益の目的との合理的関連性を審査するのであれば、合憲限定解釈を施す必要があろう。また、目的と手段との合理的関連性の審査では十分ではない。

自由権規約委員会によれば、外国旅行の自由を含む出国の自由の制限は、「比例原則に適合するものでなければならない。すなわち、制限は目的達成のために適切なものでなければならず、目的を達成する手段のうち最も非侵害的な手段でなければならず、さらに達成される利益と比例するものでなければならない」[764]。比例原則の根拠は、自由権規約 12 条 3 項が、移動の自由・居住の自由、および出国の自由の制限は「国家の安全、公の秩序、公衆の健康もしくは道徳または他の者の権利および自由を保護するために必要であり…」と定めている点にある。自由権規約が用いる「必要」という要件は、客観的な最低基準にしたがうものであり、この基準が守られているかどうかの判定基準は、比例原則により審査される[765]。

第 4 に、そこでむしろ、「日本国の利益」を「国の安全」の意味に限定する合憲限定解釈を施したうえで、国および公共の安全の目的に照らし、旅券の発給拒否という手段の適合性、必要性、狭義の比例性を審査する比例原則により、合憲性を判断することが適当と思われる。この場合の限定合憲説は、従来の第 2 説と区別すべく、「**比例原則説**」と呼ぶことにする。海外旅行の自由の根拠規定が憲法「**22 条と結びついた 13 条**」にあり、旅券法の合憲審査における比例原則の根拠規定は、憲法 13 条である。

3　（外国人の場合の）出入国関連の諸権利

(1)　入国の自由

外国人の入国の自由は、通説・判例によれば、憲法 22 条 1 項の居住・移転の自由には含まれないのであって、国際慣習法上と同様、憲法上も保障されておらず、国家の自由裁量による[766]。最高裁は、中国人の密入国者に関する**林栄開事件**において「憲法 22 条は外国人の日本国に入国することについ

764　自由権規約委員会・一般的意見 27（1999 年 11 月 2 日）14 段落。
765　Schabas, 2019, 309.
766　芦部、2023、165-6 頁。

ては…規定していない…このことは、国際慣習法上、外国人の入国の許否は当該国家の自由裁量により決定し得るものであって、特別の条約が存しない限り、国家は外国人の入国を許可する義務を負わない」と判示した[767]。

今日、この特別の条約として、難民条約、拷問等禁止条約および自由権規約がある。難民条約33条1項および拷問等禁止条約3条のノン・ルフールマン（追放禁止）原則によれば、政治的迫害により生命・自由が脅威にさらされるおそれのある国、および拷問が行われるおそれのある国に、追放することができない。したがって、条約締結国である日本は、事実上、入国を許可する義務を負う。また、入国の自由は、「何人も、自国に入国する権利を恣意的に奪われない」と定める自由権規約12条4項に定められている[768]。したがって、一定の場合に外国人の入国を認める人権条約上の義務がある。

(2) 在留する権利

マクリーン事件[769]は、在留する権利を問題としたリーディング・ケースでもある。前述の**林栄開事件**最高裁判決を引きながら、「わが国に在留する外国人は、憲法上わが国に在留する権利ないし引き続き在留することを要求することができる権利を保障されているものではな」いという。たしかに、マクリーン事件は、1年間日本に在留したのちに、在留期間の更新を不許可とされた事例である。こうした短期の在留者が、日本を「自国」とみなし、自由権規約12条4項から導かれる「在留する権利」を主張できるわけではない。しかし、少なくとも、旧植民地出身者の子孫である特別永住者は、日本で生まれ育っており、在留権の侵害は、12条4項違反となる。自由権規約委員会によれば、「人が自国に入国する権利を有するということは、人と

---

[767] 林栄開事件・最大判1957（昭和32）年6月19日刑集11巻6号1663頁。
[768] 「自国に入国する権利（the right to enter his own country）」を「自国に戻る権利」として訳している政府訳は、再入国の自由の側面を想起させるのには適当であるが、この権利には、新規に入国する権利や自国に在留する権利など多様な側面を含んでいることに注意する必要がある。
[769] マクリーン事件・最大判1978（昭和53）年10月4日民集32巻7号1223頁。むしろ、1審・東京地判1973（昭和48）年3月27日判時702号46頁が指摘したように、「転職およびいわゆる政治活動の実体が、なんら在留期間の更新を拒否すべき事由に当たらないのに、著しくこの点の評価を誤つたもので、…裁量の範囲を逸脱する違法の処分」という点が問題となる。

その国との間に特別な関係が認められるということである。この権利には多くの側面がある。これは自国に在留する権利があることを含意する。…『自国』の範囲は、『国籍国』の概念より広い。…少なくとも、当該国に対して特別の関係または請求権を有するがゆえに、単なる外国人と見なすことはできない個人を含む」[770]。自由権条約委員会に個人通報された Nystorm v Australia（2011）および Warsame v Canada（2011）によって、新たな「自国」の解釈は、「国籍以外の人と国との間の密接かつ永続的な関係、すなわち国籍の関係よりも強いかもしれない関係を形成する諸要素」すなわち「長期の在留期間、密接な個人的・家族的つながり、在留目的、その種のつながりが他のどこにもないことなどの考慮」により判断する[771]。

(3) 恣意的に退去強制されない権利

基本的人権の保障のために、恣意的な退去強制が禁止される場合がある。移動の自由・居住の自由に関し、自由権規約委員会は「法律で定められ、国の安全、公の秩序、公衆の健康・道徳または他の者の権利・自由を保護するために必要であり、かつ、この規約において認められる他の権利と両立するものである場合」にかぎって制限を認める「自由権規約12条3項は、制限が許容される目的達成に資するというだけでは不十分であり、それらの目的達成にとって必要なものでなければならないことを明記している。制限措置は比例原則に適合するものでなければならない。すなわち、制限は目的達成のために適切なものでなければならず、目的を達成する手段のうち最も非侵害的な手段でなければならず、更に達成される利益と比例するものでなければならない」と解説している[772]。同委員会によれば、「差別禁止、非人道的な取扱いの禁止、または家族生活の尊重の考慮などの一定の状況において外国人は、入国または居住に関連する場合においてさえ規約の保護を享受することができる。…13条は、追放手続のみを直接規律するにすぎず、追放の実体的根拠を規律していない。しかし、『法律に基づいて行われた決定によ

---

[770] 自由権規約委員会・一般的意見27（1999年11月2日）20段落。
[771] 詳しくは、近藤、2023、159-65頁。
[772] 自由権規約委員会・一般的意見27（1999年11月2日）14段落。

って』行われることのみを認めることにより、その目的が恣意的な追放を阻止することにあることは明らかである」[773]。

今日、警察行政に類似する権力行政の側面をもつ入管行政、とりわけ退去強制手続においては、**比例原則**がその裁量違反の審査に広く用いられている。ヨーロッパ人権裁判所は、Nunez v. Norway, 28 June 2011, ECHR（2011）において、ノルウェー在住の外国人の窃盗と不法入国の過去の事実が判明したことに基づく退去強制と2年間の再入国禁止処分を違法とした。退去強制が、離婚した永住者とのあいだにノルウェーで生まれた9歳と8歳の2人の子どもから母親を引き離す結果となる。そこで、子どもの権利条約3条の子どもの最善の利益を考慮するならば、入国管理等の公的利益よりも子どもたちの蒙る不利益の方が上回るとして、ヨーロッパ人権条約8条の家族生活の権利を侵害するという。また、スイスの連邦裁判所は、BGE 139 I 16（12 Oktober 2012）では、7歳のときに移住したスイスで義務教育等を修了し、15年以上滞在している永住者を、家族もおらず、言葉も十分にできない出身国に犯罪を理由に退去強制することは、ヨーロッパ人権条約8条や自由権規約17条1項の「私生活および家族生活の保護」、子どもの権利条約3条の「子どもの最善の利益」などに照らし、裁量を逸脱するものと判示した。

日本においても、在留を特別に認めない法務大臣の裁量について、家族の結合の権利（自由権規約：B規約23条）や子どもの最善の利益（子どもの権利条約3条）を考慮しながら、権利の制約が正当化されうるかどうかを審査する必要が問題となっている。下級審判例では、日本人の配偶者の退去強制について「真意に基づく婚姻関係について実質的に保護を与えないという、条理及びB規約23条の趣旨に照らしても好ましくない結果を将来するものであって、社会通念に照らし著しく妥当性を欠く」[774]。また、子どものいる長期滞在家族の退去強制について「2歳のときに来日し、10年以上を日本で過ごした原告長女…のこれまで築き上げてきた人格や価値観等を根底から覆すものというべきであり、…子どもの権利条約3条の内容にかんがみれば、…原告ら家族が受ける著しい不利益との比較衡量において、本件処分により達成される利益は決して大きいものではないというべきであり、本件各退去強制令書発付処分は、**比例原則**に反した違法なもの」と判示している[775]。

---

[773] 自由権規約委員会・一般的意見15（1986年4月11日）5・6・10段落。
[774] 東京地判1999（平成11）年11月12日判時1727号94頁。

日本の入管の行政実務上、退去強制事由に該当する場合でも、法務大臣が在留を特別に許可するかどうかの判断に際しては、2024年に改訂された「在留特別許可に係るガイドライン」において「特に考慮する積極要素」として、以下の6項目が示されている[776]。(1)日本人・特別永住者・永住者・日本人の配偶者等・永住者の配偶者等・定住者の実子、(2)日本人・特別永住者・永住者・日本人の配偶者等・永住者の配偶者等・定住者との間に出生した実子を扶養している場合であって、ア)実子が未成年かつ未婚（または障碍のある成人）、かつ、イ)相当期間実子と同居し、監護・養育していること、(3)日本人・特別永住者・永住者・日本人の配偶者等・永住者の配偶者等・定住者との婚姻が安定かつ成熟していること、(4)日本の初等・中等教育機関に在学し相当期間日本に在住している（かつ、本国で初等中等教育を受けることが困難な事情等が認められる）実子と同居し、監護・養育している（かつ、地域社会に溶け込んでいる）こと、(5)本人または親族の難病等により日本での治療または看護を必要としていること、(6)本国における情勢不安に照らし、当該外国人が帰国困難な状況があることが客観的に明らかであることである。

　近年、日本では、このガイドラインの(4)に該当するにもかかわらず、学校に通う子どもだけの在留を許可し、親を退去強制する事例がみられる。ガイドラインの（注4）では、退去強制令書が発付された後の事情変更は原則として考慮されない旨が明記された。しかし、子どもの権利委員会23（移住労働者権利委員会との合同一般的意見、2017年11月16日）29段落では、「国が、非正規な状況下で子どもとともに在留している移住者を対象として、とくに子どもが目的地国で出生したり、長期間生活していたり、親の出身国への帰還が子どもの最善の利益に反する場合には、地位の正規化のための経路を用意するよう勧告する」。Winata v Australia（2001）において、父と母は在留期間満了後も超過滞在していたインドネシア国民であり、オー

---

[775] アミネ・カリル事件・東京地判2003（平成15）年9月19日判時1836号16頁。
[776] この背景には、子どもの権利条約3条（子どもの最善の利益）、自由権規約6条（生命への権利）、7条（非人道的な取扱いを受けない権利）・17条・23条（家族結合の権利）、憲法13条（生命への権利・非人道的な取扱いを受けない権利）・24条（子どもの権利）などがある。

ストラリアで生まれた子どもが10年の滞在後にオーストラリア国籍を取得したのち、両親は在留資格を申請したところ拒否されたが、自由権規約委員会は、13歳となった子どもに一人だけオーストラリアに残るか、それとも親と一緒にインドネシアに住むのかを選ばせるのは、14年以上オーストラリアに住んでいる両親と、オーストラリアの学校に通い、社会とのつながりを築いてきた13歳の子どもの家族にとって恣意的な干渉であり、自由権規約の（家族結合の権利を保障する）17条1項・23条1項および（子どもの保護を定める）24条1項に反するとした。

　裁判所のとるべき比例原則の審査内容は、人道的配慮の内容をより明確にすべく、自由権規約26条の差別禁止、同6条の恣意的な生命の剥奪、同7条の残虐・非人道的な取扱いの禁止、難民条約33条1項および拷問等禁止条約3条のノン・ルフールマン（追放禁止）原則を参照する必要がある。下級審の確定判決では、難民申請したミャンマー国民に対する難民不認定および退去強制命令発付については、「『政治的意見を理由に迫害を受けるおそれ』がある難民の場合に、特別在留許可を認めず、本国への送還を原則とする退去強制令書の発付の前提となる本件退去強制裁決を行うことは、拷問等禁止条約3条（ノンルフールマン原則）等の趣旨からも、裁量権の逸脱ないし濫用に該当し、違法といわざるを得ない」と判示している[777]。退去強制を受ける者の送還先の禁止事項として、すでに難民条約33条1項に対応する規定が定められていたが、2009年に改正された入管法53条3項により、拷問等禁止条約3条1項および未発効ながら日本も批准した強制失踪条約16条1項に該当する国が追加された。自由権規約6条の恣意的な生命の剥奪、同7条の残虐・非人道的な取扱いの場合も明記すべきである。ニュージーランドの移民法131条では、自由権規約上の恣意的な生命の剥奪および（非人道的・品位を傷つける取扱いを含む）残虐な取扱いの場合にも、補完的保護が与えられる旨を明示している。

　そもそも、在留する権利、すなわち日本に居住する権利は、憲法22条1項とまったく無関係なのであろうか。居住・移転の自由の内実が、住所選択

---

[777] 大阪高判2005（平成17）年6月15日判時1928号29頁。

の自由であるとしても、日本に生活の本拠（住所）を定めている者が、本人の意思に反して、退去強制されることは、住所選択の自由を制約する行為である。「居住の自由」とは「恣意的に住居の選択を妨害されない権利」を意味する。一方、自由権規約12条1項の「居住の自由」は、「領域内」での限定が付されており、「合法的な滞在者」に主体が限定されているのに対し、日本国憲法22条1項には、「領域内」に居住の自由を限定する規定もなく、「何人も」という規定は、非正規滞在者を除外する規定でもない。他方、自由権規約13条の退去強制の禁止は、もっぱら「手続的権利」であり、実体的な禁止理由は、同7条の非人道的な取扱いの禁止、同17条1項・23条1項の家族結合の権利、同26条の差別禁止などの規定から導かれるのに対し、日本国憲法22条1項は、「公共の福祉に反しない限り」、「居住の自由」を侵害されない権利を保障する。そこで、憲法上の明文規定のない「**恣意的に退去強制されない権利**」は、憲法「**22条1項と結びついた13条**」が保障しているものと解することが適当であろう[778]。そして「恣意的に退去強制されない権利」は、「公共の福祉に反しない限り」保障されるのであって、その制約の合憲・違憲が比例原則に照らして審査される。

(4) 庇護権

ドイツ基本法16a条のように一定の国の憲法では、「政治的に迫害されている者は、庇護権を有する」といった規定を有する。こうした（個人の庇護請求権としての）庇護権の明文規定をもたない日本国憲法にあっては、「恣意的に退去強制されない権利」のコロラリーとして、**庇護権**も、憲法「**22条1項と結びついた13条**」が保障する。とりわけ、憲法13条が「生命、自

---

[778] ドイツの場合は、「すべてのドイツ人」は、「連邦の全領域において移動の自由を有する」と基本法11条が定めているため、外国人の滞在権は、（日本国憲法13条の幸福追求権に相当する）基本法2条1項の「人格の自由な発展」から導かれる。ドイツ連邦憲法裁判所は、比例原則を採用して、たとえば、パレスチナ学生総同盟に属する2人の医学生に対するテログループへの支援の恐れを理由とする退去強制令は、目前の医師資格を取得するまでドイツに滞在しなければならない2人の被る侵害と比べて比例的ではなく、恐れがあるからといって退去強制をすることは正当化されない（1人の配偶者はドイツ国民であるので6条1項の婚姻の保護をも侵害する）と判示している（BVerfGE 35, 382）。

由及び幸福追求」の権利を保障していることに着目する必要がある。難民条約33条1項および拷問等禁止条約3条に基づいて、政治的迫害および拷問により生命または自由が脅威にさらされるおそれがある国に退去強制されない権利が保障されるだけでなく、自由権規約6条および7条に照らし、難民条約上の迫害理由以外の多様な理由により生命または自由が脅威にさらされるおそれがある**補完的保護対象者**の場合にも、退去強制されない庇護権が、憲法22条1項と結びついた13条の保障する恣意的に退去強制されない権利に基づいて保障される。憲法前文に「全世界の国民が、ひとしく恐怖と欠乏から免れ、平和のうちに生存する権利」を有すると定めていることも、難民条約上の難民にとどまらず、（内戦その他を理由とする）補完的保護も含む庇護権を導く解釈指針となる。

(5) 再入国の自由

　外国人の海外旅行の自由は、出国の面で問題がないとすれば、帰国を前提とするので、再入国の自由が問題となる。とりわけ、日本人の配偶者や日本に永住する権利をもつ在日韓国・朝鮮人の出国を許可しながら、再入国を拒否することが問題となった。

　判例は、当初、憲法22条が海外旅行の自由を認めることから、外国人にも再入国の自由を認め、「日本国の利益又は公安を害する行為を行うおそれがあるなど公共の福祉に反する場合に限って、再入国の許可を拒否することができるにすぎない」と判示した下級審判決がある[779]。しかし、指紋押捺を拒否した日本人の配偶者であるアメリカ人の**森川キャサリーン事件**[780]以後、憲法上、外国人の再入国の自由は否定された。自由権規約12条4項の「自国に戻る権利」の解釈が重要な争点となっている。1審判決によれば、憲法

---

[779] 北朝鮮祝賀団再入国事件・東京地判1968（昭和43）年10月11日判時531号3頁。同・東京高判1968（昭和43）年12月18日判時542号34頁も同旨であるが、同・最判1970（昭和45）年10月16日民集24巻11号1512頁は、祝賀行事が終わっているので、訴えの利益なしとして却下している。

[780] 森川キャサリーン事件・東京地判1986（昭和61）年3月26日判時1186号9頁、東京高判1988（昭和63）年9月29日判タ689号281頁、最判1992（平成4）年11月16日裁判所ウェブサイト。

22条1項の「居住、移転」は日本国内におけるそれを指し、外国人の海外旅行の自由を保障する根拠規定となり得ない。原告は、自由権規約12条4項は「何人も、自国に戻る権利を恣意的に奪われない」と規定しているが、「自国」の解釈は、国連の起草段階で「国籍国」とあったのが「自国」に変更された経過を踏まえるならば、「国籍国」に限定すべきではなく、「定住国」を含むと主張する。しかし、同条2項が「すべての者は、いずれの国（自国を含む。）からも自由に離れることができる」として、自国民および外国人の出国の自由を規定しているのに対し、同条4項は文言上自国民のみの入国の自由を保障していること、国際慣習法上外国人には入国の自由が認められていないことから、同項の『自国』の解釈としては、「国籍国」を意味し、「在留外国人に再入国の自由が憲法上保障されているものとすることはできない」と判示する。2審判決も、ほぼ同様に、訴えをしりぞけた。最高裁判決は、この点の判断なしに、ただ「我が国に在留する外国人は、憲法上、外国へ一時旅行する自由を保障されているものでないことは」、密入国を違法とした林栄開事件最高裁判決および在留権を否定したマクリーン事件最高裁判決の「趣旨に徴して明らかである」というだけである。しかし、入国の自由や在留権と再入国の自由は、事案が異なるので、先例の趣旨からは、必ずしも、明らかとはいえない。

崔善愛事件[781]においても、指紋押捺を拒否した協定永住者の在日韓国人ピアニストのアメリカ留学に際しての再入国不許可処分は、適法とされた。1審判決は、自由権規約12条4項の制定時の審議において、「国籍国」に限定しようとする意見の国が「国籍国」と表現しようとしたのに対し、「定住国」を含ませようとする意見の国は、「永久的住居」を有する国との表現を加えようとした結果、妥協として世界人権宣言13条2項（「すべて人は、自国その他いずれの国をも立ち去り、自国に帰る権利を有する」）に使われている「自国」の用語に落ち着き、「自国」の用語に定住国を含ませるという見解があるとしても、当事国において「自国」に「定住国」の意味をも与

---

[781] 崔善愛事件・福岡地判1989（平成1）年9月29日判時1330号15頁、同・福岡高判1994（平成6）年5月13日判時1545号46頁、同・最判2008（平成10）年4月10日民集52巻3号677頁（被告側上告事件）。

る意図があったとは認められず、自由権規約 12 条 4 項の規定をもって原告の協定永住資格存続を肯定することはできないという。この点について、2 審判決も、ほぼ同様の内容である。最高裁判決は、この点の判断なしに、「再入国の許可を受けないまま、…本邦から出国したというのであるから、本件不許可処分の取消しを求める訴えの利益は失われたものというべきである」として、訴えをしりぞけた。

ただし、2 審判決だけは、再入国拒否処分における裁量権の濫用を認め、違法と判断している。すなわち、1986 年の処分当時の指紋押捺制度をみると、2 回目以降の指紋押捺は重要性を失っていたのに対し、法務大臣の不許可処分は協定永住資格を喪失させる退去強制処分と実質異ならない法的不利益を控訴人に与えるもので、「余りにも苛酷な処分として比例原則に反しており」、裁量の踰越・濫用による違法として、取消しを免れないという。ここでは、再入国不許可処分という手段の著しい不利益ゆえに比例原則違反に基づく裁量権の濫用を導いている。しかし、最高裁は、協定永住者の特殊な地位を考慮し、「本邦における生活の安定」や「不利益の大きさ」などを考慮しても、法務大臣の判断が社会通念上著しく妥当性を欠くことが明らかであるとはいえず、裁量権の踰越・濫用があったものとして違法ということはできないと判示する[782]。

崔善愛事件 1 審判決が的確に分析しているが、自由権規約 12 条 4 項の「自国」の解釈は、国籍国とする国と定住国とする国の妥協で「自国」とされたのである。自由権規約委員会が一般的意見で「長期の在留期間、密接な個人的・家族的つながり、在留目的、その種のつながりが他のどこにもないことなどの考慮」で判断するとしているように、国籍国では狭く、定住国では広い。したがって、日本人の配偶者とはいえ 9 年間の日本滞在である森川キャサリーンさんの場合にはまだ当てはまらないとしても、日本生まれの崔善愛さんの場合は、自国とみなすほどに密接な関係を有している。

憲法「22 条 1 項と結びついた 13 条」が、自国とみなすほどに密接な関係を有する外国人の「再入国の自由」を保障しており、比例原則に照らして合

---

[782] 同・最判 2008（平成 10）年 4 月 10 日民集 52 巻 3 号 776 頁（原告側上告事件）。

憲・違憲を審査することにこれからの裁判所は、取り組む必要がある。また、本来は、国会が必要な法改正をすべき問題でもある。1998年に自由権規約委員会は、第4回日本政府報告書に対する総括所見（18段落）において、「日本で生まれたコリア系の人々のような永住者については、再入国許可を得る必要性をなくす法改正を強く要請する」旨の勧告を行っている。

(6) 出国の自由

出国の自由が、外国人に保障されること自体は、判例の認めるところであり[783]、学説上、争いがない。ただし、外国人に出国の自由を保障している憲法の根拠規定をめぐっては、従来、主に3つの立場に分かれている。

①判例の採用する22条2項説では、同項の「外国移住の自由」に含まれるとする。しかし、上記の外国旅行の自由の場合にみたのと同様に、「移住」という用語は、短期の移動の場合の出国をカバーしにくい問題がある。

②22条1項説では、外国移住というのは、日本人に関する保障規定であって、外国人の出国の自由は、1項の居住・移転の自由とする[784]。しかし、外国移住の自由を日本人の権利に限定することは、権利の性質上、問題である。また、「移転」という用語は、住所の移転を伴わない海外旅行などの移動の場合の出国をカバーしにくい。

③そこで、98条2項説とでも呼ぶべき見解も最近では有力である。すなわち、自由権規約の12条2項の定める、「すべての者は、いずれの国（自国を含む。）からも自由に離れる」権利を憲法98条2項の「日本国が締結した条約」として「誠実に遵守」することから、認められるとする[785]。しかし、この説は、結局のところ、憲法上の人権というよりも、条約上の人権であることを前提とする。人の移動の自由を定めた憲法22条の射程を狭くとらえすぎることになる。

④そこでむしろ、憲法22条2項の「外国移住」の自由と13条を通じて条約と整合的な憲法解釈を導く、「22条2項と結びついた13条」説が出国の

---

783 最大判1957（昭和32）年12月25日刑集11巻14号3377頁。
784 宮沢、1971、390頁。
785 芦部、1994、140頁。

自由の根拠規定としては、適当と思われる。短期の海外移動が容易ではなかった憲法制定当時と今日の交通手段の発達の違いを踏まえた新たな要素を22条2項と結びついた13条が融合的に保障し、（比例原則に照らして、公共の福祉に反しない限り）出国の自由を導くものと思われる。

第2節　職業選択の自由

憲法22条1項後段の職業選択の自由には、自己の従事する職業の決定の自由に加えて、選択した職業を遂行する自由としての、営業の自由も含まれると通説は解している。しかし、営業の自由は、社会的な独占からの自由を確保するための規制原理としての公序であり、国家からの自由を本質とする人権とは異なるとの意見もある。また、財産権の行使の側面をもつ広義の営業の自由は、憲法29条に根拠を求める説もある。

なお、国際人権規約では、職業選択の自由は、経済的権利の労働の権利として、社会権規約6条が定めている。財産権は、自由権とするか、社会経済的権利とするかなど、意見の対立があり、採用を見送られたこともあって、営業の自由についての定めもない。

1　職業選択の自由の制限

薬事法違憲判決[786]によれば「職業は、…本質的に社会的な、しかも主として経済的活動であって、その性質上、社会的相互関連性が大きい」という。したがって「職業の自由は、…精神的自由に比較して、公権力による規制の要請がつよく、憲法22条1項が『公共の福祉に反しない限り』という留保のもとに職業選択の自由を認めたのも、特にこの点を強調する趣旨に出たものと考えられる」と判示している。

この二重の基準という判例法理は、人権の種類に応じて大きく2つに分けて審査の基準を区別する。人権のカタログの中で、精神的自由は民主制にと

786　薬事法違憲判決・最大判1975（昭和50）年4月30日民集29巻4号572頁。

って不可欠の権利であるから、それは経済的自由に比べて優越的地位を占める。このため、違憲審査にあたって、経済的自由の規制立法に適用される「合理性の基準」は、精神的自由の規制立法には妥当せず、より厳格な基準によって審査されなければならない。これに対して、経済的自由の規制立法に適用される合理性の基準とは、立法目的とその手段について、一般人を基準として合理性が認められるかどうかを審査する基準である。立法者の判断が合理性を有することを前提として、合憲性の推定が原則なので、比較的ゆるやかな審査でよいとされる。

2　規制目的に応じた二重の基準から比例原則へ

審査基準は、さらに職業選択の自由の規制の目的に応じて、2つに分けて用いられる。

(1) 消極目的規制

これは、自由国家的な見地から、国民の生命及び健康に対する危険を防止するための警察目的規制であり、警察比例の原則とも呼ばれる。その合憲性審査には、規制が必要性・合理性を有しており、手段が目的を達成するための必要最小限度にとどまる「厳格な合理性の基準」が用いられる。

(2) 積極目的規制

これは、福祉国家的な見地から、経済の調和のとれた発展を確保し、とくに社会的・経済的弱者を保護するための、社会・経済政策目的規制である。その合憲性審査には、規制が著しく不合理であることの明白な場合に限って違憲となる「明白性の基準」が用いられる。

小売市場距離制限事件[787]では、小売商の距離制限は、経済的基盤の弱い小売商を互いの過当競争による共倒れから保護するという積極目的規制であり、明白性の基準により合憲と判断した。なぜならば、この積極目的にとっ

---

[787] **小売市場距離制限事件**・最大判1972（昭和47）年11月22日刑集26巻9号586頁。小売商業特別措置法3条1項が小売市場（大きな建物を小さく区切って小売商の店舗用に貸付・譲渡したもの）の開設の許可条件として、距離制限を設けることを合憲とした事件。

て、許可制による距離制限は、中小企業保護政策としての一応の合理性を認めることができ、手段が著しく不合理であることが明白でないからである。

一方、**薬事法違憲判決**[788] にあるように、薬局の距離制限は、国民の生命・健康に対する危険の防止という消極目的であると認定し、「厳格な合理性の基準」により違憲とされている。というのも、この消極目的にとっては、1) よりゆるやかな制限である行政上の取締りの強化でも立法目的は十分に達成できるからである。2) 薬局の遍在が競争激化による経営の不安定をまねき、不良医薬品の供給の危険があるという因果関係は、立法事実により裏づけられず、必要性と合理性は認められないからである。

他方、1955年の**公衆浴場距離制限事件**[789] では、国民保健・環境衛生に対する危険の防止という消極目的であると認定しながらも、合憲とした。しかし、公衆浴場の設立を業者の自由に任せると、遍在による利用不便のおそれ、濫立・過当競争・不安定経営による衛生低下のおそれがあるとする立法事実の論証は、今日では難しい。そこで、同事件の1989年1月の最高裁判決が考えたのは、公衆浴場の距離制限の立法目的は、1970年代から自家風呂がより普及し、業者の経営の困難から転廃業を防止し、残った公衆浴場が自家風呂をもたない国民の保健福祉を増進するという積極目的に転換したと判断した。したがって、「明白性の基準」により、合憲とした[790]。

このように、同じ職業選択の自由の規制でありながら、積極目的か、消極目的かを区別することで、合憲性の推定の度合いが強くなったり、弱くなったりする審査基準が形成されつつあったかのようにいったんは思われた。

しかし、**公衆浴場距離制限事件**[791] の1989年3月の最高裁判決では、国民

---

[788] 薬事法違憲判決・最大判1975（昭和50）年4月30日民集29巻4号572頁。薬局の開設に距離制限を要求する旧薬事法6条2項およびそれに基づく広島県条例を違憲とした事件。

[789] 公衆浴場距離制限事件1955年判決・最大判1955（昭和30）年1月26日刑集9巻1号89頁。公衆浴場の開設に距離制限を求める公衆浴場法2条2項およびそれに基づく福岡県条例を合憲とした事件。

[790] 公衆浴場距離制限事件1989年1月判決・最判1989（平成元）年1月20日刑集43巻1号1頁。公衆浴場の開設に距離制限を求める公衆浴場法2条2項およびそれに基づく大阪府条例を合憲とした事件。

[791] 公衆浴場距離制限事件1989年3月判決・最判1989（平成元）年3月7日判時1308号111頁。公衆浴場の開設に距離制限を求める公衆浴場法2条2項およびそれに基づく大阪府条例を合憲と

保健・環境衛生の確保といった消極目的と、（入浴料金が物価統制令により低額に統制され、銭湯は徒歩・自転車で行くことが多く利用者が地域的に限定され、自家風呂普及で経営が困難になっているため）既存公衆浴場業者の経営の安定といった積極目的が併用されている。これらの目的を達成する手段として距離制限は必要かつ合理的な範囲の手段であり、合憲とされた。また、**酒類販売免許制事件**[792]では、酒税法の定める免許制の目的は、消極目的とも積極目的とも性格を異にし、租税の適正かつ確実な賦課徴収という財政目的があり、致酔性を有する嗜好品である性質上、規制が行われてもやむを得ない著しく不合理であるとはいえないとして合憲としている。したがって、職業選択の自由の規制の目的は、必ずしも二分論になじまない場合がある。多種多様な職業を一律に論じることには無理がある。

要は、弱者保護を立法目的とする場合は、距離制限などの手段の必要性が認定される余地が大きく、目的と手段の合理的な関連性の審査に加え、目的を達成するための手段の必要性の審査を常に行えばよい。はじめから、目的を積極目的と消極目的に二分し、カテゴリカルに審査基準を当てはめる硬直的な審査方法は、職業選択の自由の規制立法の多様な現状には、必ずしも合っていない。比例原則に即して、権利の制約が許されるかどうかを裁判所が個別に審査する方が望ましく、憲法22条1項が「公共の福祉に反しない限り」職業選択の自由を有すると定めていることの意味であろう。

なお、公務員という職業を選択する自由は、従来、参政権との類似性が強調されてきたが、職業選択の自由の侵害が問題となる点は、本書第2章第4節(4)参照。憲法22条1項と結びついた13条が比例原則に照らし「恣意的に職業選択の自由を奪われない権利」を保障する。法律によらず、「当然の法理」という行政解釈により、管理職等の公務員の職業を選択する自由を奪う手段の必要性が十分に示されておらず[793]、比例原則に反する。

した事件。
792 **酒類販売免許制事件**・最判1992（平成4）年12月15日民集46巻9号2829頁。酒税法10条10号所定の「経営の基礎が薄弱である」ことを理由に免許を拒否することを合憲とした。
793 藤田裁判官の補足意見がいう「全体としての人事の流動性を著しく損なう結果となる可能性」は、多くの管理職のポストを有する東京都にあって現実味は乏しい。

第3節　財産権

　封建制からの解放を主眼とする近代憲法にあって、18世紀には、フランス人権宣言17条のように、財産権は「不可侵で神聖な権利」とされた[794]。しかし、19世紀の自由放任経済の諸矛盾に直面し、20世紀の社会国家思想の進展の結果、財産権の公共性が強調され、法律の規制に服する権利となる。ワイマール憲法153条3項では、財産権は「義務を伴い、その行使は、同時に公共の福祉に役立つべきである」とされた。ドイツ基本法15条は「土地、天然資源及び生産手段は、社会化の目的のために、補償の種類および程度を規律する法律により、公有または他の公共経済の形態に移すことができる」と規定する。

　マッカーサー草案28条では「土地及び一切の天然資源に対する終局的権限は、国民の代表者としての資格での国に存する。土地その他の天然資源は、国が、正当な補償を払い、その保存、開発、利用及び規制を確保し、増進するために、これを収用する場合には、このような国の権利に服せしめられる」との規定が置かれた。日本政府は土地の国有の規定と受取り、これを削除した。しかし、土地を収用した場合の「補償」を目的とする規定であり、29条2項で「財産権の内容は、公共の福祉に適合するやうに、法律でこれを定める」とし、公用収用が29条3項により規定されることで落ちついた。

　財産権の性質については争いが多い。伝統的なロックの理論のように財産権を人権の核心部分とみる意見もあれば、プルードンの「財産とは盗みである」という言葉に代表されるように「持たざる者」に対して「持てる者」の権利を保障する手段とみるネガティブな意見もあった。市民的権利とする見方もあれば、社会的経済的権利とする見方もある。世界人権宣言17条は「1、すべて人は、単独でまたは他の者と共同して財産を所有する権利を有する。2、何人も、恣意的に自己の財産を奪われることはない」と定めた。しかし、国際人権規約は、東西のイデオロギー対立や南北対立等を反映した各国の財産権をめぐる考え方の違いから、社会権規約にも、自由権規約にも、規定することが見送られた[795]。これに対し、ヨーロッパ

---

[794]　ただし、制約が認められない権利ではなく、「法律により確認された公的な必要性が明らかに要求する場合で、公正かつ事前の補償要件のもとでなければ、何人もその権利を奪われない」と続いており、恣意的な剥奪を禁止する内容であった。

人権条約第1議定書1条では、市民的権利として定め、「恣意的」な財産剥奪の判定基準について、以下のように定めている。「すべての自然人または法人は、その財産を平和的に享有する。何人も、公益のために、かつ、法律および国際法の一般原則で定める条件に従う場合を除くほか、その財産を奪われない。ただし、前の規定は、国が一般的利益に基づいて財産の使用を規制するため、または税その他の拠出もしくは罰金の支払いを確保するために必要とみなす法律を実施する権利を妨げるものではない」。米州人権条約21条も、市民的および政治的権利の章に位置づけ「1. 何人も、その財産の使用および享有の権利を有するものとする。法律により、その使用および享有は、社会の利益に従わせることができる。2. 何人も、公用および社会的利益のため、訴訟事件および法律の定める形式に基づく正当な補償を支払われないかぎり、その財産を奪われることはない。3. 高利および人為的な人の搾取のいかなる形態も、法律により禁止される」と定めている。ここには、正当な補償の必要に加え、「持てる者」の「持たざる者」に対する搾取禁止の視点がみてとれる。これらに対して、アフリカ人権憲章14条は、その配置の順番からは、むしろ経済的・社会的・文化的権利として位置づけられている。そして「財産権は、保障される。財産権は、公共の必要の利益または社会の一般利益のために、適当な法律の規定に基づいてのみ制約されうる」と定めている。

1　財産権保障の意味

　財産権とは、経済的利益を対象とする権利をいう。所有権その他の物権、債権、特許権・実用新案権・意匠権・商標権・著作権などの知的財産権、鉱業権・漁業権・水利権・河川利用権などがある。さらには、人格権の1つとされる肖像権もタレントなどの場合は「顧客吸引力を排他的に利用する権利」として商業的価値に基づく「パブリシティ権」[796]という名称の下、財産

795　国際人権規約では見送られたものの、国連の人権条約としては、それより前の1965年採択の人種差別撤廃条約5条（d）項（v）が「市民的権利」としての「単独で及び他の者と共同して財産を所有する権利」の平等を保障し、その後の1979年採択の女性差別撤廃条約16条1項（h）が「無償であるか有償であるかを問わず、財産を所有し、取得し、運用し、管理し、利用し、処分することに関する配偶者双方の同一の権利」を定めている。また、1990年採択の移住労働者権利条約15条が「移住労働者とその家族は、単独でまたは他の者と共同して所有する財産を恣意的に奪われることはない。就業国の国内法により、移住労働者とその家族の財産またはその一部が収用されるときは、その者は公正で適切な補償を受ける権利を有する」と定めている。
796　ピンク・レディー事件・最判2012（平成24）年2月2日判時2143号72頁。

権に含まれる。

　憲法29条1項の「財産権は、これを侵してはならない」という規定の意味について、従来の通説は、生産手段の私有を内容とする資本主義体制を保障し、社会主義体制を排除するものと解する[797]。これは、生産手段私有制度保障説とでも呼ぶことができる。しかし、資本主義体制と社会主義体制の区別は不明確である。一定の社会化や国有化は、いわゆる資本主義体制でもみられ、一定の私有財産制度はいわゆる社会主義体制でもみられる。

　これに対し、人間に値する生活財保障説によれば、人間が、人間としての価値ある生活を営む上に必要な物的手段の享有を制度的に保障することを意味する[798]。しかし、人間としての価値ある生活を営む上に必要な物的手段の享有とは、憲法25条の保障する生存権の自由権的側面と内容的には重なることになり、あえて制度的保障の問題として説く実益に乏しい[799]。

　そこで、**恣意的な財産剥奪禁止説**が有意義と思われる。1項は、世界人権宣言17条2項の定めるように「何人も、恣意的に自己の財産を奪われることはない」ことを内容として保障していると解するのが適当であろう。財産権を侵してはならないとは、恣意的な制約を禁止することを意味する。恣意的であるかどうかの判定基準は、憲法が明文で定めているように、29条2項の「公共の福祉に適合する」内容の法律かどうか、同3項の「正当な補償の下に、…公共のために」収容しているかどうかも基準となる。さらに、裁判所が、公共の福祉のための立法目的と規制手段の適合性、必要性、狭義の比例性といった比例原則を用いて審査するのである。比例原則に照らして、個人の財産権を恣意的に剥奪するものと判断した場合に、裁判所は、29条1項に反する財産権の侵害として違憲の判決を下すことになる。このように考えれば、制度的保障説は、不要である。

---

[797] 法学協会、1953、561頁。判例も、この立場であり、「私有財産制度を保障しているのみでなく、社会的経済的活動の基礎をなす国民の個々の財産権につきこれを基本的人権として保障する」という（森林法違憲事件・最大判1987（昭和62）年4月22日民集41巻3号408頁）。
[798] 今村、1968、676頁。
[799] 渋谷、2017、312頁。

2 財産権の制約

　第1に、財産権の消極目的による規制（生命・健康に対する危険を防止するための警察規制）としては、伝染病予防法、食品衛生法、消防法などがあげられる。第2に、財産権の積極目的による規制（社会公共の便宜の促進や、経済的弱者の保護のための社会経済政策上の規制）としては、独占禁止法、農地法、文化財保護法などが想起される。第3に、消極・積極の双方を目的とする規制も多く、公害防止や環境保全のための規制として、たとえば、国土利用計画法、自然環境保全法、自然公園法などがこの例といえよう。

　森林法違憲判決[800] によれば、財産権の規制は、積極目的規制・消極目的規制の2分論にはなじまない。財産権規制の目的は、「社会公共の便宜の促進、経済的弱者の保護等の社会政策及び経済政策上の積極的なもの」から、「社会生活における安全の保障や秩序の維持等の消極的なもの」まで種々様々である。「森林経営の安定」、「森林の生産力の増進」および「国民経済の発展」といった積極目的規制の要素と、「森林の保続培養」といった環境保全のための消極目的規制の要素が併存している。財産権の規制が憲法29条2項にいう「公共の福祉に適合する」ものであるかどうかは、「規制の目的、必要性、内容、その規制によって制限される財産権の種類、性質及び制限の程度等を比較考量して決すべき」という。最高裁は、中間審査基準としての「厳格な合理性の基準」と評される「合理性」と「必要性」の審査を行い、違憲と判断した。共有林の分割を制限している森林法186条の手段は、かえって「森林荒廃」の「永続化」を招くだけであって、「森林の経営の安定化」という立法目的との間の合理的な関連性（比例原則の用語法を用いれば、目的と手段との「適合性」）がないとした。また、代金分割などの方法によっても「共有森林の細分化という結果は生じない」ので、「不必要な規

---

[800] **森林法違憲判決**・最大判1987（昭和62）年4月22日民集41巻3号408頁。共有森林につき持分価額が過半数に達しない者の共有分割請求権を制限している森林法186条は、目的を達成する手段としては、合理性と必要性がなく、違憲とした。なぜならば、持分が等しい2名の共有者間での争いが生じた場合にはかえって森林の荒廃を招くなど目的との合理的関連性を見だしがたく、森林の範囲および期間のいずれについても限定を設けていない分割禁止は、必要な限度を超えているからである。

制」とした（比例原則の用語法を用いれば、目的のための手段の「必要性」がないということになる）。立法目的からカテゴリカルに審査基準が導かれるものではないことをこの事例は物語っている。

　証券取引法事件[801]でも、最高裁は、財産権に対する規制は、種々の態様のものがあり、その合憲性は「規制の目的、必要性、内容、その規制によって制限される財産権の種類、性質及び制限の程度等を比較考量して判断すべき」としている。証券取引市場の公平性・公正性の維持と一般投資家の信頼確保という「経済政策に基づく目的」が正当性を有し、規制手段が「合理性」と「必要性」を有するので、憲法29条に違反しないと判示した。ここでも、経済政策という積極目的規制から、ゆるやかな合理性の審査基準がカテゴリカルに導かれるのではない。また、比例原則の判断要素としての目的と手段の合理的関連性と必要性に加え、「役員又は主要株主に対し、一定期間内に行われた取引から得た利益の提供請求を認めることによって当該利益の保持を制限するにすぎず、それ以上の財産上の不利益を課するものではない」との判決部分に、「狭義の比例性」の判断も認められる[802]。なお、上記の森林法事件は、単独所有という憲法の想定する財産権の核心から乖離していることもあって、財産権に関するその後の**農地法事件**や**消費者法事件**における先例としては[803]、この証券取引法事件が援用されている。

801　証券取引法事件・最大判2002（平成14）年2月13日民集56巻2号331頁。インサイダー取引を規制する旧証券取引法164条1項（現行・金融商品取引法164条1項）を合憲とした事件。上場会社等の役員・主要株主が、取得した秘密の内部情報を不当に利用することを防止するために、会社の株の6か月以内の短期売買利益返還請求権を定めた同項は「証券取引市場の公平性、公正性を維持する」とともに「一般投資家の信頼を確保する」という経済政策としての「規制目的は正当」であり、「規制手段が必要性または合理性に欠けることが明らかであるとはいえない」ので、「同項は、公共の福祉に適合する制限を定めたものであって、憲法29条に違反するものではない」。

802　渡辺ほか、2023、369頁〔宍戸〕。

803　農地法事件・最判2002（平成14）年4月5日刑集56巻4号95頁。農地の転用を知事の許可制とする農地法4条1項等の規定が憲法29条等に違反するかが争われた事件。判決は、農地をめぐる社会情勢の変化を考慮して、本件許可制の新たな規制目的に着目する。1952年に施行された農地法は、「耕作者の地位の安定」と「農業生産力の増進」を目的としていた。しかし、後者の目的は、1971年からの米の減反政策との関係から、今日の状況とは合わなくなっている。前者の目的も、1962年からの農業経営の法人化の進展からは、「農業経営の安定」という表現がふさわしくなっている。そこで、判決は、「農業経営の安定」という目的に言い換えるとともに、

3　財産権の制限に伴う損失補償

　憲法29条3項は「私有財産は、正当な補償の下に、これを公共のために用ひることができる」と定めている。この点、公共のために用いるとは、どのような意味であろうか。「公共の利益の必要があれば権利者の意思に反して収容できる」ことを意味する[804]。いわば、広く社会公共の利益（公益）のために、強制的に財産権を制限したり収容したりすることをいう[805]。したがって、農地改革における自作農創設のための土地買収や[806]、主要食糧の公定価格による政府買い上げも[807]、この場合に当たる。

(1)　補償の要否

　どのような場合に損失補償が必要となるのであろうか。私有財産の制限が、一般的な犠牲ではなく、「特別の犠牲」を強いる場合に、補償が必要となる。特別の犠牲に当たるか否かについて、かつては、形式的要件（侵害行為の対象が一般人ではなく、特定の個人であること）と、実質的要件（侵害行為が財産権の内在的制約として受忍すべき範囲内にあるのではなく、財産権の本質的内容を侵すほどに強度なものであること）の両方が必要とされた。しかし、今日では、法律の規制は常に一般的であるから、形式的要件よりも、実質的要件が中心に考えられている。その際、1)財産権の剥奪または財産権の本来の効用の発揮を妨げるような侵害の場合、および、2)上記の程度の侵害

　「農地の環境保全」という新たな目的を正当と判示し、知事の許可制の「規制手段が、上記規制目的を達成するために合理性を欠くということもできない」という。

　　消費者法事件・最判 2006（平成 18）年 11 月 27 日判時 1958 号 61 頁。本件でも、消費者契約の損害賠償の額を予定したり、違約金を定めたりする条項の効力を無効とする消費者契約法 9 条 1 号は「消費者の利益の擁護を図り、もって国民生活の安定向上と国民経済の健全な発展に寄与する」目的は正当であり、事業者に生ずべき平均的な損害の額を超える部分だけを無効とするものであるから、合理性と必要性を有するとされた。

804　**農地改革事件**・最大判 1953（昭和 28）年 12 月 23 日民集 7 巻 13 号 1523 頁における栗山茂裁判官の補足意見。なお、井上登・岩松三郎裁判官の意見は鉄道敷設などの「公共事業の為め」と狭く解している。

805　芦部、2023、386 頁。

806　**農地改革事件**・最大判 1953（昭和 28）年 12 月 23 日民集 7 巻 13 号 1523 頁。

807　**食糧緊急措置令違反事件**・最大判 1952（昭和 27）年 1 月 9 日刑集 6 巻 1 号 4 頁。

でなくても、他の特定の公益目的のために、財産権の本来の社会的効用とは無関係に課せられる制限の場合は、補償が必要とされる[808]。他方、社会生活における安全・秩序維持のための消極目的規制による財産権の制限は、補償を不要とする。なぜならば、消極目的規制の場合は、財産権行使が社会に害を及ぼす場合に規制をするのであるから、その制限は財産権者が当然に受忍すべきものとされる[809]。

奈良県ため池条例事件[810] において、最高裁は、農業用のため池の堤とう（堤防）部分で農作物の耕作を行うことは、ため池の破損・決壊の原因となりうるので、規制を合憲とした。条例で禁止したことは「災害を未然に防止するという社会生活上の已むを得ない必要から来ることであって、ため池の提とうを使用する財産上の権利を有する者は何人も、公共の福祉のため、当然これを受忍しなければならない責務を負う」と判示している。

河川附近地制限事件[811] では、河川の近くの土地における砂利の採取等を知事の許可制とすることは「公共の福祉のためにする一般的な制限であり、…特定の人に対し、特別に財産上の犠牲を強いるものとはいえないから」、憲法29条3項に違反しないとしている。ただし、「賃借料を支払い、労務者を雇い入れ、相当の資本を投入して営んできた事業が営み得なくなる…財産上の犠牲は、…特別の犠牲を課したものとみる余地が全くないわけではなく、憲法29条3項の趣旨に照らし、…本件被告人の被った現実の損失について

---

808 今村、1968、22 頁。
809 高橋、2024、351 頁。
810 奈良県ため池条例事件・最大判 1963（昭和 38）年 6 月 26 日刑集 17 巻 5 号 521 頁。実質的には付近の農民の共有ないし総有の状態にある、ため池の堤とうで父祖の時代から、茶などの農作物を栽培してきた被告人らが、条例で禁止されたことを知りながら耕作を続けたことに条例上の罰金を課し、財産権の侵害への保障を不要とした事件。1 審・葛城簡判 1960（昭和 35）年 10 月 4 日刑集 17 巻 5 号 572 頁の有罪判決は、災害を未然に防止すべく、堤とう上に農作物を植えることを禁じたことは憲法 29 条 1 項に反せず、補償を必要としないことは憲法 29 条 3 項に反しないとして、条例を合憲とした。一方、2 審・大阪高判 1961（昭和 36）年 7 月 13 日判時 276 号 33 頁の無罪判決は、被告人らの権利行使を強制的に制限・停止するには、土地収用法または土地改良法の規定に従って行い、損失補償を要するとした。他方、最高裁は、2 審判決が憲法 29 条 3 項等の解釈を誤り、それを前提として被告人らを無罪としたことを失当として、有罪とした。
811 河川附近地制限事件・最大判 1968（昭和 43）年 11 月 27 日刑集 22 巻 12 号 1402 頁。知事の許可を受けずに、河川の近くの土地を掘削したことが河川附近地制限令 4 条 2 号、10 条により有罪とされた事件。

は、その補償を請求することができるものと解する余地がある」という。いわば、信頼保護的補償が必要な場合があることが示されている[812]。また、本件判決の中で、河川附近地制限令に損失補償の規定がなくても「直接憲法29条3項を根拠にして、補償請求をする余地がないわけではない」として、憲法上の直接補償請求権を認めている。

　この点、財産権ではなく、生命の問題であるが、予防接種事故の補償のために憲法29条3項を類推適用した判決もある[813]。いわば、国家賠償と損失補償のいずれによっても救済が困難な「国家補償の谷間」と呼ばれる問題においても、国家の活動により個人の損害が発生している場合、財産権に限らず、生命・身体の自由についても国政上、最大の尊重を必要とすべく、（損失補償請求権の）憲法「29条3項と結びついた13条」（の生命・自由・幸福追求の権利）が、自由権規約2条3項（a）の「効果的な救済措置を受ける権利」と同様の権利を保障していると考えることができる[814]。なお、戦争損害については、国民のひとしく受忍しなければならない犠牲であり、憲法のまったく予想しないところであるとして、在外資産や空襲被災の損失についての補償は不要としている[815]。しかし、この点も、憲法「29条3項と結びついた13条」が「効果的な救済措置を受ける権利」としての国家補償の権利を保障していると解することができよう。自由権規約委員会・一般的意見31（2004年4月21日）16段落によれば、自由権規約2条3項の「効果的な救済措置を受ける権利」の「補償は、損害賠償、リハビリ、および満足の措置を伴うものであり」、「満足には、公的な謝罪、公的な記念式典、再発防止の保証、関連の国内法や慣行の改廃、および人権侵害者の裁判が含まれる」。憲法や自由権規約の施行以前の権利侵害については、救済は不要だとしても、これらの施行後も続く損害の部分については、損害賠償、リハビリ、公的な謝罪などの効果的な救済措置が受けられるべきである。

812　佐藤幸治、2020、352頁。
813　東京地判1992（平成4）年12月18日判時1445号3頁。
814　近藤、2024、38頁。高橋、2024、161頁は、この新しい人権を「特別犠牲を強制されない権利」と呼ぶ。
815　最判1969（昭和44）年7月4日民集23巻8号1321頁、最判1987（昭和62）年6月26日判時1262号100頁。

(2) 「正当な補償」の意味

憲法29条3項の「正当な補償」の意味については、戦後の農地改革の判例の影響もあって、かつては、相当補償説が通説・判例とされていた。しかし、今日の通説は、完全補償原則説と呼ばれる[816]。

完全補償説によれば、財産の一般市場における客観的な経済価格を保障するか、客観的な経済価格に加えて付帯的な損失を補償すべきと考えられる。

相当補償説の場合は、財産に対して加えられる公共目的の性質、その制限の程度等を考慮して算定される合理的な相当額を補償すれば、市場価格を下回ってもよいとされる。

完全補償原則説は、完全補償を原則として、戦後の特別な経済状態における農地改革のように財産権の社会的評価が変化する例外的な場合には、相当補償でよいとする立場である。

判例は、1953年の**農地改革事件**[817]では、戦後の農地改革における政府の農地買収価格が市場取引価格を大幅に下回る点を争う中で、相当補償の立場に立った。憲法29条3項の「正当な補償とは、その当時の経済状態において成立することを考えられる価格に基き、合理的に算出された相当な額をいう」と判示した。

その後の判例は、1973年の**土地収用法補償請求事件**[818]において、「近傍類地の取引価格等を考慮して、相当な価格をもって補償しなければならない」と定めていた旧土地収用法72条をめぐって、都市計画の街路用地の収用価格を争う中で、完全補償説の立場を示した。土地収用法における損失の補償は「完全な補償、すなわち、収用の前後を通じて被収用者の財産価値を等しくならしめるような補償をなすべきであり、金銭をもつて補償する場合には、被収用者が近傍において被収用地と同等の代替地等を取得することをうるに足りる金額の補償を要する」と判示した。また、現行の土地収用法71条の土地補償金の算定基準としての「近傍類他の取引価格等を考慮して算定した事業の認定の告示の時における相当な価格に、権利取得裁決の時までの物価

816　野中ほか、2012、496頁〔高見〕。
817　農地改革事件・最大判1953（昭和28）年12月23日民集7巻13号1523頁。
818　土地収用法補償請求事件・最判1973（昭和48）年10月18日民集27巻9号1210頁。

の変動に応ずる修正率を乗じて得た額」についても、最高裁は、「これにより、被収用者は、収用の前後を通じて被収用者の有する財産価値を等しくさせるような補償を受けられる」という[819]。したがって、憲法29条3項の「正当な補償」の解釈については、農地改革事件最高裁判決のみを先例として引用しており、憲法解釈上の判例変更を最高裁が認めているのかは疑問な点もあるが、実質的に、土地収用法上は、完全補償説に立っている。

　なお、ダム建設のために村が水没したような場合は、財産の市場価格・移転や営業上の損失といった付帯的損失までが完全補償の対象とされる。宅地建物等の取得や職業の紹介といった「生活再建措置」のあっせんを定めた水源地域対策特別措置法8条については「関係住民の福祉のため、補償と別個に、これを補充する意味において採られる行政措置であるにすぎない」として[820]、判例は、完全補償の範囲外としている。また、父祖伝来の愛着のある輪中堤という堤防の土地の収用が問題となった事件では、「文化財的価値」の補償を否定し、「経済的・財産的な損失」の補償に限定した[821]。

819　最判2002（平成14）年6月11日民集56巻5号958頁。
820　岐阜地判1980（昭和55）年2月25日判時966号22頁。
821　輪中堤事件・最判1988（昭和63）年1月21日判タ663号84頁。

第13章 社会権

　国家権力の侵害から自由を守る伝統的な自由権は、国家からの自由を求める。これに対して、国家に一定の施策を要求する20世紀の社会権は、国家による自由を求める。資本主義が生み出した病理現象としての、失業・貧困・飢餓・疾病は、社会内部での解決が不可能になり、その克服は国家に求められるようになる。国家に対する政策要求として考えられたものが、しだいに「人たるに値する生存」のための不可欠な人権として観念されるようになってくる。第1次世界大戦後のドイツのワイマール憲法151条1項は「経済生活の秩序は、すべての者に人間たるに値する生存を保障する目的をもつ正義の原則に適合しなければならない」と定めた。伝統的な経済的自由が生存権の見地から一定の制約を受けることを宣言した。

　明治憲法では、社会権規定はない。第2次世界大戦後の潮流の中で日本国憲法は、社会権規定を導入した。25条が生存権、26条が教育を受ける権利、27条が勤労の権利、28条が労働基本権を定めている。

第1節　生存権

1　25条1項の法的性格

　憲法25条1項の「すべて国民は、健康で文化的な最低限度の生活を営む権利を有する」という規定の解釈については、法的権利性と裁判規範性において、3つの立場に大別される。

　第1のプログラム規定説では、この規定は、立法の指針や法律解釈の基準

としてのプログラムであり、国に対する政治的義務にすぎない。法的権利性も裁判規範性もないとされる。この立場は、ワイマール時代のドイツの通説であった。その根拠は、1)資本主義社会では生活維持は個人の責任であること、2)権利の具体的な内容、実現方法が不明確であること、3)予算が国会や政府の裁量であることなどであった。しかし、1)生存権は資本主義の要請であり、2)多くの憲法規定は不確定概念を用いた抽象的規定であり、3)予算も一種の法律として憲法に拘束されるので、プログラム規定説は、一般に批判されている。とりわけ、25条1項が「権利」として保障しているものを、政策的な意味としてのみ解するのは、あまりに恣意的であろう。

　第2の**抽象的権利説**が多数説である。この規定は、立法府に対して立法その他の措置を要求する権利であり、国に立法・予算を通じて生存権を実現すべき法的義務がある。「健康で文化的な最低限度の生活」の概念は、抽象的な内容であるとしても、生活保護法のような具体化する法律の存在を前提として、違憲審査が可能となる。ただし、憲法25条1項を根拠として、国の立法や行政の不作為の違憲性を裁判で争うことまでは認められない。

　これに対し、第3の具体的権利説では、行政府を拘束するほどには明確ではなくても、立法府を拘束する具体的な権利であり、この規定を根拠に、直接、国の不作為の違憲審査が可能となるという。もっとも、生活扶助などの給付請求権としての具体的権利ではなく、立法不作為違憲確認訴訟ができる点などに「具体的」の意味を求めるのは明確ではない。そこで、近年の具体的権利説は、給付請求権として主張されている[822]。

　判例は、プログラム規定説か抽象的権利説の立場にある。

　食糧管理法事件[823]は、憲法施行後間もない時期の判例である。戦後の食料不足のため、ヤミ米を購入し食糧管理法違反に問われた事件で、最高裁は、当初、プログラム規定説に立った。憲法25条1項は「国民が健康で文化的な最低限度の生活を営み得るよう国政を運営すべきことを国家の責務として宣言したものである」ので、「この規定により直接に個々の国民は、国家に対して具体的、現実的にかかる権利を有するものではない」という。

822　棟居、1995、163頁。
823　**食糧管理法事件**・最大判1948（昭和23）年9月29日刑集2巻10号1235頁。

朝日訴訟[824] は、1950年に生活保護法が制定され、肺結核で入院中のため月額600円の生活扶助と医療扶助を受けていた朝日茂さんが、兄から月額1500円の支給を受けることになったのが発端である。生活扶助が打ち切られ、差額の月額900円の医療費を請求された。そこで、生活保護法に基づく生活扶助費の月額600円が「健康で文化的な最低限度の生活」を維持するのに足りるかが争われた。1審は「特定の国における特定の時点においては一応客観的に決定すべきものであり」、厚生大臣の生活保護基準の設定は、憲法から由来する生活保護法の規定を逸脱してはならない「覊束行為」であるとして、補食費の控除を認めなかった点を違法とした。これに対し、2審は日用品費を670円程度と算定し、補食費の控除は不要とされ、70円の差額をもって違法とすることはできないとして、請求を棄却した。

最高裁は、上告中に朝日さんが死亡したため、保護受給権は一身専属の権利であり相続の対象とならないとして、訴訟は終了した。ただし、「なお、念のために」として傍論において、つぎのようにいう。厚生大臣の定める保護基準は、「憲法の定める健康で文化的な最低限度の生活を維持するにたりるものでなければならない」が、健康で文化的な最低限度の生活は「抽象的な相対概念であり、その具体的内容は、文化の発達、国民経済の進展に伴って向上するのはもとより、多数の不確定概念を総合考量してはじめて決定できる」。その決定は、厚生大臣の合目的的な「裁量」に委されており、裁量権の濫用がみられないので、上告を棄却した。この点、プログラム規定説に立つと解する立場と、抽象的権利説に立つと解する立場に評価が分かれている。食糧管理法事件最高裁判決を援用し、憲法25条1項は「国の責務として宣言したもの」という表現がみられる点で、プログラム規定説を採用したと解される。しかし、プログラム規定説ならば、裁判所の審査の対象外ということになるはずである。そこで、「憲法および生活保護法の趣旨・目的に反し、法律によって与えられた裁量権の限界をこえた場合または裁量権を濫

---

[824] 朝日訴訟・東京地判1960年10月19日行集11巻10号2921頁、同・東京高判1963（昭和38）年11月4日判タ154号83頁、同・最大判1967（昭和42）年5月24日民集21巻5号1043頁。制度改革訴訟としての側面を有する朝日訴訟は、裁判では敗訴したものの、生活保護費の水準の大幅な引き上げをもたらした。

用した場合には、違法な行為として司法審査の対象となる」点で、憲法25条1項の裁判規範性が認められるので、抽象的権利説と解されている。

　堀木訴訟[825]が、最高裁の本論部分で朝日事件と同様の判断を示した。視覚障碍による「障害福祉年金受給者」の女性が、離婚後、子どもの養育のための児童扶養手当の申請をしたところ、児童扶養手当法による「障害福祉年金」との併給禁止規定にあたるとして却下された。この併給禁止規定を1審は違憲、2審は合憲としたあと、最高裁は、合憲とする中で、つぎのように抽象的権利説の立場を表明している。憲法25条にいう「健康で文化的な最低限度の生活」は、「抽象的・相対的な概念」であって、その具体的内容は「その時々における文化の発達の程度、経済的・社会的条件、一般的な国民生活の状況等との相関関係において判断決定されるべき」であり、「国の財政事情を無視することができず」、また「高度の専門技術的な考察とそれに基づいた政策的判断を必要とする」ので、「立法府の広い裁量」にゆだねられており、「それが著しく合理性を欠き明らかに裁量の逸脱・濫用と見ざるをえないような場合を除き、裁判所が審査判断するのに適しない」。

2　25条2項の法的性格

　憲法25条2項が「国は、すべての生活部面について、社会福祉[826]、社会保障[827]及び公衆衛生[828]の向上及び増進に努めなければならない」と定めて

---

[825] 堀木訴訟・最大判1982（昭和57）年7月7日民集36巻7号1235頁。憲法14条1項をめぐる解釈の点でも、興味深い。神戸地判1972（昭和47）年9月20日判夕282号145頁は、「公的年金を受給し得る障害者ではない健全な母たる女性と社会的身分に類する地位により差別」している点などを理由に、憲法14条1項違反とした。これに対して、大阪高判1975（昭和50）年11月10日判夕330号161頁は、「事故が重複していない者との間にかえつて不均衡を生じ、全体的な公平を失すること」などを理由に併給禁止の合理性を認め、憲法14条1項に反しないとした。最高裁は、「身体障害者、母子に対する諸施策および生活保護制度の存在などに照らして総合的に判断すると、…合理的理由のない不当なものであるとはいえないとした憲法14条1項についても原審の判断は、正当として是認」する。なお、1審判決後、国会は1973年に児童扶養手当法の改正を行い、問題となった併給禁止を廃止したが、最高裁判決後の1985年の再改正により、併給禁止が復活した。現在は、2014年施行の児童扶養手当法の改正により、障害年金の子の加算の額が児童扶養手当額よりも低い場合は、差額分を受給できるようにした。
[826] 憲法25条の立法による具体化としては、社会福祉の分野では、児童福祉法、老人福祉法などがある。
[827] 社会保障制度については、国民健康保険法、厚生年金保険法などがある。

いる。この規定の解釈は、憲法25条1項との関係において、1項と2項を一体として考えるか、分離して考えるかといった点で、分かれる。

①**一体論**の場合は、1項の生存権の中に、「人間としてのぎりぎりの最低限度の生活の保障を求める権利」と「より快適な生活の保障を求める権利」の両方が含まれ、2項は、この生存権に対応した国の責務を特に定めたものと解する[829]。この場合、社会保障・社会福祉・公衆衛生も、公的扶助[830]と同様、25条1項の「健康で文化的な最低限度の生活」の基準がカバーする。

②**分離論**の場合は、1項が事後的救貧政策を、2項が事前的防貧政策を国に命じているとする。この場合、公的扶助は1項の問題だが、社会保障・社会福祉・公衆衛生は2項の問題となる。そして、生活保護のような救貧制度では、「健康で文化的な最低限度の生活」の保障という基準があるが、福祉年金のような防貧政策では、この種の基準がなく、立法府のより広い裁量が許され、原則として違憲問題を生じる余地がないとする。しかし、こうした分離論は、2項の法的意味を認めないに等しい。また、現実には、防貧政策も救貧政策の一環として行われており、このような機械的に割り切った解釈は、適当ではない。堀木訴訟の最高裁判決は、分離論を採ってはいない。

学生無年金障碍者訴訟では、1989年改正前の国民年金法に基づき、任意加入とされていたため年金に未加入であった20歳以上の学生や専門学校生が、在学中に障碍を負った場合に、障害年金は支給されなかった。下級審では、「20歳前に障害を負った者と20歳以後に障害を負った学生との取扱いの差異」は憲法の平等原則に違反する[831]、また「20歳以上の学生等という社会的身分による著しく不合理な差別で憲法14条1項に違反することが明白」[832]、とりわけ1985年に専業主婦を強制加入とした年金法改正の折に学生の問題を放置したことは「著しく不合理で立法府の裁量の限界を超えたものであり、合理的理由のない差別として憲法14条1項に違反する」[833]といっ

---

828 公衆衛生の分野では、地域保健法、学校保健安全法などがある。
829 樋口ほか（1984）589頁（中村）。
830 公的扶助については生活保護法が、生活扶助、教育扶助、住宅扶助、医療扶助、出産扶助、生業扶助、葬祭扶助を定めている。
831 学生無年金障碍者訴訟・東京地判2004（平成16）年3月24日判タ1184号94頁。
832 新潟地判2004（平成16）年10月28日裁判所ウェブサイト。

た違憲性・違法性の判断のもとに国家賠償請求を認める判決もみられた。2004年12月10日に「特定障害者に対する特別障害給付金の支給に関する法律」が制定され、一定の救済がはかられた。最高裁は、無拠出制の年金給付の実現は「拠出制の年金の場合に比べて更に広範な裁量を有している」ので、「著しく合理性を欠くということはできない」として、合憲とした[834]。

老齢加算廃止訴訟では、2004年4月から、厚生労働大臣生の定める生活保護基準が改定され、70歳以上の者への老齢加算が段階的に減額され、2006年4月に廃止された。各地の下級審の中には、生活保護法56条の趣旨から、不利益変更は「正当な理由」が必要であり、本件保護基準の改定は、「考慮すべき事項を十分考慮しておらず、又は考慮した事項に対する評価が明らかに合理性を欠き、その結果、社会通念に照らし著しく妥当性を欠いた」、裁量権の逸脱・濫用として違法とするものもみられた。しかし、最高裁は、そのような裁量権の逸脱・濫用としての違法をしりぞけ[835]、健康で文化的な最低限度の生活を保護基準において具体化するに当たっては、「高度の専門技術的な考察とそれに基づいた政策的判断を必要とする」とした上で、厚生労働大臣の諮問機関である社会保障審議会の生活保護制度の在り方に関する専門委員会の廃止の方向の意見を踏まえ、段階的な激変緩和措置を経ているので、「判断の過程及び手続に過誤、欠落があると解すべき事情はうかがわれない」と判示した[836]。不利益変更ないし制度後退の場合には、このような**判断過程審査**による裁判所の裁量審査が重要である。判断過程審査では、裁量処分の考慮事項を分析し、事実誤認がないか、重視すべき事項を考慮しているか（逆に重視すべきでない事項を考慮していないかといった考慮の重みづけ）などを審査する。

生活保護費減額違憲訴訟では、2013年から段階的に生活扶助基準が引き下げられたことに対して、各地で処分取消や国家賠償を求めて提訴されてい

833　広島地判2005（平成17）年3月3日判タ1187号165頁。
834　最判2007（平成19）年9月28日民集61巻6号2345頁。
835　老齢加算廃止訴訟・福岡高判2010（平成22）年6月14日判時2085号76頁、同・最判2012（平成24）4月2日民集66巻6号2367頁。
836　同・最判2012（平成24）年2月28日民集66巻3号1240頁、同・最判2014（平成26）年10月6日（判例集未登載）。

る。たとえば、名古屋高裁によれば、「憲法25条1項にいう『健康で文化的な最低限度の生活』は、抽象的・相対的な概念」である。「健康であるためには、基本的な栄養バランスのとれるような食事を行うことが可能であることが必要」である。「文化的といえるためには、孤立せずに親族間や地域において対人関係を持ったり、当然ながら贅沢は許されないとしても、自分なりに何らかの楽しみとなることを行うことなどが可能であることが必要」という。そして判断過程審査を行い、本件改定の際の（所得下位10%層の消費実態と比べた数値の2分の1にした）「ゆがみ調整」と（物価の下落に伴う）デフレ調整を「合わせて行うこととした厚生労働大臣の判断には、最低限度の生活の具体化に係る判断の過程及び手続における過誤、欠落があって…いずれも統計等の客観的な数値等との合理的関連性及び専門的知見との整合性を欠いており」、裁量権を逸脱・濫用する。したがって、（最低限度の生活は健康で文化的な生活水準の維持することができると定める）生活保護法3条、（保護基準が最低限度の生活の需要を満たすに十分なものである）8条2項に反し、上記改定に基づいてなされた違法な処分の取消と、厚生労働大臣の重大な過失ゆえ国家賠償も認めた[837]。

なお、社会権規約2条1項は「権利の完全な実現を漸進的に達成するため、自国における利用可能な手段を最大限に用いること」を定めている。したがって、**後退禁止の原則が働き、社会権規約委員会によれば「社会保障に対する権利に関連してとられた後退的な措置は、規約に基づいて禁じられているとの強い推定が働く」**という[838]。

3　権利の主体

外国人が原告となる場合、生存権の権利主体性は曖昧にされ、より広い立法裁量が判例上認められる傾向にある。**塩見訴訟**が、外国人の生存権に関するリーディング・ケースである。塩見さんが失明の廃疾認定日において日本国民でなかったことだけを理由に、日本生まれで日本人の配偶者として日本に帰化した在日コリアンの女性に対する障害福祉年金の受給資格を認めなか

---

[837]　生活保護費減額違憲訴訟・名古屋高判2023（令和5）年11月30日裁判所ウェブサイト。
[838]　社会権規約委員会・一般的意見19（2007年11月23日）42段落。

ったことを合憲とし、行政処分取消請求を棄却した。最高裁によれば[839]、1)憲法25条の規定の趣旨を現実の立法として具体化するに当たっては、国の財政事情を無視することができず、「立法府の広い裁量にゆだねられており、それが著しく合理性を欠き明らかに裁量の逸脱・濫用と見ざるをえないような場合を除き、裁判所が審査判断するに適しない事柄」であることは、(食糧管理法事件や堀木訴訟の)先例の示すところである。2)拠出制を基本とする老齢年金などと違い、障害福祉年金は「全額国庫負担の無拠出制の年金」である。3)「社会保障上の施策において在留外国人をどのように処遇するかについては、国は、特別の条約の存しない限り、当該外国人の属する国との外交関係、変動する国際情勢、国内の政治・経済・社会的諸事情等に照らしながら、その政治的判断によりこれを決定することができるのであり、その限られた財源の下で福祉的給付を行うに当たり、自国民を在留外国人より優先的に扱うことも、許される」。4)したがって、立法裁量に属する事項であり、(堀木訴訟やマクリーン判決の)先例に照らし、憲法25条の規定に違反するものではない。5)その合理性を否定することができず、憲法14条1項に違反するものでもない。6)社会権規約9条は「社会保障についてのすべての者の権利」を定めているが、これは「権利の実現に向けて積極的に社会保障政策を推進すべき政治的責任を負うことを宣明したものであつて、個人に対し即時に具体的権利を付与すべきことを定めたものではない」。このことは、同規約2条1が「権利の完全な実現を漸進的に達成する」ことを求めていることからも明らかである。

また、**外国人無年金障碍者訴訟**では、いずれの裁判所も[840]、国民年金法から国籍要件を撤廃した1982年1月1日の改正法施行時に20歳を超え、すでに障碍を負っていた者が、障害福祉年金を受給できないことを合憲としている。同様に、**外国人無年金高齢者訴訟**でも、裁判所はいずれも[841]、国籍要件

839　塩見訴訟・最判1989(平成元)年3月2日判時1363号68頁。
840　障害年金については、大阪地判1980(昭和55)年10月29日判時985号50頁、大阪高判1984(昭和59)年12月19日判時1145号3頁、最判1989(平成元)年3月2日判時1363号68頁、京都地判2003(平成15)年8月26日裁判所ウェブサイト、大阪高判2005(平成17)年10月27日裁判所ウェブサイト。最判2007(平成19)年12月25日(判例集未登載)。
841　老齢年金については、大阪地判2005(平成17)年5月25日判時1898号75頁、大阪高判

を撤廃した1982年の改正法施行時に25年の保険料納付済期間を満たさず、1985年の改正国民年金法においても加入できない60歳以上であったために、65歳からの老齢基礎年金も、70歳からの老齢福祉年金も受給できないことを、合憲としている。福岡高裁が国家賠償請求を退けた理由は[842]、1)憲法25条の具体化は立法府の広い裁量[843]、2)社会保障上の外国人の処遇は、特別の条約が存しない限り、外交関係、国際情勢、国内の政治・経済・政治的判断により決定[844]、3)平和条約の発効により「朝鮮に属すべき人」に対する主権を日本が放棄した結果の日本国籍喪失は憲法14条1項に反しない[845]、4)「漸進的に」と定める社会権規約2条1項などに照らし、同9条は個人への具体的権利の付与を定めていない[846]。5)自由権規約26条も国の予算、経済・社会・国際状況等の事情による立法府の裁量を許容し、合理的理由のない不当な差別的扱いかどうかの観点から判断されるべきであるから、同26条に反しない。しかし、自由権規約委員会は「外国人を国民年金制度から差別的に排除しないことを確保するため、国民年金法の年齢制限規定によって影響を受けた外国人のため経過措置を講ずべきである」と勧告している[847]。

そもそも、社会権規約の裁判規範性については、2条2項と9条とを区別する必要がある。塩見訴訟最高裁判決以来、日本の裁判所は、社会権規約9条の「社会保障についてのすべての者の権利」は、2条1項の定める「漸進的」な権利であり、裁判規範性を消極的にとらえている。しかし、平等規定に関する社会権規約2条2項は、権利の「保障」を定め、自由権規約2条2

2006(平成18)年11月15日 LEX/DB 文献番号 25450330、最判 2009 (平成 21) 年 2 月 3 日(判例集未登載)、福岡地判 2010 (平成 22) 年 9 月 8 日判時 2138 号 63 頁、福岡高判 2011 (平成 23) 年 10 月 17 日判時 2138 号 63 頁、最判 2014 (平成 26) 年 2 月 6 日 (判例集未登載)。

842 福岡高判 2011 (平成 23) 年 10 月 17 日判時 2138 号 63 頁。
843 堀木訴訟・最大判 1982 (昭和 57) 年 7 月 7 日民集 36 巻 7 号 1235 頁、塩見訴訟・最判 1989 (平成元) 年 3 月 2 日判時 1363 号 68 頁。
844 在日韓国人元日本兵の恩給訴訟 (李昌錫事件)・最判 2002 (平成 14) 年 7 月 18 日判時 1799 号 96 頁を引き、社会保障における自国民優先論の根拠を国の財政事情のほかに、国内外の情勢に基づく政治判断に求めている。
845 平和条約国籍離脱合憲判決・最大判 1961 (昭和 36) 年 4 月 5 日民集 15 巻 4 号 657 頁では、平和条約に伴う領土の変更が国籍の離脱をもたらすと判示した。
846 塩見訴訟・最判 1989 (平成元) 年 3 月 2 日判時 1363 号 68 頁。
847 自由権規約委員会・総括所見 (2008 年 10 月 30 日) 30 段落。

項とほぼ同じ内容であり、即時的な効力としての裁判規範性を有する。また、社会権規約委員会によれば、外国人は、所得補助、医療および家族支援への負担可能なアクセスのための無拠出の制度にアクセスが可能であるべきである。受給期間を含め、いかなる制限も比例的かつ合理的なものでなければならない。すべての者は、自らの国籍、在留資格にかかわらず、一次医療および緊急医療を受ける権利がある[848]。

加えて、自由権規約26条は、「すべての者は、法律の前に平等であり、いかなる差別もなしに法律による平等の保護を受ける権利を有する。このため、法律は、あらゆる差別を禁止し及び人種、皮膚の色、性、言語、宗教、政治的意見その他の意見、国民的若しくは社会的出身、財産、出生又は他の地位等のいかなる理由による差別に対しても平等のかつ効果的な保護をすべての者に保障する」と定めている。ここでの法律には、社会保障関連の法律も含まれ、ひとたび社会権を保障する立法がなされた場合は、その平等を保障するための裁判規範性を有する（参照、Broeks v. The Netherlands (1990)。自由権規約委員会によれば、「ある国によって立法が行われた場合には、その立法はその内容において差別があってはならないという、本規約26条の要請に合致しなければならない。他の言葉で表現すると、本規約第26条に規定されている差別禁止の原則が適用されるのは、本規約上に定められた権利に限定されないということである」[849]。したがって、社会権に関する立法の不平等取扱いも、自由権規約26条の審査の対象となりうる。

いわゆる社会権を規定していないヨーロッパ人権規約にあっても、ヨーロッパ人権裁判所は、第1議定書1条の財産権と結びついたヨーロッパ人権規約14条の平等違反の判例を1996年以来形成してきている。Gaygusuz v. Austria（16 September 1996）では、トルコ人に対するオーストリアの拠出制の失業保険給付の国籍差別を**第1議定書1条と結びついた14条違反**とした。他方、Koua Poirrez v. France（30 September 2003）では、コートジボアール人に対するフランスの無拠出制の成人障碍者手当の国籍差別を**第1議定書1条と結びついた14条違反**としている。成人の障碍者手当における国民と外国人との区別は、国の福祉の収入と支出の均衡という正当な目的であり、外国人にはとりわけ最低所得

---

848 社会権規約委員会・一般的意見19（2007年）37段落。
849 自由権規約委員会・一般的意見18（1989年）12段落。

保障を受給することもできるので、すべての手段が奪われているわけでなく、比例性の要件を満たしているといったフランス政府の抗弁をヨーロッパ人権裁判所は、しりぞけた。

　また、外国人の元日本兵の恩給や戦傷病者戦没者遺族等の援護についても、現在の日本国籍の有無を合理的な区別として、多くの訴えを裁判所は、常にしりぞけてきており、内外人平等主義を採用する欧米諸国とは対照的である[850]。**在日韓国人元日本兵の恩給訴訟（李昌錫事件）**[851]では、原告は、旧日本軍人として従軍し、敗戦後、捕虜としてシベリアに抑留され、1953年以後日本に復員し、2001年に75歳で死去するまで日本に在留したものの、1952年のサンフランシスコ平和条約後、日本国籍を失ったため、恩給法に基づく恩給請求が棄却されたのを不服として、行政処分の取消と、特別の犠牲による損失補償請求と、補償立法の不作為の違法による国家賠償請求を訴えた。最高裁によれば、1)旧軍人等の恩給は、生活援助とともに戦争犠牲に対する補償という性質を有するので、社会保障上の施策において在留外国人の処遇について、国は、特別の条約の存しない限り、立法裁量を有する。2)1965年の日韓請求権協定の締結後、補償措置を講ずるか否かの決定は、複雑かつ高度に政策的な考慮と判断が要求され、措置を講じなくても、立法府の裁量の範囲を逸脱しておらず、憲法14条に違反しないという。

　しかし、公務員の年金としての恩給の国籍差別は、国際的に非難されている。たとえば、Ibrahima Gueye et al. v. France（1989）では、自由権規約委員会は、フランスが旧フランス軍兵士のセネガル在住のセネガル国民の年金を減額した国籍差別、すなわち1960年の「独立後に取得した国籍に関連する区別」は、申し立てられたような人種差別ではなく、自由権規約26条の禁ずる「他の地位」による差別にあたると判断している。事後的な国籍の違いは、「合理的かつ客観的」基準に基づく別異の取扱いの十分な正当化とはいえず、フランスとセネガルとの経済的・財政的・社会的な違いも正当化事由として引き合いに出すことはできない。また、その後の類似の国民と外

850　奥原、1992、52-55頁。
851　在日韓国人元日本兵の恩給訴訟（李昌錫事件）・最判2002（平成14）年7月18日判タ1104号147頁、同・京都地判1998（平成10）年3月27日訟月45巻7号1259頁、同・大阪高判2000年2月23日訟月47巻7号1892頁。

国人の間（フランス国民と、フランスの旧植民地のセネガルおよびコートジボアールの元国民であった外国人元兵士とその遺族）の差別が問題となったMrs. Mathia Doukoure v. France（2000）では、「国籍に基づく差別だけでなく、national origin に基づく差別」や「恣意的な国籍剥奪」の問題として申し立てられた。ただし、自由権規約委員会は、国内法上の救済手続を尽くしていないという形式的な理由で却下しているものの、その後、Mrs. Mathia Doukoure v. France 事件は、フランスのコンセイユ・デタが、この種の国籍差別について、ヨーロッパ人権規約第1議定書1条（財産権）と結びついた同規約14条（差別禁止条項）違反を認め、決着した[852]。

　もともと、日本の場合、「自己の意思に基づかない」理由により国籍を喪失した旧植民地出身者の戦争損害補償問題の本質は、人権諸条約にいうnational origin（自由権規約26条では国民的出身、人種差別撤廃条約1条では民族的出身と訳される）に基づく差別にある。1952年の平和条約の発効により日本国籍を喪失した旧植民地出者にとって、朝鮮戸籍や台湾戸籍は民族的出身の徴表とみなされたのであり、そのナショナル・オリジンゆえに、日本国籍を剥奪され、恩給請求権を失ったのである。単なる国籍差別の問題ではなく、民族的出身による差別にあたる。そして、憲法に適合するとして留保や解釈宣言を付すことなしに、人権条約を批准した以上、憲法14条1項の禁ずる差別とは、national origin による差別も含むものと解することが、憲法98条2項の条約誠実遵守義務にかなう憲法解釈である。

　外国人の生存権訴訟では、日本で働くガーナ人が慢性腎不全になり、腎臓透析の治療が必要となるも、医療を受けるための「特定活動」の在留資格では就労が認められず、外国人に生活保護法に基づく受給権は認められないとされ[853]、永住者等の在留資格でないため行政庁の通達（通知）に基づく準用の対象ともされていない状況にある。この点、自由権規約委員会は、Toussaint v. Canada（2018）において、画期的な意見を示している。自由権規約6条の定める生命への権利は「尊厳ある生活を享受する権利と同様に、不自然な死または早すぎる死をもたらすことを意図し、または期待しうる行為お

852　Conseil d'Etat, 9/10 SSR, du 6 février 2002, 216172 216657.
853　外国人の生存権訴訟・千葉地判 2024（令和6）年1月16日（判例集未登載）。

よび不作為から解放される個人の権利」にかかわる。「医療を受けないことが、生命の喪失をもたらしうると合理的に予見できるリスクに人をさらす場合に、既存の医療へのアクセスを提供すること」は、締約国の最低限の義務である。カナダの難民申請者等の「暫定連邦医療給付プログラム」の医療から非正規滞在者を排除することは、その「生命の喪失または健康に不可逆的な悪影響を及ぼす可能性」があり、同医療給付プログラムの加入にとって、在留資格の有無が合理的かつ客観的な基準に基づくものではない。したがって、(生命への権利の) 自由権規約6条および差別禁止を定める同26条に反するとした。日本国憲法13条が「生命」の権利について、「最大の尊重」の必要を定めており、憲法「25条と結びついた13条」が、医療費を自弁できない、非正規滞在者も含むすべての人の先延ばしにすることのできない、生命維持に必要な「**緊急の医療扶助を受ける権利**」を保障していることに、今後は目を向ける必要がある。働くことも生活保護受給も認めず、生命の喪失または健康に不可逆的な悪影響を及ぼすことは、憲法「25条と結びついた13条」が保障する、「**生命への権利**」または「**尊厳ある人として生存する権利**」に反するものといえる。なお、ドイツの連邦憲法裁判所は、BVerfGE 132, 134 (2012) において、庇護申請者給付法の給付水準は、社会的法治国家を定めるドイツ基本法20条1項と結びついた同1条1項の人間の尊厳に基づく「人間の尊厳に値する最低生活の保障を求める基本権」に反すると判示し、その後、金銭給付額は、(日本の生活保護に相当する) 社会扶助の場合の約40％の水準から約90％の水準に引き上げられている。

第2節　教育を受ける権利

1　教育を受ける権利の内容

憲法26条1項は「すべて国民は、法律の定めるところにより、その能力に応じて、ひとしく教育を受ける権利を有する」と定める。ここでいう教育は、学校教育にかぎらず、社会教育も含む。子どもだけでなく、大人にとっても、個人の人格の形成発展および民主社会の維持発展にとって重要な意義

を有する。教育を受ける権利は、人格の形成発展のためには、公権力の干渉からの自由という自由権としての側面を含む一方で、教育制度の整備を通じて適切な教育を要求する権利としての社会権としての側面が大きい。

(1) 学習権

教育を受ける権利は、子どもの学習権がその中心的内容である。学習権とは、自己の人格を形成発展するために必要な学習をする権利である。特に、子どもの学習権は、自己の人格を形成発展するために必要な学習をするのに適切な教育を要求する権利が重要となる。**旭川学力テスト事件**[854] 最高裁判決は、「国民各自が、一個の人間として、また、一市民として、成長、発達し、自己の人格を完成、実現するために必要な学習をする固有の権利を有すること、特に、みずから学習することのできない子どもは、その学習要求を充足するための教育を自己に施すことを大人一般に対して要求する権利を有する」という。具体的にどのような教育制度と設備を整えるのかは、(教育基本法や学校教育法などの)「法律の定めるところ」によるから、立法府の裁量が働く。しかし、つぎに述べる、教育の機会均等と義務教育の無償は、憲法上明記された要請である。

(2) 教育の機会均等

憲法26条1項は「その能力に応じて、ひとしく」と定める。したがって、個々の適性や能力の違いに応じ、異なった内容の教育を行うことが許される。入学試験による選抜や、特別支援教育などが、こうした例である。なお、特別支援学校と普通学校の選択をめぐっては、問題が生じる場合がある。調査書の学力評定と学力検査において合格点に達していたものの、筋ジストロフィー症を理由に普通高校への入学が拒否された**尼崎高校事件**[855] では、神戸地裁は「原告はその能力に応じた高校として本件高校を選んだところ、その

---

[854] 旭川学力テスト事件・最大判1976（昭和51）年5月21日刑集30巻5号615頁。1956・7年に行われた全国中学校一斉学力調査に反対する教職員組合員の「説得」と校長への軽い暴行が公務執行妨害罪による執行猶予付き有罪とされた事件。全国一斉学力テストは1964年に中止されたが、2007年に復活した。

[855] 神戸地判1992（平成4）年3月13日行集43巻3号309頁。

能力を十分に有するにもかかわらず、本件高校への進学を妨げられたのであるから、教育を受ける権利が侵害されたことは否定できない」と判示した。

(3) 義務教育の無償

憲法26条2項は「すべて国民は、法律の定めるところにより、その保護する子女に普通教育を受けさせる義務を負ふ。義務教育は、これを無償とする」と定めている。通常、教育を受ける権利の主体は、子どもである。そして教育を受けさせる義務の主体は、保護者である。普通教育とは、人間にとって共通に必要とされる一般的・基礎的な教育を意味する。いわば職業的・専門的でない教育をさし、ここでの普通教育は、高校を除き、いわゆる小学校と中学校と特別支援学校の9年間の義務教育に対応する。

無償の意味について、判例は、「授業料不徴収」であるといい、「授業料のほかに、教科書、学用品その他教育に必要な一切の費用まで無償としなければならないことを定めたものと解することはできない」とする[856]、授業料無償説の立場である。学説は、授業料無償説が通説である。教育に必要な一切の費用を無償とする、修学費無償説もある。しかし、修学に必要な学用品が無償ということは、同じカバンや文房具が支給されるなど自己決定権の侵害を危惧する見解もあり[857]、現状に即した**授業料・教科書無償説**も有力である。この場合、教科書を有償とすることは、憲法26条2項違反となる。

2 教育の自由と教育する権能

(1) 教育の自由

教育の自由は、憲法に明文の規定はないものの、憲法13条、23条または26条に基づくとして、憲法上の権利であると一般に考えられている。子どもの学習権に対応して、親の教育の自由と教師の教育の自由が問題となる。

親の教育の自由は、親のもつ自己の教育方針に沿って子どもを教育する自由を意味し、公権力の干渉からの自由を要求する自由権的側面を有する。具体的には、家庭教育の自由や学校選択の自由の形であらわれる。旭川学力テ

---

856 最大判1964（昭和39）年2月26日民集18巻2号343頁。
857 奥平、1993、260頁。

スト事件最高裁判決では、「子どもの将来に対して最も深い関心をもち、かつ、配慮をすべき立場にある者として、…認められる…親の教育の自由は、主として家庭教育等学校外における教育や学校選択の自由にあらわれる」という。親の教育の自由は、自由権規約18条4項および社会権規約13条3項において「父母および場合により法定保護者が、国が規定または承認した最低限度の教育上の基準に適合する公立学校以外の学校を子どものために選択する自由ならびに自己の信念に従って子どもの宗教的・道徳的教育を確保する自由を有する」と定められている。また、差別禁止の観点から、社会権規約委員会は、日本政府の定期報告書に対する総括所見において「高等学校等就学支援金制度が朝鮮学校に通学する生徒にも適用されること」を勧告している（2013年5月17日、27段落）。アメリカ、イギリス、カナダ、オーストラリア、ニュージーランド、フランス、デンマークなどでは、公立や私立の学校に代わる、義務教育としての家庭教育の選択肢も認められている。フリースクールや外国人学校も含め、義務教育の多様性を求める声が日本でもあり、親の教育の自由の保障が問題となっている。日本国憲法では明文の規定のない「親の教育の自由」は、「憲法26条と結びついた13条」が融合的に保障し、画一的な教育にかぎらず、多様な教育を整備しながら、個々の子どもの人格の発展を尊重するために、親の教育を選択する自由は、比例原則に照らし、「立法その他の国政の上で、最大の尊重を必要」とするものと解しうる。

　教師の教育の自由は、教師の教育実践の自由として、具体的には、授業の内容や方法、生徒の成績評価などについて、一定の自由な裁量を有する。国との関係では、公権力の干渉からの自由の側面を有する。子どもや親との関係では、公教育の担い手としての側面を有する。この点、**旭川学力テスト事件最高裁判決**では、「教師が公権力によって特定の意見のみを教授することを強制されないという意味において、また、子どもの教育が教師と子どもとの間の直接の人格的接触を通じ、その個性に応じて行われなければならないという本質的要請に照らし、教授の具体的内容及び方法につきある程度自由な裁量が認められなければならないという意味においては、一定の範囲における教授の自由が保障される」という。教師の教育の自由については、社会権規約委員会によれば、「学問の自由」を教育部門のすべての教職員が有す

るという形で一般的意見の中で指摘している[858]。

(2) 教育権の所在

教育内容を決定し、実施する権能を教育権と呼ぶ。これは教育を受ける権利ではなく、教育をする権能の問題である。この教育権の所在をめぐり、学説は3つに分かれる。

①**国家教育権説**によれば、教育権の主体は国家であり、国家は公教育の内容・方法について、教師の教育の自由に制約を加えることが原則として許される。**第1次家永訴訟1審判決＝高津判決**では[859]、「教育を含む国政全体が国民の厳粛な信託によるものであつて（憲法前文）、公教育における国の教育行政についても民主主義政治の原理が妥当し、議会制民主主義のもとでは国民の総意は国会を通じて法律に反映されるから、国は法律に準拠して公教育を運営する責務と権能を有する」という。

②**国民教育権説**によれば、教育権の主体は親およびその付託を受けた教師を中心とする国民全体であり、国家は教育の条件整備といった外的事項に関する任務にとどまる。**第2次家永訴訟1審判決＝杉本判決**では[860]「教育の外的事項については、一般の政治と同様に代議制を通じて実現されてしかるべきものであるが、教育の内的事項については、…教師が児童、生徒との人間的なふれあいを通じて、自らの研鑽と努力とによって国民全体の合理的な教育意思を実現すべきものであり、また、このような教師自らの教育活動を通じて直接に国民全体に責任を負い、その信託にこたえるべき」という。

③**折衷説**は、国家教育権説と国民教育権説は、いずれも極端であり、教育の本質から教師に一定の自由が認められるとともに、国の側も一定の範囲で教育内容についての決定権を有するという立場である。**旭川学力テスト事件最高裁判決**では、親は「子どもの教育に対する一定の支配権」をもち、教師は「教授の具体的内容及び方法につきある程度自由な裁量が認められなけれ

---

858 社会権規約委員会・一般的意見13（1999年12月8日）38・39段落によれば、「教育に対する権利は、教職員・生徒の学問の自由が伴わなければ享受できない…教育部門のすべての職員および生徒が学問の自由についての権利を有している」という。
859 **第1次家永訴訟1審判決＝高津判決**・東京地判1974（昭和49）年7月16日判時751号51頁。
860 **第2次家永訴訟1審判決＝杉本判決**・東京地判1970（昭和45）年7月17日判タ251号99頁。

ばならない」ものの、国は「国政の一部として広く適切な教育政策を樹立、実施すべく、…子ども自身の利益の擁護のため、あるいは子どもの成長に対する社会公共の利益と関心にこたえるため、必要かつ相当と認められる範囲において、教育内容についてもこれを決定する権能を有する」という。

親、教師、国の分担による教育の実現という判決のアプローチは妥当だとする折衷説が有力である。しかし、問題は国家的介入の限界を具体的にどのように線引きするかであり、実際の運用においては、国家的介入の過剰と画一的教育の弊害が指摘されている[861]。

3 保護者の教育を受けさせる義務と国の教育義務

性質上、憲法26条1項・2項の「国民」は、日本に在住する外国人も含む「すべての人」と解すべきである。教育を受ける権利については、憲法26条1項が「国民は…教育を受ける権利を有する」と規定し、同2項前段が「国民は…その保護する子女に普通教育を受けさせる義務を負ふ」と定め、同後段が「義務教育を無償」としていることから、外国人の権利保障について政府は消極的に考えてきた。1953年1月20日の文部省初等中等局財務課長回答によれば、「外国人がその子弟を市町村学校に入学させることを願い出た場合、無償で就学させる義務はない」とある。裁判所も、不登校による在日コリアンの公立中学生の母からの退学届の受理を適法としつつ、受理の際に原告の意思の確認を怠ったことを違法とした2008年の大阪地裁判決において、つぎのようにいう。「学校教育の特色、国籍や民族の違いを無視して、わが国に在留する外国籍の子ども（の保護者）に対して、一律にわが国の民族固有の教育内容を含む教育を受けさせる義務を課して、わが国の教育を押しつけることができないことは明らかである（このような義務を外国人に対して課せば、当該外国人がその属する民族固有の教育内容を含む教育を受ける権利を侵害することになりかねない。）。したがって、憲法26条2項前段によって保護者に課せられた子女を就学させるべき義務は、その性質上、日本国民にのみ課せられたものというべきであって、外国籍の子どもの保護

---

861 高橋、2024、401頁。

者に対して課せられた義務ということはできない」と判示した[862]。

しかし、社会権規約13条（または子どもの権利条約28条1項）が「教育についてのすべての者（または児童）の権利を認め」、「初等教育は、義務的なものとし、すべての者に対して無償のものとする」と定めている。そこで、今日、文科省は「外国人の子どもには、我が国の義務教育への就学義務はないが、公立の義務教育諸学校へ就学を希望する場合には、国際人権規約等も踏まえ、日本人児童生徒と同様に無償で受入れ」、「教科書の無償配付及び就学援助を含め、日本人と同一の教育を受ける機会を保障」するという[863]。また、1995年からは、義務教育の学校への外国人の就学予定者には、就学案内を通知するようになった。

今日の問題としては、第1に、外国人には「就学義務」がないことを理由として、住民登録をしていない学齢期の子どもの受け入れを教育委員会が拒否し、不登校・未就学の学齢期の子どもを放置し、転校先の決まっていない学齢期の子どもの退学を認めることが、許されるかどうかである。2019年に文科省は、はじめて本格的な不就学調査を行ったが、12万人近い学齢期の外国人の子どものうち、2万人近い不就学の疑いが報告されている[864]。義務の主体と内容についての再検討が喫緊の課題である。憲法26条2項の「教育を受けさせる義務」の主体は、親を中心とする保護者である（保護者の教育義務説）。しかし、こうした義務を保護者に課すことで義務教育を担保する国ばかりではない。義務教育に等しい教育を用意できるのであれば、親の義務を免除する国もある[865]。社会権規約と子どもの権利条約が「初等教

---

862 大阪地裁判2008（平成20）年9月26日判タ1295号198頁。憲法26条の効力は、外国人には及ばないとする学説もある。渡辺ほか、2016、386頁〔工藤〕。ただし、外国人にも保障が及ぶとする学説の方が一般的である。戸波、1998、140頁、渋谷、2017、121頁、木下・只野、2019、323頁〔倉田〕。

863 文科省HP「外国人の子どもの公立義務教育諸学校への受入について」（http://www.mext.go.jp/b_menu/shingi/chousa/shotou/042/houkoku/08070301/009/005.htm）。

864 文部科学省「外国人の子供の教育の更なる充実に向けた就学状況等調査の実施及び調査結果（速報値）について」（2019年9月27日）。

865 デンマーク憲法76条は「学齢期の子どもはすべて、初等教育において無料で教育を受ける権利を有する。自ら子ども・被保護者のために普通初等教育に等しき教育を用意できる親・保護者は、その子ども・被保護者を公教育の学校で教育を受けさせる義務を課されない」と定める。

育は、義務的なものとし、すべての者に対して無償のものとする」という内容は、初等教育の学齢期にある子どもの教育を受ける権利に対応する国、自治体、教育委員会および学校の側の受け入れ義務を意味する。本来、権利義務関係のあり方は、憲法上の個人の権利に対応して国の側の義務が対応する。子どもの教育を受ける権利に対応するのは、国や自治体の側の学校に受け入れる義務である。社会権規約と子どもの権利条約上、こうした権利と義務があるだけでなく、性質上、日本国憲法においても、教育を受ける権利と国の側の学校への受け入れ義務が外国人にも認められるはずである（**国の教育義務説**）。ただし、憲法26条2項の保護者の教育を受けさせる義務を受けた学校教育法144条に基づいて、保護者の就学義務不履行に対し10万円以下の罰金が課すという意味においては、外国人の子どもの保護者を除く運用は、外国人学校を就学義務対象校とするか、就学義務の免除要件に加えるまでは、必要かもしれない。そこで、すべての学齢期の子どもを学校に受け入れる**国の教育義務**があるとともに、フリースクール、家庭教育、外国人学校などの多様な教育の機会を確保した上で、すべての学齢期の子どもの**保護者の教育を受けさせる義務**があるとの考え方（**教育義務の折衷説**）が、適当と思われる。したがって、学齢期の外国人の子どもを、退学とすることも、不就学を放置することも、在留資格を理由に受け入れを拒否することも、憲法26条1項の教育を受ける権利（およびその裏返しとしての国の教育義務）に反する。

　第2に、外国人の子どもの民族教育を受ける権利を保障するために、公立学校での母語教育の設置、私立の外国人学校への公費助成を請求することができるかどうかという問題がある。民族教育を受ける権利は、民族教育を行うことを国家から妨害されないという自由権的側面と、民族教育のため、公費助成を受けることができるという社会権的側面をもつ。**自由権規約27条（および子どもの権利条約30条）は、民族的少数者が「自己の文化を享有し」、「自己の言語を使用する権利を否定されない」という自由権的側面を保障している。子どもの権利条約29条は「児童の居住国および出身国の国民的価値観」の尊重を保障している。社会権規約13条は「諸国民の間および人種的、種族的または宗教的集団の間の理解、寛容および友好を促進する」**

ために、「初等教育は、義務的なものとし、すべての者に対して無償」とし、中等教育は「無償教育の漸進的な導入により、一般的に利用可能であり、かつ、すべての者に対して機会が与えられる」社会権的側面を保障している。さらに、子どもの権利条約28条は、中等教育における「財政的援助の提供のような適当な措置」を加えて保障している。そして、これらの人権条約と整合的な憲法解釈を行うならば、憲法26条は教育を受ける権利のこうした自由権的側面と社会権的側面を保障し、憲法13条は民族的少数者が自己の文化を享有する権利を保障する（参照、二風谷ダム事件判決[866]）。したがって、憲法「26条と結びついた13条」が、自己の文化を享有する権利とともに、諸国民・諸民族間の理解・寛容・友好を促進するための公費の財政的援助を受ける権利としての**多文化教育を受ける権利**を保障すると解しうる。この多文化教育の内容には、外国人学校における日本語（日本文化）教育のための公費助成と公立学校における母語（母文化）教育への選択権の保障が含まれるべきである。子どもの権利条約29条1項の「自己の文化的アイデンティティ」と「言語」の尊重の規定は、学校における寛容の文化と多文化主義を促進し、バイリンガル教育や母語教育を要求する[867]。また、同28条1項により、国は「定期的な登校および中途退学率の減少を奨励するための措置をとる」義務がある。社会権規約委員会は、不就学等の比率を下げるために、母語教育の機会と多文化教育の専門教員の確保を勧告している[868]。今後は、多文化教育をカリキュラムに加え、義務教育の対象を外国人学校などにも拡充した上で、憲法26条2項の「教育を受けさせる義務」を外国人の保護者にも認めるべきである。

---

[866] 札幌地判1997年3月27日判時1598号33頁。
[867] Tobin, 2019, 1704-5.
[868] 社会権規約委員会は、ギリシアの定期報告書に対して、ロマやトルコ語の子どもの不就学や中途退学の比率が高いことへの懸念を示し、可能な限り少数言語グループへの母語教育の機会を提供し、多文化教育の専門教員を確保することを勧告している（E/C.12/1/Add.97, CESCR, 7 June 2004）。

第3節　勤労の権利

1　勤労の権利の法的性格

　憲法27条1項は「すべて国民は、勤労の権利を有し、義務を負う」と定める。勤労の自由を侵害されないという自由権的側面は、憲法22条1項の職業選択の自由が保障している。したがって、勤労の権利は、もっぱら社会権としての側面を問題としている。勤労の権利の法的性格については、生存権と同様に、3つの学説に分かれる。

　第1に、プログラム規定説によれば、勤労の権利は、国民に労働の機会を保障する国家の政治的義務を課したもので、国民に具体的権利を認めたものではないという。

　第2に、**抽象的権利説**の場合、勤労の権利は、国家に対し、法律の改廃による積極的侵害を争うとともに、使用者に対し、解雇の自由を制限するという意味での法的効力が認められる。したがって、勤労の権利は、私人間効力を有するとされ、解雇に正当理由を必要とする解雇権濫用の法理[869]の根拠規定となりうる。従来は、プログラム規定説が通説的立場を占めてきたが、最近では抽象的権利説も有力である[870]。また、就職できない場合に、雇用保険により失業給付を受ける制度も、勤労の権利に対応している[871]。

　第3に、具体的権利説によれば、勤労の権利は、国家が必要な立法や施策を講じない場合には、国の不作為による侵害として裁判で争いうるという意味での具体的な権利を有するという。しかし、生存権以上に立法裁量が広く、不作為の違法の余地は狭い。

　国の施策としては、労働基準法、職業安定法、雇用保険法、職業能力開発促進法、障害者の雇用の促進等に関する法律、雇用対策法、高年齢者等の雇

---

[869]　もっとも、2007年の労働契約法により「解雇は、客観的に合理的な理由を欠き、社会通念上相当であると認められない場合は、その権利を濫用したものとして、無効とする」（16条）と定められた。

[870]　野中ほか、2012、523-4頁〔野中〕。

[871]　佐藤幸治、2020、410頁。

用の安定等に関する法律、男女雇用機会均等法など多数の法律がある。

2　勤労条件法定主義

憲法27条2項は「賃金、就業時間、休息その他の勤労条件に関する基準は、法律でこれを定める」とある。労働に関する契約は、もともとは労使間の契約の自由に委ねられていた。しかし、19世紀から20世紀にかけての資本主義の発達の過程において、労働者は、過酷な労働条件・低賃金・失業などのために厳しい生活を余儀なくされていた経験を踏まえ、日本国憲法では、労働条件の設定に国が関与し、労働者の立場を保護している。ここでの法律として、賃金については、最低賃金法が重要である。労働時間と有給休暇などの勤労条件については労働基準法が定めている。

3　児童酷使の禁止

憲法27条3項が「児童は、これを酷使してはならない」と定めている。この規定を受けて、労働基準法56条は、児童を労働者として使用することを原則として禁止する。ここでの児童とは、満15歳に達した日以後の最初の3月31日が終了するまでの者をさす。児童福祉に関する一般法としての児童福祉法における児童とは、満18歳未満の者をいう。

第4節　労働基本権

1　労働基本権の法的性格

憲法28条は「勤労者の団結する権利及び団体交渉その他の団体行動をする権利は、これを保障する」と定める。労働基本権に、27条の勤労の権利も含む場合もあるが、最高裁が28条の3つの権利をさして用いたので[872]、一般に、憲法学における労働基本権は、労働三権の意味で用いられる。資本

872　たとえば、全逓東京中郵事件・最大判1966（昭和41）年10月26日刑集20巻8号901頁。

主義社会において経済的弱者の立場にある労働者にとって、憲法 25 条の生存権や 27 条の勤労の権利は、いわば必要最小限の生活条件の確保のための消極的な保障にあたる。憲法 28 条の労働基本権は、労働者が使用者との関係で実質的に自由・平等たりうるための積極的な保障を行う。労働基本権は、人一般の権利としての人権というよりも、労働者にのみ保障される権利である。具体的には、労働基本権の内容は、労働組合法に規定されている。

労働基本権は社会権的側面を有するが、それにとどまるものではない。労働基本権の保障は、大きく分けて 3 つの側面がある。

第 1 に、社会権として、国に労働基本権の保障するための立法や施策を義務づける側面がある。労働基本権に対する侵害行為に対し、行政的救済を受ける権利については、労働組合法は、不当労働行為制度として具体化している。労働組合員としての正当な行為をした労働者に対し、使用者が不利益な取扱いをしたり、団体交渉を拒否したりする不当労働行為を、労働委員会は審査し、やめさせる。

第 2 に、自由権として、公権力からの自由、とりわけ刑事免責が認められる側面がある。労働者が、争議行為の自由および労働放棄の自由を行使しても、それに対して国家は刑罰を科してはならない。

第 3 に、私人間効力として、使用者に対する民事免責が認められる側面がある。正当な争議行為は、解雇や損害賠償などの対象とならない。その意味で、憲法の労働基本権は、直接に私人間に適用される。

2　団結権

団結権とは、労働者が団結して使用者の地位と対等になるために、労働組合を結成したり、労働組合に参加したりする権利をさす。一般に団結することは、憲法 21 条の結社の自由により保障される。しかし、ここでは、労働者が労働組合に団結する権利を特別に憲法 28 条で保障している。団結権の特徴は、使用者との交渉団体としての立場を強化するために、加入強制や内部統制などの組織強制が一定程度認められる点にある。

加入強制は、結社をしない自由を含む憲法 21 条の結社の自由を破ることになる。しかし、多くの学説は、労働者が組合に参加しない自由（消極的団

結権）を制限できるところに、結社の自由とは別に規定された団結権の特色を見いだし、合憲としている。その理由は、「労働者の団結権が特に団結に参加する権利を保障したもの」であるからという[873]。企業への採用後に組合員でない者を解雇するユニオン・ショップ（労働組合法7条1項但書[874]）は、解雇強制を伴うものの、憲法27条の勤労の権利を侵害しないとされる。多くの学説は、企業組合が普及している日本では、労働者の他の企業への就労を妨げないから、ユニオン・ショップを合憲としている[875]。しかし、こうした加入強制にも限度がある。最高裁は、同一企業に複数の組合がある場合に別の組合に加入したり、新たに組合を結成したりすることを解雇の理由とすることは、公序良俗に反し、無効としている（**三井倉庫港運事件**）[876]。

内部統制について、**三井美唄炭鉱労組事件**[877]では「憲法28条による労働者の団結権保障の効果として、労働組合は、その目的を達成するために必要であり、かつ、合理的な範囲内において、その組合員に対する統制権を有する…しかし、…当該組合員に対し、勧告または、説得の域を超え、立候補を取りやめることを要求し、これに従わないことを理由に当該組合員を統制違反者として処分するがごときは、組合の統制権の限界を超えるものとして、違法」と判示した。また、**国労広島地本事件**[878]では「労働組合は、労働者

873　佐藤功、1981、471頁。

874　「ただし、労働組合が特定の工場事業場に雇用される労働者の過半数を代表する場合において、その労働者がその労働組合の組合員であることを雇用条件とする労働協約を締結することを妨げるものではない」。

875　野中ほか、2012、529頁〔野中〕。

876　三井倉庫港運事件・最判1989（平成元）年12月14日民集43巻12号2051頁。既存の労組を脱退して自らの希望する労組に加入したことを使用者に伝えたところ、ユニオン・ショップ協定を理由に解雇されたが、1審・2審・最高裁は、いずれもこの解雇を違法とした。

877　三井美唄炭鉱労組事件・最大判1968（昭和43）年12月4日刑集22巻13号1425頁。美唄市議会議員選挙に際し、労組が議決により統一候補を推薦したところ、任期中に定年退職となるために推薦されなかった前回当選者の組合員が立候補しようとしたので、立候補を断念するように何度も説得し、除名をほのめかす威迫をした組合役員らが、公選法225条3号違反として起訴された事件。1審・札幌地岩見沢支判1961（昭和36）年9月25日刑集22巻13号1453頁は、立候補への組合の統制権は及ばないので有罪とした。これに対し、2審・札幌高判1963（昭和38）年3月26日高刑集16巻4号299頁は、組合の統制権が及び、無罪とした。最高裁は、立候補すれば統制違反者として処分することは、組合の統制権の限界を超え、違法となるとして、原判決を破棄し、本件を差し戻した。

の労働条件の維持改善その他経済的地位の向上を図ることを主たる目的とする団体であって、…労働組合の政治的活動の基礎にある政治的思想、見解、判断等は、必ずしも個々の組合員のそれと一致するものではないから、…直接的には国の安全や外交等の国民的関心事に関する政策上の問題を対象とする活動…について組合の多数決をもって組合員を拘束し、その協力を強制することを認めるべきではない」という。したがって、労働組合の内部統制権には、一定の限界がある。ただし、労働組合の政治的活動とそれ以外の活動とは実際上は区別しにくい場合も多い。政治的自由に対する制約の程度が軽微な場合は、労働組合の自主的な政策決定を優先させ、組合員の費用負担を含む協力義務を肯定すべきであるともいう。

3　団体交渉権

　団体交渉権とは、労働者の団体である労働組合が、使用者と労働条件について交渉する権利をさす。労使間で合意に達した事項について労働協約を締結し、それに反する労働契約の部分は無効となる。使用者は、団体交渉を正当な理由なく拒んではならず、団体交渉を拒否すると不当労働行為となり、労働者は、労働委員会による行政救済を受けることができる。企業内に複数の組合が併存する場合には、組合員の人数の多さにかかわらず、すべての組合に団体交渉権が認められる[879]。労働組合法7条2号は「使用者が雇用する

---

[878]　国労広島地本事件・最判1975（昭和50）年11月28日民集29巻10号1698頁。国鉄の労組である国労を脱退する者に対して、未納の組合費のどこまでが請求可能であるかが争われた事件。1審・広島地判1967（昭和42）年2月20日判時486号72頁は、一般の組合費とは違い、「炭労資金」（三井三池を中心とする炭労の企業整備反対闘争の資金）、「安保資金」（日米安保条約の改正反対闘争の資金）および「政治昂揚資金」（組合員の政治意識を昂揚するために結成されている国鉄労組政治連盟の活動資金）などは、労組一般の目的の範囲をこえるので、請求できないとした。2審・広島高判1973（昭和48）年1月25日判時710号102頁は、同様の判断に加え、選挙応援資金の拠出強制は、組合員の政治的信条の自由を侵害するという。これに対し、最高裁は、「炭労資金」は組合自身の闘争のための資金ではなく他組合の闘争に対する支援資金であり、それが多数決により決定された場合に組合員の協力義務を否定すべき理由はなく、「安保資金」は安保反対闘争の被処分者を救済するための資金であり、拠出を強制しても組合員個人の政治的思想等に関係する程度は極めて機微であり、組合員の協力義務を肯定できるとして、両資金の納付義務を否定した原判決を破棄して、支払を命じた。ただし、「政治意識昂揚資金」については、支払い義務はないとした。

[879]　日産自動車事件・最判1985（昭和60）年4月23日民集39巻3号730頁。日産自動車とプリ

労働者の代表者と団体交渉をすることを正当な理由がなくて拒むこと」を違法な不当労働行為と定めている。この点、使用者は、自己の主張を相手方が理解・納得することを目指して、誠意をもって団体交渉に当たらなければならず、労働組合の要求・主張に対する回答や自己の主張の根拠を具体的に説明し、必要な資料を呈示するなど、誠実に対応する義務がある[880]。たとえば、使用者側において、具体的根拠や資料を明らかにせず、回答能力がある者が団体交渉に出席しないことは、不誠実な対応として不当労働行為にあたる[881]。

4 団体行動権

団体行動権とは、労働者が労働条件の実現を図るために団体行動をする権利を意味する。争議行為の中心は、ストライキ（同盟罷業）である。このほか、サボタージュ（怠業）やボイコット（不買運動）など多様な形態がある。正当な争議行為は、威力業務妨害罪などの刑事責任が免除され、債務不履行・不法行為責任などの民事責任も免除される。

判例上、正当な争議行為とはいえないとされた例として、職場を占拠して「生産管理」をすることは「企業経営の権能を権利者の意思を排除して非権利者が行う…財産権の侵害」にあたり、違法とされた[882]。また、見張りをおいてスト破りを阻止する活動を行うピケッティングは、その経緯・目的・具体的態様などを考慮して適法とした決定もある[883]。しかし、多くの判例は、

ンス自動車工業の合併後、（同盟系の）日産労組の組合員だけが残業を命じられ、（総評系の）プリンス自動車工業支部が使用者の提案する残業の条件拒否を理由に、その組合員に残業を命じない使用者の行為が労働組合法7条3号の不当労働行為に当たるとされた事件。最高裁は、「使用者は、いずれの組合との関係においても誠実に団体交渉を行うべきことが義務づけられているものといわなければならず、また、単に団体交渉の場面に限らず、すべての場面で使用者は各組合に対し、中立的態度を保持し、その団結権を平等に承認、尊重すべきものであり、各組合の性格、傾向や従来の運動路線のいかんによって差別的な取扱いをすることは許されない」と判示した。

880 カール・ツァイス事件・東京地判1989（平成元）年9月22日判時1327号145頁。
881 京都府医師会事件・東京地判1999（平成11）年3月18日労働判例764号34頁。
882 山田鋼業生産管理事件・最大判1950（昭和25）年11月15日刑集4巻11号2257頁。労組の幹部らが、生産管理の名の下に会社所有の機械を用いて製品を作り、売却代金を争議期間中の賃金の支払などに充当したとして、業務上横領罪で起訴された事件。1審・大阪地判1947（昭和22）年11月22日刑事裁判資料10号108頁は、生産管理は争議権の濫用とは認められず、無罪とした。2審・大阪高判1948（昭和23）年5月29日刑集4巻11号2305頁と最高裁は、生産管理は正当な争議行為ではないとして、有罪とした。

「説得活動の範囲を超えて」、「労働者側の排他的占有下に」置くピケッティングは、正当な争議行為とはいえない[884]などと消極的な傾向がみられる。

　全農林警職法事件[885]では、「政治的目的のために争議行為を行なうがごときは、もともと憲法28条の保障とは無関係なもの」とした。しかし、純粋な政治ストは違法であるとしても、経済的政治ストは合法とする学説が有力である[886]。

　なお、公務員の労働基本権の制約の問題は、つぎの3通りに整理される。

　①警察職員、消防職員、自衛隊員、海上保安庁職員、刑事施設職員は、すべての労働基本権としての団結権、団体交渉権および争議権が否認される。

　②非現業の国家公務員および地方公務員は、団結権が認められるが、団体交渉権が制限され（交渉は行えるが、法的拘束力のある団体協約を締結できない）、争議権が否認される。

　③現業の国家公務員および地方公務員は、団結権および団体交渉権が認められているが、争議権が否認される。

　日本政府は、社会権規約を批准するときに、社会権規約8条1項（d）で「各国の法律にしたがって行使されることを条件とする、ストライキ権」の

---

[883] 札幌市労連事件・最決1970（昭和45）年6月23日刑集24巻6号311頁では、地方労働委員会の調停や市議会総務委員会の勧告にもかかわらず、札幌市当局が不当に団体交渉を拒否したので、1年以上無駄にし、「ストをやるというのであればやれ」などと誠意のない市当局の返答に対し、市電・市バスの乗車拒否に踏み切ったところ、組合員の一部が、市電を運転し車庫外に出ようとしたので、被告人らが「組合の団結がみだされ同盟罷業がその実効性を失うのを防ぐ目的」で、市電の前に立ちふさがり、組合の指令に従うように叫んで翻意を促し、これを腕力で排除しようとした市当局側の者と約30分間もみ合った行為は、長時間でも、直接暴力に訴えるものでもなく、実質的に私企業と変わりのない市電の乗客のいない車庫内で行われたものなので、正当な行為として無罪とした。

[884] 御國ハイヤー事件・最判1992（平成4）年10月2日判タ813号191頁。タクシー会社の従業員が、賃金制度の改定等を求め、ピケッティングの方法を用いて、車庫に座り込み、2日間で6台のタクシーの稼動を妨げたことが、正当な争議行為か否かが争われた事件。1審・高松地判1986（昭和61）年5月6日判時1313号162頁は、正当な争議行為ではないとしたが、2審・高松高判1989（平成元）年2月27日判時1313号158頁は、タクシー業でのピケッティングは「必要・不可欠とも言うべき戦術」として、正当な争議行為とした。しかし、最高裁は、再び、正当な争議行為ではないとし、損害賠償については原審に差し戻した。

[885] 全農林警職法事件・最大判1973（昭和48）年4月25日刑集27巻4号547頁。

[886] 野中ほか、2012、531頁〔野中〕。

規定に拘束されない旨を留保している[887]。しかし、社会権規約 8 条 1 項は、団結権、労働組合の活動の自由、争議権を定め、留保していない同 2 項が「軍隊、警察または国の行政に従事する公務員（members ... of the administration of the State）による 1 項の権利の行使について合法的な制限を課することを妨げるものではない」とある。この点、日本政府は、広く「公務員」と訳すことによって、国の行政に従事していない公務員の労働基本権の制約を正当化している。社会権委員会によれば、「全ての公務員について、教師を含め、不可欠な政府の業務に従事していない公務員についてまで、ストライキを全面的に禁止していることについて懸念を有する。これは、…社会権規約 8 条 2 項に違反し、人事院による代償措置があるにもかかわらず、結社の自由と団結権の保護に関する ILO 87 号条約に違反する」という[888]。

日本の判例は、当初、**政令 201 号事件**において「全体の奉仕者」や「公共の福祉」という文言により、公務員の労働基本権を制限した[889]。しかし、公務員も憲法 28 条にいう勤労者であり、労働基本権について、こうした抽象

---

[887] 昭和 54 年 8 月 4 日外務省告示第 187 号。

[888] 社会権規約委員会・第 2 回日本政府報告書に対する総括所見（2001 年 9 月 24 日）21 段落。日本政府が 1965 年に批准した「結社の自由および団結権の保護に関する条約」（ILO 87 号条約）9 条が、「この条約に規定する保障を軍隊および警察に適用する範囲は、国内法令で定める」と規定している例外を日本に当てはめれば、自衛官と警察官と海上保安庁職員にすぎない。ILO 結社の委員会報告によれば、消防職員と刑事施設職員には団結権と団体交渉権を完全に保障すべきである（2012 年 3 月 28 日 ILO 理事会採択）。また、同条約 3 条 1 項の労働組合が「管理および活動について定め、その計画を策定する権利」のなかに、ストライキ権も含まれると解されている。宮崎編、1996、56 頁〔吾郷〕。他方、日本政府が 1953 年に批准した「団結権および団体交渉権についての原則の適用に関する条約」（ILO 98 号条約）4 条が、団体交渉権を保障する。ILO 結社の委員会報告によれば、日本政府は、国の行政に従事していない公務員（下級の公務員と、政府・公営企業・公的機関に雇用される者）への（団体協約締結権を含む）団体交渉権を保障すべきである。

[889] 政令 201 号事件・最大判 1953（昭和 28）年 4 月 8 日刑集 7 巻 4 号 775 頁。1948 年にマッカーサー書簡に基づく政令 201 号による公務員の団体交渉権・争議権の制限に反対し、無届で職場を放棄した国鉄職員への処罰が認められた事件。「国民の権利はすべて公共の福祉に反しない限りにおいて立法その他の国政の上で最大の尊重をすることを必要とするものであるから、憲法 28 条が保障する勤労者の団結する権利及び団体交渉その他の団体行動をする権利も公共の福祉のために制限を受けるのは已を得ないところである。殊に国家公務員は、国民全体の奉仕者として（憲法 15 条）公共の利益のために勤務し、且つ職務の遂行に当つては全力を挙げてこれに専念しなければならない（国家公務員法 96 条 1 項）性質のものであるから、団結権団体交渉権等についても、一般に勤労者とは違って特別の取扱を受けることがあるのは当然である」。

的な根拠づけでは不十分とする批判を受けた最高裁は、**全逓東京中郵事件**では、いったんは合憲限定解釈の手法を用いて、「労働基本権を尊重確保する必要と国民生活全体の利益を増進する必要とを比較衡量」して、「その制限は、合理性の認められる必要最小限度のものにとどめなければならない」という判断基準を打ち出した[890]。**都教組事件**も、これに続いた[891]。ただし、その後、最高裁は、**全農林警職法事件**において、争議行為が公務員の「地位の特殊性および職務の公共性に反し、勤労者を含めた国民全体に重大な影響」を与えうるとして、再び公務員の労働基本権の必要性を軽視する判断を示した[892]。その際、人事院が公務員の勤務条件について内閣に勧告する制度が労

---

[890] 全逓東京中郵事件・最大判 1966（昭和 41）年 10 月 26 日刑集 20 巻 8 号 901 頁。全通の役員が、東京中央郵便局の職員に争議行為（勤務時間内の職場大会参加のための郵便物不取扱い）をそそのかしたとして起訴されたが、正当な争議行為は刑事免責される（労働組合法 1 条 2 項）として、無罪とされた。このとき、公共企業体等労働関係調整法（現行の独立行政法人等の労働関係に関する法律）17 条の争議行為の禁止は、合憲とされた。「労働基本権の制限は、労働基本権を尊重確保する必要と国民生活全体の利益を維持増進する必要とを比較衡量して、両者が適正な均衡を保つことを目途として決定すべきであるが、労働基本権が勤労者の生存権に直結し、それを保障するための重要な手段である点を考慮すれば、その制限は、合理性の認められる必要最小限度のものにとどめなければならない」。

[891] 都教組事件・最大判 1969（昭和 44）年 4 月 2 日刑集 23 巻 5 号 305 頁。地方公務員の争議行為を禁止し、そのあおり行為を処罰する地方公務員法 37 条 1 項・61 条 4 項について、処罰の対象となる争議行為・あおり行為がともに違法性の強いものに限定する合憲限定解釈により合憲とし、被告人を無罪とした事件。地公法 37 条 1 項・61 条 4 号が「地方公務員の争議行為を一般的に禁止し、かつ、あおり行為等を一律的に処罰すべきものと定めているのであるが、これらの規定についても、その元来の狙いを洞察し労働基本権を尊重し保障している憲法の趣旨と調和しうるように解釈するときは、これらの規定の表現にかかわらず、禁止されるべき争議行為の種類や態様についても、さらにまた、処罰の対象とされるべきあおり行為等の態様や範囲についても、おのずから合理的な限界の存することが承認されるはずである」。

[892] 全農林警職法事件・最大判 1973（昭和 48）年 4 月 25 日刑集 27 巻 4 号 547 頁。1958 年に全農林労働組合が、警察官職務執行法改正案に反対するため、所属長の承認なしに正午出勤する時限ストライキをあおった行為は、国家公務員法 98 条 5 項（現 2 項）・110 条 1 項 17 号違反として、組合幹部の刑事責任が問われた事件。1 審・東京地判 1963（昭和 38）年 4 月 19 日は、あおり行為を合憲限定解釈して全員無罪としたが、2 審・東京高判 1968（昭和 43）年 9 月 30 日は、逆転して全員有罪となった。最高裁で有罪が確定し、「公務員の地位の特殊性と職務の公共性にかんがみるときは、これを根拠として公務員の労働基本権に対し必要やむをえない限度の制限を加えることは、十分合理的な理由がある」。「公務員は、公共の利益のために勤務するものであり、公務の円滑な運営のためには、その担当する職務内容の別なく、それぞれの職場においてその職責を果すことが必要不可欠」である。「公務員が争議行為に及ぶことは、その地位の特殊性および職務の公共性と相容れないばかりでなく、多かれ少なかれ公務の停廃をもたらし、その停廃は

働基本権の制約の代償措置として設けられていることが重要な理由とされた。しかも、岸盛一・天野武一裁判官の追加補足意見では、「代償措置が迅速公平にその本来の機能をはたさず実際上画餅にひとしいとみられる事態が生じた場合には、…争議行為をあおる等の…行為者に国公法110条1項17号を適用してこれを処罰することは、憲法28条に違反する」と指摘した。しかし、1982年に財政難を理由に政府は、人事院の給与勧告に応じた公務員の給与引き上げ実施を凍結した。そこで、これに反対する全農林組合の争議行為を違法とする2000年の判決の中で、最高裁は、人事院勧告の実施が完全に凍結されても、「国家公務員の労働基本権の制約に対する代償措置がその本来の機能を果たしていなかったということができない」と判示した[893]。その理由は、控訴審判決が述べているように、「政府は、人事院勧告を尊重するという基本方針を堅持し、将来もこの方針を変更する考えはなかった」のであり、危機的な財政状況の「やむを得ない極めて異例の措置」として同年度に限り人事院勧告の実施を見送った事情に求められた[894]。

勤労者を含めた国民全体の共同利益に重大な影響を及ぼすか、またはその虞れがある」と判示されている。
[893] **全農林人勧凍結反対闘争事件**・最判 2000（平成 12）年 3 月 17 日判時 1710 号 168 頁。
[894] 同・東京高判 1995（平成 7）年 2 月 28 日判タ 877 号 195 頁。

第14章

受益権

　受益権とは、個人が自己の利益のために国家の作為を請求する権利である。国務請求権とも呼ばれる。受益権は、人権を確保するための基本権と考えられており、人権保障をより確実にするために認められている[895]。受益権という概念の有用性に疑問をもつ立場からは、権利・利益の侵害に対する救済を受ける権利として、救済権と呼ぶ見解もみられる[896]。どの権利が受益権に含まれるかについても、意見が分かれ、請願権を参政権に整理する学説も少なくない。裁判を受ける権利、国家賠償請求権、刑事補償請求権は、一般に受益権に分類されている。

第1節　請願権

　憲法16条は「何人も、損害の救済、公務員の罷免、法律、命令又は規則の制定、廃止又は改正その他の事項に関し、平穏に請願する権利を有し、何人も、かかる請願をしたためにいかなる差別待遇も受けない」と定める。請願権は、すでに明治憲法にもみられ、昔から多くの国の憲法に規定されてきた。

1　請願権の性質

　そもそも請願権の由来は、絶対君主制下に臣民が国王にお願いする手段としての直訴にさかのぼることができる。1215年のイギリスのマグナ・カルタにその萌芽がみられる。

---

[895] 芦部、2023、412頁。
[896] 佐藤幸治ほか、1998、360頁以下〔竹中〕。

1628年の「権利の請願」という名称は、この時代の請願の重要性を物語っている。1689年の権利章典1条において、「国王に請願することは臣民の権利であり、このような請願をしたことを理由とする収監または訴追は、違法である」と定められた。この請願制度は、参政権や表現の自由が確立していなかった時代に、為政者の恩恵を期待して権力者の不正に対する民衆の権利救済をはかるための手段であった。

しかし、国民主権下の今日、参政権を有し、表現の自由も保障されている国民は、その意思を国政に反映することが可能である。また、不服審査や裁判により権利救済の道も開かれている。したがって、請願は、かつてのような重要性をもたなくなった。もともと、請願とは、「目下のものが救済の権限をもつ目上のものにおり入って願い出ること」を意味した。そこで、日本国憲法を具体化する関連法令では、「要望」などの言葉に改めるべきである[897]。さらに、国民主権下の日本国憲法にあって、請願の果たす新たな機能変化と、それにふさわしい手続・処理方法の改革の必要性が指摘されている。

(1) 受益権の側面

請願とは、単に国務に関する希望をのべることであり、請願権は請願を受理し、それを誠実に処理する国務を請求する権利であると通説は考える。この場合は、原則として受益権ないし国務請求権として分類される[898]。もっとも、請願権の参政権的側面も通説は肯定しており、請願権が複合的な側面をもつことに異論はない。問題はどの側面を強調するかである。個人が自己の利益の実現を政府機関に請求する権利と考えれば、受益権の性格をもつ。他方、個人的な利益の有無にかかわらず、あることがらの政治的解決をもとめる権利と考えれば、参政権としての性格をもつことになる[899]。

(2) 参政権の側面

参政権的側面を強調する立場によれば、今日の議会制は、必ずしも、国民の多様な民意を十分に反映しておらず、国民代表と国民とのギャップを少な

---

897 小林・芹沢、2006、115頁〔根森〕。
898 佐藤功、1996、290頁、芦部、2002、234頁。
899 奥平、1993、401頁。

くするために、請願権の新たな意義が着目される。1960年の安保条約改正時の乱闘国会にみられるように、国会が機能不全に陥った場合に、空洞化しつつある代表民主制に新鮮な世論を注入するパイプの役割として、請願権に一種の「参政権的機能」を期待する見解がみられた[900]。今日、国民の意思を政治に反映させる請願権の機能を重視する場合には、請願権は参政権に分類されることも少なくない[901]。

(3) 自由権の側面

請願権は自由権としての側面も含んでいる。日本国憲法16条が「何人も、かかる請願をしたためにいかなる差別待遇も受けない」と定めているのは、この請願の自由の側面を表している。ここには、請願を実質的に萎縮させるような圧力を加えることも許されないという趣旨が含まれる。請願を受けた政府が個々の署名者に署名の真正や請願の趣旨の確認を超えて、署名の意図や誰に頼まれたのかなどの経緯を確認することは請願権の侵害に当たる[902]。

2 請願権の主体

請願権の主体は、文字通り、すべての人であり、外国人も未成年者も含まれる。自然人にかぎらず、法人も請願権の主体となりうる。

(1) 外国人

請願は単に意見の表示であり、国に対し受理の義務を課しているにすぎない。そこで、性質上、請願権は外国人にも保障されるべき権利とされる[903]。日本国憲法が適用されるのは、一般に、国内外にいる日本国民と日本国内にいる外国人が考えられる。ただし、国外での公務員の活動も考えると、スウェーデンのオンブズマンやドイツの請願権のように、住所や国籍を問わず、国内外からの請願を受けつけることが検討されるべきであろう。

---

[900] 小林直樹、1980、603頁。
[901] 初宿、2010、492頁、渋谷、2017、478頁、佐藤幸治、2020、421頁、市川、2022、235頁。
[902] 岐阜地判2010（平成22）年11月10日判時2100号119頁、名古屋高判2012（平成24）年4月27日判時2178号23頁。
[903] 佐藤功、1983、232頁。

選挙権を有しない外国人住民の場合は、この請願権は従来通りの意味においても、重要である。しかし、衆議院規則172条は、「外国語を用いるときは、これに訳文を付さなければならない」と定めている。人の国際移動が盛んな今日、再考の余地があろう[904]。日本語の訳文がないことを理由に請願の受理を拒む行為そのものは、憲法16条の請願権の侵害にあたる。

(2) 法人

請願権は、法人にも認められるというのが通説である。請願法2条も、明文で法人が請願の主体となりうることを定めている。しかし、請願権を参政権とみるならば、本来、政治的意思形成に関与する主体は自然人であるという観点から、限定的に保障されるべきとの意見もある[905]。

3　請願の対象

(1) 制限事項の撤廃

明治憲法においても、請願権は認められていたが、請願の対象は限定されていた。当時の請願令1条では、皇室典範、憲法の変更に関する事柄、裁判の関与になるような事柄についての請願は許されなかった。明治憲法30条によれば、「日本臣民ハ相当ノ敬礼ヲ守リ別ニ定ムル所ノ規程ニ従ヒ請願ヲ為スコトヲ得」とある。ここでの「相当ノ敬礼ヲ守リ」という表現は、明治憲法の請願がとくに天皇の恩恵に期待してなされるものと予想されていたからである[906]。これに対し、日本国憲法16条には、対象に関する制限規定はない。もし法律でもってその範囲を制限すれば、その法律は違憲となる[907]。実際には、日本国憲法の請願は、国会・内閣・行政諸機関に対してなされる[908]。

904　小林・芹沢、2006、116頁〔根森〕。
905　同。
906　佐藤功、1983、290頁。
907　宮沢、1978、228頁。
908　佐藤功、1983、290頁。

(2) 裁判に対する請願

裁判判決の変更や係属中の裁判事件に干渉するような請願の可否について、学説は分かれている。否定説の根拠は、この種の請願は、確定判決の効力をくつがえし、司法権の独立を侵害するものであり許されないという[909]。肯定説は、請願は希望の陳述にすぎないものであるから、裁判に関する請願を除外すべき理由はないとする[910]。結局のところ、裁判所以外の機関に裁判事件の干渉を求める請願は認められないものの、事件を審理している裁判所に対して、請願によって希望をのべることを禁ずべき理由はないであろう[911]。

4 請願の手続

(1) 形式上の請願

請願についての詳細は、請願法に定められている。ただし、国会、衆議院、参議院、地方公共団体の議会に対する請願の手続は、別に、それぞれ国会法、衆議院規則、参議院規則、地方自治法に定められている。いわゆる全学連の国会乱入事件に関する判例は、「国会に対する請願は、請願法、国会法および両議院規則の定める手続により行うべきものであり、これらの手続によらない希望の陳述は、これを拒んでも違憲・違法ではない」[912]という。請願は、文書で（請願法2条）、請願事項を所管する官公署に提出しなければならず、これが明らかでない場合および天皇に対する請願書は、内閣に提出する（同3条）。しかし、憲法4条から天皇は国政に関する権能を有しないのであるから、天皇に対する請願の余地はないものと解すべきであろう[913]。

(2) 手続の改善策

国会法79条・地方自治法124条は、「議員の紹介」を請願の要件とする。地方自治体によっては、「押印または拇印のない街頭署名による請願は無効」として、外国人の場合のサインを認めない実務が問題とされている[914]。情報

---

909 法学協会、1953、377頁。
910 佐藤功、1983、263頁。
911 樋口ほか、1994、352頁〔浦部〕。
912 東京地判1961・12・22判タ131号126頁。
913 宮沢、1978、229頁。

通信手段の発達により、国会議員、政党、行政機関などがオンラインのHPを開設して、意見・要望を受けつけることが多い。インターネット上で活発に行われている請願類似の機能をもったインフォーマルな活動をフォーマルな請願活動に組み入れる手続の改善が、高度情報化時代の立憲主義の向かうべき方向と思われる。すでにイギリスの下院やドイツの連邦議会やアメリカの連邦政府では、オンラインでの請願も可能である。その際、1人が複数の請願者になりすますことを防ぐ、本人確認のシステムが必要である。

5　請願の効果

　請願とは、国および地方公共団体の機関に対して、その職務に関する事項について希望を述べることである。希望の陳述にすぎないから、「請願は、これを受理または採用した官公署に対し特別の法律上の拘束を課すものではなく、請願者の権利義務その他の法律関係に何らの影響を及ぼすものでもない」[915]との判例がある。請願者は、請願を不採択とした決議の無効確認を争う法律上の利益を有しない。請願権は、適法に行われた請願に対し、回答その他の具体的行動を要求しうる権利にすぎない。

　(1)　誠実処理義務

　請願法、国会法、衆議院規則、参議院規則、地方自治法によれば、請願権は、請願するまでの権利であって、受理した議会や行政機関は「誠実に処理」（請願法5条）する義務を負うにすぎない。この「誠実に処理」するというのは、審査することを要求するものであり、単に適法な請願を受理すれば足りるものではない[916]。しかし、調査・処理報告等の一定の行為を法的義務として要求することまでを内容として含んではいない。請願法が誠実処理義務を規定しているにもかかわらず、請願が会期末に一括して上程され、充分な審査を行うことなく、機械的に採択されるという国会の実情が存在する。

914　渡辺、1995、193頁以下。
915　東京地判1957・1・31行例集8巻1号133頁。
916　佐藤功、1983、264頁。

(2) 効果の改善策

定期的に請願審査日を設けて審査すること、請願を閉会中でも受理して委員会審査をすること、請願提出者による請願趣旨説明機会の保障、請願提出者への通知義務の明確化などの改善策が提案されている。ドイツのように常設の請願審査委員会を設置し請願関係の議員と事務局スタッフを要請することが唱えられている。ドイツの請願権は、単に請願を受理される権利だけでなく、その内容について審査を受け、審査結果の報告を受ける権利を意味している[917]。この背景にあるものは、議会が制定した法律が、行政権によってどう執行されているかを、議会が請願を通じて監視し、現行法の欠陥を知り、新立法のきっかけをつかむことにより、国民の議会離れを防ぎ、議会の声望を高めるという期待である。また、請願処理の方法として、オンブズマン制度の導入も提案されている[918]。スウェーデンのオンブズマンも報告の機能を重視しており、政府や国会に報告するだけでなく、苦情を申立てた市民に対しても、またマスコミを通じて一般公衆にも報告する。

(3) 住民請願

地方自治レベルでは、住民の請願を受け、住民投票条例がつくられる場合がある。住民発案としての参政権的機能を請願がもちうる事例といえる[919]。

(4) 私人間効力

憲法16条が、「請願をしたためにいかなる差別待遇も受けない」と定めているのは、公権力による差別の禁止にとどまらず、私的にも差別されないことを保障したものと解されている。請願権が参政権の性格をもつことからも、私的関係においても、請願権の行使を理由とする差別待遇を禁ずるものと解するのが妥当であろう[920]。憲法15条4項後段が、「選挙人は、その選択に関し公的にも私的にも責任を問はれない」と定めているのと同様、私人間にも直接適用しうる人権規定により、いっさいの不利益や報復を禁じている。

---

917 渡辺、1995、155頁。
918 伊藤、1995、398頁。
919 小林・芹沢編、2006、117頁〔根森〕。
920 宮沢、1978、229頁。

第2節　裁判を受ける権利

1　裁判を受ける権利の性質

　憲法32条は「何人も、裁判所において裁判を受ける権利を奪はれない」と定める。裁判を受ける権利とは、刑事事件では、被告人が公正な裁判を受ける権利、民事・行政事件では、個人が裁判所に訴えを提起する権利を意味する。

　裁判を受ける権利の由来は、絶対君主の専断的な裁判に対し、臣民の権利を擁護するために、法律の定めた裁判官の裁判を受けることが権利として主張されたことにある。歴史的には、裁判を受ける権利は、暴政による刑罰を廃し、刑罰を科せられるとすれば、裁判所の裁判の結果でなければならないという刑事事件の意味合いが重要である。また、近代国家は司法権を独占集中し、民間の法的紛争を私闘で解決することを禁じ、市民は、裁判所による権利救済を国に求めることになった。明治憲法も「日本臣民ハ法律ニ定メタル裁判官ノ裁判ヲ受クルノ権ヲ奪ハルルコトナシ」（24条）と定めていた。ただし、旧憲法下の行政事件の裁判は、行政裁判所の権限に属し、出訴事項が厳しく限定されていた。日本国憲法においては、憲法32条の「裁判を受ける権利」のなかには行政事件の裁判を受ける権利も当然に含まれる。

(1)　受益権の側面

　裁判を受ける権利は、受益権に分類される。国民が国家に対して、国民の利益となる国務の提供・給付を要求する性質をもつ。訴訟を提起して国家の裁判を請求する権利は、受益権（国務請求権）に属するといわれる[921]。

　しかし、受益権には、自由権をバックアップする側面があり[922]、基本的人権確保のための権利と性格づけることもある[923]。裁判所による違憲審査制を

---

[921]　佐藤功、1996、128頁。
[922]　奥平、1993、383頁。
[923]　吉田、2003、419頁。

採用した日本国憲法の下では、裁判を受ける権利は、人権保障を確保し、法の支配を実現するうえで不可欠の前提となる[924]。

(2) 自由権の側面

司法裁判所による裁判を拒否されないことの保障（司法拒絶の禁止の原則）の点では、裁判を受ける権利は、自由権の側面も有している[925]。たしかに、民事・行政事件では、裁判を受ける権利は、自己の権利を侵害された個人が、その救済を求めて裁判所に出訴する権利を意味し、受益権の性格をもつ。しかし、刑事事件では、裁判を受ける権利は、裁判所の裁判によらなければ刑罰を科されないことの保障を意味し、自由権としての性格をもつ[926]。

(3) 民事・行政事件と刑事事件

裁判を受ける権利の内容は、民事・行政事件と刑事事件では異なる。民事・行政事件では、何人にも裁判所に出訴する権利（裁判請求権または訴権）が認められる。しかし、刑事事件では公訴権は、検察官にあり、被害者の私人には訴権は認められていない。したがって、検察官の不起訴処分に対して出訴権を認めなくても裁判の拒絶にはならず、私人に訴追権を認めるか否かは国家政策の問題と解される[927]。ただ、検察官に対し、被害者は告訴する権利を、被害者以外は告発する権利を有するにすぎない。

2 権利の主体と実質的な保障制度

(1) 外国人

裁判を受ける権利は、その性質上、外国人に対しても保障が及ぶ。これは日本国憲法32条が「何人も」と定めていることからのみならず、自由権規約14条1項により、「すべての者」に裁判を受ける権利が保障されていることからも認められる。自由権規約委員会によれば、「裁判所にアクセスする

---

924 戸波、1998、340頁。
925 初宿、2010、495頁。
926 戸波、1998、340頁。
927 最大判1952（昭和27）年12月24日民集6巻11号1214頁。

権利および裁判所の前の平等は、締約国の市民に限定されるものではなく、国籍の相違や国籍の有無、在留資格を問わず、庇護希望者であれ、難民であれ、移住労働者であれ、保護者のいない子どもであれ、その他の者であれ、締約国の領土内にいる、もしくは締約国の管轄権に服するすべての個人に利用可能でなければならない」という[928]。

チャーター機一斉送還違憲判決では、一斉送還の便宜のために、難民申請者に対し、難民不認定処分の異議申立棄却決定の告知を（40日前に決定が下されているにもかかわらず）送還の直前まで遅らせ、第三者と連絡することを認めずに強制送還したことは、「憲法32条で保障する裁判を受ける権利を侵害し、同31条の適正手続の保障及びこれと結びついた同13条に反する」とした[929]。ここには、実効的な裁判を受ける権利の保障がみられるとともに、行政の適正手続に関する人権の融合的保障の解釈手法がみられる。難民異議申立事務取扱要領では、速やかな棄却決定の告知が定められており、2004年の改正により導入された行政事件訴訟法46条の教示制度は、出訴期間など取消訴訟の提起に関する適切な情報を提供し、司法審査を受ける機会を実効的に保障しようという趣旨から設けられた規定である。したがって、行政の適正手続に反し、実効的な裁判を受ける権利が侵害された。

(2) 法廷通訳

近年、日本語の不自由な外国人が増えてきたことに伴い、通訳がなければ裁判を受ける権利の実質的な保障が望めない問題が生じている。刑事訴訟法175条によれば、裁判所は、「国語に通じない者に陳述させる場合には、通訳人に通訳をさせなければならない」とある。この法廷通訳の費用については、刑事訴訟費用等に関する法律2条2号によると、「訴訟費用」の範囲に含まれている。したがって、被告人が有罪判決を受けた場合には通訳費用を負担させることができることになっている。しかし、自由権規約14条3項(f)は、「裁判所において使用される言語を理解すること又は話すことができない場合には無料で通訳の援助を受けること」を保障している。この自由

---

[928] 自由権規約委員会・一般的意見32（2007年8月23日）9段落。
[929] チャーター機一斉送還違憲判決・東京高判（確定）令和3年9月22日裁判所ウェブサイト。

権規約の規定を援用しながら、無料で通訳を受ける権利は「無条件かつ絶対的」であり、裁判の結果にかかわらず、後日の求償も予定していないという判例がある[930]。実務の取扱は、刑事訴訟法181条1項ただし書きにある「但し、被告人が貧困のため訴訟費用を納付することができないことが明らかであるときは、この限りではない」という規定を根拠に、通訳費用の負担をさせないできているが、刑事訴訟費用等に関する法律を改正するべきである。

(3) 法律扶助

裁判を受ける権利が「何人」にも保障されるため、訴訟費用を自弁できない人に対する扶助制度を整備する必要がある。憲法32条は、貧困者に対する法律扶助を国家の責任とするまでは要求していないという見解もあった[931]。しかし、裁判を受けるのに多くの費用がかかる以上、その金を工面できない人にとっては、裁判を受ける権利は、単なる紙の上の存在にすぎなくなってしまう[932]。この点、憲法上は、刑事事件での国選弁護人制度（37条3項）を定めているにすぎず、民事事件における訴訟扶助制度が不十分であり、無資力者への訴訟費用の援助が課題とされてきた。民間の日本法律扶助協会もあるが、これも不十分な状況であった。そこで、民事裁判手続に必要な弁護士報酬、裁判書類作成費、法律相談費などの費用補助を国の責任とする民事法律扶助法が2000年に制定された。さらに、2004年にはこれに代わり、訴訟費用の援助にとどまらず、各地に法テラスを置き、司法のアクセスをより向上させるべく、総合法律支援法が制定された。ただし、難民申請者を含む非正規滞在者への支援などは対象外とされ、日本弁護士連合会の法律援助事業を利用せざるを得ず、財源の確保が困難な問題が残っている。難民条約16条2項は「法律扶助」の内国民待遇を保障しており、総合法律支援法30条2項の適法在留要件を削除すべきである。

930　東京高判1993（平成5）年2月3日東高時報（刑事）44巻1〜12号11頁。
931　法協、1953、601頁。
932　宮沢、1974、450頁。

3 裁判所の意味

　裁判所とは、憲法76条1項にいう「最高裁判所及び法律の定めるところにより設置する下級裁判所」である。具体的には、最高裁判所・高等裁判所・地方裁判所・家庭裁判所・簡易裁判所である。また、憲法76条2項・3項に基づき、特別裁判所の禁止・行政機関による終審裁判所の禁止、適法に組織された権限を有する裁判所、裁判官の独立の原則等に適合する必要がある。

(1) 特別裁判所の禁止

　憲法の禁ずる特別裁判所とは、まず、特別の身分を有する人に対してのみ管轄権を有する明治憲法下の皇室裁判所のような場合である。裁判に関するこの種の特別扱いは、不合理な差別をもたらすおそれがある。また、最高裁判所を頂点とする組織体系から独立した明治憲法下の行政裁判所のような場合である。違憲立法審査権を認める以上、少なくとも憲法の解釈は、最高裁判所によって統一されることが望ましい。

　これに対し、日本国憲法自体が、例外的に認めているため、裁判官の弾劾裁判所（64条1項）・議員の資格争訟の裁判（55条）は、特別裁判所には当たらない。判例によれば、「家庭裁判所は、一般的に司法権を行う通常裁判所の系列に属する下級裁判所」であり、「特別裁判所」に当たらない[933]。また、最高裁判所の系列に属さない特別裁判所が禁止されるのであって、この系列に属するのであれば、ドイツのような特殊専門的事件の管轄権を有する「行政裁判所」や「労働裁判所」の設置も可能であろう[934]。さらに、憲法は行政機関が終審として、裁判を行うことを禁じているにすぎないから、公正取引委員会などの行政機関が、前審として司法的処分を行うことは、裁判所に対し訴訟が提起できるようになっていれば、憲法32条の趣旨に反しない。

---

[933] 最大判1956（昭和31）年5月30日刑集10巻5号756頁。
[934] 宮沢、1978、602頁、長尾、1997、415頁。

(2) 管轄権を有する具体的な裁判所

「裁判所において裁判を受ける権利」を保障している憲法32条でいう裁判所とは、単に憲法および法律に基づき設置された裁判所を意味するにすぎないとする**消極説**と、訴訟法で定める管轄権を有する具体的な裁判所を意味するという**積極説**との間で意見の対立がある。かつての通説は、訴訟法で定める管轄権を有する具体的な裁判所のことではないとする消極説に立っていた[935]。初期の判例も、憲法32条は「憲法又は法律に定められた裁判所においてのみ裁判を受ける権利を有し、裁判所以外の機関によって裁判をされることはないことを保障したものであって、訴訟法の定める管轄権を有する具体的な裁判所において裁判を受ける権利を保障したものではない」と判示していた[936]。この見解からすれば、管轄違いの裁判所の裁判は違法であっても、違憲ではないことになる。しかし、そもそも、戦後の裁判制度の変更過程で、1947年5月5日に公判請求書が受理された選挙違反事件について、誤って受理の日を裁判所法施行日の前日の同年5月2日としたことがこの事件の発端である。地裁、高裁、最高裁の順で審理すべきところを、単独裁判官の地裁、合議体の地裁、高裁の順で審理されてしまった。特別な理由なしに上訴を拒否されてしまう場合に、憲法上救済されないとすれば、個人はいわゆる泣き寝入りをしなければならなくなる。

管轄違いの裁判を単に違法の問題とすれば、逆に法律上権限ある裁判所に対して訴えを提起したにもかかわらず、それを拒否された場合にも憲法上保護されないことを認めることになり、現代国家における司法制度の原則に反する[937]。また、憲法76条1項が憲法および法律の定める裁判所である旨を定めていることから、憲法32条が言葉をかえて同じことを保障するのであれば、32条の存在意義は薄れてしまう。そこで、近時の有力説は、訴訟法の定める管轄権を有する具体的な裁判所をさすという積極説を妥当とする[938]。また、自由権規約14条が、すべての者は、「法律で設置された、権限のあ

---

[935] 宮沢、1978、299頁。
[936] 最大判1949（昭和24）年3月23日刑集3巻3号352頁。
[937] 佐藤功、1983、524頁。
[938] 芦部編、1981、290頁〔芦部〕、樋口ほか、1997、285頁〔浦部〕。

る」裁判所による裁判を受ける権利を有すると規定している。人権条約適合的解釈からも、管轄権限を有する裁判所を意味する積極説が適当である。

(3) 陪審制・参審制・裁判員制度

国民から選ばれた陪審員が事実認定を行う陪審制は、アメリカやイギリスにみられる国民の司法参加の制度である。事件ごとに選任される点は裁判員と似ているが、量刑を行わない点が違う。専門裁判官による司法の専門化が進む一方、司法の民主化により、司法の公正さを保ち、司法への信頼を確保する必要がある。明治憲法下では、陪審規定の不存在、24条が「裁判官ノ裁判」とあり、また57条が保障する裁判官の独立から、陪審員を認めることは違憲であるとの議論があった。しかし、実際には大正12年の陪審法により、一部の刑事事件を陪審に付すことができた。同法は戦時中に停止され、今日に至っている。日本国憲法32条は「裁判所」とあるので、明文上、違憲とされる要素は少ない。

また、日本国憲法と同時に施行された裁判所法3条3項は、「刑事について、別に法律で陪審の制度を設けることを妨げない」として、陪審制の復活を容認している。素人が裁判に参加しても、裁判官の独立を損わないものであれば、正規の裁判官の裁判を受ける権利が奪われることにはならない[939]。しかし、陪審制度の内容によっては、違憲と考えられる場合がある。たとえば、正規の裁判官ではない陪審員のみによって、裁判を決するということは、憲法上（32条・76条など）許されないといわれる[940]。これに対して、旧陪審法におけると同様、陪審員は事実認定のみに参加する事実陪審を行い、被告人はその意思に反して陪審を強制されない（陪審放棄の機会を広く認める）制度であれば合憲であり、または陪審員に起訴か不起訴かを決定させる起訴陪審ならば合憲とされた。かつての通説は、裁判官が陪審の評決に拘束されないかぎりにおいて合憲であるとする限定合憲説であった。しかし、これは陪審が司法権の帰属する裁判所の構成要素とはなりえないという根拠の不確かな前提に基づくとの批判もある[941]。日本国憲法の司法権がアメリカ流

---

[939] 伊藤、1995、571頁。
[940] 佐藤功、1983、525頁。
[941] 長谷部、2022、424頁。

のものと解する以上、また、陪審の制度にそれなりの合理性がある以上、評決に拘束力を認める陪審制も合憲とするのが有力説であった[942]。

　ドイツやフランスにみられる参審制は、国民から選ばれた参審員が職業裁判官とともに合議体を構成して裁判する制度である。事実認定と量刑を行う点は裁判員と似ているが、法律解釈を行い、任期制で選ばれる点は異なる。陪審制よりも、参審制の方が、日本国憲法下での導入が困難という意見が多かった。その理由は、憲法80条が裁判官の任期や身分保障等について規定しているのは、専門の裁判官だけを予定しており、参審員という素人の臨時裁判官を認める余地がない点にあった[943]。しかし、「最高裁判所は、その長たる裁判官及び法律の定める員数のその他の裁判官でこれを構成し…」と定める憲法79条1項は最高裁を「裁判官」で構成するのであって、下級裁判所を裁判官のみで構成することは命じていない[944]。参審制もまた憲法適合的な制度運営が可能と思われる。

　2004年に、司法制度改革の一環として、国民の司法参加に道を開くべく、裁判員法が制定され、2009年から実施されている。裁判員制度は、裁判員を事件ごとに選任する点で陪審制の性格をもつが、6人の裁判員と3人の職業裁判官が合議し、法令の適用や刑の量定もする点で参審制の性格をもつ。覚醒剤密輸未遂の罪で、1審で有罪判決を受けた被告人が、裁判員制度の違憲性を争った事件において、最高裁は、合憲判断を下している。その主な理由は、以下の5点である。①憲法に国民の司法参加の明文規定がないのは禁止の意味ではなく、明治憲法24条の「裁判官による裁判」から日本国憲法32条・37条1項の「裁判所における裁判」へ改められた。したがって、憲法制定時に政府は陪審制・参審制の採用も可能と考えており、憲法は立法政策の問題として許容している。②憲法80条1項が裁判官のみの構成を要求する最高裁と異なり、下級裁判所は、裁判官と国民とで構成する裁判体が憲法上の「裁判所」に当たらないとはいえない。③憲法が定める刑事裁判の諸原則の保障は裁判官の判断に委ねられ、公平性・中立性の確保を配慮した手続の下に選任される裁判員制度の仕組みを考慮すれば、公平な「裁判所」

942　佐藤幸治、1995、309頁。
943　伊藤、1995、570頁。
944　常本、1995、75頁。

の・適正手続に基づく・裁判を受ける権利（憲法37条1項・31条・32条）は保障される。④憲法76条3項は、裁判官の職権行使の「独立」性により、「法」に基づく公正中立な裁判の実現を保障するものであり、裁判員制度も、法令の解釈に係る判断や訴訟手続に関する判断を裁判官の権限にするなど、同項の趣旨を忖度する。⑤裁判員の職務は、司法への国民の参加という点で参政権と同様の権限を付与するものであり、憲法18条後段が禁ずる「苦役」に当たらない[945]。なお、裁判員裁判の対象は、死刑または無期懲役・禁固にあたる罪および故意の犯罪行為により被害者を死亡させた罪である。

(4) 審級制

　審級制度を法律により適宜定めることは、裁判を受ける権利を定める憲法32条に違反することにならないかという問題がある。3審制が一般であるものの、必ずしも憲法上は、3審制が要請されているわけではない。しかし、審級制度は立法裁量の問題としつつも、それには限界がある。最高裁への上告を一切認めないような制度は、裁判を受ける権利を侵害する。少なくとも、憲法違反を主張して上告する途は確保されるべきであろう[946]。違憲判断についての終審裁判所である最高裁への上告が認められるべきことは、憲法81条からも導かれる。1996年の民事訴訟法改正に伴い、「法令違背を理由とする上告」がなくなる代わりに、裁量上告制が採用され、判例違反その他法令解釈に関する重要事項を含むと認めた事件（同318条）にかぎり、最高裁が受理することになった。この裁量上告制の導入によっても、憲法違反を理由とする上告は従来どおり権利として認められているので（同312条）、裁判を受ける権利の侵害の問題は生じない[947]。

---

[945] 最大判2011（平成23）年11月16日刑集65巻8号1285頁。
[946] 松井、1993、159頁以下。
[947] 笹田、1997、110頁。なお、刑事訴訟法上の上告理由は、憲法違反、憲法解釈の誤り、または判例違反であり（405条）、裁判を受ける権利を侵害するものではない。

4　裁判の意味と非訟事件

(1)　事件性

　裁判とは、具体的な法律上の争訟について法を適用して裁定する作用である。法令を適用して解決することができる権利義務に関する当事者間の紛争が存在しない場合には、審理を拒否されても裁判を受ける権利を侵害されたことにはならない。アメリカ憲法3条2節1項は、「事件または争訟」という概念を用いて訴訟を提起できる資格要件（訴訟要件）を限定している。その影響を受けて、日本の裁判所法3条1項が「法律上の争訟」を裁判すると定めているのはこのことを意味している。この要件は、「事件性」とよばれ、訴訟が裁判所の判断に適するか否か（司法判断適合性）の重要な要素となっている。

(2)　公開・対審

　裁判とは、憲法82条の定める公開・対審の訴訟手続による裁判をさす。公開とは、一般市民に審判を公開しその傍聴を認めることをいう。（ただし、知る権利の観点からは、判決文その他の裁判資料の公開も重要な課題であることは、第11章第6節参照）。対審とは、訴訟当事者が裁判官の前で自己の主張を口頭で述べ合うことである。裁判の公正を担保するために裁判の公開が要請され、傍聴の自由を認め、訴訟当事者が裁判官の面前で当事者主義、口頭弁論主義などの手続に基づき、裁判が行われるのが原則である。

(3)　非訟事件

　しかし、非訟事件の増大が問題となっている。非訟事件とは、当事者間の権利義務に関する訴訟を前提にせず、紛争の予防のために裁判所が一定の法律関係を形成する事件である。非訟事件手続法、家事審判法、少年法は、審理が非公開であり、当事者主義、口頭弁論主義をとらない。これらは職権探知主義を原則とし、裁判は決定という簡略な形式で行われる。訴訟事件では、憲法32条・82条により公開・対審の手続が要求されるのに対し、非訟事件では、公開・対審の手続を要求しないため、非訟事件の合憲性が、憲法32条・82条との関係で問題となる。

当初、最高裁は、ある事件を訴訟手続にするか非訟手続にするかは政策的に決定してよいとする立場に立ち、金銭債務関係の争いで調停が成立しない場合、裁判所が、職権で「調停に代わる裁判」(いわゆる強制調停)を非訟手続により行うことを合憲とした[948]。

(4) 純然たる訴訟事件

今日の多数説・判例は、「純然たる訴訟事件」については、公開・対審・判決の訴訟手続によらなければならないと解している。家屋の明渡と占有回収の訴えについて、「調停に代わる裁判」(強制調停)とした事件について、最高裁は、事実を確定し当事者の権利義務の存否を確定する「純然たる訴訟事件」につき、(公序良俗を害するおそれのある場合の非公開といった憲法82条2項所定の例外の場合を除き)「公開の法廷における対審及び判決によってなされないとするならば、それは憲法82条に違反するとともに、同32条が基本的人権として裁判請求権を認めた趣旨をも没却する」と判示した[949]。

(5) 訴訟の非訟化

しかし、家事審判事件にみられるように、従来、訴訟事件であったものが、非訟手続で処理されるようになってきた。いわば「訴訟の非訟化」がいわれる。この点、判例によれば、「法律上の実体的権利義務自体につき争があり、これを確定する」場合は、訴訟事件として、公開・対審・判決の訴訟手続による。一方、「裁判所が後見的立場から、合目的の見地に立って、裁量権を行使してその具体的内容を形成することが必要」な場合は、非訟事件として、公開・対審・判決の訴訟手続による必要はないという[950]。

学説には、形式的な区分論ではなく、事件の性質・内容に応じた裁判手続を憲法32条は要求しているとする有力な見解がある[951]。訴訟事件であって

---

948 最大決1956(昭和31)年10月31日民集10巻10号1355頁。
949 最大決1960(昭和35)年7月6日民集14巻9号1657頁。
950 最大決1965(昭和40)年6月30日民集19巻4号1089頁。訴訟事件と非訟事件を多数意見は峻別する。一方、この夫婦同居義務審判事件におけるプライバシー保護の必要から非訟事件とする少数意見もあった。
951 樋口ほか、1997、289頁〔浦部〕。

も、事件の簡便・迅速な処理、当事者のプライバシーの保護等の必要性が認められる場合には、公開・非公開の手続を弾力的に決定し、実質的に裁判を受ける権利の充足をはかっていくべきである。

第3節　国家賠償請求権

1　国家賠償請求権の性質

(1)　沿革

憲法17条によれば、「何人も、公務員の不法行為により、損害を受けたときは、法律の定めるところにより、国又は公共団体に、その賠償を求めることができる」とある。

元来、国・地方公共団体の行為が、市民に損害を与えても、国・地方公共団体の不法行為責任は認められなかった。なぜならば、法に違反する公務員の行為を、国家の行為とみなすことはできないからである。また国王は悪をなしえず、という理由から、国家無責任の考え方が支配的だったからである。公務員個人の民事責任は古くから認められてきたものの、個人の責任負担能力には限界がある。国の活動範囲が広がり、損害発生の頻度も高まるにつれ、フランスでは判例上19世紀末から、ドイツでは立法上20世紀初頭から、国の賠償責任が認められるようになった。一方、イギリスやアメリカでは第2次世界大戦後までは、主権免責の法理により、国の賠償責任は否定されていた。

明治憲法下の日本でも、国家無責任の原則により、国の不法行為についての国家責任については、原則的に否定された。例外的に、判例により、非権力的作用についての民法に基づく損害賠償責任が認められていたにすぎなかった。それも当初は、物品購入、建物貸借等の純粋な私経済作用についてのみ民法の不法行為規定の適用が認められるにとどまった。その後、公の営造物の設置・管理等にも広げられた[952]。しかし、権力的作用については、たと

952　徳島遊動円棒事件判決・大審院1916（大正5）年6月1日判決民録22巻1088号。

え公務員に故意・過失がある場合でも、特別の法規定がないかぎり、国家賠償は認められなかった。天皇主権の明治憲法の下では、天皇に由来する公権力の行使は絶対視された。日本国憲法の制定過程において、国家賠償請求権は、マッカーサー草案などにはみあたらず、衆議院の修正により17条が付加されたのである。

(2) 抽象的権利

国家賠償請求権は、人間性から論理必然的に派生する前国家的な人権とは厳密には考えられない[953]。かつての通説は、損害賠償の要件等はすべて法律に譲られているので、その法律によって補完されないかぎりは、立法者に対する命令を意味するにとどまるというプログラム規定説であった[954]。また、国民の権利侵害があったときに、より完全な権利救済・権利保障国家をめざすドイツ憲法学のいう国家目標規定を意味するとの見解もある[955]。

しかし、現在では、法律が無条件に国の賠償責任を否定する場合の違憲性を憲法17条に認めるなど、本条の賠償請求権の権利性を否定するものではなく、具体的な法律を必要とする抽象的権利と解する説が有力である[956]。そもそも、プログラム規定説では、国家賠償法が制定されていない間は国家賠償請求権が認められないことになり、不当である[957]。もっとも、この種の議論は、憲法17条の具体化立法として国家賠償法が制定されている現在での実益は乏しい。もっぱら、憲法施行（1997年5月3日）から国家賠償法施行（同年10月27日）までの問題となる。なお、最高裁は、プログラム規定説に立つことなく、**郵便法違憲判決**において、「立法府に無制限の裁量権を付与するといった法律に対する白紙委任を認めているものではない」として、憲法17条の裁判規範性を認めている。そして、制限する法律規定の「目的の正当性」、目的達成手段の「合理性」と「必要性」などを総合的に考慮して違憲審査が可能としている。

---

[953] 宮沢、1974、200頁。
[954] 法協、1953、387頁。
[955] 小林・芹沢編、2006、118頁〔菟原〕。
[956] 佐藤功、1983、281頁、野中ほか、2012、553-4頁〔野中〕。
[957] 戸波、1992、343頁。

2　国家賠償請求権の主体

(1)　外国人

　公務員の不法行為により損害を受けた者が国家賠償を求める権利という性質から、外国人にも保障が及ぶとされている。憲法 17 条が「何人も」と定めていることからも、外国人の享有主体性が是認される。ただし、国家賠償法 6 条は「この法律は、外国人が被害者である場合には、相互の保証があるときにかぎり、これを適用する」と定めている。この点、本条の保障が外国人にも及ぶと解するかぎり、この国家賠償法 6 条は、憲法 17 条の趣旨に反し、違憲とする有力な見解もある[958]。たしかに、国家賠償請求権は、前国家的権利ではないとはいえ、そこから単純に、この権利の国籍依存性が帰結されてはならない[959]。すでにみた請願権や裁判を受ける権利、後述する刑事補償請求権は、前国家的な権利ではないものの、国籍や相互主義に依存することなく、何人にも認められる。国家賠償請求権に、相互主義を認めることの憲法体系における合理的な整合性はない。

(2)　相互主義

　相互主義による制約を合憲とする立場は、憲法前文の国際協調主義の精神からみて、違憲に至らないまでも妥当性を欠くと控えめであることが多い。外国人であることに基づく人権の合理的な制約は認められ、衡平の見地から、相互主義も不合理ではないと考えるならば、この規定も合憲という[960]。また、憲法 17 条は、前国家的な権利としての人権とはいえず、国家賠償法の相互主義原則を違憲とまではいえないであろうという[961]。しかし、一部に相互主義を採用している国があるという消極的な正当化事由を除いて、相互主義を積極的に正当化することは困難であろう。さらに、相互主義を採った方が、かえって、外国に日本国民を保護するインセンティブを与えることになると

---

[958]　宮沢、1978、230 頁、奥平、1993、392 頁。
[959]　栗城・戸波編、1995、255 頁〔小山〕。
[960]　古崎、1980、235 頁。
[961]　佐藤幸治、2020、395 頁、初宿、2010、506 頁。

いう意見もある[962]。しかし、この論拠が成り立つかどうかは、経験的には実証されていない。日本人の損害を賠償しない外国の国民に対して、日本がその受けた損害を賠償するのは不公平であるとか、国際社会でもこの相互主義は否定されていないという見解もある[963]。しかし、こうした論拠は、各国憲法の人権カタログの違いに応じて、その他の人権条項にも相互主義を導入しかねない、人権保障の退行ベクトルをもっており、適当ではないだろう。また、無国籍者には相互主義の論法を用いることは極めて恣意的である。したがって、従来の通説も、相互の保証の可能性がない無国籍者に対しては、被害者保護の立場から日本人と同様の救済を与えてよいという[964]。しかし、恣意性の問題や被害者保護の必要性は、無国籍者に限らない。

　さらに、相互主義により国家賠償請求権を一定の外国人に認めないことは、「違法に逮捕・抑留された者は、賠償を受ける権利を有する」と定めた自由権規約9条5項に反する。また、締約国が「この規約において認められる権利または自由を侵害された者が、公的資格で行動する者によりその侵害が行われた場合にも、効果的な救済措置を受けることを確保すること」を定めた自由権規約2条3項の「**効果的な救済措置を受ける権利**」に反する。自由権規約委員会によれば、「2条3項は、規約の権利が侵害された個人に対して締約国が国家補償[965]することを求めている。規約の権利が侵害された個人に対する国家補償がない場合、2条3項の実効性の中心的部分である、効果的救済を提供する義務が履行されたことにならない。国家補償について明示的に規定している9条5項および14条6項に加え、規約は、一般的にも適当な国家補償について含意していると委員会は考える。委員会は、適当な場合、国家補償は、損害賠償、リハビリ、および満足の措置を伴うものであることに留意する」[966]。しかも、難民については、難民条約7条2項が「すべての難民は、いずれかの締約国の領域内に3年間居住した後は、当該締約国の領域内において立法上の相互主義を適用されることはない」と定め

962　宇賀、1997、358頁。
963　佐藤幸治、1988、446頁〔中山〕。
964　古崎、1980、239頁。
965　ここでの国家補償には、国家賠償と損失補償の両方の要素を含む。
966　自由権規約委員会・一般的意見31（2004年4月21日）16段落。

ており、3年以上居住している難民への国家賠償法6条の相互主義の適用
は、難民条約違反ともなる。また、拷問等禁止委員会は、国家賠償法が外国
人に対する相互主義規定による補償を受ける権利を制限していることに懸念
を表明し、拷問等禁止条約14条所定の拷問や虐待の被害者が、公正かつ適
切な賠償を受ける権利を含む完全に救済される権利の保障を勧告してい
る[967]。国際社会における人権尊重が重大関心事となっている今日、「偏狭を
地上から永遠に除去しようと努めてゐる国際社会において、名誉ある地位を
占めたい」とする憲法の精神からは、日本が率先して、内外平等主義を採用
すべきであろう。国家賠償法6条がモデルとしたドイツの1910年のライヒ官吏責任法
7条（現行官吏責任法7条）は、1993年に国内居住外国人については相互主義を廃止し、
非居住外国人への相互主義に関する法規命令（政令）も定められないままである。

(3) 相互保証が認められた例と認められなかった例

判例上、外国法人も権利享有主体となることには異論がない[968]。外国人に
ついては、在日朝鮮人の場合、母国をどう解するかについて争いがある。第
1は、二重国籍者説である。「全領土を支配する統一的政府と統一的法規が
ないので」、2国が存在しているとみて、「二重国籍者とみることができる」。
この場合は、韓国に国家賠償法があることを理由として享有主体性を認め
る[969]。第2は、分裂国家説である。北朝鮮、韓国という「分裂国家の場合に
は、いずれか一方の政府の法令上相互の保証があれば」、享有主体性を認め
る[970]。第3は、本籍所在地説である。「その本籍」が「大韓民国の現実の施
政地域内に存在する」ことを根拠に、享有主体性を認めることができるとす

967　拷問等禁止委員会・総括所見（2013年5月29日）18段落。
968　東京地判1976（昭和51）年5月31日判時843号67頁、東京地判1969（昭和44）年10月25日訟月15巻10号1185頁。
969　京都地判1973（昭和48）年7月12日判時755号97頁（確定）。中学生が夏季休暇中の水泳練習において、学校のプールの管理に瑕疵があり、排水口に吸い込まれて溺死した生徒への国家賠償が認められた事件である。
970　広島地福山支判1992（平成4）年4月30日判例地方自治104号76頁（確定）。詐欺事件の被疑者として逮捕された夫婦が、不当逮捕と逮捕時の妻への名誉毀損を理由として提起した国家賠償請求訴訟につき、嫌疑不十分で不起訴となったものの逮捕は適法であり、また捜査官の暴言もなかったとして請求が棄却された事例。

る[971]。国家賠償法の存在しない北朝鮮の国民である人びとにも、国家賠償請求権を認める裁判所の姿勢は、憲法の趣旨に合致する。

　また、イラン人収容者への看守の人種差別的な侮辱的発言や皮手錠・金属手錠をしたうえでの殴打行為による国家賠償訴訟において、東京地裁判決は、国賠法 6 条が相互の保証のある場合に限定しているのは、「衡平の観念に基づくものであり、外国人による国家賠償請求について相互の保証を必要とすることにより、外国における我が国の国民の救済を拡充することにも資する」との「一定の合理性が認められる」として、憲法 17 条および同 14 条 1 項に反しないという[972]。ただし、本件では、イランに明文の規定はないものの、事実上、相互保証が認められると判断した。さらに、アルジェリア人その他のイスラーム教徒に関する公安テロ情報流出被害の国家賠償請求が認められた事件において、アルジェリアが批准する移住労働者権利条約 83 条（a）が「この条約で認められる権利又は自由を侵害された者が、公的資格で行動する者によりその侵害が行われた場合にも効果的な救済措置を受けることを確保すること」等を定めており、それらを履行しているという政府報告書の内容を根拠に相互保証を認定した[973]。

　他方、太平洋戦争中に中国から北海道へ強制連行されたうえ過酷な労働を強制され、それに耐えかねて作業場から逃走し、その後 13 年間にわたって北海道の山中で逃走生活を余儀なくされた事件の東京高裁判決では、1958 年当時の中国における国家賠償請求の法制度がなかったことから相互保証の不存在などを理由に国家賠償責任を否定している[974]。中国で民法通則が施行されたのは 1987 年であり、中国国家賠償法が施行されたのは 1995 年であり、1987 年以前には相互保証が成り立たないという。法制度の整備されていない国から来た外国人には、日本の公務員がどんな不法行為を行っても、国は賠償責任を負わないというのは、問題である。

971　大阪地判 1971（昭和 46）年 2 月 25 日判時 643 号 74 頁。派出所勤務の警察官の故意による暴行を受けた被害者への国家賠償が認められた事件である。
972　東京地判 2003 年 6 月 28 日判時 1809 号 46 頁。
973　公安テロ情報流出被害国家賠償請求事件・東京地判 2014（平成 26）年 1 月 15 日判時 2215 号 30 頁。
974　劉連仁事件・東京高判 2005（平成 17）年 6 月 23 日判時 1904 号 83 頁。

(4) 立憲性質説

　外国人の日本国憲法における人権の享有主体性を、権利の性質において判断するという性質説は、立憲主義との関係で重大な問題を抱えている。あらかじめ、成文の憲法をかかげ、個人の権利・自由を国家権力の恣意的な侵害から守る立憲主義からいって、「国民」という文言を権利の性質上、広く解することは可能であるとしても、「何人も」という文言を狭く解することは許されるべきではない。立憲主義に根ざした性質説、いわば「立憲性質説」があるべき解釈態度と思われる。**立憲性質説**によれば、「何人も」という文言の規定の場合には、「日本国民と日本の領土にある外国人」を原則として権利の享有主体としており[975]、「国民は」という文言の規定および主体を明示していない憲法第3章の規定においては、「権利の性質上日本国民のみをその対象としていると解されるものを除き、わが国に在留している外国人に対しても等しく及ぶ」と解するべきである。

　性質説にあっても、「本国法の不備のゆえに、現実に日本政府から蒙った損害を、なぜ自分の負担として甘受しなければならないのか」という疑念があり、「被害者の属する国籍のいかんによって、権利が与えられなかったりする性質のものではない」として、国家賠償法6条の相互保証主義を違憲とする見解もある[976]。立憲性質説の場合、その違憲性をより明白に主張しうる。

3　賠償責任の本質

(1) 代位責任としての不法行為責任

　通説の**代位責任説**は、国または公共団体の責任を代位責任とする[977]。加害公務員の行為に基づく賠償責任を、被害者救済の実効性の見地から、賠償能力のない公務員に代わって、国や公共団体が肩代わりする。国家賠償法1条は、「公権力の行使」にあたる公務員の「故意又は過失」に基づく違法な損

---

[975]　なお、原則として、日本の公務員が外国で公権力を行使することは認められないとしても、在外公館等の営造物の設置又は管理の瑕疵に基づく在外外国人の国家賠償請求権等が問題となる余地は十分にある。したがって、例外的に「日本の領土の外にある外国人」も国家賠償請求権をもつ可能性は認められるべきであろう。

[976]　奥平、1993、393頁。

[977]　佐藤功、1983、283頁。

害の賠償についての国等の責任を定める。しかし、個々の公務員の違法行為に対する過失責任主義にこだわると、被害者が救済されない事態も生じる。

(2) 国の自己責任としての不法行為責任

そこで、**自己責任説**、すなわち国家活動自体が個人に対し損害を生ぜしめる危険を内包しているという一種の危険責任の考え方を取り入れ、無過失責任主義を採用し、国の自己責任を認める見解も有力である[978]。代位責任説は、なに故に国が責任を負うのかについての根源的な説明をするものではない。国家賠償法1条が代位責任説により起草されたとしても、憲法17条の解釈として下位法をもちだすことは適当ではない。今日の判例は、自己責任論の説く無過失責任主義を採用することはないものの、故意・過失の認定を緩やかに解する場合もみられる。たとえば、過失の認定が難しい予防接種事件でも、過失が認定され、国家賠償が認められるようになってきた[979]。

公務員の故意または重過失がある場合にのみ、国は当該公務員に対して求償権を有する。しかし、かつて存在した農地委員会の解散命令を理由とする、知事と県農地部長の個人責任を求める訴えは棄却された。被害者に対しては、「国または公共団体が賠償の責に任ずるのであって、公務員が行政機関としての地位において賠償の責任を負うものではなく、また公務員個人もその責任を負うものではない」と最高裁はいう[980]。この理由は、公務員が安心して職務に専念できるようにするためである。

(3) 営造物責任と瑕疵

国家賠償法2条の「公の営造物」の設置・管理に瑕疵がある場合の国家賠償は、原則として無過失責任を定めたものである。したがって、公の営造物の設置・管理にあたる公務員の故意・過失があったかどうかを立証する必要はない。判例によれば、道路等の人工公物について、設置または管理の瑕疵

---

978 樋口ほか、1994、360頁〔浦部〕。
979 最判1991（平成3）年4月9日民集45巻4号367頁。下半身麻痺などの後遺症は、痘そう（天然痘）の予防接種担当医の予診義務違反によるものと認定した。
980 最判1955（昭和30）年4月19日民集9巻5号534頁。

とは、「営造物が通常有すべき安全性を欠いていること」をいう[981]。したがって、国道上の落石事故に関して、落石注意の標識だけでは不十分とされた。一方、河川などの自然公物に関する瑕疵は、緩やかな基準が採用され、諸般の事情を総合的に考慮し、「同種・同規模の河川の管理の一般水準及び社会通念に照らして是認しうる安全性」が問題とされ、瑕疵が否定された[982]。ただし、改修後または改修の必要がないとされた河川はやや厳しい基準が用いられ、「通常予測し、かつ回避し得る水害を未然に防止するに足りる安全性」が要求され、瑕疵が肯定されている[983]。

(4) 公務員

憲法17条にいう「公務員」とは、公務員の身分を有する者に限定されない。公共組合や公共的事務を行う営造物法人の職員や、行政主体のために公務を委託されそれに従事する者のすべてをいうとするのが通説である。国会・内閣・裁判所など合議体による行為や、警察部隊などの集団行動に基づく損害については、その合議体ないし集団の名称をあげればよいとされている。

4 立法府と司法府に対する国家賠償

(1) 立法と国家賠償

国家賠償法1条1項の定める「公権力の行使」に違法がある場合に、国会の立法行為や立法不作為が含まれるかが問題である。**在宅投票制度廃止訴訟**において、最高裁は、きわめて消極的な立場をとり、「立法の内容が憲法の一義的な文言に違反しているにもかかわらず国会があえて当該立法を行うというごとき、容易に想定し難いような例外的な場合」にしか立法の国家賠償を認めないとした[984]。

しかし、**郵便法違憲判決**において、国家賠償責任を免除・制限している立

---

[981] 最判1970（昭和45）年8月20日民集24巻9号1268頁。
[982] 大東水害訴訟・最判1984（昭和59）年1月26日民集38巻2号53頁。
[983] 多摩川水害訴訟・最判1990（平成2）年12月13日民集44巻9号1186頁。
[984] 在宅投票制度廃止訴訟・最判1985（昭和60）年11月21日民集39巻7号1512頁。

法の国家賠償を認めた[985]。最高裁は、郵便局員が裁判所の債権差押命令を（銀行に直接送達せず）私書箱に投函したため到達が遅れ、会社の金を横領した者の銀行預金が引き出されたことへの国家賠償を制限していた郵便法68条・73条は、憲法17条に反するとした。安い料金で全国あまねく郵便を配達する郵便法の目的から、郵便法68条では書留郵便の損害賠償を亡失・毀損の場合に限定し、同73条は請求権者を郵便物の差出人・受取人に限定した。しかし、書留郵便物の故意又は重大な過失という例外的な場合の損害賠償を認めたり、訴訟当事者が送達に関与できない特別送達での軽過失による賠償責任を認めたりしても、郵便法の目的達成が害されるとは思われない。最高裁は「上記各条に規定する免責又は責任制限に合理性、必要性があるということは困難」であり、「書留郵便物について、郵便業務従事者の故意又は重大な過失によって損害が生じた場合」および「特別送達郵便物について、郵便業務従事者の軽過失による…損害が生じた場合」に国の損害賠償責任を免除・制限している各部分は、憲法17条に反し、無効であるとした。

　さらに、**在外邦人選挙権訴訟**において、立法不作為による国家賠償を認めた[986]。最高裁は、すでに1984年に内閣の閣議決定に基づき在外邦人の選挙権を全面的に認める法案が国会に提出されたのにもかかわらず、10年以上も立法措置が放置され、国会が正当な理由なく「長期にわたってこれを怠る場合」にあたるとした。国外に居住する国民（在外邦人）の選挙権は、1998年の公選法改正により、衆・参ともに比例代表選挙の選挙権が認めたが、衆議院の小選挙区選挙と参議院の選挙区選挙の選挙権は、その後も長く在外邦人には制限されていた。1996年の衆議院選挙のときには、いっさいの選挙権が在外邦人に認められておらず、そのことの違法確認を求める訴訟が提訴された。最高裁は、「立法の内容又は立法不作為が国民に憲法上保障されて

985　郵便法違憲判決・最大判2002（平成14）年9月11日民集56巻7号1439頁。
986　在外邦人選挙権訴訟・最大判2005（平成17）年9月14日民集59巻7号2087頁。1審・東京地判1999（平成11）年10月28日判時1705号50頁は、具体的紛争を離れて、改正前の公選法の違法の確認を求める訴えであり、法律上の争訟には当たらないとして、原告らの請求を却下した。2審・東京高判2000（平成12）年11月8日判タ1088号133頁も、類似の判断であった。2004年の行政事件訴訟法改正により、「公法上の法律関係の確認の訴え」が明文化されたことが違憲審査の枠組みを広げたとも評されている。

いる権利を違法に侵害するものであることが明白な場合や、国民に憲法上保障されている権利行使の機会を確保するために所要の立法措置を執ることが必要不可欠であり、それが明白であるにもかかわらず、国会が正当な理由なく長期にわたってこれを怠る場合など」には、例外的に、国会議員の立法行為・立法不作為が、国賠法１条１項の違法の評価を受けるという。そして、在宅投票制度廃止訴訟の最高裁判決は「以上と異なる趣旨をいうものではない」として、判例変更を否定する。しかし、「憲法の一義的な文言に違反している」ような容易に想定しがたい例外的な場合に、「長期にわたってこれを怠る場合」という時間的要素を加えた点は、事実上の判例変更と評価しうる。

(2) 司法と国家賠償

刑事事件では、逮捕・公訴提起をめぐる国家賠償請求事件は多い。とくに問題となるのは、確定判決の法令解釈・事実認定の誤りを理由に損害賠償請求が可能かという論点である。肯定説は、憲法17条は司法権の行使を除外していないこと、損害賠償請求に基づく裁判と先に確定した裁判とは異なることを理由とする。否定説は、確定判決の判断は終局的であって、改めて争うには再審・非常上告によるべきであって、賠償請求事件でその判断を攻撃するのは司法制度の本質に反することを理由とする[987]。

判例は、「裁判官のなす職務上の行為について、一般に国家賠償法の適用がある」として、「裁判官の行なう裁判についても、その本質に由来する制約はあるが、同法の適用が当然排除されるものではない」と肯定説に立つ[988]。ただし、債務不履行の損害賠償請求事件で敗訴した原告が、誤判を理由に国家賠償請求をした事件では、「違法又は不当な目的をもって裁判をしたなど、裁判官がその付与された権限の趣旨に明らかに背いてこれを行使したものと認めうるような特別の事情がある」場合に裁判官の国家賠償責任を限定する[989]。この点、再審等による救済制度の存在が裁判の特殊性に由来する制約

---

[987]　佐藤幸治、1988、448頁〔中山〕。
[988]　最判昭和43・3・15判時524号48頁。
[989]　最判昭和57・3・12民集36巻3号329頁。

として考えられるとしても、裁判官の客観的な判断ミスを理由とする国家賠償責任の余地を認めるべきであろう。

第 4 節　刑事補償請求権

憲法 40 条は、「何人も、抑留又は拘禁された後、無罪の裁判を受けたときは、法律の定めるところにより、国にその補償を求めることができる」と規定している。

諸外国の憲法では、類似の規定は少ないが、1947 年のイタリア憲法 24 条 4 項において、「法律は、裁判の過誤に対する補償に関する条件および方式を定める」と規定されている。**自由権規約 14 条 6 項には、「確定判決によって有罪と決定される場合において、その後に、新たな事実又は新しく発見された事実により誤審のあったことが決定的に立証されたことを理由としてその有罪の判決が破棄され又は赦免が行なわれたときは、その有罪の判決の結果刑罰に服した者は、法律に基づいて補償を受ける」とある。**

もともと、明治憲法では明文の規定がなかったが、1931 年に刑事補償法が制定された。国の恩恵的な施策としての性格を克服すべく、日本国憲法 40 条は、刑事補償請求権を定め、1950 年に新たな刑事補償法が制定された。憲法 40 条は、身体の自由の制限や精神的・人格的な損失を救済することを目的とする。これもマッカーサー草案にはなかった規定であり、衆議院における修正要求で、国家賠償請求権と一緒に挿入された。17 条の国家賠償請求権は不法行為に対する救済であるから「賠償」といい、40 条の刑事補償請求権は適法行為に対する救済であるから「補償」という用語を使用した。

なお、今日の刑事補償法によれば、**犯罪人の引渡に関する条約**により、日本が外国に対し逃亡犯罪人の引渡を請求した場合、日本が裁判をした結果無罪となったときは、引渡のために当該外国がした抑留・拘禁も、憲法 40 条に該当するものとして補償する（26 条）。

1 刑事補償請求権の性質

刑事補償は、国の違法行為に対する国家賠償に引き付けて考えるべきか、国の適法行為に対する損失補償と考えるべきか、それとも新たな結果責任の問題と考えるべきか。3つの説に分かれている。

(1) 国家賠償説

政府見解は、「損害の填補である点において国家賠償とその本質を同じくする」としている[990]。通説の**国家賠償説**の理由は、抑留・拘禁は一定の嫌疑が認定された時点においては適法であっても、それが後に根拠のないものであったことが明らかとなった場合には、それらの自由の拘束はやはり客観的には違法であったといわざるをえないからである[991]。しかし、たとえ無罪の判決を受けたとしても、裁判でその者の処罰を求める行為は、それ自体としては違法とはいえず、適法行為であるので、国家賠償と同じに考えることはできない[992]。また、憲法17条の損害賠償とは違法の性質が異なり、刑事補償の場合は、公務員の故意・過失を問題としない無過失責任主義である。

(2) 損失補償説

損失補償説によれば、公務員の故意・過失を問わない点は、適法行為に基づく損失補償の一種ということができる。損害賠償については、別に憲法17条が定められているので、本条の刑事補償はやはり適法行為に基づく損失の補填と解すべきである[993]。身体を拘束され起訴された者は多大な犠牲を被ったのであって、無罪放免にするだけでは正義・衡平の観念に反し、金銭による事後的救済を予定している憲法40条が、賠償ではなく、補償という文言を用いていることからも、損失補償との共通性がうかがわれる[994]。しかし、刑事補償においては、原因行為を適法行為と理解するにしても結果につ

---

990 上田・浅野、1993、598頁以下。
991 法学協会、1953、688頁以下、佐藤功、1983、615頁。
992 初宿、2010、507頁。
993 浦田・大須賀、1994、389頁〔畑〕。
994 佐藤幸治、2020、396頁。

いて不法性が問題であるのに対し、いわゆる損失補償においては、結果について合法性が予定されているので、損失補償と同じに考えることはできない。

(3) 結果責任説

そこで、**結果責任説**が考えられる。すなわち、被害者に対する補償を手厚くする上で、刑事補償の法的性格を損害ないし損失という結果の不法性に着眼する理解が、原因行為の違法または適法に限定せず、補償の根拠を衡平の原則においてとらえる点でも、国家補償（国家賠償・損失補償）の統一的な理解に適合する解釈といえよう[995]。いわば、刑事補償請求権の法的性質は、「一種の結果責任」を定めたものであり、ただちに違法なものとなるわけではないが、無実の者が抑留・拘禁されたという結果の不法が残る場合に国が責任をとる制度といえる[996]。

2　刑事補償請求権の主体と内容

(1) 外国人

刑事補償法は、国家賠償法とは異なり、相互主義原則を明文で定めていないので、一般に外国人にも適用がある。憲法40条が「何人も」と定めていることからも、外国人の享有主体性は認められる。学説のなかには、刑事補償請求権も、国家賠償請求権と同様、当然に外国人にも適用があるとはいえないとの見解もある。もっとも、その場合も、刑法1条が、「日本国内において罪を犯したすべての者」に適用され、外国人が抑留・拘禁されたのち無罪となった場合に受ける損害は、日本国民の場合と異ならず、国家賠償法の相互主義に対応する規定が刑事補償法に置かれていないことをも考慮すれば、文字通り何人も刑事補償請求権を有すると解されるという[997]。しかし、こうした思考の道筋は、結局のところ、刑法や刑事補償法という憲法の下位にある法律の内容にしたがって、憲法条文の解釈をすることになる。最初から、この補償請求権については、その性質上、裁判を受ける権利と同様、外国人

---

[995] 有倉・小林、1986、173頁〔新井〕。
[996] 戸波、1998、344頁。
[997] 初宿、2010、510頁。

を日本国民と差別する合理的な理由はないと判断する方が妥当であろう。

(2) 完全補償と相当補償

補償の内容について、完全補償説は、損害の全部を金額に換算すべきといい、相当補償説は、損害の相当部分を金額に換算すれば足りるとする。結果の不法に着目しつつ、衡平の観点から刑事補償を位置付ける立場からは、このような不法な拘束を受ける者の存在によって市民社会の秩序が維持されている以上、損害のすべてが補償の対象となる完全補償説が適当であろう[998]。

刑事補償法は、完全補償のたてまえをとらず、抑留・拘禁による補償の額は、「1日千円以上1万2千5百円以下」と定める（4条1項）。額の算定にあたり、拘束の種類・期間、財産損失、得るはずであった利益の喪失、精神上の苦痛、身体上の損傷、警察・検察・裁判機関の故意過失の有無等の事情を考慮する（同条2項）。

3　無罪の裁判の意味

憲法40条の「無罪の裁判を受けたとき」の解釈について、学説は分かれている。狭義の無罪判決確定説は、無罪判決の確定のときと解する[999]。これは、刑事訴訟法による無罪判決の確定をさす従来の用語例を踏襲する解釈である。広義の自由拘束無根拠判明説は、形式的な無罪判決の有無にかかわらず、実質的に、自由を拘束したことの根拠がないことが明らかとなったときを意味する[1000]。これは実体的に無罪となった場合に被害者をより広く救済しようとする解釈である。

(1) 免訴・公訴棄却

具体的には、免訴[1001]や公訴棄却[1002]の裁判の場合が問題となる。免訴や

998　小林・芹沢、1997、214頁〔鳥居〕。
999　法学協会、1953、690頁。
1000　佐藤功、1983、614頁。
1001　刑訴法337条により、確定判決・刑の廃止・大赦・時効を理由に有罪・無罪の判断をせずに裁判を打ち切ること。
1002　刑訴法338・339条により、同じ事件で二度公訴されたり、公訴手続に違法があったり、被

公訴棄却は、厳密には無罪の裁判ではない。しかし、刑事補償法25条1項では、「刑事訴訟法の規定による免訴又は公訴棄却の裁判を受けた者は、もし免訴又は公訴棄却の裁判をすべき事由がなかったならば無罪の裁判を受けるべきものと認められる充分な理由があるとき」には補償の請求ができるとする。無罪判決確定説によれば、この規定は、「無罪の裁判」にはあたらないが、無罪とすべき十分な理由のある場合に限って憲法の趣旨を拡張したものと解する[1003]。他方、自由拘束無根拠判明説によれば、この規定は、憲法40条の要請を具体化したものととらえられる[1004]。後者が適当であろう。

最高裁は、ポツダム宣言受諾に伴い占領下に超憲法的な効力をもっていたポツダム命令として、占領目的阻害行為を処罰した当時の政令325号に違反した被告人が、平和条約が発効し、「犯罪後の法令により刑が廃止されたため免訴の言渡しがあった場合、刑事補償の請求はできない」という[1005]。しかし、刑の廃止に基づく免訴の場合も、実体的には無罪と同じに考えるべきである。国家が、「無罪の裁判」があったわけではないからという形式を盾にとって、結果において不当であった「抑留または拘禁」の損失負担を被害者に課すことは、憲法40条の依拠する衡平の原理に著しく反する[1006]。

(2) 不起訴

不起訴の場合も問題である。現行の刑事補償法においては、起訴されて「無罪の裁判」を受けた場合には補償が行われ、不起訴の場合には補償が行われないという不均衡が生じている。しかし、未決の抑留又は拘禁された被疑者が「罪を犯さなかったと認めるに十分な事由があるときは、抑留又は拘禁による補償をする」との実務上の被疑者補償規程（1957年の法務省訓令1）2条があり、このときは補償が認められる。不起訴となった被疑者の刑事補償については、無罪判決確定説においても、憲法40条の精神に基づくかぎり補償がなされてしかるべきとの見解もある[1007]。犯罪の嫌疑が薄く起

告人が死亡したときなどは、公訴を棄却する。
1003 法学協会、1953、690頁。
1004 小林・芹沢、1997、214頁〔鳥居〕。
1005 最決1960（昭和35）年6月23日刑集14巻8号1071頁。
1006 奥平、1993、396頁。

訴されなかったときは、補償されず、あるいは犯罪の嫌疑が濃くてあくまで公訴が維持されたときは補償されるというのでは、不均衡を免れず、早急な立法が望まれるとする[1008]。一方、自由拘束無根拠判明説の場合は、被疑者といえども「無罪の裁判を受けたとき」に匹敵する事態の下で身柄の拘束をとかれた場合には、憲法40条により、補償を請求する権利があるという[1009]。

判例は、不起訴となった場合は、憲法40条の補償が適用されないとする。ただし、ある被疑事実により逮捕または勾留中、他の被疑事実につき取り調べ、前者の事実は不起訴となったが後者の事実につき公訴が提起され、無罪となった事実の取調べが、不起訴となった事実に基づく勾留中に行われたとして、その勾留期間についての刑事補償を認めている[1010]。

(3) 少年審判事件

さらに、少年審判事件の場合が問題となる。最高裁は、少年法により、家庭裁判所が行う少年審判事件において、緊急逮捕され少年鑑別所に7日間収容された身体的拘束について、刑事補償上の救済を受けることはできないとした。すなわち、非行事実がない旨の「不処分決定」が下された場合は（少年法23条2項）、刑事訴訟法上の手続における「無罪の裁判」にはあたらず、このように解しても「憲法40条及び14条に違反しない」という[1011]。本決定は、憲法40条の「無罪の裁判」を限定的に解釈する従来の判例を再確認するものであるが、自由拘束無根拠判明説の見地からは、疑問視される[1012]。本決定に付された園部逸夫裁判官の意見が立法による救済を示唆したこともあって、1992年に国会は、「少年の保護事件に係る補償に関する法律」を刑事補償法とは別に制定し、公平をはかる措置を講じている。

1007 宮沢、1978、331頁。
1008 法学協会、1953、690頁以下。
1009 奥平、1993、397頁。
1010 最大決1956（昭和31）年12月24日刑集10巻12号1692頁。
1011 最決1991（平成3）年3月29日刑集45巻3号158頁。
1012 樋口ほか、1997、391頁〔佐藤〕。

第15章 参政権

　参政権とは、政治に参加する権利を意味する。狭義には、選挙権と被選挙権をさす。広義には、国民投票、国民審査、住民投票、住民の直接請求権、政治活動の自由も含まれる。最広義には、請願権、公務就任権なども広義の参政権とする説もある。しかし、請願権は受益権、選挙職以外の公務就任権は職業選択の自由の方が主要な性質と思われる。

　参政権は、民主主義の発展につれ、内容が拡充されてきた。国民主権下の日本国憲法では、天皇主権下の明治憲法と比べ、民主政治を実現する上で、参政権は不可欠のものと位置づけられている。憲法15条1項は、「公務員を選定し、及びこれを罷免することは、国民固有の権利である」と定め、明治憲法下の天皇の官吏任免大権を否定し、国民が不可奪の公務員任免権を本来有していることを明らかにする。同項は、あらゆる公務員の終局的任免権が国民にあるという国民主権の原理を表明したものである。必ずしも国民が直接に公務員の選定をすべて選挙の方法で行うことを意味するものではない。

第1節　選挙権の性質

(1)　二元説

　二元説では、選挙権は、参政の権利と公務執行の義務の両面をもつ。この通説によれば、選挙権は、純粋な個人の権利とは違った側面をもち、国民代表の選定という公共的な性質をもつので、基本的人権ではあるが、外国人、未成年者、一定の選挙犯罪者、禁固以上の受刑者などには、公務としての性質に基づき制限可能となる。成年被後見人については、障碍者権利条約や国

際的な動向を踏まえ、選挙権を有しないと定めていた公選法11条1項1号を「やむを得ない事由」があるとはいえないとして、憲法15条1項・3項、43条1項、44条ただし書きに反するとした東京地裁判決を受け[1013]、2003年に公選法が改正され、選挙権を認めるようになった。

(2) 権利説

権利説では、選挙権は、政治的意思決定能力をもつ人々の国家権力の行使に参加する権利とされる。人民主権論の立場から、主権行使における意思決定能力のみが要件とされるべきであり、選挙権の内在的制約として、受刑者等を排除することは不適切となる。

(3) 二元説と権利説の異同

通説の二元説と有力説である権利説の違いは、国民主権論と人民主権論の対立が、その背景にある。その論理的帰結として、選挙権をめぐる具体的な問題の違いが強調されることがある。しかし、現実の対応としては、両者の違いはあまり大きくはないものの、以下の点では、違いがみられる。

第1に、選挙犯罪者・受刑者の公民権停止について[1014]、二元説は、選挙

[1013] 東京地判2003（平成25）年3月14日判時2178号3頁。
[1014] 未決拘禁者には選挙権・被選挙権が認められているが、受刑者は仮釈放されても、満期まで選挙権・被選挙権は認められない。権利説に立つ大阪高判2013（平成25）年9月27日判時2234号29頁の確定判決では、日本国憲法の改正手続に関する法律3条は、受刑者を欠格事由としておらず、選挙権の行使とは無関係な犯罪が大多数であることなどからも、公選法11条1項2号「禁錮以上の刑に処せられその執行を終わるまでの者」が、受刑者の選挙権を一律に制限していることについてやむを得ない事由があるということはできず、憲法15条1項・3項、43条1項、44条ただし書きに違反するという（ただし、立法不作為の国賠法上の違法請求はしりぞけられた）。これに対し、2元説に立つ広島地判2016（平成28）年7月20日判時2329号68頁では、「受刑者は、類型的に見て、公務執行の性格を有する選挙権の行使の主体としての適格性に疑問がある者ということができ、受刑者一般について欠格事由を定めることには、公明かつ適正な選挙の実施との間に相応の関連性が肯定できる」という。控訴審・広島高判2017（平成29）年12月20日裁判所ウェブサイトも、上告審・最決2019（平成31）年2月26日（判例集未登載）も、訴をしりぞけた。また、東京地判2023（令和5）年7月20日裁判所ウェブサイトも、二元説に立ち、「公務執行者としての一定の資格が要求される」とし、東京高判2024（令和6）年3月13日LEX/DB文献番号25598383は、選挙の公務性に言及することなく、受刑者は「規範意識が欠如し、又は著しく低下している」と決めつけ、「選挙に参加する資格・適性がないと

権の公務としての性格に基づく制限とみる。これに対して、権利説は、内在的制約を超える不当な制限とみる。この点、最高裁は「国民主権を宣言する憲法において、公職の選挙権が国民の最も重要な基本的権利の一つである」が、「選挙の公正」の確保から、制約が可能としている[1015]。選挙の公正が、公務を意味するものかは、明らかではないが、選挙の公正の確保という理由は、公務執行の見地からの制約であるから、一般に判例は、二元説に立つものと解されている[1016]。なお、選挙犯罪者以外の禁固以上の受刑者の場合は、「選挙の公正」の確保という制約根拠は成り立たず、憲法15条1項に違反するものと思われる。「公正」という言葉は、（遵法精神に欠けるなどの）資質で排除される偏見を許すものではなく、受刑者が刑務所内で犯罪を行った場合に「公正な裁判を受ける権利」が制限されないように、公正な選挙への参加が制限されるべきではない。むしろ、一律に受刑者を排除する選挙は偏見に基づく「不公正」な選挙といえよう。ヨーロッパ人権裁判所[1017]やヨーロッパ司法裁判所[1018]は、受刑者の選挙権を一律に制約することを禁止する判決を下している。

　第2に、棄権の自由について、権利説では、権利であるから、自由行使が前提となり、強制投票の禁止は権利性からの論理的帰結となる[1019]。二元説でも、公務の性質からただちに投票を義務とするのではなく、1)選挙人の自覚にまつべきであり、2)強制狩り出しによる投票率の上昇はかえって選挙を不明朗にする、3)選挙人が棄権する原因が複雑であるなどの理由から、棄権の自由を認める。

　第3に、外国人の選挙権についても、選挙権は、主権の行使の問題であり、主権の所在についての解釈に応じて、見解が分かれる。二元説では、国籍保有者としての国民が主権を行使する国民主権の原理から、外国人の選挙権については消極的で、禁止かせいぜい許容の立場になる。権利説では、人民主

　　疑うに足りるやむを得ない事由がある」として、請求を棄却している。
1015　最大判1955（昭和30）年2月9日刑集9巻2号217頁。
1016　野中ほか、2012、540頁〔高見〕、渋谷、2017、472頁。
1017　Hirst v the United Kingdom (No 2), [2005] ECHR 681.
1018　Thierry Delvigne v Commune de Lesparre Medoc and Prefet de la Gironde, EU: C: 2015: 648.
1019　辻村、2021、313頁。

権の原理から、政治的意思決定能力をもつ人々が主権者であるので、永住市民（としての外国人）の選挙権も、要請されうる。

第2節　被選挙権

　被選挙権とは、選挙されうる資格を意味し、立候補する権利と呼ばれる。**自由権規約25条（b）は「投票し、選挙される」権利を定め、被選挙権の明文規定をもつ**。被選挙権の憲法上の根拠については、明文規定がないこともあって、学説は分かれているが、第4の立場が適当と思われる。第1に、通説は、選挙権と被選挙権を表裏一体ととらえ、憲法15条1項に根拠を求める（15条1項説）[1020]。第2に、明文規定がない人権の場合、憲法13条の幸福追求権に根拠を求める説がある（13条説）[1021]。第3に、憲法44条が選挙権と被選挙権とを区別していないことを根拠とする説がある（44条説）[1022]。第4に、融合的保障説の立場からは、明文の規定のない**被選挙権**は、憲法**「15条と結びついた13条」**が根拠であり、その制約の合憲性は、比例原則により審査される必要があるといえよう（**15条と結びついた13条説**）。

　判例は、第1の説に立ち、「立候補の自由は、選挙権の自由な行使と表裏の関係にあり、自由かつ公正な選挙を維持するうえで、きわめて重要である。このような見地からいえば、憲法15条1項には、被選挙権者、特にその立候補の自由について、直接には規定していないが、これもまた、同条同項の保障する重要な基本的人権の一つと解すべきである」という[1023]。

　日本の公選法においては、選挙権と被選挙権の年齢要件の違いがある。選挙権は18歳以上とあるのに、被選挙権の年齢要件は、衆議院議員・市町村長・市町村議会議員・都道府県議会議員は25歳以上、参議院議員と都道府県知事は30歳以上である。こうした年齢差は、治者と被治者（選ばれる者

1020　参照、戸波、1998、337頁。
1021　佐藤幸治、2020、220頁。
1022　伊藤、1995、111頁。44条「両議院の議員及びその選挙人の資格は、法律でこれを定める」。
1023　最大判1968（昭和43）年12月4日刑集22巻13号1425頁。

と選ぶ者）の同一性が民主主義であるとする理解からは、民主主義原理に反する。公正な選挙の確保によって「民主政治の健全な発達を期する」公選法の目的を達成する手段として年齢差を設け、青年の被選挙権を制限することは、比例的ではない。いわば、一定の青年をその年齢を越えた市民にくらべて、「二級市民」の状態にする不合理な差別といえる。年齢差の根拠として、1)選ぶよりも選ばれる方が年齢に伴う経験の蓄積が必要なため、2)参議院の存立根拠のために衆議院に対する参議院の異質性を確保するため、3)都道府県の長の方が重みのある要職であることを担保するためというのは、いずれも便宜的な理由である。人権としての被選挙権を制約する正当な根拠とはいえない。こうした年齢差による被選挙権の制約は、憲法「15条と結びついた13条」および14条に反する。

　また、衆議院や参議院の選挙に立候補する場合、供託金が300万円以上必要である。有効投票総数の10分の1以上を獲得しなければ、供託金は没収される。このような高い供託金を課すことは、違憲の疑いが大きい。判例は、都道府県議会議員選挙への立候補の供託金60万円について、「一般的にみて…著しく困難な額とまではいえない」、「選挙の自由かつ公正という重要な公益を実現するために必要かつ合理的な方法」、「不正な目的を持って立候補することを防止するために他に適切な方法は認められない」などの理由から、立候補の自由（憲法15条1項）・法の下の平等（同14条1項）等を侵害しないと判示している[1024]。しかし、供託金の額は目的に対して比例的とはいいがたく、憲法「15条と結びついた13条」違反である。2023年の統一地方選では、4分の1が無投票当選するほど、立候補者の不足が深刻である。アメリカやドイツやフランスには供託金制度はなく、イギリスの下院の500ポンドに比べ、日本の供託金の額は、資力の乏しい者の立候補を困難にしている。アメリカの最高裁は、Bullock v. Carter, 405 U.S. 134（1972）において、8900ドルの登録費を払った候補者しか予備選挙で選ばれないテキサス州の選挙法は、一定の候補者を排除し、選挙人の候補者を自由に選択する権利を侵害するので、厳格審査に照らし、平等保護条項に反するとした。

1024　神戸地判1996（平成8）年8月7日判時1600号82頁、大阪高判1997（平成9）年3月18日判時1600号82頁。

第3節　選挙の原則

(1)　普通選挙

　普通選挙とは、財産・収入などの資格要件なしに、すべての成年者に選挙権を認める普遍主義に根ざす選挙制度であった。かつては、財産、納税額などを要件とせず、25歳以上の男に選挙権を認めた1925年以後の選挙を日本では普通選挙と呼んだ。今日では性別を要件としない1945年以後の選挙をいう。財産の制限、性別の制限を取り除いたのち、国籍の制限の必要性の有無が今後の普通選挙の課題である。

　憲法の規定に即して検討すると、1条「主権の存する日本国民」、15条1項「公務員を選定…することは、国民固有の権利」および93条2項「地方公共団体の長、その議会の議員…は、…住民が、直接これを選挙する」において外国人の地方選挙権は「保障」されていないものの、「禁止」もされていないというのが最高裁判決である。国民主権・民主主義・住民自治のベクトルの違いが背景にある。伝統的な（ナショナリズムを重視する）国民主権原理は外国人参政権を否定する。一方、（「代表なければ課税なし」にみられるような政治決定の関係性や治者と被治者の同一性を重視する）民主主義原理は外国人参政権を肯定する。他方、（民主主義原理の1つとしての）住民自治原理は、当該地域と特段に密接な関係を有する住民の意思を反映させるべく「永住者等」の地方参政権を特別に肯定する。最高裁によれば[1025]、「憲法の国民主権の原理」、「憲法15条1項の規定の趣旨」および「地方公共団体が我が国の統治機構の不可欠の要素をなす」点を考慮すると、憲法93条2項にいう「住民」とは、「地方公共団体の区域内に住所を有する日本国民」の意味であり、この規定は、「外国人に対して、地方公共団体の長、その議会の議員等の選挙の権利を保障したものということはできない」。ここに要請説の否定がみられる。しかし、「民主主義社会における地方自治の重要性」に鑑み、「永住者等であってその居住する区域の地方公共団体と特段に緊密

[1025]　定住外国人地方選挙権訴訟・最判1995年2月28日民集49巻2号639頁。

な関係を持つに至ったと認められるもの」に、「法律をもって、地方公共団体の…選挙権を付与する措置を講ずることは、憲法上禁止されているものではない。…専ら国の立法政策にかかわる事柄」である。ここに禁止説の否定がみられ、立法政策の問題とする許容説の立場が表明されている。

自由権規約25条（b）は「すべての市民」が「普通かつ平等の選挙権に基づき秘密投票により行われ、選挙人の意思の自由な表明を保障する真正な定期的選挙において、投票し、選挙される」権利を有すると定めている。自由権規約委員会は、「締約国の報告には、永住者等のグループが地方選挙権を有していること」等が示されるべきという[1026]。「市民」に保障するというのは、市民以外に禁ずることを意味するものではないので、自由権規約上、外国人の参政権は禁止されておらず、許容されている。

なお、自由権規約25条で「すべての市民（citizen）は、2条に規定するいかなる差別もなく」、選挙権・被選挙権と公務就任権を有する旨を定めている。2条の定める差別には国民的出身（national origin）による差別も含まれる。いわゆる在日コリアン・台湾人が1952年に朝鮮戸籍・台湾戸籍という民族の徴表に基づいて日本国籍を剥奪されたことは、国民的出身とも民族的出身とも訳されるnational originによる差別に当たるものと思われる。人種差別撤廃委員会は、2018年に日本政府に対し「national origin」に基づく「市民権の剥奪が、国籍に対する権利の差別のない享有を確保するべき締約国の義務の違反であることを認識すること」を含む「外国人に対する差別に関する一般的勧告30」に留意して、「数世代にわたり日本に在留するコリアンに対し、地方参政権」を認めるよう勧告している[1027]。また、自由権規約委員会も「植民地時代から日本に居住する在日コリアンとその子孫が、特に支援プログラムや年金制度を利用することを妨げている障壁を取り除き、在日コリアンとその子孫に地方選挙権を認めるよう関連法の改正を検討すべきである」と日本政府に勧告している[1028]。

[1026] 自由権規約・一般的意見25（1996年7月12日）3段落。
[1027] 人種差別撤廃委員会・外国人に対する差別に関する一般的勧告30（2004年）14段落、同・総括所見（2018年8月30日）22段落。
[1028] 自由権規約委員会・総括所見（2022年11月30日）43段落。

表1　外国人の地方選挙権（69か国）

1　定住型（34カ国）
スウェーデン、フィンランド、ノルウェー、デンマーク、アイスランド、**アイルランド**、オランダ、リトアニア、スロバキア、ベルギー、ハンガリー、ルクセンブルク、エストニア、スロベニア、**ニュージーランド**、韓国、**チリ**、**ウルグアイ**、**エクアドル**、コロンビア、ベネズエラ、パラグアイ、ペルー、**マラウィ**、ウガンダ、ルワンダ、ザンビア、ブルキナファソ、カーボベルデ（スイス、アメリカ、中国（香港）、イスラエル、アルゼンチン）
2　互恵型（18カ国）
スペイン、ドイツ、フランス、イタリア、オーストリア、チェコ、キプロス、ラトビア、ポーランド、ブルガリア、ルーマニア、クロアチア、マルタ、ギリシア、ロシア、ベラルーシ、キルギスタン、ボリビア
3　伝統型（17カ国）
イギリス、**ポルトガル**、（オーストラリア、カナダ）、**モーリシャス**、ブラジル、ガイアナ、グレナダ、ジャマイカ、ベリーズ、セントビンセント・グレナディーン、セントクリストファー・ネイビス、セントルシア、トリニダード・トバゴ、バルバドス、アンティグア・バーブーダ、ドミニカ

定住型：永住または一定の居住期間を要件として、すべての外国人に地方選挙権を認める。
互恵型：EU市民など相互主義に基づき、お互いの国の出身者だけで認め合う。
伝統型：英連邦など旧植民地出身者にも認める国である。
太字は、国会選挙権も認めている国である。
（　）内は、一部の州や自治体などにかぎって外国人参政権を認めている場合である。

　ニュージーランドでは、1975年に国会の選挙権は、1年以上住んでいる永住者にも認められた。彼・彼女らはこの国での生活と労働を認められており、通常はコミュニティとその将来に対し完全に貢献する完全なメンバーシップを獲得する。永住者の選挙権は、新しいメンバーをコミュニティに統合するのに役立つ。多くの国の新たな普遍主義原則は、地方選挙のレベルで重要な論点となる。スウェーデンは、1975年に3年以上の合法居住の外国人に地方参政権を認めている。外国人にとって、地方選挙権が身近な問題への政治的影響力、政治的な関心、自尊心の回復、社会との連帯を高めることにつながり、社会にとっても、民主主義、公正、自治体の活性化、国の外国人政策の円滑な実施に貢献する。
　一方、1993年に発効したマーストリヒト条約は、EU加盟国に相互主義的な地方参政権を義務づけた。EU諸国のおよそ半数は相互主義による互恵型であるが、およそ半数は普遍主義による定住型である。ベルギー、ルクセンブルクは、互恵型からはじめて、定住型へと移行した。他方、1997年に発効した欧州評議会による「地方レベルにおける外国人の公共生活参加条約」6条1項では、5年の定住を目安とする普遍主義的な外国人の地方参政権を定めている。男女普通選挙は、民主化された国々では、もはや自明のこととなり、

国際化時代には、国民・永住市民普通選挙が地方参政権のレベルで問題となる[1029]。

なお、植民地の伝統があったこともあり、中南米やアフリカにも、外国人参政権を認めている国は多い。表1は、一定地域や一定の外国人に限る場合であれ、何らかの形で外国人の参政権を有する国を示している[1030]。193の国連加盟国のうち、少なくとも69カ国は、何らかの形で外国人参政権を認めている。そのうち、34カ国は定住型である（アメリカは、一部の自治体に限られるが、首都のワシントンDCは、2022年にすべての外国人住民に地方選挙権を認める法改正をし、2024年に連邦裁判所はそれを合憲とした）。

(2) 平等選挙

平等選挙は、各選挙人の有する投票の数と価値が平等な選挙をいう。歴史的には、平等選挙は、1人1票（one person one vote）の原則を意味した。しかし、今日では、一人が一票もつ機会の平等だけでなく、一票の価値が平等であるべきとする結果の平等を要請する1票同価値（one vote one value）の原則も含むものと解されている。議員定数不均衡を争う最高裁判決でも、「各投票が選挙の結果に及ぼす影響力においても平等であることを要求」する「投票の価値」の平等を平等選挙の内容としている[1031]。投票価値の平等に即した定数配分の是正方法が課題である。

投票価値の平等として、議員定数の不均衡の是正の問題は、全国をいくつかの選挙区に分けている多くの国で問題となっている。アメリカの下院の小選挙区は、Kirkpatrick v. Preisler, 394 U.S. 526（1969）において、人口を選挙区で割った数との最大格差が5.97％の場合を違憲（1条2項違反）とし、「実現可能な限り」という基準のもと、絶対的平等を達成しようとする州の真摯な努力にもかかわらず避けられない格差、または正当化事由の立証された格差のみが許容されるとした。このためアメリカでは限りなく1対1に近づける必要がある。ドイツの下院の小選挙区では選挙区の人口数の最大許容較差は、25％と法定されているが、州の境を超えないようにするためにやむを得ない場合などは33％まで許容される。このため、最大格差は1対2まで発生しうる。なお、上院については、アメリカもドイツも州代表の性格ゆえに、人口に比例する必要はない。

1029　近藤、1996、62-87頁。
1030　近藤、2023、182頁。
1031　衆議院中選挙区事件1976年判決・最大判1976（昭和51）年4月14日民集30巻5号223頁。

また、憲法14条および44条により「人種、信条、性別、社会的身分、門地、教育、財産又は収入によって差別」されない選挙を平等選挙という。この場合、平等選挙は、普通選挙と重なる部分をもっている。狭義の普通選挙は、財産・収入を選挙権の要件としない制度をさし、これらを要件とする制限選挙と対比されてきた。他方、広い意味での普通選挙は、人種や性別や教育などによる差別をしない選挙制度をさすが、この点は、一般には平等選挙の原則として語られる。

人種ないし教育に関する差別は、アメリカの南部の州では、1965年まで読み書き能力テストなどを選挙権の要件とすることで続いた。その後、人種に配慮した小選挙区割りが人種的少数者代表の選出を企図した人種的ゲリマンダリングの問題として Shaw v. Reno, 509 U.S. 630（1993）では、厳格審査のもとに平等保護条項違反が審査されるようになった。

民族については、ニュージーランドでは、先住民族マオリの議席を19世紀末から特別に用意している。1996年に従来の小選挙区制を廃し、少数派も公正に代表されるべくドイツ式の小選挙区と比例代表の併用制を採用した。その際、12.3%（1991年）に達しているマオリの人口比を無視して固定されていた4議席から、登録者数に応じて5議席、さらに6議席に増やし、2002年選挙からは7議席である。

性別については、スイスが1971年まで連邦レベルでの女性の参政権を認めていなかった例外はあるものの、多くの民主国家では男女普通選挙制による形式的平等が確立して久しい。しかし、結果においては不平等であり、2024年12月1日段階における193カ国の国会に占める女性議員の割合は平均で26.8%である。日本は、衆議院が15.7%、参議院が26.6%であり、スウェーデン国会の46.7%をはじめ、主要な欧米諸国に比べて非常に少ない[1032]。1975年にノルウェーの左派社会党と自由党が立候補者の40%を女性とすることを決め、ドイツのキリスト教民主同盟や社会民主党なども立候補者の一定枠を女性としている。一方、ヨーロッパの中で相対的に少なかったベルギーでは、1994年に国会議員の候補者の33.3%を女性にすることを法律で定め、2000年には、フランスが男女の候補者の均等割当（parité）を定める法律を制定した。憲法上、選挙法上または政党の規則上、女性候補者の枠（クオータ）を定めている国は、138カ国にも及んでいる[1033]。日本

[1032] IPU, Women in national parliaments (https://data.ipu.org/women-ranking/?date_year=2024&date_month=12).

[1033] Gender Quotas Database (https://www.idea.int/data-tools/data/gender-quotas-database/

における女性の極端な過小代表が続けば、女性差別撤廃条約4条のように「男女の事実上の平等を促進することを目的とする暫定的な特別措置」として候補者の枠を定めることの検討も必要であろう。法律による女性枠は、形式的には憲法14条の禁ずる性差別にあたるおそれがある。しかし、政党独自の女性枠は、そうした問題を回避しうる。2018年の「政治分野における男女共同参画推進法」は、政党に努力義務を課すにすぎず、実効性に乏しい。

(3) 自由選挙

自由選挙は、選挙人がその信じるところにしたがい投票する自由および投票しない自由（棄権の自由）を意味する。自由選挙は、強制投票（義務投票）制度と対置される。憲法に明文の規定はないが、自由選挙は、憲法上の要請と考えられている。しかし、強制投票制度が憲法上禁止されていないとする学説もある[1034]。広義の自由選挙の原則は、選挙運動の自由も含むが、一般に、選挙運動の自由は、憲法21条の表現の自由の問題として扱われる。

(4) 秘密選挙

秘密選挙とは、公開投票に対置され、誰に投票したかという投票内容を秘密にする制度を意味する。憲法15条4項は「すべて選挙における投票の秘密は、これを侵してはならない」と定める。投票場に行くことの困難な人のための郵便等投票制度や代理記載制度がある。身体障害者手帳・戦傷病者手帳・介護保険の被保険者証（要介護5）をもっている人は、郵便投票が可能である。その際、自分で文字を書くことが困難な場合は、あらかじめ指定した人に代理で記載してもらうことも認められている。代理記載の場合は、秘密選挙の原則の例外とされるが、代理記載人が選挙人の指示する候補者名を記載しなかった場合、2年以下の禁錮または30万円以下の罰金が科される（公選法49条2項・3項、237条の2第2項）。

---

countries).
[1034] 高橋、2024、381頁。大石、2014、102頁は、立法政策上、可能とする。

(5) 直接選挙

　直接選挙は、間接選挙と対置され、選挙人が公務員を直接に選挙する制度をいう。憲法93条2項が「地方公共団体の長、その議会の議員及び法律の定めるその他の吏員は、その地方公共団体の住民が、直接これを選挙する」と定めている。一方、国会議員の直接選挙に関する明文の規定はない。この点、二院制のあり方にも関連して、参議院を念頭に、中心が直接選挙であれば、周辺的な部分に間接選挙を取り入れても合憲とする学説もある[1035]。しかし、憲法15条1項・3項、44条などに照らして、間接選挙を示唆する文言上の手掛かりを欠く中で、間接選挙の導入は困難なように思われる[1036]。

第4節　議員定数の不均衡

　平等選挙をめぐる重要課題は、投票価値の平等に関する議員定数の不均衡の問題である。衆議院、参議院それぞれの最高裁大法廷判決を整理すると、表2と表3のようになる。

(1) 衆議院

　選挙区のあいだの一票の価値の格差は、時期によって判断基準を異にしている。最高裁は、1対3を超える衆議院の格差について、違憲または違憲状態と判断していた。1976年判決[1037]では、1) 憲法14条1項の法の下の平等は、選挙権に関し、政治的価値の平等を志向するものであり、各選挙人の「投票の価値の平等」もまた、憲法の要求するところである。2) 最大格差が約1対5に達している議員定数配分は、「合理性を有するものとはとうてい考えられない」ので「違憲」と宣言する。3) ただし、行政処分が違法であっても、その取消が公共の福祉に適合しないと認められる限り、取り消さないことができるとする「**事情判決**」の基礎にある一般法理（行政事件訴訟法

1035　高橋、2024、381頁、大石、2014、105頁。
1036　佐藤幸治、2020、444頁。
1037　**衆議院中選挙区事件1976年判決**・最大判1976（昭和51）年4月14日民集30巻5号223頁。

31条の準用）に基づいて、違法の宣言にとどめ、選挙を無効としなかった。その後、1985年判決[1038]では、1対4.4の格差も、「憲法の選挙権の平等の要求に反し、違憲」とする一方で、「選挙の違法を宣言するにとどめ、右選挙は無効としない」と判示した。

また、最高裁は、1対3を超える衆議院の最大格差の場合であっても、違憲状態の解消のための一定の合理的な猶予期間を国会に認める「**合理的期間論**」により合憲と判断している。1983年判決[1039]は、1)「憲法14条1項の規定は、選挙権の内容の平等、換言すれば、議員の選出における各選挙人の投票の有する影響力の平等、すなわち投票価値の平等をも要求する」。2)1対3.94の最大格差の場合、違憲状態にあると解しつつも、定数改正後の1対2.94の最大格差によって投票価値の不平等は一応解消されており、本件選挙当時は定数不均衡を是正するための「合理的期間内」であったとして「合憲」とした。1993年判決では、1対3.18の最大格差も、違憲状態になっていたが、定数改正後の1対2.82の最大格差を考慮して、「合憲」とした[1040]。

さらに、最高裁は、1対3を下回る衆議院の最大格差の場合、合憲と判断していた。たとえば、1995年判決[1041]では、1対2.82の最大格差は、選挙権の平等に反しないとして、合憲とした。

その後、中選挙区制は1994年に廃止されたので、従来のような大きな格差は生じなくなった。そして選挙区確定審議会設置法3条では、格差は2倍未満を基本と定められた。しかし、実際には区割りの格差は2倍を超えた。当初、最高裁は、1対3というゆるやかな基準を小選挙区の区割りでも採用し、1999年判決[1042]では、1対2.3の最大格差を合憲とした（ただし、5人の裁判官の反対意見は、違憲とした。その理由は、「較差が2倍…を超える…ときは、投票価値の平等は侵害され…実質的に1人1票の原則を破って、1人が2票…以上の投票権を有するのと同じこととなるからである」）。また、

1038　同・最大判1985（昭和60）年7月17日民集39巻5号1100頁。
1039　同・最大判1983（昭和58）年11月7日民集37巻9号1243頁。
1040　同・最大判1993（平成5）年1月20日民集47巻1号67頁。
1041　同・最判1995（平成7）年6月8日民集49巻6号1443頁。
1042　**衆議院小選挙区事件1999年判決**・最大判1999（平成11）年11月10日民集53巻8号1441頁。

表2　衆議院の1票の較差と最高裁大法廷判決

判決年	選挙年	較差	判断	各裁判官の立場
1976	1972	4.99	違憲	事情判決で有効9人、無効5人、却下1人
1983	1980	3.94	違憲状態	違憲状態8人、違憲6人、却下1人
1985	1983	4.4	違憲	事情判決で有効14人、無効1人
1993	1990	3.18	違憲状態	違憲状態12人、違憲3人
1999	1996	2.31	合憲	合憲9人、違憲5人
2001	2000	2.47	合憲	合憲13人、違憲2人
2007	2005	2.17	合憲	合憲9人、違憲状態4人、違憲2人
2011	2009	2.3	違憲状態	違憲状態13人、違憲2人
2013	2012	2.43	違憲状態	違憲状態11人、違憲3人
2015	2014	2.13	違憲状態	違憲状態9人、合憲2人、違憲3人
2018	2017	1.98	合憲	合憲11人、違憲状態2人、違憲2人
2023	2021	2.08	合憲	合憲14人、違憲1人

表3　参議院の1票の較差と最高裁大法廷判決

判決年	選挙年	較差	判断	各裁判官の立場
1964	1962	4.09	合憲	合憲13人
1983	1977	5.26	合憲	合憲12人、違憲状態1人、却下1人
1996	1992	6.59	違憲状態	違憲状態8人、違憲7人
1998	1995	4.97	合憲	合憲10人、違憲5人
2000	1998	4.98	合憲	合憲10人、違憲5人
2004	2001	5.06	合憲	合憲9人、違憲6人
2006	2004	5.13	合憲	合憲9人、違憲状態1人、違憲5人
2009	2007	4.86	合憲	合憲10人、違憲5人
2012	2010	5	違憲状態	違憲状態13人、違憲2人
2014	2013	4.77	違憲状態	違憲状態11人、違憲4人
2017	2016	3.08	合憲	合憲11人、違憲状態2人、違憲2人
2020	2019	3	合憲	合憲11人、違憲状態1人、違憲3人
2023	2022	3.03	合憲	合憲12人、違憲状態2人、違憲無効1人

2001年判決では、1対2.5の最大格差を、2007年判決では、1対2.171の最大格差を、合憲とした[1043]。

近年、小選挙区における衆議院の議員定数の格差は、1対2を超える場合には、違憲状態とする傾向にある。2011年判決では、1対2.304の最大格差を、2013年判決および2015年判決でも、1対2.304および1対2.13の最大格差を、違憲状態としつつ、合理的期間論により合憲とした[1044]。2016年の公職選挙法改正により、各都道府県への定数配分は10年ごとの大規模国勢調査を基にアダムズ方式で行い、調査から5年目の簡易国勢調査の結果に基づく格差が2倍以上になった場合、2倍未満になるよう区割りを改定するとする新制度を2021年選挙より後に導入することにした。このため、2021年選挙に基づく2023年判決[1045]では、2.08倍であっても、今後は新制度による是正が予定されているとして、合憲と判断している。

なお、2013年には、下級審判決では、事情判決の法理を用いることなく、はじめて当該選挙区の選挙の効力を無効とする判決が出ている[1046]。

(2) 参議院

参議院の場合は、衆議院とは異なって、都道府県を選挙区とする地域代表的性格から、人口比例主義の基準をゆるやかに解することを認める見解が多い。当初、1964年判決[1047]にみられるように、投票価値の平等は憲法上の要請とは考えられていなかった。憲法には選挙区定数を人口比例配分すべき旨の規定がないことなどを理由に、議員定数の配分は広い立法裁量の問題として、合憲とされてきた。

1983年判決[1048]では、判例を変更し、憲法は投票価値の平等を保障しているとした。しかし、選挙区間の最大格差が1対5.26であること、およびいわゆる逆転現象（選挙人数の多い選挙区の議員定数が選挙人数の少ない選挙

1043 同・最大判2001（平成13）年12月18日判時1772号33頁、同・最大判2007（平成19）年6月13日民集61巻4号1617頁。
1044 同・最大判2011（平成23）年3月23日民集65巻2号755頁、同・最大判2013（平成25）年11月20日民集67巻8号1503頁、同・最大判2015（平成27）年11月25日民集69巻7号2035頁。
1045 同・最大判2023（令和5）年1月25日民集77巻1号1頁。
1046 同・広島高判岡山支部2003（平成25）年3月25日LEX/DB文献番号25500398。
1047 同・最大判1964（昭和39）年2月5日民集18巻2号270頁。
1048 同・最大判1983（昭和58）年4月27日民集37巻3号345頁。

区の議員定数よりも少なくなっているという現象）について、「事実上都道府県代表的な意義ないし機能を有する要素」を加味し、合憲とした。また、1988年判決[1049]では、最大格差1対5.85を合憲とした。その後、1996年判決[1050]では、最大格差1対6.59は、「違憲の問題が生ずる程度の投票価値の著しい不平等状態」が生じているが、是正のための相当の期間が経過していないので、合憲とした（ただし、6人の裁判官の反対意見は、違憲状態について、合理的期間内における是正がされていなかったから違憲・違法とすべきといい、最大格差が5倍、議員1名を配分した残りの付加配分についての最大格差が3倍を超えた昭和50年代に違憲状態になっていたという）。2004年判決[1051]では、最大格差1対5.06について、合憲とした（ただし、6人の裁判官の反対意見は、違憲・違法とすべきといい、その理由は、5人は1対2を超える場合を違憲とし、1人は1対1を基本とすべきという点にある）。2007年判決[1052]では、1対4.86の最大格差を合憲とした。

従来、最高裁の多数意見は、1対6を下回る参議院の最大格差については合憲としてきたが、2012年判決[1053]は、1対5.00の格差をはじめて違憲状態とした。2014年判決[1054]でも、最大格差1対4.77を違憲状態とした。2015年の公職選挙法改正により、鳥取県と島根県、徳島県と高知県を合区とする制度改革により、格差が是正され、2017年判決、2020年判決および2023年判決では、1対3.08、1対3.00および1対3.03を合憲としている[1055]。

(3) 地方議会

地方議会の場合、公選法15条7項が「人口に比例して、条例で定めなければならない」と規定している。最高裁は、衆議院の場合と同様、最大較差

1049　参議院定数不均衡事件1988年判決・最判1988（昭和63）年10月21日判タ707号88頁。
1050　同・最大判1996（平成8）年9月11日民集50巻8号2283頁。
1051　同・最大判2004（平成16）年1月14日民集58巻1号56頁。
1052　同・最大判2009（平成21）年9月30日民集63巻7号1520頁。
1053　同・最大判2012（平成24）年10月17日民集66巻10号3357頁。
1054　同・最大判2014（平成26）年11月26日民集68巻9号1363頁。
1055　同・最大判2017（平成29）年9月27日民集71巻7号1139頁、同・最大判2020（令和2）年11月18日民集74巻8号2111頁、同・最大判2023（令和5）年10月18日民集77巻7号1654頁。

が1対3.09について、合理的期間内での是正もなされなかったので違憲であると宣言しつつ、事情判決の法理により選挙は有効とした[1056]。他方、地方自治法271条2項に基づく特例選挙区を除いた場合の最大較差が1対2.89、郡部の特例選挙区の場合が1対5.02であっても、合憲としている[1057]。

第5節　在外邦人の選挙権と国民審査権

　人の国際移動は、国外における日本国民の選挙権の問題も顕在化させる。在外邦人の選挙権は、1998年の公選法改正（2000年施行）により衆参の比例代表選挙で、2006年の公選法改正（2007年施行）により衆議院の小選挙区・参議院の選挙区選挙でも、認められるようになった。そこでまず、2000年6月25日の衆議院の比例代表選挙においてはじめて在外投票が実施された。それに先立つ訴訟では、憲法15条1項で公務員の選定権を「国民固有の権利」と定めており、公選法改正以前、在外邦人の選挙権が認められなかったことは、同14条の法の下の平等に違反するか否かが争われた。1999年の1審判決は、「世界各国の各地方に居住する在外日本人について、その所在を把握し、…立候補者の氏名、経歴、政見等を周知させ、…選挙を公正かつ能率的に執行する…様々な実施上の問題点が想定される」ことを理由に、国会の立法裁量の問題として合憲とした。2審判決は、「自己の選択の結果」国外にあることは、「生来の」人種、性別、門地等による不合理な差別とは性質が大きく違うという理由を加え、合憲とした[1058]。

　一方、2005年の最高裁判決は、「国民の選挙権又はその行使を制限するためには、そのような制限をすることがやむを得ないと認められる事由がなければならない…公正な選挙の実施や候補者に関する情報の適正な伝達等に関して解決されるべき問題があったとしても」、既に1984年の時点で、内閣が

[1056] 同・最判1991（平成3）年4月23日民集45巻4号554頁。
[1057] 同・最判1993（平成5）年10月22日判時1484号25頁。
[1058] **在外邦人選挙権訴訟**・東京地判1999（平成11）年10月28日判時1705号50頁、同・東京高判2000（平成12）年11月8日判タ1088号133頁。

その解決が可能であることを前提に公選法改正案を国会に提出していることを考慮すると、同案が廃案となった後、「国会が、10年以上の長きにわたって…放置し、本件選挙において在外国民が投票をすることを認めなかったことについては、やむを得ない事由があったとは到底いうことができない」として、憲法15条1項・3項、43条1項、44条ただし書に違反するとした[1059]。第1に、選挙権という重要な権利の制限には、「やむを得ない事由」を必要とする厳格な審査基準が適用される点、第2に、国会が正当な理由なく10年以上の「長きにわたって」立法を怠る場合に、例外的に立法不作為の国家賠償が認められる点を、本判決は導いている。

　また、最高裁は、最高裁判所裁判官国民審査法が在外邦人に最高裁判事の国民審査権の行使を認めていないことも、「やむを得ない事由」を必要とする厳格な審査基準に基づき、「憲法15条1項、79条2項、3項に違反する」と判示し、長期にわたる立法不作為による国家賠償法上の違法も認定した[1060]。

[1059] 同・最大判 2005（平成 17）年 9 月 14 日民集 59 巻 7 号 2087 頁。
[1060] **在外邦人国民審査権訴訟**・最大判 2022（令和 4）年 5 月 25 日民集 76 巻 4 号 711 頁、同・東京高判 2020（令和 2）年 6 月 25 日裁判所ウェブサイト、同・東京地判 2019（令和元）年 5 月 28 日裁判所ウェブサイト。

事項索引

あ行

愛知大学事件 …………………………192
「悪徳の栄え」事件……………………213
上尾市福祉会館事件 …………………207
旭川学力テスト事件 …………190, 309, 311
朝日新聞石井記者事件 ………………227
朝日訴訟 ………………………………298
新しい人権……………………………89
厚木基地騒音訴訟 ……………………107
尼崎高校事件…………………………309
アミネ・カリル事件 …………………275
アンデレ事件……………………………48
あん摩師等広告制限事件 ……………221
安楽死……………………………………98
家永訴訟 ………………………190, 199, 312
「石に泳ぐ魚」事件 ……………………93
泉佐野市民会館事件 …………………206
遺族年金受給資格の男性差別合憲判決
 …………………………………………137
一元的外在制約説………………………78
一元的内在制約説………………………79
一事不再理……………………………264
一般的自由説……………………………88
違法収集証拠排除の原則 ……………249
違法排除説……………………………262
岩手靖国訴訟…………………………181
インターネット………………………230
インフォームド・コンセント…………97
ウィーン宣言……………………………5
宇治橋事件………………………………64
「宴のあと」事件………………………92
永住市民…………………………………58
SOGI …………………………………144
エスニックハラスメント ……………219
NHK取材源秘匿事件…………………228
NHK受信料訴訟………………………227
愛媛玉串料訴訟 …………………177, 181
エホバの証人剣道拒否事件 …………171
エホバの証人輸血拒否事件 …97, 98, 173
LRA …………………………………203
LGBT …………………………………144
エンタープライズ寄港阻止佐世保闘争事件
 …………………………………………208
エンドースメント・テスト …………178
オウム真理教解散命令事件 …………170
大分県屋外広告物条例事件 ……204, 223
大阪空港騒音訴訟 ……………………106
大阪市屋外広告物条例事件 …………222
大阪府立高校黒染め訴訟 ……………104
小樽入浴拒否事件………………73, 129
オブライエン・テスト ………………195
親の教育の自由 ………………………310

か行

外国人登録令被告事件 ………………129
外国人の生存権訴訟 …………………307
外国人無年金高齢者訴訟 ……………303
外国人無年金障碍者訴訟 ……………303
外国旅行の自由 ………………………269
解釈基準説………………………………70
街頭演説許可制事件 …………………222
外務省秘密漏洩事件 …………………227
学生無年金障碍者訴訟 ………………300
隔離されない権利 ……………………268
鹿児島大嘗祭訴訟 ……………………181
加持祈祷傷害致死事件 ………………169
河川附近地制限事件 …………………292
家族結合の権利 ………………………157
家族への恣意的な干渉を受けない権利
 …………………………………………157
神奈川大嘗祭・即位の礼訴訟 ………181

川崎協同病院事件…………………………99
環境権…………………………………………105
関西電力従業員人格権侵害事件…………94
間接差別………………………………………120
間接適用説……………………………………69
完全補償原則説………………………………294
帰化者ゴルフクラブ株主会員拒否事件
　………………………………………………132
帰化者ゴルフクラブ法人会員拒否事件
　………………………………………………132
起訴前国選弁護人制度………………………243
北朝鮮祝賀団再入国事件……………………278
吉祥寺駅構内ビラ配り事件…………204, 223
喫煙禁止合憲判決……………………………66
基本権保護義務論……………………………70
君が代斉唱不起立事件………………………163
君が代伴奏拒否事件…………………………163
共生……………………………………………108
九州大学学長代行（事務取扱）発令拒否事件
　………………………………………………191
旧優生保護法不妊手術国賠訴訟……………103
教育義務の折衷説……………………………315
教師の教育の自由……………………………311
教授・教育の自由説…………………………189
京都市古都保存協力税条例事件……………170
京都朝鮮学校襲撃事件………………………218
京都府学連事件………………………………92
居住主義………………………………………43
キリスト教徒日曜参観事件…………………171
勤評長野方式事件……………………………161
クオータ………………………………………116
群馬司法書士会事件…………………………60
形式的平等……………………………………115
「月刊ペン」事件……………………………215
血統主義………………………………………43
厳格審査………………………………………124
厳格な合理性の基準…………………………81
「現実の悪意」の法理………………………216
権利説…………………………………………363

公安テロ情報流出被害国家賠償請求事件
　………………………………………………350
効果的な救済措置を受ける権利…293, 348
強姦罪事件……………………………………136
公共の福祉…………………………………77, 79
皇居外苑事件…………………………………206
麹町中学内申書事件…………………………165
公衆浴場距離制限事件………………………284
小売市場距離制限事件………………………283
合理性審査……………………………………125
合理性の基準…………………………………80
合理的期間論…………………………………376
合理的配慮……………………………………119
高齢者待命処分事件…………………………137
国際人権法……………………………………25
国籍自動喪失制度……………………………46
国籍選択制度…………………………………46
国籍法違憲判決………………………………80
国籍留保制度…………………………………46
国民主権 vs 法治主義………………………29
国労広島地本事件………………………165, 320
個人通報制度…………………………………21
国家公務員法102条事件……………………62
戸別訪問1967年判決………………………202
戸別訪問1968年判決………………………223
小松基地騒音訴訟……………………………107
固有性…………………………………………18

さ行

在外邦人国民審査権訴訟……………………379
在外邦人選挙権訴訟……………81, 354, 378
再婚禁止期間事件………………………80, 154
在宅投票制度廃止訴訟………………………353
さいたま皮膚の色入居差別事件……………129
在日韓国人ゴルフクラブ株主会員拒否事件
　………………………………………………132
在日韓国人入居拒否事件……………………131
在日韓国人元日本兵の恩給訴訟（李昌錫事

件)……………………………………304
再入国の自由 ……………………280
裁判員制度 ………………………340
在留特別許可のガイドライン ……158
札幌税関検査事件 …………199, 200
差別禁止原則……………………44
サラリーマン税金訴訟 …………151
猿払事件……………………63, 203
参議院議員定数不均衡事件 ……377
サンケイ新聞意見広告事件 …198, 226
31条と結びついた13条 ……107, 239
32条と結びついた13条 ……………25
三重の基準 ………………………82
34条と結びついた13条 …………247
36条と結びついた13条 ……110, 112
三段階審査………………………74
恣意的な国籍剥奪禁止原則……………45
恣意的な財産剥奪禁止説 ………288
恣意的に国籍を剥奪されない権利………46
恣意的に収容されない権利 ……………247
恣意的に退去強制されない権利 …273, 277
自衛官合祀事件 ……………173, 180
塩見訴訟…………………………55, 303
自己決定権………………………96
自己情報コントロール権………………90
自己責任説 ………………………352
事情判決 …………………………373
私生活をみだりに公開されない権利……90
自然権……………………………18
自然法……………………………19
事前抑制禁止の理論 ……………198
思想の自由市場 …………………166
実質的平等 ………………………115
自動執行力………………………27
自白忌避説 ………………………262
渋谷暴動事件 ……………166, 211
指紋押捺事件……………………94
社会学的解釈……………………10
社会契約論………………………17

社会権規約………………………11
謝罪広告事件 ……………………160
衆議院小選挙区議員定数不均衡事件 …374
衆議院中選挙区事件議員定数不均衡事件
　……………………………………80
住基ネット差止訴訟大阪高裁判決………95
自由権規約 ………………………8
15条と結びついた13条 …………365
住宅ローン拒絶事件 ……………129
修徳高校パーマ退学事件 ………104
収容 ……………………………244
授業料・教科書無償説 …………310
受刑者頭髪規制事件 ……………105
酒類販売免許制事件 ……………285
証券取引法事件 …………………290
消費者法事件 ……………………291
昭和女子大事件……………………72
食糧管理法事件 …………………297
食糧緊急措置令違反事件………78, 211, 291
自力執行力………………………27
知る権利 …………………………196
人格権……………………………97
人格的利益説……………………87
人権条約適合的解釈…………4, 9, 10, 146
人権説 ……………………………176
人権の享有主体性………………42
人種 ……………………………123
人種的ゲリマンダリング …………371
人種的プロファイリング …………130
信条説 ……………………………160
信書検閲合憲判決………………66
人身取引 …………………………234
身体への侵襲を受けない自由……………96
森林法違憲判決 ……………80, 84, 288, 289
杉本判決 ……………………190, 312
住友セメント結婚退職制事件 ……101, 135
3ゲートモデル……………………58
生活保護費減額違憲訴訟 ………302
政見放送削除事件 ………………226

384

政策的制約説 …………………267
性質説 ……………………………52
性質・態様説 ……………………57
性自認 …………………………143
生地主義 …………………………43
性的指向 ………………………143
性同一性障害特例法違憲決定 …81, 89, 148
制度的保障 …………………41, 175
政府報告制度 ……………………20
政令201号事件 ……………62, 324
積極的差別是正措置 ………34, 115
折衷説 …………………………312
前科照会事件 ……………………94
全逓東京中郵事件 ………62, 83, 318, 325
全農林警職法事件 …………62, 323, 325
全農林人勧凍結反対闘争事件 ……326
相互主義 …………………347, 369
相対的平等 ……………………123
想定の法理 ………………………57
相当性理論 ……………………216
空知太神社判決 ………………179
尊厳死 ……………………………98
尊属殺違憲判決 ……………80, 124, 143

た行

代位責任説 ……………………351
第1世代の人権 …………………30
体系解釈 …………………10, 146
第三者所有物没収事件 ………238
第3世代の人権 ………………33, 34
第2世代の人権 …………………30
高田事件 ………………………255
高津判決 ………………………312
滝川事件 ………………………186
戦う民主制 ……………………166
多文化教育を受ける権利 ……316
多文化共生社会 …………31, 108
男子中学生丸刈り校則事件 ……104

崔善愛事件 ………………………85, 279
チャーター機一斉送還違憲判決 …239, 336
チャーター機一斉送還違法判決 …………3
チャタレー事件 …………………78, 212
中間審査 ………………………125
抽象的権利説 …………………297, 317
直接的効力 ………………………28
直接適用説 ………………………69
直系尊属傷害致死事件 ………137, 143
津地鎮祭事件 ……………41, 175, 176, 180
定住外国人地方選挙権事件 ………54
定住型 …………………………369, 370
敵意ある聴衆の法理 …………207
適正な行政手続 ………………107
デモ暴徒化論 …………………208
デュー・プロセス ……………236
寺西判事補戒告事件 ……………65
天皇機関説事件 ………………186
東海大学安楽死事件 ……………99
東海道新幹線騒音訴訟 …………106
東京電力思想差別損害賠償事件 ……133
東京都管理職受験拒否事件 ………56
東京都公安条例事件 …………208
東京都青年の家事件 …………144
同性婚訴訟 ……………………101
同性婚の権利 …………………146
同性パートナー犯罪被害者給付金訴訟
　　　　……………………………144
当然の法理 ………………………56
東大ポポロ事件 ………187, 188, 190, 191
東北大学事件 …………………193
都教組事件 ……………………325
徳島市公安条例事件 …………200, 238
特別意味説 ……………………123
土地収用法補償請求事件 ……294
富山大学単位不認定事件 ………61

な行

内在・外在二元的制約説··················78
内在的制約説 ·····························267
内心説 ···································160
national origin ·························368
那覇孔子廟事件 ·························182
奈良県ため池条例事件 ·················292
成田新法事件 ···············201, 209, 239
新潟県公安条例事件 ····················208
二元説 ···································362
21 条と結びついた 13 条 ···············218
22 条 1 項と結びついた 13 条 ······268, 277, 285
22 条 2 項と結びついた 13 条 ··········281
22 条と結びついた 13 条 ·········269, 271
二重処罰の禁止 ·························264
二重の危険 ······························264
二重の基準 ···························79, 81
二重の基準説 ····························267
24 条と結びついた 13 条 ·········146, 156
25 条と結びついた 13 条 ···············106
26 条と結びついた 13 条 ···············316
29 条 3 項と結びついた 13 条 ·········293
日紡貝塚レッド・パージ事件 ···········165
日産自動車定年制事件············72, 135
日中旅行社事件 ·························134
二風谷事件 ······························108
人間の尊厳·································15
農地改革事件 ····················291, 294
農地法事件 ······························290
野村證券事件 ····························136
ノンフィクション『逆転』事件············94
ノン・ルフールマン ·······················272

は行

ヴァージニア州権利章典··················18
売春防止条例事件 ·······················151
博多駅テレビフィルム提出命令事件······84, 225, 228, 248
白山比咩神社判決 ·······················181
発展的解釈·························10, 146
パブリック・フォーラム ···········204, 205
浜名湖カントリークラブ事件 ···········144
浜松入店拒否事件·················73, 129
ハンセン病国家賠償訴訟判決 ····267, 268
判断過程審査 ····························301
比較法的解釈·······················10, 146
庇護権 ···································277
非人道的な取扱い ·······················110
非正規滞在者国民健康保険事件···········55
日立製作所就職差別事件 ···············131
非嫡出子相続差別違憲決定·········80, 141
非嫡出子相続差別合憲決定 ············140
ビラ貼り軽犯罪法違反事件 ·············223
比例原則 ···················11, 63, 84, 274
比例原則説 ···················79, 267, 271
比例原則の根拠 ···························74
比例原則の審査内容·······················77
広島市暴走族追放条例事件 ·············201
品位を傷つける取扱いの禁止 ···········110
夫婦選択別姓事件 ·······················155
夫婦別姓を選択する権利 ···············156
不可侵性 ···································18
福岡県青少年保護育成条例事件 ········201
普遍性 ·····································18
プライバシーの 3 要件 ····················93
フランス人権宣言 ·························18
「プロ・ホミネ」原則 ··················9, 37
文化享有権 ······························108
文化の選択の自由 ·······················108
文理解釈···································10
ヘイトスピーチ街頭宣伝差止等請求事件
··217
帆足計事件 ······························268
傍系尊属傷害致死事件 ··················143

法実証主義………………………19	八幡製鉄政治献金事件……………59
法廷通訳 …………………………336	山一証券結婚退職制事件 ………135
補充的保障説………………………88	山田鋼業生産管理事件 …………322
保障競合説…………………………88	「夕刊和歌山時事」事件…………215
ポスト・ノーティス命令事件 ……162	融合的保障……………………3, 6, 89
牧会活動事件 ……………………169	郵便法違憲判決……………80, 353
北海タイムズ事件………………229	「四畳半襖の下張」事件…………214
北海道旧土人保護法事件 ………130	よど号ハイ・ジャック新聞記事抹消事件
北方ジャーナル事件 ………84, 92, 199, 215	……………………………………66
堀木訴訟 …………………299, 304	
堀越事件……………………………64	**ら行**

ま行

牧野訴訟 …………………………138	立憲性質説…………………59, 351
マクリーン事件………53, 56, 85, 272	立法裁量原則………………………43
マッカーサー草案……………52, 286	リビング・ウィル…………………99
三井倉庫港運事件………………320	リプロダクティブ権……………102
三井造船結婚・出産退職制事件 …135	劉連仁事件………………………350
三井美唄炭鉱労組事件 ……210, 320	良心的義務免除…………………163
三菱樹脂事件……………71, 133, 162	林栄開事件………………………272
南九州税理士会事件…………60, 165	ルソー………………………………17
箕面市忠魂碑訴訟……………178, 181	例示説 ……………………………123
ミランダ・ルール………………243	歴史の解釈……………………10, 146
民事訴訟代理弁護人と接見する権利……25	レペタ事件………………………229
民族差別婚約破棄事件 …………131	レモン・テスト …………………177
民族的出身 ………………………126	老齢加算廃止訴訟………………301
無国籍防止原則………………47, 48	ロック………………………………17
無適用説……………………………70	
明確性の理論 ……………………200	**わ行**
明白かつ現在の危険 ……………201	
森川キャサリーン事件…………278	忘れられる権利 …………………231
	早稲田大学プライバシー事件………94, 193

や行

薬事法違憲判決 …………80, 84, 282, 284

文献一覧（日本語）

青柳幸一、2012、「審査基準と比例原則」戸松秀典・野坂泰司編『憲法訴訟の現状分析』、有斐閣、117-141 頁。
赤坂正浩、2011、『憲法講義（人権）』、信山社。
芦部信喜（編）、1978、『憲法Ⅱ人権（1）』、有斐閣。
芦部信喜（編）、1981、『憲法Ⅲ人権（2）』、有斐閣。
芦部信喜、1991、「人権の普遍性と憲法」『法学セミナー』437 号、22-29 頁。
芦部信喜、1994、『憲法学　Ⅱ人権総論』、有斐閣。
芦部信喜、2000、『憲法学　Ⅲ人権各論（1）〔増補版〕』、有斐閣。
芦部信喜・高橋和之・長谷部恭男（編）、2000、『憲法判例百選Ⅰ・Ⅱ〔第 4 版〕』、有斐閣。
芦部信喜〔高橋和之補訂〕、2023、『憲法〔第 8 版〕』、岩波書店。
有倉遼吉・小林孝輔編、1986、『基本法コンメンタール〔第 3 版〕憲法』、日本評論社。
イシェイ・ミシェリン・R、2008、横田洋三監訳『人権の歴史』、明石書店。
市川正人、2014、『憲法』、新世社。
伊藤正己、1995、『憲法〔第 3 版〕』、弘文堂。
泉徳治、2011、「マクリーン事件最高裁判決の枠組みの再考」自由と正義 62 巻 2 号、19-26 頁。
泉徳治、2013、「婚外子相続分差別規定の違憲決定と『個人の尊厳』」世界 849 号、229-233 頁。
泉徳治、2014、「グローバル社会への目線」慶應法学 30 号、1-19 頁。
今村成和、1968、『損失補償制度の研究』、有斐閣。
今村成和、1973、『人権と裁判』、北海道大学図書刊行会。
移民政策学会設立 10 周年記念論集刊行委員会編、2018、『移民政策のフロンティア』、明石書店。
上田章・浅野一郎、1993、『憲法』、ぎょうせい。
宇賀克也、1997、『国家補償法』、有斐閣。
浦田一郎・大須賀明編、1994、『日本国憲法第 2 巻』、三省堂。
浦部法穂、2016、『全訂憲法学教室〔第 3 版〕』、日本評論社。
江川英文・山田鐐一・早田芳郎、1997、『国籍法〔第 3 版〕』、有斐閣。
江橋崇、1991、「先住民族の権利と日本国憲法」樋口陽一・野中俊彦編『憲法学の展望』、有斐閣。471-490 頁。
大石眞、2014、『憲法講義Ⅰ〔第 3 版〕』、有斐閣。
大沼保昭、1993、『〔新版〕単一民族社会の神話を超えて』、東信堂。
岡田信弘、1999、「第三世代の人権論」高見勝利編『人権論の新展開』、北海道大学図書刊行会、157-184 頁。

奥田安弘編訳、2006、『国際私法・国籍法・家族法資料集―外国の立法と条約―』、中央大学出版部。
奥平康弘、1993、『憲法Ⅲ　権利保障の体系』、有斐閣。
奥原敏雄、1992、「欧米諸国における戦争犠牲者の補償制度」『法学セミナー』452号52-55頁。
外国人人権連絡会編、2017、『日本における外国人・民族的マイノリティ人権白書2017』、外国人人権連絡会。
河原畯一郎、1957、「出国の自由」129号、32-37、58頁。
木下智史・只野雅人編、2019、『新・コンメンタール憲法〔第2版〕』、日本評論社。
清宮四郎・佐藤功、1963、『憲法講座 (2)』、有斐閣。
栗城壽夫・戸波江二編、1995、『憲法』、青林書院。
オプラー、アルフレッド著、納谷廣美・高地茂世訳、1990、『日本占領と法制改革：GHQ担当者の回顧』、日本評論社。
古崎慶長、1980、『国家賠償法の理論』、有斐閣。
児玉晃一ほか、2012、『コンメンタール　出入国管理及び難民認定法　2012』、現代人文社。
小寺彰ほか編、2010、『講義国際法〔第2版〕』、有斐閣。
小林孝輔・芹沢斉編、1997、『基本法コンメンタール〔第4版〕憲法』、日本評論社。
小林孝輔・芹沢斉編、2006、『基本法コンメンタール〔第5版〕憲法』、日本評論社。
小林直樹、1980、『憲法講義〔新版〕上』、東京大学出版会。
小山剛、1998、『基本権保護の法理』、成文堂。
小山剛、2016、『「憲法上の権利」の作法〔第3版〕』、尚学社。
近藤敦、1996、『「外国人」の参政権―デニズンシップの比較研究』、明石書店。
近藤敦、2001、『外国人の人権と市民権』、明石書店。
近藤敦、2002、「人権・市民権・国籍」近藤敦編『外国人の法的地位と人権擁護』、明石書店、17-42頁。
近藤敦、2006、「特別永住者のNational Originに基づく差別」国際人権17号、76-83頁。
近藤敦編、2011、『多文化共生政策へのアプローチ』、明石書店。
近藤敦、2015、「比例原則の根拠と審査内容」岡田信弘ほか編『憲法の基底と憲法論』、信山社、815-837頁。
近藤敦、2019、『多文化共生と人権』、明石書店。
近藤敦、2021、『移民の人権：外国人から市民へ』、明石書店。
近藤敦、2023、『国際人権法と憲法：多文化共生時代の人権論』、明石書店。
近藤敦、2024、「人権の融合的保障：「実効的権利救済」のための憲法解釈の新たな可能性」『名城法学』74巻2号、1-40頁。
酒井吉栄、1979、『学問の自由・大学の自治研究』、評論社。

坂中英徳・斎藤利男、2012、『出入国管理及び難民認定法逐条解説〔第4版〕』、日本加除出版。
佐藤功、1983、『ポケット注釈全書　憲法（上）』、有斐閣。
佐藤功、1996、『日本国憲法概説〔第5版〕』、学陽書房。
佐藤幸治、1988、『憲法　II』、成文堂。
佐藤幸治・中村睦男・野中俊彦、1994、『ファンダメンタル憲法』、有斐閣。
佐藤幸治、1995、『憲法〔第3版〕』、青林書院。
佐藤幸治、2020、『日本国憲法論〔第2版〕』、成文堂。
佐藤幸治ほか編、1998、『憲法五十年の展望ⅠⅡ』、有斐閣。
佐藤達夫、1994、『日本国憲法成立史　第3巻』、有斐閣。
笹田栄司、1997、『裁判制度』、信山社。
渋谷秀樹、2017、『憲法〔第3版〕』、有斐閣。
初宿正典、2010、『憲法2基本権〔第3版〕』、成文堂。
申惠丰、2016、『国際人権法〔第2版〕』、信山社。
須藤洋子、2008、「比例原則と違憲審査基準―比例原則の機能と限界―」立命館法学321・322号、264-278頁。
田上譲治、1960、「公共の福祉と比例原則」ジュリスト208号、8-12頁。
高橋和之、2024、『立憲主義と日本国憲法〔第6版〕』、有斐閣。
高柳賢三ほか、1972、『日本国憲法制定の過程』、有斐閣。
高柳信一、1983、『学問の自由』、岩波書店。
竹中勲、2010、『憲法上の自己決定権』、成文堂。
辻村みよ子、2021、『憲法〔第7版〕』、日本評論社。
常本照樹、1995、「司法権：権力性と国民参加」公法研究57号、66-81頁。
戸波江二・松井茂記・安念潤司・長谷部恭男、1992、『憲法（2）人権』、有斐閣。
戸波江二、1998、『憲法〔新版〕』、ぎょうせい。
長尾一紘、1997、『日本国憲法〔第3版〕』、世界思想社。
長尾一紘、2012、『基本権解釈と利益衡量の法理』、中央大学出版部。
野田良之、1968、「基本的人権の思想的背景」東京大学社会科学研究所編『基本的人権3』、東京大学出版会、5-84頁。
野中俊彦ほか、2012、『憲法Ⅰ〔第5版〕』、有斐閣。
萩野芳夫、2001、『憲法概説』、法律文化社。
長谷部恭男・石川健治・宍戸常寿、2013、『憲法判例百選①②〔第6版〕』、有斐閣。
長谷部恭男・石川健治・宍戸常寿、2019、『憲法判例百選①②〔第7版〕』、有斐閣。
長谷部恭男、2018、『憲法〔第7版〕』、新世社。
濱本正太郎、2018、「なぜ条約が憲法に優位するのか―ベルギーとルクセンブルクの実践」法律時報1131号、66-70頁。
樋口陽一、1996、『人権』、三省堂。

樋口陽一、2021、『憲法〔第4版〕』、創文社。
樋口陽一・佐藤幸治・中村睦男・浦部法穂、1994、『注解法律学全集　憲法Ⅰ』、青林書院。
樋口陽一・佐藤幸治・中村睦男・浦部法穂、1997、『注解法律学全集　憲法Ⅱ』、青林書院。
法学協会（編）、1953、『註解日本国憲法　上巻』、有斐閣。
松井茂記、1993、『裁判を受ける権利』、日本評論社。
松井茂記、2022、『日本国憲法〔第4版〕』、有斐閣。
美濃部達吉、1949、『日本国憲法原論』、有斐閣。
宮崎繁樹編、1996、『国際人権規約』、日本評論社。
宮沢俊義、1974、『憲法Ⅱ〔新版・改訂〕』、有斐閣。
宮沢俊義〔芦部信喜補訂〕、1978、『全訂日本国憲法』、日本評論社。
棟居快行、1995、「生存権の具体的権利性」長谷部恭男編『リーデイングズ現代の憲法』、日本評論社、155-169頁。
棟居快行、2006、『憲法フィールドノート〔第3版〕』、日本評論社。
山崎真秀、1968、「戦前日本における『学問の自由』」東京大学社会科学研究所編『基本的人権4』、東京大学出版会、457-504頁。
吉田善明、2003、『日本国憲法論〔第3版〕』、三省堂。
ルソー、1954（1762）、桑原武夫・前川貞次郎訳『社会契約論』、岩波書店。
ロック、1980（1689）、宮川透訳「統治論」大槻春彦編『世界の名著32』、中央公論社。
ロック、1968（1689）、鵜飼信成訳、『市民政府論』、岩波書店。
渡辺久丸、1995、『請願権』、新日本出版社。
渡辺康行、2009、「憲法訴訟の現状」法政研究76巻1・2号、33-60頁。
渡辺康行・宍戸常寿・松本和彦・工藤達明、2023、『憲法Ⅰ　基本権〔第2版〕』、日本評論社。
ウォーバートン、ナイジェル著、森村進・森村たまき訳、2015、『「表現の自由」入門』、岩波書店。

文献一覧（外国語）

American Law Institute. (1987) Restatement of the Law Third, the Foreign Relations Law of the United States, vol. 2.
Bruun, O. & Jacobsen, M. (2000). Introduction. In M. Jacobsen & O. Bruun (Eds.), Human Rights and Asian Values (pp. 1-20). Curzon.
Chetail, V. (2019). International Migration Law. Oxford University Press.

Council of Europe (1997). Explanatory Report to the European Convention on Nationality.
Eide, A. (2001). Cultural Rights as Individual Human Rights. In A. Eide et al. (Eds.), Economic, Social and Cultural Rights (pp. 289-301). Martinus Nijhoff.
Foster, S. (2011). Human Rights & Civil Liberties. 3rd ed. Longman.
Fredman, S. (2012). A comparative Study of the anti-discrimination and equality laws of the USA, Canada, India and South Africa. European Communities. Available at: http://ec.europa.eu/justice/discrimination/files/comparative_study_ad_equality_laws_of_us_canada_sa_india_en.pdf.
Ginsburg, T. & Dixon, R. (Ed.), (2011). Comparative Constitutional Law. Edward Elgar Pub.
Hailbronner, K. (2006). Nationality in Public International Law and European Law. In. R. Bauböck et al. eds., Acquisition and Loss of Nationality. Volume 1: Comparative Analyses (pp. 35-104). Amsterdam University Press.
Henrard, K. (2000). Devising an Adequate system of Minority Protection. Martinus Nijhoff.
Hoggs, P. W. (1997). Constitutional Law of Canada. Loose-Leaf Edition. Carswell.
Joseph, S. and Castan, M. (2013). The International Covenant on Civil and Political Rights. 3rd ed. Oxford University Press.
Lord, J. E. (2018). Preamble. In Bantekas, I., Stein, M. A. & Anastasiou, D. (Eds.), The Un Convention on the Rights of Persons With Disabilities: A Commentary. Oxford University Press.
Mashood, A., Baderin A., Ssenyonjo M. (2010). International Human Rights Law: Six Decades after the UDHR and Beyond. Ashgate.
Mazzuoli, V. de O. and Ribeiro, D. (2015). The Japanese Legal System and the Pro Homine Principle in Human Rights Treaties. Anuario Mexicano de Derecho Internacional, 15: 1, pp. 239-282
Schabas, W. A. (2019). U.N. Covenant on Civil and Political Rights. Nowak's CCPR Commentary. 3rd ed. N.P. Engel.
Taylor, P. M. (2020). A commentary on the International Covenant on Civil and Political Rights : the UN Human Rights Committee's monitoring of ICCPR Rights. Cambridge University Press.
Tobin, J. (2019). The UN Convention on the Rights of the Child, Oxford University Press.
Tushnet, M. et.al. (Eds.) (2013). Routledge handbook of Constitutional Law. Routledge.

■著者紹介
近藤　敦（こんどう　あつし）

［現職］名城大学法学部教授　博士（法学、九州大学）

［著書］
『「外国人」の参政権—デニズンシップの比較研究—』（明石書店、1996年）
『政権交代と議院内閣制』（法律文化社、1997年）
『新版 外国人参政権と国籍』（明石書店、2001年）
『外国人の人権と市民権』（明石書店、2001年）
『Q&A 外国人参政権問題の基礎知識』（明石書店、2001年）
『多文化共生と人権』（明石書店、2019年）
『移民の人権』（明石書店、2021年）
『国際人権法と憲法』（明石書店、2023年）

［編著書］
『Citizenship in a Global World』（Palgrave Macmillan、2001年）
『外国人の法的地位と人権擁護』（明石書店、2002年）
『Migration and Globalization』（明石書店、2008年）
『非正規滞在者と在留特別許可』（日本評論社、2010年）（共編）
『多文化共生政策へのアプローチ』（明石書店、2011年）
『外国人の人権へのアプローチ』（明石書店、2015年）
『Migration Policies in Asia』（SAGE、2020年）（共編）
『国際人権法の規範と主体』（信山社、2024年）

じんけんほう
人権法　　第3版

2016年7月20日　第1版第1刷発行
2020年7月25日　第2版第1刷発行
2025年6月30日　第3版第1刷発行

著　者——近藤　敦
発行所——株式会社日本評論社

〒170-8474　東京都豊島区南大塚3-12-4
電話　　03-3987-8621（販売）　-8592（編集）
FAX　　03-3987-8590（販売）　-8596（編集）
振替　　00100-3-16

印　刷——株式会社精興社
製　本——井上製本所

Printed in Japan © Atsushi Kondo 2025　装幀／神田程史
ISBN978-4-535-52880-2

JCOPY〈(社)出版者著作権管理機構委託出版物〉

本書の無断複写は著作権法上での例外を除き禁じられています。複写される場合は、そのつど事前に、(社)出版者著作権管理機構（電話03-5244-5088、FAX03-5244-5089、e-mail: info@jcopy.or.jp）の許諾を得てください。また、本書を代行業者等の第三者に依頼してスキャニング等の行為によりデジタル化することは、個人の家庭内の利用であっても、一切認められておりません。